世纪中国论坛典藏文库

比较制度分析

Towards a Comparative Institutional Analysis

Aoki Masahiko
[日] 青木昌彦 著　周黎安 译

上海远东出版社

出版说明

出版作为人类思想和智慧的凝结，集聚了发明创造和社会实践的经验与成果，推动了人类文明进步。飞速发展的数字和互联网技术并未削弱出版业的这一功能，反而前所未有地促进了其创新发展。

长期以来，上海世纪出版集团始终以弘扬主旋律、引领学术思潮、关注时代命题为己任，并围绕中国发展的重大事件、重大战略决策和重大理论问题举办“世纪中国论坛”。结合2016年“世纪中国论坛”，上海世纪出版集团融合移动端、语音端等新技术，以纸电一体同步发布的方式隆重推出《世纪中国论坛典藏文库》，实现了出版方式与互联网、新技术、新模式的融合发展，表达了出版人在奉献好书的同时，努力践行社会责任、文化理想的使命追求。

《世纪中国论坛典藏文库》聚焦中国经济的长期增长主题，荟萃了诺贝尔经济学奖得主、熊彼特奖得主和中国经济学杰出贡献奖得主等中外著名经济学家的扛鼎之作，著译并重，经典闪耀。

著名经济史学家安格斯·麦迪森早在1998年出版的《中国经济的长期表现》英文版中就预言，中国可能在2015年成长为世界最大的经济体，从而恢复它在 1890 年之前所享有的世界经济地位。2014 年，在《中国的奇迹：发展战略与经济改革》出版 20 周年之际，经济学家林毅夫在为图书新版撰写的长篇序言中特别指出："出乎主流经济学界预料之外的是，中国经济在此书出版后 20 年却基本沿着我们在书中所预测的增长轨迹前进。"

然而，中国经济自 2012 年增速明显减慢，国内生产总值（GDP）增长率一直处于下行趋势。经济学家们所预言的奇迹或增长赖以产生的基础是否改变？对于未来，我们是否还有足够的信心？

首届中国经济学杰出贡献奖得主吴敬琏在专著《中国增长模式抉择》第一版（2005 年）中，就指出了转型、结构调整不能取得成效的很多具体原因，归结到一点，就是存在体制性障碍，核心内容就是政府仍然在资源配置中起决定性的作用，抑制或排除了市场的作用。他在第四版的序言中写道："中国在 21 世纪面对着两个必须解决的问题，一个是体制改革，一个是发展转型。"

无独有偶，中国经济改革研究的先驱巴里·诺顿在《中国经济：转型与增长》一书中，全面描述和评价了 1949 年以来的中国经济，并把中国的制度转型放在经济增长的大框架里论述，既突出了转型对中国经济增长的必要性，也突出了转型对中国经济增长的促进作用。

显然，制度转型不可能一蹴而就。诺奖得主道格拉斯·诺思和斯坦福大学教授青木昌彦在各自的经典作品《制度、制度变迁与经济绩效》与《比较制度分析》中，分别从东西方的不同视角阐释了制度的内涵，揭示了制度在经济发展和绩效中的作用。

公共选择理论的奠基者曼瑟·奥尔森的遗著《权力与繁荣》则提出了“强化市场型政府”这一分析经济增长的前沿性概念，为金融危机后的亚洲以及其他发展中国家的治理演变和经济政策提供了有用的分析框架。

对于那场起始于亚洲的金融危机，沈联涛用《十年轮回：从亚洲到全球的金融危机》一书进行了详细的解剖，并警示我们2017年可能发生的另一场全球金融危机。对于可能引发危机的高杠杆问题，瑞典的邓达德等在《新国富论：撬动隐秘的国家公共财富》一书中给出了全新的解决方案，并因此被《经济学人》和《金融时报》推荐为2015年度图书。

根据“十三五”规划的蓝图，中国经济将保持中高速增长，到2020年国内生产总值和城乡居民人均收入比2010年翻一番。2015年11月，习近平总书记提出要着力加强供给侧结构性改革，这是实现收入翻番的必由之路，其目标就是通过消除生产要素供给能力和配置效率以及全要素生产率提高的体制性障碍，消除经济运行中不平衡、不协调、不可持续的因素，一方面挖掘传统增长动能的潜力，另一方面开启新的可持续增长动能，最终实现经济增长方式的转变。正如习近平总书记指出的：“中国共产党人和中国人民完全有信心为人类对更好社会制度的探索提供中国方案。”我们将以出版更多的精品力作传播道路自信、理论自信、制度自信和文化自信，为实现中华民族伟大复兴的中国梦作出贡献。

《世纪中国论坛典藏文库》编委会

2016年7月

推荐序

我是在 1990 年从哈佛大学获得博士学位后到斯坦福大学经济系任教时结识青木昌彦教授的，至今整整 25 年。7 月 15 日我在从北京到波士顿去哈佛大学参加马斯金(Eric Maskin)教授 65 岁学术研讨会途中换飞机时得知他去世的消息。而就在起飞之前我还给他的太太令子(Reiko)发邮件，希望在两天的研讨会结束后去斯坦福看望他。没有想到的是，他突然离我们而去，终成遗憾。

青木昌彦出生于 1938 年 4 月，在东京大学获得学士和硕士学位之后，于 1967 年获得明尼苏达大学经济学博士学位，师从赫维茨(Leo Hurwitz)。赫维茨在 2007 年与我的导师马斯金以及迈尔森(Roger Myerson)一起获得了诺贝尔经济学奖，获奖原因是他们在机制设计方面的开创性贡献。

青木获得博士学位后到哈佛大学经济系任教。他早期致力于微观经济理论研究。20 世纪 70 年代初回到日本京都大学任教，开始研究与日本经济和企业相关的经济理论。1984 年起受聘于斯坦福大学经济系，担任讲席教授。

我最早听到青木这个名字是在 20 世纪 80 年代后半期我在哈佛经济系做博士研究生的时候。当时我对企业组织结构感兴趣，我的导师马斯金让我去读青木 1986 年发表在《美国经济评论》上的论文《企业的横向与纵向信息结构》(*Horizontal vs. Vertical Information Structure of the Firm*)。时隔近 30 年后，青木去世的消息也是我在哈佛的研讨会上第一时间告诉马斯金的。这不能不说是一个巧合。

我是 1990 年秋季学期到斯坦福大学任教的。从那个学期开始，在青木和米尔格罗姆(Paul Milgrom)的设计和推动下，斯坦福经济系开设了一个新的研究生学科领域，叫作“比较制度分析”(Comparative Institutional Analysis，简称 CIA)。取这个名字颇有讲究，其中三个关键词“比较”“制度”和“分析”，刻画出了它的“新制度经济学”特性。虽然新制度经济学与旧制度经济学都是研究制度，但两者差别在于旧制度经济学多是描述性的，分析性不足。要深入分析非有较强的理论基础和分析工具不可。在 20 世纪七八十年代，博弈论和信息经济学等微观经济理论获得重大突破，为分析制度提供了强有力的工具。80年代的另一特点是经济更加市场化和全球化，经济体制改革和多元化逐渐显现，比如日本的崛起，苏联、东欧和中国的改革等，为制度比较，特别是跨国比较、跨文化比较提供了大量素材。这是建立比较制度分析领域的学术和现实背景。

青木是"比较制度分析"最积极的推手。除了青木和米尔格罗姆二位资深教授外，最初斯坦福经济系参加这个领域的有三名年轻教师，我是其中之一，另外两人分别是一位经济史学者和一位苏联问题学者。这是一个有趣的组合：米尔格罗姆是微观经济理论学家，另有三位将经济理论应用于不同地区（日本、中国、苏联）的学者，还有一位是研究欧洲经济历史的。每个星期都有一场学术研讨会（seminar），邀请经济学家围绕这个主题来讲论文——主要是来自校外的经济学家。当时刚进入20世纪90年代，日本经济仍处于顶峰时期，东欧和苏联的转型已经开始，中国的经济改革从1992年开始呈现高潮。这些地区自然对新制度经济学尤其重视。所以这个领域从一开始就相当活跃。

在学术方面，这个时期新制度经济学在经济学界获得越来越多的认可。科斯（Ronald Coase）在1991年获得诺贝尔经济学奖，诺思（Douglass North）在1993年获得诺贝尔经济学奖，这两位都是新制度经济学的开山鼻祖。他们的获奖对"比较制度分析"领域是一个很大的促进。之后另一位获得诺贝尔经济学奖的新制度经济学重要贡献者是2009年获奖的威廉姆森（Oliver Williamson）。他是"新制度经济学"这个名称的发明人，也是来参加"比较制度分析"研讨会的常客，他就在附近的加州大学伯克利分校任教。

制度改革在中国经济改革中有特殊地位，这是经济体制改革的必然要求。相应地，制度经济学在中国经济学界有突显的位置，远比在发达国家受重视，这也很自然，因为发达国家的制度已经经过较长时期的演变，相对比较完善。我在1992年写了一篇文章《国外经济体制比较研究前沿》，发表在《经济社会体制比较》上，其中就介绍了斯坦福的"比较制度分析"这一领域的情况。吴敬琏老师对此特别关注，经常引用其中的研究方法。

1994年8月19—22日，我同青木和米尔格罗姆到珠江三角洲访问，参观乡镇企业，访问大学。这两位推动"比较制度分析"的资深教授都对中国经济改革有了直接接触。之后我们又一起来到北京。8月23—26日，国家经贸委陈清泰与吴敬琏、周小川、荣敬本所领导的"中国经济体制改革的总体设计"课题组和楼继伟所领导的"中国税制体系和公共财政的综合分析与改革设计"课题组在北京京伦饭店联合召开了"中国经济体制的下一步改革"国际研讨会，称为"京伦会议"。正是在这次会议上，我把青木介绍给陈清泰、吴敬琏、周小川、楼继伟、李剑阁、肖梦等中国经济学家。有人将“京伦会议”与“巴山轮会议”相提并论。如果说“巴山轮会议”推动了宏观经济政策在经济改革中的研讨，那么“京伦会议”就推动了微观经济学最新发展在中国的传播。

为了推动比较制度分析的学术研究，青木还推动麻省理工学院出版社出版了“比较制度分析”系列丛书。这个系列中的第一本是热若尔·罗兰(Gérard Roland)在2000年出版的《转轨与经济学》，第二本是下面要讲到的青木2001年出版的《比较制度分析》。

下面我简要介绍青木在比较制度分析方面的主要学术研究贡献。

青木的开创性贡献是用现代经济学，特别是博弈论理论研究和比较日本经济与日本企业的制度结构。他那篇发表在《美国经济评论》上的论文《企业的横向与纵向信息结构》是重要的原创性研究。这篇论文比较了两种信息结构和相应的决策模式：美国企业中的纵向信息结构与等级制激励和决策机制，以及日本企业中的横向信息结构与“准树形结构”和横向协调机制。这篇论文推导出这两种信息结构导致的效率不同，取决于“基层”信息处理能力(即一线工人的水平)、信息传递技术、经理人员的专业能力等因素。与这一理论相对应的经验证据是日本丰田生产制度中的“看板制”(Kanban)，即基于“精益生产”(lean production)和“准时化生产”(just-in-time)的库存控制系统。这篇论文以美国和日本企业为比较对象，并且运用信息经济学的理论来解释现实中观察到的企业不同特性，在组织和制度经济学中有很大影响，并为“比较制度分析”提供了重要的必读内容。

在此基础上，青木在1988年由剑桥大学出版社出版了 *Information, Incentives, and Bargaining in the Japanese Economy* 一书。中文版是商务印书馆1994年出版的《日本经济中的信息、激励与谈判》。这本书不仅分析了日本企业中的横向信息结构，还分析了日本企业中的级别等级制的激励方式，公司股权结构和银行作为持股人的监督作用，利益相关者之间的谈判机制，企业集团组织以及政府组织和官僚体系与企业关系中表现的“官僚多元主义”等各种制度安排的经济含义。在这本书中，文化虽然重要，但是分析文化现象完全可以从经济理性和效率角度来进行。

这本书的开创性贡献在于青木运用最新进展的信息经济学和博弈论理论来研究快速崛起的日本经济和企业——这个看上去与欧美经济和企业非常不同的组织及其表现。这应该是运用微观经济理论解释并比较不同制度和组织结构的开先河之作。在此之前，人们对日本经济高速增长的奇迹感到振奋的同时，也对日本经济的组织方式感到神奇。人们通常会认为日本的经济制度与教科书上的市场经济模式完全不同，更有不少人用日本独一无二的“文化”来解释日本经济和企业的运行。但是青木的研究工作是用一般性的经济学分析方法和工具来细致地比较和分析日本的微观经济结构。

这个研究不仅使我们对日本经济和企业的运行获得了深入理解，也扩展和丰富了微观经济理论，因为这个分析需要对企业内部结构做深入分析，而在 20 世纪 80 年代或之前，除很少数的经济学家[比如科斯、威廉姆森、钱德勒(Alfred Chandler)]外，微观经济学的主流是研究市场，而不是企业。青木的研究工作推进了产业组织理论。

进入 20 世纪 90 年代，青木与世界银行经济发展研究所合作进行了四项跨国研究。这些研究基于东亚经济发展的经验，从比较视角研究发展中国家和转轨国家包括中国的经济改革和发展，对这些国家的经济发展和改革政策具有影响。

在我刚到斯坦福后不久，青木就同我谈关于开始一项企业与银行关系的研究项目。这个项目的背景是日本的主银行制度，在这个制度下，主银行在监督公司管理层上具有特别的作用。这种监督机制不同于美国式的通过资本市场和收购兼并来监督大公司的管理者。由于在发展中和转轨经济中，资本市场通常都不够发达，而银行系统通常是企业融资的主要渠道，因此通过银行监督公司管理层就是一个较为现实的选择。这项研究后来形成了他所编辑的，于 1994 年由牛津大学出版社出版的《日本主银行体制：及其与发展中国家经济转轨中的相关性研究》(*The Japanese Main Bank System and It's Relevance for Developing and Transforming Economies*)。

青木主持的第二个研究项目是关于公司治理的。在 1994 年的“京伦会议”上，青木宣讲了他的论文《转轨经济中企业的内部人控制问题和治理结构》。会后我又陪他和哈特(Oliver Hart)去上海访问。正是在这次访问中，我和他决定以世界银行研究所在 1994 年出版的《转轨经济中的公司治理》(*Corporate Governance in Transitional Economies: Insider Control and Roles of Banks*)一书为基础，编辑出版一本中文的关于公司治理的书。这就是 1995 年由中国经济出版社出版的《转轨经济中的公司治理结构》。这本书应该是最早在中国出版的专述公司治理的书，并首次提出了“内部人控制”问题。“内部人控制”是“委托—代理”问题的一个应用，它通常发生在股权高度分散的大公司中，或在所有者缺位的国有企业中。在这种情况下，公司治理结构就是一种制度安排，提供了解决“内部人控制”的改革思路。这本书在 20 世纪 90 年代影响了不少中国的经济学师生和经济学家。

青木主持的第三个研究项目以若干东亚高速发展经济体为对象，分析政府在经济发展中的作用。研究政府在经济发展中的作用的经济学论著很多，主要思路都是从市场失灵的角度，来看政府如何通过政策来纠正市场失灵，从而提高效率。但是青木从比较制度的分析框架入手，提出了一种不同的分析视角，就是政府的“市场加强”作用(market-enhancing role)。它超出了由于垄断和外部性造成的市场失灵的框架，侧重分析在制度不健全、产权不安全、信息不对称、金融市场监管不到位等情形中，政府干预不是为了简单地弥补市场不足，而是为了增强发挥市场的作用。所以，政府通过市场发挥作用，而非替代市场发挥作用。这项研究体现在 1997 年青木编辑、由牛津大学出版社出版的《东亚经济发展中政府的作用：比较制度分析》(*The Role of Government in East Asia Economic Development*：*Comparative Institutional Analysis*)一书中。

青木组织的第四项研究是后来在 2001 年出版的《经济发展中的社区与市场》(*Communities and Markets in Economic Development*)。这样，基于这四项研究的四本书就形成了一个完整的比较制度分析中的应用研究系列：从金融到公司治理，从政府到社区和市场。这也是青木的一个长期规划，从市场经济中的各个方面来分析制度、比较制度。

与此同时，在 20 世纪 90 年代，青木一直致力于运用博弈论来概括有关制度的一般性理论。这既是他在之前所做的理论研究的延伸，也是对他的四项应用研究的概括。它集中体现在 2001 年由麻省理工学院出版社出版的他的专著 *Toward a Comparative Institutional Analysis*，中文版是由上海远东出版社在同年出版的《比较制度分析》。

这是一部宏大计划的书，试图用博弈论来全面概括制度研究。第一部分描述和分析制度的基本类型，从最原始的习俗性产权和社区，到中世纪长途贸易中私人秩序的交易合同，到现代企业组织和治理结构，以及政治稳定均衡的国家。第二部分引入制度分析的博弈论框架，把观察到的制度现象解释为某种博弈的均衡，并由此研究制度变化的动态。这部分高度抽象，并连接文献中对制度的多种不同的研究成果，它最集中地体现了青木在比较制度分析上的理论贡献。第三部分分析制度的多样性，比较多种公司治理结构，比较多种融资方式(比如银行与资本市场)，比较不同的创新模式(比如硅谷)。青木对制度多元化的解释基于各种制度之间的“互补性”(complementarity)，并且预测这种制度多样性将持续演化。

在 1994 年之后至今的 21 年间，青木几乎每年都来中国访问，同不少中国经济学家建立了深厚的友谊。特别值得一提的是他同肖梦的友谊。在他们相识之后，我记得有一天在斯坦福，他兴致勃勃地拿了一本日文的有关中国“文革”的书来找我，给我看密密麻麻的日文中有她的名字的汉字。青木年轻时曾是日本大学中的学生领袖，很有革命激情，并胸怀天下。这也许是他们之间的“化学感应”(chemistry)吧。

在青木的直接推动下，在丰田公司的慷慨支持下，2005 年在清华大学公共管理学院建立了“清华大学产业发展与环境治理研究中心”，由陈清泰出任理事长，青木与吴敬琏共同担任学术委员会联席主席。今天我们纪念这个中心成立十周年，唯独缺少了青木教授，实在是巨大的遗憾。

青木是在 2015 年 7 月 15 日去世的。在此之前的 3 月和 4 月间，他三次访问中国：3 月 21—22 日参加中国发展高层论坛(近年来他每年都参加)；4 月 5 日参加“清华大学产业发展与环境治理研究中心”第 16 次学术委员会会议(10 年来他每次会议都参加)；4 月 21—24 日他与福山(Francis Fukuyama)一起访问中国，到外专局、《比较》编辑部、清华公管学院做学术交流，并在 4 月 23 日会见了中纪委书记王岐山，4 月 24 日上午又到清华大学参加了学生社团的交流活动，并为学生们写下了“新结合：Innovation for Students of Tsinghua”几个大字。他从中国回日本与百寿高龄但病重的母亲做了临终告别，然后返回美国，之后就住进了斯坦福大学校医院。

令人震惊的是，他在住院后仅仅两个多月就离开了我们。这使我们失去了一位推动比较制度分析领域研究并做出开创性贡献的经济学家，一位热衷于建立友好的中日关系的日本人。清华失去了一位坚定的支持者，我也失去了一位良师益友。今天在他所创立的“清华大学产业发展与环境治理研究中心”十周年的纪念会上缅怀青木昌彦的学术贡献、制度建设贡献，以及对中日关系的贡献，是我们对他人生贡献的最好纪念。

钱颖一

清华大学经管学院院长

目 录

第3编 制度多样性分析

中文版致谢词

这是《比较制度分析》一书的中文版，本书英文版由麻省理工学院出版社出版。最初的英文草稿是在2000年初夏完成的，中文版的翻译也随即开始。斯坦福大学经济学博士研究生周黎安承担了本书的翻译工作，他是我教授的研究生课程“比较制度与比较组织”课上的学生。本书是在这门课程演讲笔记的基础上写成的。由于参加了课堂谈论，周黎安比较了解书中的思想、概念和逻辑的表达方式，所以他是一位理想的译者。他为翻译本书牺牲了很多自己的研究时间，是他的热诚和专注使得本书的翻译工作能够在一年半的时间里得以完成。之后，高世楫和赖海榕对译稿进行了部分校订工作。在中文翻译第一稿完成以后到麻省理工学院出版社三校样期间，我对书中的一些细节作了多处的修改，为了使最后的翻译与英文本保持准确一致，肖梦投入了大量的时间。我对所有这些人表示诚挚的感谢，是他们使得本书中文版在这么短的时间内能够圆满出版。

英文版致谢词说明了本书的成书过程。它是我10年来对制度演进问题，对如何改变制度或制度为何不可改变问题思索的结果。不必说，这些思索是由上世纪末世界上发生的许多重要的制度问题所引发的。其中，中国在最近20年里成功地实现了从计划经济向市场导向的经济的转型，这是对我的思想构成挑战的最引人注目的事情。在写作本书的过程中，我有幸多次访问中国，观察了中国的经济发展，并与中国的许多学者、政府官员、记者、商人和学生进行了深入的交流，从他们身上我学到了许多东西。同时,在斯坦福校园内外,我也有机会与许多聪明的中国学者和学生一起学习和研究,从中获益匪浅。然而,中国经济体制改革是比较制度分析中最具挑战性和最吸引人的研究课题,它超出了我对其进行深入研究的能力。因此,本书只能参照我的同事的一些著作对这个问题进行粗略的探讨。在学术上,我特别要对钱颖一、车嘉华、许成钢和李稻葵表示感谢。不过,在我对比较制度分析进行一般抽象和建立分析框架的过程中,我的论述是否与我对中国经济转轨的理解相吻合,却一直是我非常关心的问题。我仅希望,研究中国经济的学者和学生会认为,本书提出的分析框架对他们的研究兴趣是有启发的。

在我的书里,我只是简单地用"关于博弈是怎样进行的共有信念(shared beliefs)"来概括制度。对于中文版的译者和编辑来说,为这一词汇确定恰当的译法是相当困难的。这个词来源于博弈论的用法,我想,读者可以随着阅读的深入而更加清楚地理解它的含义。必须在此事先强调指出,它与政治意义上或意识形态意义上的"信念"是完全不同的。此外,还有一些英文词的译法也进行了很多讨论。有意思的是,这些词的译法在同时进行的日文版和法文版的翻译过程中也引起了类似的讨论。我确信,在所有这些译本中,译者和编辑都在讨论的过程中找到了恰当的解决办法。在这个问题上以及在其他的编辑工作中,我最信任的朋友肖梦起着极其重要的作用。与她共事是获得学术灵感的一个可喜源泉,对此我深表谢意。

中文版的部分出版经费得到了日本三得利基金会的慷慨资助。我在此对基金会表示真诚的感谢。同时,我也对上海远东出版社出版这本学术味道很重的书表示深深的谢意。

青木昌彦

2001年7月25日

于东京

英文版致谢词

本书作为比较制度分析丛书的第一册，其宗旨是对经济学的一个新兴领域做系统的介绍，其中当然也包含了作者将其方法论运用于当今一些重要制度问题的独创性贡献。在历经四年写就此书之后，我深深地感到，在过去的10年间，如果离开了下面两个极其优越的工作环境，我是不可能以现在的形式完成这本书的。首先，斯坦福大学经济系在1990年开设了一个新的研究生专业课——比较制度分析(Comparative Institutional Ana- lysis)(戏称CIA)，自那以后，我一直积极参与该领域的教学与研究。比较制度分析专业最初由保罗·米尔格罗姆(Paul Milgrom)，阿文纳·格雷夫(Avner Greif)，钱颖一，约翰·利特瓦克(John Litwack)和我一起组织，后来又有马瑟尔·法弗钱普斯(Marcel Fafchamps)，史蒂文·塔德里斯(Steven Tadelis)，伊亚·塞加尔(Ilya Segal)和约翰·列文(John Levine)加盟。从研讨会、平时交谈到联合指导学生论文，我从这些同事中获益匪浅。虽然此书的内容是根据我自己的理解编排和阐示的，但他们的观点对我的思想发展的影响超出了书中专门注释所能反映的程度。而且，我从本专业以前和现在在读的研究生当中也学到不少东西。过去10年我一直在经济系教授一门题为“比较组织与制度”的研究生课程，本书就是在陆续准备的讲义的基础上发展而来的。课堂上学生积极的讨论、一些令人尴尬的发问以及他们对于比较制度分析的高昂热情，对讲义的修订和改进有着非常多的帮助。为了便于表述比较制度分析的一些重要的分析观点，本书甚至吸收了其中一些学生的论文成果。

其次，世界银行经济发展研究所（现在为世界银行研究所）允许我和几位联合组织者一起从事四个国际项目的研究，并得到日本政府在世界银行设立的政策与人力资源基金的慷慨资助。这些研究项目的管理是在斯坦福经济政策研究所的联合资助下进行的。研究课题包括（主）银行在发展中国家和转型经济中的作用（青木和帕特里克，1994），转轨经济中的公司治理结构（青木和金滢基，1995），东亚经济发展中政府的作用（青木、金和奥野-藤原，1996）以及经济发展中的社区和市场（青木和速水佑次郎，2000）。共有来自14个国家的62位研究人员参与了项目的研究，我认为，这些项目是运用比较制度分析的最好范例。与这些专业背景各异的研究人员的频繁接触使得我视野大开，既获得了广泛的比较和历史的知识，又学到了运用比较分析原理的方法。本书的观点因借鉴了他们当中一些作者的贡献而变得更为丰富，他们的贡献使得本书远远超出我自己的知识和能力所能企及的范围。

在本书的写作过程中，我所受到的学术恩惠实在太多，对于所有那些帮助过我的学者，在此一一列举他们的名字决不能表达我的感谢于万一。所以，我只得将那些读过部分或全部手稿，并提出过改进意见的人的名字列举如下：普拉纳布·巴旦（Pranab Bardhan），科斯基·巴苏（Kauski Basu），汉斯·宾斯瓦格（Hans Binswanger），萨缪尔·鲍威尔（Samuel Bowels），罗伯特·波伊（Robert Boyer），车嘉华，萨达·丁克（Serdar Dinc），理查德·弗里曼（Richard Freeman），米格尔·嘉西亚-赛斯托纳（Miguel Garcia-Cestona），阿弗纳·格雷夫（Avner Greif），速水佑次郎，托马斯·赫尔曼（Thomas Hellmann），杰弗里·霍奇森（Geoffrey Hodgson），塔朗·卡拉（Tarun Khanna），斯蒂芬·克拉斯纳（Stephen Krasner），本特莱·麦克洛德（Bentley McLeod），克劳德·门纳德（Claude Menard），中田启之，冈崎哲二，道格拉斯·诺斯（Douglas

North),于戈·帕加诺(Ugo Pagano),约翰·罗伯茨(John Roberts),安娜李·萨克森尼安(AnnaLee Saxenian),史蒂文·塔德里斯(Steven Tadelis),户矢彻郎,让-菲利浦·托费特(Jean-Philippe Touffet),鹤光太郎,梅雷迪思·禹-卡明斯(Meredith Woo-Cummings),埃里克·莱特(Erik Wright)和佩顿·扬(Peyton Young)。在涉及一些历史事实及解释方面,我得到了罗伯特·阿伦(Robert Allen),古贺康正和宫岛搏史的热情指导。克里斯多弗·金斯顿(Christopher Kingston)从讨论书的内容、提出修改意见到查找相关文献,自始至终提供了很有价值的帮助。克里斯多弗·克拉特巴克(Christopher Clatterbuck)和大石直树协助我收集了所需的资料和数据,他们的工作完成得准确而有效率。黛伯拉·约翰斯顿(Deborah Johnston)耐心地对我反复修改的手稿做了无数次文字润色。泷泽弘和与谷口和弘负责本书的日文翻译,周黎安负责中文翻译。他们的热情投入使得译文在本书英文版面市之前即已完成,我得益于他们在翻译过程中对原文的质询、评论、索引准备和错误订正。

几年来,本书的写作一直得到斯坦福经济政策研究所的资助。我也想借此机会向下面几家学术机构及其负责人致以谢意,他们的资助使我能够摆脱教学负担,在良好的学术环境下专心于著述和思考。他们是:伦敦经济学与政治学院的(三得利和丰田)经济与国际研究中心和阿瑟·侯赛因博士(Athar Hussain);威斯康星大学海文斯社会结构与社会变迁研究中心和埃里克·莱特(Erik Wright)教授;德国科隆的麦克斯-普朗克社会科学研究所和沃尔夫冈·斯特里克(Wolfgang Streeck)教授;西尔纳大学和于戈·帕加诺教授;法国圣戈班经济研究中心(Centre Saint-Gobain pour la recherche en économie)和让-路易斯·贝法(Jean-Louis Beffa)教授。另外,国际熊彼特协会 1998 年因本书的初稿授予我熊彼特奖,对我完成此书也是一种鼓舞和促进。

曾经在MIT出版社供职的泰丽·沃恩(Terry Vaughn)和维克多里亚·瓦涅克(Victoria Waneck)一开始就对比较制度分析表现出浓厚兴趣,他们对于筹划在MIT出版社出版比较制度分析系列丛书起了很大作用。约翰·科维尔(John S. Covell)接手之后的娴熟的管理才能使这个项目进展顺利。丹纳·安德鲁斯(Dana Andrus)对本书的最后定稿做了出色的文字润色。我对出版社上述工作人员以及其他帮助过本书出版的人表示感谢。

一般而论,在写书过程中,作者都不免给家人添加诸多麻烦和负担,让他们牺牲在一起共处的时间,经常面对作者专注而不问他事的神情,忍受一次又一次更改关于完稿期限的承诺,等等。我的情况则更严重,因为我在日本一家政府研究所担任非常驻所长,为了履行公职,不得不频繁往返于太平洋两岸。在本书最后完成之际,我相信我的妻子令子是最高兴的。我最深厚的谢意是献给她的。

青木昌彦

2001年2月9日于加州

美国斯坦福大学

第 1 章　什么是制度？我们如何理解制度？

在人类社会的大棋盘上，每个个体都有其自身的行动规律，和立法者试图施加的规则不是一回事。如果它们能够相互一致，按同一方向作用，人类社会的博弈就会如行云流水，结局圆满。但如果两者相互抵牾，那博弈的结果将苦不堪言，社会在任何时候都会陷入高度的混乱之中。

——亚当·斯密：
《道德情操论》，1759 年 *

传统上，经济学家一直致力于分析市场机制的运行及其影响。毋庸置疑，市场可以被认为是人类创造的最引人注目的制度之一。然而，在近来大约十年的时间里，为了理解不同国家迥然不同的经济绩效，认识到“制度是重要的”这一点已变得日益重要（North, 1990; 世界银行, 2001）。这里所引的制度一词，不单单是指市场。的确，在 20 世纪最后十年所发生的一系列与制度相关的事件和现象已经并将继续对相关国家的经济绩效产生深远的影响。举例来说，苏东社会主义国家的解体以及随后的经济转轨、硅谷现象及电子商务的出现、欧元统一和市场一体化、日本和东南亚金融危机、非洲持续的

* Adam Smith, *The Theory of Moral Sentiments* (1759, p234).

种族隔离和长期的经济停滞、金融市场的全球一体化与不断出现的货币危机、对由成员国组成的国际组织作用的重新审视，以及全球非政府组织影响的加深，等等。这些例子当中的一些就其表面而言可看作是纯粹的市场现象。但如果我们试图更深入地理解这些事件和现象的深层原因及后果，我们不得不将它们的制度方面纳入考察的范围。

什么是制度？我们能不能把制度等同于法律条文、非正式规范、组织、合同、人们的意识或所有这些因素的部分或全部的组合？给诸如"制度"之类的任何概念下一个合适的定义将取决于分析的目的。作为一个具体例子，我们不妨考虑下面的问题：既然制度对经济绩效如此重要，那为什么其他国家不能学习和采用在经济绩效较好的国家中运用的最佳的制度呢？这是诺斯在一本开创性的论制度的书中提出的主要问题(North, 1990)。为了分析这一问题，诺斯把制度定义为"博弈规则"。他把博弈规则分为两类：正式规则(宪法、产权制度和合同)和非正式规则(规范和习俗)。即使能从国外借鉴良好的正式规则，如果本土的(indigenous)非正式规则因为惰性而一时难以变化，新借鉴来的正式规则和旧有的非正式规则势必产生冲突。其结果，借鉴来的制度可能既无法实施又难以奏效。

因为这个原因，经济学家对可实施性问题产生了浓厚的兴趣。博弈规则何时是可实施的呢？是不是当实施者(enforcer)降临之时？可是，实施者又怎样才能被激励去实施他理应实施的博弈规则呢？简而言之，实施者怎样才能被驱使去恪尽职守？为了避免这种无穷尽的循环推理，一种办法是力图说明，博弈规则是内在产生的，它们通过包括实施者在内的博弈参与人之间的策略互动最后成为自我实施的(self-enforcing)。从这种观点出发思考制度的最合理的思路是将制度概括为一种博弈均衡。近年来我们陆续看到一些以博弈均衡制度观为基础的重要文献问世，虽然其中大部分文献是从历史案例的研究中汲取灵感的(我们在下一节会讨论其中一些代表性工作)。我们能不能将同样的思路运用到作为多样制度复合体的当代经济呢？这种复合体仅仅是各种相对自主的制度的混合呢，还是内在一致的整体，如某种均衡结果那样？

显然，把制度及其复合体视为均衡现象并不意味着制度是一成不变的；它们会发生变化。中欧和东欧国家社会主义经济的崩溃和随后计划经济的转型就是一个显而易见的例子。问题是，我们如何在理论上解释制度的起源或变迁。在理论上，博弈模型可能存在多重解（均衡），或者说模型解高度依赖于对模型本身的设定。给定博弈的结构，可不可以将制度的突现（emergence）或变迁解释为从许多等可能性的均衡中选择其中一种的过程，或者从一种均衡到另一种均衡的转型呢？如果是这样的话，均衡选择或转型过程是否由技术或市场诱导并因为技术性规模经济而最终被锁定（lock-in）？还是说，制度是由"文化基因"编程的结果？制度能否被政治企业家设计或被创新性经济企业家引发产生？不可预料的政治事件会不会对制度选择发生随机性影响？尤其是，新制度诞生通常具备的新奇性究竟从何而来？

因此，在本节一开始提出的基本研究设想可以更明确地概括为下述两个方面：首先，将当代不同国家整体性制度安排的复杂性和多样性理解为某种多重均衡现象（共时性问题）；其次，在与均衡制度观相一致的框架下理解制度变迁的机制，同时又允许新奇性出现的可能性（历时性问题）。请让我再进一步阐示其中的具体含义。

理解制度的多样性和当代经济的复杂性需要研究在经济、政治、组织和社会诸域的制度之间的相互依存性以及联结这些域的制度的性质。在这项研究中，不仅要在正统经济学的框架下思考问题，而且还要借鉴邻近学科如社会学、政治学和认知科学对制度问题的重要贡献，这是非常必要的。但不同于传统制度经济学的地方在于，我们试图在一个统一的博弈论框架下分析制度多样性的源泉和影响，而不只是简单停留在积累丰富的制度类型，然后对它们进行任意和随机的分类。发展统一的理论分析框架，同时结合其他学科的重要贡献，这对深刻理解经济制度的运行大有裨益。

与此同时，我们也必须意识到，博弈论分析作为系统研究制度的理论工具本身尚不完备。从该框架出发考察制度的相互依存性可能会得出制度安排的多重性、次优性和帕累托不可比性（Pareto-unrankable）。也就是说，即使面对相同的技术知识和被相同的市场所联结，制度安排也会因国家而异。因此，为了理解特定的制度安排在某特定国家演化生成的原因，单单囿于博弈论框架本身是不够的，我们必须依赖比较和历史的知识(Greif, 1999)。也就是说,制度分析在本质上是比较性的,因而被称为比较制度分析(comparative institutional analysis 简称 CIA)①。

在本书第9章考察制度演化的历时性过程时,我们将偏离传统的博弈论(包括古典博弈论和进化博弈论),对其作出重大的修正。我们将放弃如下假定,即认为博弈参与人(及其分析者)对博弈过程的客观结构具有完备的知识。相反,我们假定,博弈参与人对于博弈结构只拥有个人的不完备观点——我们称之为主观博弈模型(subjective game models)。当参与人基于主观博弈模型选择的行动决策在各个时期相互一致(即均衡化)时,那么,他们的主观博弈模型将可以被他们行动共同决定的可观察的事实证实,并作为未来行动决策的指南而不断再生产出来。所以,我们把制度定义为参与人主观博弈模型中显明和共同的因素——即关于博弈实际进行方式的共有信念(shared beliefs)*。当这些主观博弈模型所导致的行动决策未能产生预期的结果,一种普遍的认知危机便会随之出现,并引发人们寻找新的主观模型,直到新均衡实现为止。理解制度变迁过程就等价于理解参与人协同修正其信念的方式。从这种观点出发,我们能够分析技术和环境变化、政治因素、法律条文、创新试验和文化遗产等等方面在制度变迁过程中的作用,当然这一切必须在我们分析了共时性问题之后才真正有可能进行。

本章剩下的部分安排如下:第1.1节是对经济学家制度观的一个概览。第1.2节将在均衡制度观的基础上提出我们自己的制度概念,其更细致的讨论将在后面(第7章)进行。第1.3节介绍制度分析的博弈论框架将涉及的一些基本概念,如"博弈形式"和"域"的类型等,它们在本书中是至关重要的。

---

① Greif(1994、1997b、1998b),青木昌彦(1995/2000、1996),青木和奥野-藤原(1996),冈崎(Okazaki)和奥野-藤原(Okuno Fujiwara, 1995/1999)。格雷夫把这(CIA)称为历史比较制度分析(HCIA)。

* 这一词组经作者、译者、编者和一些学者反复推敲,也未能像英文那样简洁达意,作者认为,beliefs 既有信念、信仰的意思,又有习以为常的思维定势或观念,还有人们的预期。有学者建议创造一个词"共信",但考虑到作者关于"beliefs"有一系列深入讨论,最终放弃了这一想法。在日文本中,直接译为"共有予计";法文本中为"connaissances partagees"(知识共享)。显然都不令人满意。——编者注

1.1 博弈论视野下的三种制度观

如上所述，经济学家目前似乎都同意“制度是重要的”。但除非我们对于制度是何物以及它们如何形成有一种共识，否则，认识到制度重要并不能说明什么。撇开旧制度学派不论①，直到最近，经济学家基本上满足于对制度只下一个模糊定义。现代社会学的先驱杜克海姆曾经定义社会学为“关于制度的科学”，定义经济学为“关于市场的科学”②。经济学家一直忙于有关市场的分析研究，杜克海姆的学科划分似乎从未让经济学家感到不安。然而，经济学家对理解制度的性质、起源和影响可以作出自己独特的贡献。事实上，越来越多的经济学家近年来开始从事制度研究的任务。我们下面将看到，经济学家赋予“制度”一词至少三种不同但相互联系的含义。我们这里所关心的当然不是对制度一词进行语义上的澄清，而是寻求一种有助于更好地理解经济制度运行的理论概括。

为了区分经济学家提出的三种制度含义或定义，将经济过程比喻成博弈可能是合适的。我已经指出，博弈论是比较制度分析不可分割的一部分。本书从进化博弈论和重复博弈论借鉴来的研究共时性问题的博弈分析工具是相对较近才发展起来的。但是，从博弈角度理解经济过程的思想至少可以追溯到亚当·斯密，本章开始的引语就是明证。在亚当·斯密看来，博弈是个体参与人从各自的动机出发相互作用的一种状态，这正对应着现代博弈论所研究的情形。通过将经济过程类比于博弈过程，不同的经济学家分别将制度看做是博弈的参与人、博弈规则和博弈过程中参与人的均衡策略。

人们在日常交谈中所涉及的制度，通常是指重要的组织机构。一些经济学家沿袭这种习惯，将制度明确等同于博弈的特定参与人，诸如“行

① 维布伦(Veblen)对制度的定义是“对于所有人而言普遍和稳定的思维习惯”(1909[1961]：第239页)。关于承袭该传统的当代表述，参见霍奇森(Hodgson，1988、1998)。

② 对于杜克海姆来说，社会制度是由符号系统——知识、信仰和“集体情感和集体观念”系统构成的。这些系统是人类互动的共同产物，但又被个人以客观和“强制”的方式所经验(Durkheim，1901/1950)。

业协会、技术协会、大学、法庭、政府机构、司法等等”(Nelson, 1994: 第 57 页)。诺斯支持第二种观点: 即制度应该被视为博弈规则,以区别于它的参与人①。他在论制度及制度变迁的开创性著作中开宗明义:

> 制度是社会的博弈规则,或更严格地说,是人类设计的制约人们相互行为的约束条件……用经济学的术语说,制度定义和限制了个人的决策集合。(North, 1990: 第 3—4 页)

这些约束条件可以是非正式的(如社会规范、惯例、道德准则),也可以是有意识设计或规定的正式约束。正式规则包括政治规则(宪法、政府管制)、经济规则和合同。经济规则用来界定产权,即使用和处置经济资源并从中获取效用或收益的权利束(the bundle of rights)。合同是一种关于物品使用和交易的(可执行的)协议,它受产权规则的制约。经济博弈的正式规则不可能由博弈之中的参与人自己制定(变更),它们的确立必须先于博弈过程。由于我们关注制度的起源,马上就面临一个问题: 谁来制定经济规则? 正因为此,诺斯对博弈规则和博弈参与人(组织及其政治企业家) 作了明确的区分,后者是推动制度变迁的主体,即规则制定者。根据诺斯的观点,现存的博弈规则决定了参与人如何交易及创新的动机,因而在根本上导致了伴随相对价格变动而产生的对新规则的有效需求。这些新规则将在“政治市场”上经各方协商而确定,政治市场则由政治规则决定。诺斯声称“正是政治过程本身界定和实施产权”(North, 1995: 第 23 页)②。

关于博弈规则论更为技术性的定义是由赫尔维茨(Hurwicz,

---

① 奥斯特罗姆(Ostrom)也是这种观点的著名倡导者(1990: 第 51 页)。

② 虽然正式规则的实施对博弈过程是外生的,由第三方执行,但博弈的绩效取决于监督和惩罚的有效性。诺斯问道:“当共同的规则集合施加于两个不同的社会,其结果会怎样呢? 结果会不一样,虽然规则相同,但是,实施机制、实施方式、行为规范以及行为者的主观模式都不一样。于是,真正的激励结构和被认知的政策后果也就不同。因此,同一的相对价格的基本变动或者施加同一的规则将对制度安排各异的社会产生迥然不同的影响。”(North, 1990: 第 101 页)诺斯为此提出了一个更为广泛的“制度框架”的概念,它包括“法律规则、组织形态、实施机制和行为规范”(North, 1991: 第 33 页,也请参见第 58,101 页)。在其他场合,他有时用“制度架构”(insitutional scaffolding) 表达同一意思(North, 1998)。

1993、1996)给出的,他的定义更侧重于博弈规则的实施问题。根据他的观点,博弈规则可以由参与人能够选择的行动("决策集")以及参与人决策的每个行动组合(profile)所对应的物质结果("后果函数")来描述。他将这一对设定称为"机制"(mechanism)或"博弈形式"(game form)①。作为一个例子,不妨考虑一种价格限制机制,即由政府规定销售商所能索价的最高限制。在这种情况下,销售商所面临的决策集的限制可以表示为特定的参数值,即限制价格②。然而,根据赫尔维茨的观点,关于制度更为合适的定义应该对它进行进一步的限定。他认为规则必须是可实施的,或者用他的话说,是"可执行的",惟有对人类行动的一组人为的和可实施的限定才构成一项制度。他运用纳什均衡概念使可实施性这个概念形式化。如果在别人将遵从所设定的策略的前提下,没有任何一个参与人有偏离其选择策略的动机,此时参与人的策略组合便被称为是纳什均衡。为了使博弈形式中一组人为设计的限定可实施,而参与人又允许从所有技术上可行的决策集中自由选择其行动,该博弈必须存在一个纳什均衡。

赫尔维茨主要关注的问题是探究"设计"一项实现既定社会目标的制度的可能性,其中制度在一系列环境(技术、偏好和资源禀赋)下与参与人的动机是兼容的。社会目标(如效率、公平、清洁的空气和水源)可以表示为在每一种经济环境下预期实现的一组结果。假定由立法者负责设计实现既定社会目标的机制。我们无法事先保证机制是不是可实施。例如,立法者也许希望价格限制有助于实现价格稳定和分配公平的社会目标,但是,总是有销售商会发现将产品以高于限定价卖给黑市更有利可图。价格限制无法自我实施,因而不是可执行的。

如果一种机制为了达到某种社会目标被设计出来却无法自我实

① 后果函数的值域是物质结果空间而非效用报酬。赫尔维茨认为,参与人的效用函数不是博弈规则的一部分。因此,他使用"博弈形式"一词而不是"博弈"来指代参与人集合、决策空间及后果函数。

② 严格地说,这种参数表示对于界定限价制度太有限和狭隘了一些,因为政府拥有改变限制价格实际水平的自由。为此,赫尔维茨允许参数值在一定范围内变动,把制度定义为一组机制(如一组限制价格)而非单个机制(如某一特定限价)。

施,那就需要附加一种额外的实施机制。添加具备特定行动集合(如将犯人投入监狱等)的实施者(如法庭、警察、调查员等)必然改变博弈形式,后果函数也将相应地加以变更。然而,这种情况恰恰给机制设计者制造了一种困境。为了使实施机制行之有效,一方面,实施者必须被给予适当的激励,使其忠于职守;另一方面,实施机制的运行消耗社会资源,从而相应减少直接为社会目标作贡献所需的资源。其结果,最初的社会目标的实现程度将不得不大打折扣。

当赫尔维茨在考虑实施者的激励问题时,他对制度的认识实际上已经接近第三种观点,即关于制度的博弈均衡观。第三种观点最早的倡导者之一是肖特(Schotter,1981)①。近年来在博弈均衡制度观方面有两项主要进展,其中每一项进展都基于不同的博弈均衡概念——进化博弈论(evolutionary game approach) 和重复博弈论(repeated game approach)。前种的代表性的工作是萨格登(Sugden,1986,1989)、扬(Young,1998)和鲍尔斯(Bowles,2000)② 进行的。进化博弈论认为,参与人的行为习惯可以自我形成,不需要第三方实施或人为设计。当惯例(convention)演化时,参与人在进化选择的压力下,倾向于发展某些适应性更强的特征 (traits)(如环境认知、偏好、技能等)。这样,惯例和参与人的特征共同演化。惯例也许最终会以法律条文的形式固定下来,从而节约了因变异和错误带来的失衡成本。另外,用文字清晰表述人们行为中已经习惯化的准则也有助于给出具体环境下具体的行动指南。但是,萨格登继承休谟的传统,认为将法律理解为源于政府限制公民的行动是误入歧途的。相反,“法律反映了大多数人自愿施加的行为准则”(Sugden,1986: 第 5 页)。

第二种博弈均衡制度观得益于格雷夫(Greif, 1989、1994),米尔格罗姆、诺斯和温加斯特(Milgrom、North 和 Weingast,1990),格雷夫、米尔格罗姆和温加斯特(1994)和卡沃特(Calvert,1995)的工作,他们

---

① 肖特把社会制度定义为“一种被社会所有成员认同的社会行为的规律性,它规定了在一些特定和经常出现的情况下的行为,它要么是自我监督,要么由某种外部权威监督。”(1981: 第 11 页)根据这种定义,如第二种观点那样,制度被认为是行为规则。但这些规则被假定是内生于经济过程,作为博弈的结果而产生的,而不是由政治或立法过程外生制定的。

② 霍奇森给出了一个关于制度经济学进化论的一般性概览(1993),但他未明确使用博弈论框架。

运用了一些较为复杂的均衡概念，如重复性囚犯困境博弈下的子博弈精炼均衡（subgame perfect equilibrium）。有关子博弈精炼均衡的精确定义将在本书的稍后部分（第7章）给出。不过，现在值得强调的一点是，子博弈精炼均衡和其他相关均衡概念有助于澄清预期或参与人共有信念在博弈中的作用。子博弈精炼均衡为每个博弈参与人界定了一种行为策略，该策略是在所有可能的博弈状态下行动决策的完备计划，简单地说就是一部“脚本”①。完备行动计划的任何一部分，即每种特定可能性下所规定的行动决策，必须在该可能性化为现实之时也是纳什均衡，因而能够自我实施。运用子博弈精炼均衡策略的一个后果是，某些状态在博弈实际进行的过程中永远不会被观察到。出现这种情况不是因为导致这种状态的博弈路径被某些外部约束条件排除在外，而是因为一旦均衡的“脚本”被采用，参与人的策略性计算使得他们相互避免选择这条博弈路径。由于均衡策略中有一部分规定了在非实际路径上应该采取的策略在实际中不能被观察到，这部分策略可以解释为代表了其他参与人所持的理性预期或信念，它们是关于相关参与人在非实际路径上将采取的行动的预期或信念。

这一点可以从格雷夫、米尔格罗姆和温加斯特（1994）提出的商人行会的模型中得到清楚的说明。该博弈是在中世纪背景下关于交易——商人和城市或交易中心的统治者之间的重复博弈。交易中心为了扩展商业机会，必须确保来访商人的人身和财产的安全。城市统治者也许会发誓为来访商人提供各种安全保证，但是在交易关系建立之后，统治者可能又会说话不算数。现在假定商人们自己组成行会，并采取如下策略：他们在既定时期内在该城市做交易，当且仅当他们当中没有任何一个商人以前被统治者欺骗过；否则，他们将组织罢市（我们假定实施集体罢市没有问题）。除非行会宣布罢市，否则统治者不会欺骗任何商人；但一旦宣布罢市，统治者将欺骗任何一个来访的商人。这三位作者证明了这样的策略组合构成一个（精炼）

① “脚本”的说法也被社会学家尚克（Schank）和埃伯森（Aberson）（1977）独立提出，他们用它来描述被特定角色或情景所要求的行为模式和程序，自他们以后，该词在论述制度的社会学文献中被广泛使用。

均衡。在实际的博弈路径上,欺骗和罢市均不会在正常情况下被观察到。但这不是因为它们事先就被博弈规则排除在外,而是因为统治者意识到,一旦他不信守诺言,行会一定会举行罢市,因此欺骗对他不利。这样一来,行会的形成就成为一种迫使统治者信守诺言从而鼓励交易扩张的机制。在这个例子中,行会(商人的组织)和它在欺骗发生时(均衡策略中非实际路径的部分)组织罢市的预期作用被认为提供了一种可信的执行博弈规则的机制。

基于上述模型和其他理论结果,格雷夫从博弈均衡角度给制度下了一个简明定义:

> 在博弈论框架中,两个相互联系的制度要素是(关于别人行为的)预期和组织……组织是非技术因素决定的约束,它们通过引入新的参与人(即该组织本身),改变参与人所得的信息,或者改变某些行动的报酬来影响行为。(Greif, 1996)

这里的"组织"指的是如商人行会之类的社会组织,它们构成博弈参与人集合的一部分,受到博弈均衡所衍生的约束制约。在这种特定的意义上,格雷夫的定义结合了第一种观点,即博弈参与人的制度观。

关于制度的起源,我们已经看到,持博弈规则论的经济学家倾向于设计的观点,即规则制定是立法者、政治企业家或从事机制设计的经济学家明确设计的结果。在持博弈均衡论的经济学家当中,关于制度起源问题,在一开始似乎并未达成一致的意见。那些相信进化博弈论的经济学家明显赞成制度是"自发的秩序"(Menger, 1883; Hayek, 1973)或自组织系统。与此相对照,子博弈精炼均衡概念假定,个体参与人在认识自己决策和别人决策之间的反馈机制方面具备完备的演绎推理能力。然而,个体参与人如何能够联合选择相互一致的策略、促成制度的建立,尤其是在有多重均衡的情况下?子博弈精炼均衡理论根本无法解释某种制度出现在此地而非别的地方的原因。例如,在上面讨论的中世纪交易的例子中,统治者每期选择欺骗和商人罢市(因此所能观察到的是无交易发生)也构成一个子博弈精炼均衡。这就不难理解,那些运用超理性均衡观点(如子博弈精炼均衡)的经济学家无非想说明,特定的策略组合(即实际的博弈路径和参与人预期)一旦确立,就将是自我实施和可维持的。

在我们支持博弈均衡制度观之前,还有一个理论悖论需要解决。如果制度的作用在于以一定方式制约参与人的决策,那么,这种约束是如何被参与人意识到并被认为是相关的呢?是不是在均衡出现之后?如果是的话,那么,个体参与人在知道均衡之前尚不受其制约的时候,又是如何发现和选择适当的均衡策略的呢?换言之,参与人关于未来情形的信念与参与人基于这些信念做出选择所导致的实际后果之间的一致性究竟是怎样建立的呢?这个问题乍看起来像是一个常规的均衡稳定性问题。但是,本书将说明,其实这个问题比均衡稳定性问题更具根本性,不能简单对待。这是为什么我们要对传统博弈论做出重大修正、提出一种新的制度观的原因所在。我们下一节就来讨论它。

1.2 制度的诸方面:共有信念、均衡的概要表征和博弈的内生规则

1.2.1 我们的制度观

如上所述,关于制度的定义不涉及谁对谁错的问题,它取决于分析的目的。因为本书的目的在于理解制度安排的多样性以及制度变迁的过程,我们现在就要引入一种适合于分析这些问题的制度定义。

如果一开始就试图用简短一句话说清楚我们的定义及其全部含义是相当困难的,但我们先不妨将制度概括为关于博弈重复进行的主要方式的共有信念的自我维系系统。我们可以把"博弈重复进行的方式"等同为博弈规则。不过,不同于博弈规则论的观点,我们不认为规则是外生给定的,或者由政治、文化和元博弈(meta game)决定。我们认为博弈规则是由参与人的策略互动内生的,存在于参与人的意识中,并且是可自我实施的,这就如同均衡博弈论者所认为的那样。制度作为共有信念的自我维系系统,其实质是对博弈均衡的概要表征(信息浓缩)[summary representation (compressed information)],它作为许多可能的表征形式之一起着协调参与人信念的作用。制度也许存在于人们的意会理解之中,也许存在于人们头脑之外的某种符号表征之中。但在任何情况下,某些信念被参与人共同分享和维系,由于具备足够的均衡基础而逐渐演化为制度。

通过强调均衡"信念",我们的制度观与上面引述的格雷夫的制度观非常接近①。不过在目前阶段,我们的定义除了要求均衡是纳什均衡之外,未对均衡概念的内涵做出任何进一步的说明。随后我们会提出一种关于制度的更精确和更广泛的定义,它不仅将包容古典和进化博弈论两种观点②,而且还具备两者一些更自由的变种形式。另外需要注意的是,我们强调制度的"概要"和"信息浓缩"的性质。在后面将看到,这一界定对于理解制度演化过程非常有用。总而言之,贯穿全书,我们关注哪种制度在什么条件下才能变得可行,以及制度关联的方式。虽然现在就对这种新制度观做一个准确的界定还为时尚早,我们还是要在这里描述一下这项研究背后的基本想法。

每个参与人设想博弈在一固定集合的参与人当中进行,每个参与人面临一个技术上(和认知上)可行的行动集合。在一定时期,所有参与人选择的行动加在一起——我们称之为行动组合(action profile)——决定了每个参与人的报酬分配。我们暂时把参与人的行动集合的总和称为博弈的域(domain),把规定每个行动组合产生报酬分配结果的规则(功能)称为博弈的外生性规则。给定博弈的这些特征,每个参与人都试图使其报酬最大化。不过,最终结果不能由单个人的行动惟一决定。每个参与人最优的行动决策取决于别人的决策。可是,参与人如何能够推想别人在博弈所有可能状态下的决策情况呢?

暂且假定博弈是重复进行的,由此演化出一个稳定结果(行动组合),每个参与人基于个人经验对博弈进行的方式形成了大致的认

---

① 关于格雷夫最近的定义和阐述,参见格雷夫(1998b)。他的分析与我们的分析有一个细微的差别,就是本书明确地分析了制度化过程中的认知机制及其对制度演进的意义(见第5.2、7.2和第9.2节)。

② 在第7章我们将说明,博弈均衡的各种概念,尤其是古典的和进化的,其实并不相互排斥,而是互补的。另外,均衡概念应依域特征的设定水平而变化。

识。换句话说,参与人无法、甚至也不需要推断出别人行动决策规则的全部细节,但知道有关参与人在行动决策时可能采用的规则的一些显著特征。参与人依靠这些浓缩信息得出自己在域的各状态下的行动规则——即策略。所有的参与人根据他们对别人行动规则的主观认知(信念)形成自己的行动决策规则,虽然是以一种不完备和浓缩的形式形成的。惟有在关于他人行动规则的浓缩认知稳定下来并不断再生的时候,他们自己的行动规则才能趋于稳定,成为参与博弈的有用指南,反之亦然。当参与人的信念与其行动规则形成一致时,我们称这种状态为纳什均衡。只要参与人对别人行动规则的信念是可维持的,偏离自己形成的行动规则是不合算的。于是,制度对应着(几乎所有)参与人共享的那部分均衡信念,其中信念是关于博弈将实际进行的方式(或者说域中参与人使用行动规则的方式)的预期。虽然制度是一种均衡现象,但不应把它们看作是在一次博弈下完备演绎推理的结果,也不应视为一种根本不需要归纳推理的完全的静态平衡。它们代表了实际上重复参与博弈的当事人自我维系的基本预期。制度是"由有限理性和具有反思能力的个体构成的社会的长期经验的产物"(Kreps, 1990: 第 183 页)。

均衡状态是一种社会建构的现实,因而它必然内生于域之中。它通过其概要表征——暗含的(tacit)或符号的——协调着参与人的信念。制度作为一种均衡现象,只要别人不忽略它,任何人都不敢不正视它的存在,从而对人们的策略选择构成影响。参与人基于共有信念而做出的策略决策共同决定了均衡的再生,均衡的再生反过来又强化了关于它的概要表征。这样,制度成为自我维系的,浓缩于其中的信念也被参与人视为当然,除非发生了动摇共有信念的事情(参见图 1.1,虚线方格代表制度,请暂时忽略点线围成的方格)。通过这种方式,制度虽然是内生的,但同时又客观化了①。基于均衡分析,我们能够理解制度的双重性质——内生性和客观性,正是这双重性质导致了人们对制度观做出内生规则论和外生规则论这种多少有

① 这种观点和伯格(Berger)和卢克曼(Luckman)(1966)所发展的知识社会学的关于制度的现象论解释是一致的。根据他们的观点,"制度化发生在各类行为者习惯化行动相互典型化的场合"(1966: 第 54 页)。但是,"这种制度世界又被作为客观现实来经历"(第 60 页)。

些让人疑惑的区分[1]。

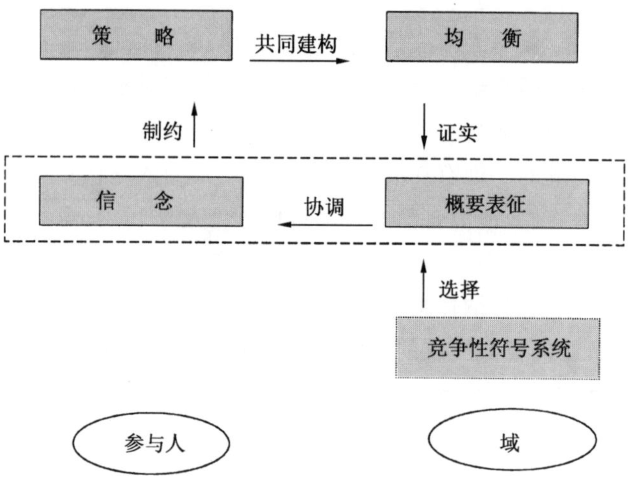

图 1.1 作为共有信念和均衡概要表征的制度

一种均衡状态的显著特征可能客观化，凝结为一种制度，因为这一点，制度可能表现为明确的、条文化的以及（或者）符号的形式，如成文法、协议或者系统界定社会不同角色的社会结构和组织等等。不过，关键一点在于，一种具体表现形式只有当参与人相信它时才能成为制度[2]。在此意义上，成文法和政府规制如果没有人把它们当回事就不构成制度。举例来说，政府根据某项法令禁止进口某些物品，但如果人们相信，贿赂海关官员可以绕开此项法令，而且这是普遍现象，那么，与其把这项法令视为制度，还不如把这种贿赂现象视为制度更为合适。另一方面，一些没有正式化的实践只要参与人认

① 斯科特对社会科学关于制度问题的研究方法作了一个比较研究（1995），他认为，虽然不同的社会科学领域和流派分别研究了制度的规制性方面、规范性方面以及认知性方面，但是，这些方面是总和地体现在一切制度上的。我们的计划也是把这三个方面合并起来思考：一个制度是规制性的，因为它限制了个体参与人的选择；它是规范性的，因为通过共有信念限定了所有参与人的行为选择；它是认知性的，因为它是共有信念的建构。

② 因此，《社会现实的建构》（*The Construction of Social Reality*）一书的作者希尔勒（Searle）指出："所有的制度事实在本体论上都是主观的，虽然一般而言它们在认识论意义上是客观的。"（1995：第 63 页）但是，值得注意的是，制度的现象论观点的创始人伯格和卢克曼在《社会现实的建构》一书中提到"［制度世界］并未从产生它的人类活动中获得一个本体论的地位"（1966：第 60 页）。我们均衡导向的制度观承认人类活动的结果和信念都作为制度而相互建构（参见图 1.1）。

为它们是域内在状态的相关表征，就可以看做是制度；而当参与人对它们的信念动摇了，它们就不再作为制度存在了。

从均衡的概要表征来概括制度有助于澄清制度既制约又协助的双重性质（dualistic constraining/enabling nature）。制度的作用通常被外生博弈规则论理解为制约参与人行为的因素（例如前面讨论的诺斯和格雷夫的定义）。的确，制度通过协调人们的信念控制着参与人的行动决策规则。在多种可能性（即多重均衡）中，共有信念引导着参与人朝某一特定的方向行动。在此意义上，控制或说制约自然是制度化的内生特征。然而，制度只是在总体上以共担的方式来协调参与人的信念。在一个信息不完备和信息不对称的世界里，制度可以帮助理性有限的参与人节约决策所需的信息加工成本（见图 1.1）①。

这里借用经济学家熟悉的价格机制作个类比可能是合适的。在市场机制下，个人毋需知道决策的内部和外部环境的每一个细节，只需知道相对价格即可（Hayek, 1945）。撇开产权和合同的执行成本不谈，如果存在一个市场的完备集合，相对价格可以严格地称为"充分统计量"（sufficient statistics），它们概括了社会最有效实现社会最优结果所需的全部信息（消费和转换的边际替代率）。相对价格的维数不超过交易产品的种类减去一，因为总有某一特殊产品用作计账单位（Koopmans, 1957；Hurwicz, 1960、1973）。当然，在实际生活中，市场远不完善。个人还需要其他手段去获得决策所需的信息。在市场之外，各种制度应运而生，以补充市场之不足（Arrow, 1998）。简言之，个体参与人不仅受制于制度，同时也受益于制度。正像市场以相对价格的简略形式传递有关经济环境（技术、偏好和资源禀赋）的信息一样，制度以其简略形式传递着相关信息（参见第 6.2 节）②。除此之外，由于信息浓缩的特点，均衡的概要表征在域的环境发生微小变

① 这可以看做是经济学家考察制度的认知性方面的方法，第 14 页注①中斯科特（1995）提到了相关问题。

② 阿罗指出："预期本身可以看做是个人心理的一部分，但在实际的社会制度中发挥着导引和形成各种预期的主要作用。……存在别人不会利用每一个可能获取短期利润的机会的共识，复杂的金融服务网络将提供预测并为人们解决暂时的资金困难。"（Arrow, 1997：第 6 页）

化以及导致相应的均衡移动下具有刚性①。体现在制度当中的浓缩信息使得理性有限的参与人能够有效地收集和利用信息,这些信息是使其行为与变动的内外环境保持一致所必须的。

1.2.2 我们的新制度观适合于分析目的的五个理由

对制度的概括体现了理论家的偏好,而与正确与否无关。但是,我认为,至少存在以下五个理由让我们相信,从共有信念均衡的概要表征角度看制度适合于比较制度分析。前三个理由适用于一般的博弈均衡制度观,最后两个理由在一定程度上专门适用于均衡的概要表征制度观。前两点理由已经由格雷夫(1994、1997、1999)做了富有说服力的表述,这里重述一遍只是为了论述之完整。米尔格罗姆和罗伯茨 (Milgrom 和 Roberts, 1990a、1992)对第三点理由的贡献也是需要在这里指出的②。

(1) 对制度起源和实施进行内生性分析　博弈均衡制度观可以从内生的角度分析制度的起源和实施问题。如上所述,如果人们接受传统的外生博弈规则论,一个直接的问题是,制度究竟从何而来,如何产生和如何实施。人们不得不在规则发挥作用的经济域之外寻找制度的起源,如在经济域之外的政治域,或者作为一种理论可能性,在理性的参与人从诸种可能的规则中集体选择一种规则的元博弈的域中寻求制度起源③。可是,政治域的博弈规则又是如何决定的呢? 元博弈的参与人又是如何知道所有这些可能的规则呢? 他们如何博弈? 元博弈的规则又是怎样确立的? 这样,无穷尽的循环推理问题又会自然浮现出来。部分解决该问题的办法是,把制度看做是博弈过程的内生稳定的结果,其中的域既可以是经济和社会域,也

---

① 随后我会把耐久性作为制度的一个要求提出来。在这个意义上,价格向量作为偏好和技术的概要表征并不算做制度,因为它们随这些参数变动而变动。因此,类比到此结束。但是关于人们可以凭协定的价格成交并按协定交货的信念可算是制度。

② 接下去的论点是从我自己的著作中发展而来的(青木,1994a、1995/2000、1996)。格雷夫也在自己独创研究的基础上发展了同样的观点(Greif, 1989、1994、1998b),并且以简洁的形式将其表述出来(Greif, 1997、1998a)。下一句论断清楚显示了他对我的思想的影响。同时,米尔格罗姆和罗伯特对第三点作了贡献,我对它们非常感谢,这是必须注明的。

③ 关于后一种观点,参见雷特和休(Reiter 和 Hugh,1981)和赫尔维茨(1996)。扬曾从均衡博弈论的角度采取了这种观点(1998: 第9章)。

可以是政治域，并尽量在一开始不界定博弈的非技术性规则。

但有一点必须说明清楚。虽然我们致力于把制度理解为域中“内生的博弈规则”，我们并不希望建立一种模型，使每一项制度都同时是内生的。换言之，构成“外生博弈规则”的因素，即参与人集合，行动决策集合和参与人决策组合与后果的对应规则不可能完全由技术、资源禀赋和参与人的偏好来描述。A.费尔德（A.Field，1979、1981）首先指出了这一点。为了稍微换一个不同的角度来理解其中的含义，我们假想某种博弈的外生规则完全可以由技术来描述。可即便这样，也还有重复博弈中多重均衡解的可能性，如前所述，究竟哪一个均衡被选中无法由模型内生决定。我们有必要获知历史事件和过去通行的规则，以及邻近域所通行的规则①。这是因为参与人认为可行的特定行动也许受到历史先例的制约，而参与人在某一域行动决策的后果有可能被该域的制度环境（即邻近域通行的内生性规则）决定。从来就不可能存在一种免于制度影响的世界，使得分析能以此为出发点，完全不依赖于任何外生给定和人为设计的规则系统。因此，没有人可以避开无穷循环推理的问题。但我们可以将无穷循环推理引向从过去和历史继承下来的社会结构，而不是引向元博弈的逻辑结构。

外生博弈规则论关于实施问题同样面临无穷循环推理的困境。撇开自我实施的规范和惯例（诺斯意义上的“非正式”规则），如果博弈规则（即“正式”规则）必须由附加的第三方（实施者）实施，那么，实施者的激励问题又不得不考虑。谁来监督实施者呢？或者说，是不是需要另一个实施者来监督初始的实施者呢？正如赫尔维茨的分析所表明的那样，对该问题的解决又必须诉诸于分析一个包括实施者在内的博弈，将他视为一个博弈参与人，然后在给定其他参与人的策略选择所构成的一个均衡的条件下，给实施者规定的行动规则是否

① 巴苏（1998）为说明这一点提供了一个有趣的比喻。让我们比较两个“全球”博弈：其中一个——我们称之为“法制博弈”——有法律和政府官员，而另一个称为“无政府博弈”——两者皆无，因此是无制度的。但假定在参与人的策略集合和报酬及其他方面，两种博弈不存在什么差别，在第一种博弈中被称为“政府官员”的参与人可行的任何策略在无政府博弈中同一种参与人（无具体称呼）也同样可以选择。又假定我们把前者的均衡称为“法制均衡”，后者称为“无政府均衡”。这样看来法律规则就是均衡结果。然而，仍然有一个什么因素决定前者选择了“法制均衡”，而不是“无政府均衡”的问题。一定存在某些超技术的方面影响着均衡的选择。

得成为他的均衡策略，从而可自我实施，反之亦然。

(2)“*历史是重要的*” 在特定博弈模型存在多重均衡解的情况下，博弈均衡制度观可以揭示制度中“人为设计”(North, 1990)的一面，而不只是生态、技术或文化所决定的那些方面。如果对应于博弈结构的技术设定，博弈只存在一个均衡解，那么该均衡就仅仅是技术条件的一种表征，而不是制度①。例如，东亚社区规范的演变通常被归结为东亚独特气候和生态条件的产物，它们使小农家庭种植和集体使用灌溉工程更具生产效率。事实上，朝鲜和日本享有相似的生态条件，但在乡村社会结构和社区规范方面发展出各不相同的制度演化路径，对两国随后的制度变迁轨迹产生了深远的影响(参见第2.1节和第9章)。

均衡多重性通常被博弈理论家看做是一个困扰性的结果，他们付出了大量的研究努力，试图“改进”均衡概念，使单一纳什均衡解成为可能，目前尚未获得重大突破。我们认为，博弈均衡的多重性在比较制度分析中不应看做是一个理论负担。通过将制度置于均衡分析，我们可以清楚地表明，制度是人力所为，虽然绝非任意设计或随意执行的产物。更进一步说，制度分歧一旦发生，即使两国随后面临同一技术和市场环境，他们的整体性制度安排仍可能会相差甚远，其结果取决于各自制度发展的历史轨迹——这就是著名的路径依赖现象(David, 1985)。因此，均衡和历史分析在比较制度分析中是互补的和不可分割的。

考虑到不可能在同一时间将所有的制度现象都视为内生的结果，格雷夫(1998)建议在运用均衡观点分析制度时，采用如下分析程序处理历史信息：(1) 以历史和比较知识为基础，首先区分出哪些技术和制度因素可以看做是“外生的”，哪些制度因素需要当作“内生变量”即需要解释的变量；(2) 建立对应特定背景的博弈论模型，其中哪些被界定为外生变量的因素定义了博弈的外生规则，然后解出所有的均衡解；(3) 考察是否存在一些均衡解有助于解释内生性制度的性质；(4) 研究哪些“历史”因素促成了对特定均衡的选择，由此确定历史对制度形成的作用。

---

① 萨格登强调均衡多重性应作为惯例的一个必要条件。他论证说，“一种自我实施的规则可以看做是 一种惯例，当且仅当我们能够想象还有其他不同的规则存在，它们一旦确立也能自我实施。”(Sugden, 1986：第32页)

(3) 制度间的相互关联和相互依赖　均衡制度观提供了一个分析经济中各制度相互依存的可驾驭的理论框架。当政府为了引进一项新“制度”而颁布法令，法令的实施在一定的经济、政治和社会背景下经常产生意想不到的后果。比如在后共产主义国家，政府为模仿发达国家的公司控制权市场，颁布私有化法令，其中的一个意外后果是公司控制权普遍被内部人掠取，如前工业官僚和原国有企业的经理，他们在经济“转型”前已经掌握了实际的控制权①。这种情况有些类似于将实验室研制的药品用在人体身上，因人体的复杂性而出现副作用。意外情况出现的一个主要原因是在理想计划和现存制度环境之间缺乏必要的“耦合”，后者反映了制度发展独特的历史轨迹。这说明，只有相互一致和相互支持的制度安排才是富有生命力和可维系的。否则，精心设计的制度很可能高度不稳定。公司治理域的共同决定模式(co-determination)和政治域的社会民主社团主义 (social democratic corporatism)这两种相互支持的制度安排同时出现在德国，而主银行制、终身雇佣制以及产业协会和相关行政官僚部门的密切联盟在日本共同演化，相辅相成，两者均区别于所谓的盎格鲁-撒克逊模式，这都不是偶然的。

我们在第 2 编将从制度关联和制度互补的角度对制度的相互依存性进行理论概括。采用均衡制度观使得我们能够将这些直观上非常有意味的概念置于严格的理论分析中。特别地，我们将考察经济中不同的域的博弈，如组织协调、商品交易、人力和金融资产的劳务交易、政治交换和社会交换等等。然后运用托普吉斯(Topkis，1978)、米尔格罗姆和罗伯茨(1990)发展的分析工具，分析参与人在一个域的均衡策略如何与同一域或不同域其他参与人的均衡决策成为互补品，或者以后者为条件。通过这种方式，我们既可以理解一个国家整体制度安排之所以具有耐久性的条件，同时又可以理解这种制度安排的多重性②。

---

① 这一点将在第 10.3.2 节的实例 B1 中有详细的讨论。

② 关于米尔格罗姆和罗伯茨对于比较制度分析的贡献，参见米尔格罗姆和罗伯茨(1990b，1992，1994) 以及霍姆斯特朗(Holmstrom)和米尔格罗姆(1994)。也请参见帕加诺(1993)、帕加诺和罗索恩关于早期制度比较分析的两个文献(Pagano，1993；Pagano 和 Rowthorn，1994)。

与上述系统观点相比，代理理论(agency theory)作为比较制度分析的工具，其优越性和局限性都同时显现出来了。代理理论将经济某一域内参与人的经济互动视为一种委托-代理关系。它试图研究在委托人和代理人信息不对称的条件下，哪一种类型的自我实施(激励兼容)的安排能够成为对环境和激励约束的次优反应(a second-best response)。该理论的模型解不仅对技术环境的设定非常敏感，而且对隐藏在委托人和代理人目标函数内的参数设定以及刻画代理人外部机会的参与约束中的"制度环境"非常敏感。在解释和运用委托-代理模型的结果时必须注意到这一点。这些结果只是适用于模型隐含假定的特定制度环境，并非在任何域都可以成为由技术惟一决定的次优解。代理理论和我们的博弈论框架的区别有些类似于给定外生的价格参数分析个人决策的"局部"均衡观点，和在瓦尔拉斯经济中分析市场价格决定的"一般"均衡观点之间的区别。在委托人和代理人互动的特定域，当其他域的制度安排被假定为外生环境的时候，代理理论提供了一种强有力的分析制度的工具①。但是，为了真正理解某种制度在一国经济的域而非在别国类似的域出现的原因，我们还必须明确每种经济中不同制度跨域的相互依存的机制。

(4) 不同符号系统竞争而诱致的制度变迁　均衡的概要表征制度观提出了考察制度变迁的一个新方法。如上所述，制度传递信息的能力不是完备的。但对于理性有限的参与人来说浓缩的信息也许就足够了。在浓缩信息的指引下，参与人开发出与博弈内生规则相一致的技能和倾向。可是，当环境发生重大变化时，参与人业已形成的技能和决策习惯可能同时出现问题，不再适应了，从而引发"制度危机"。于是，制度被"视为当然"的部分，即关于博弈实际进行的方式的共有信念开始受到怀疑，参与人被迫参照现存制度之外的新信息，重新审视他们自己的决策规则。

---

① 交易经济学把交易视为分析的基本单位，以区别于代理理论把个体参与人视为基本单位(参见 Williamson, 1996，第 7 章关于这两种观点的比较)。在这个意义上，交易经济学和我们把博弈域视为分析单位是相似的。交易经济学的权威威廉姆森明确指出了他所研究的分析单位的环境的制度性质——"这些制度的定义，如诺斯、肖特及其他人主要停留在制度环境的层次上，即所谓的博弈规则。制度经济学研究的第二个即更微观的层次是治理结构制度(市场、组织混合体、层级和政府管理部门)。"(Williamson，1996：第 4 至 5 页)还请参见威廉姆森(2000)。

新制度的出现只有当参与人的决策规则在新的条件下相互一致，其概要表征导致的各人的信念系统相互趋同时才能实现。这种转型并不仅仅是在给定的博弈结构下从一种均衡向另一种均衡的过渡。它可能还包含一种新奇的变化，即从参与人一定的决策规则集合下的均衡向其他（如扩展的）决策规则集合下的均衡过渡（参见第9章）。在过渡过程中，包含新行动选择的各种决策规则被参与人不断尝试并相互竞争。在这种情况下，信念的收敛过程和新决策的协调过程这两者如何同时实现呢？在第7章我们将看到，经济学目前尚无法证明，实际决策和信念的双重收敛通过一种相互作用的合理机制（即实际决策由信念引致，而被观察到的实际决策又导致信念的形成）是可能的，尤其在行动决策包含新奇因素的情况下，证明双重收敛就更为困难。

但是，在过渡过程中，如果某种特定的符号系统从众多竞争性系统中脱颖而出，被公认为是重要和显著的，参与人的新决策策略不得不与之相协调一致，那么，借助该符号系统的指引，双重收敛还是有可能实现的。当参与人的决策趋于均衡时，一种指导性的符号系统将与人们的经验相互一致，并不断被后者核实和确认。于是，这种指导性符号系统成了镶嵌在参与人稳定信念中的均衡的概要表征，即制度（参见图1.1中带点线的方格）。关键点在于，某种符号系统存在于新均衡的演化之前，被相关域所有参与人的经验所接受。它可以是“尚处于形成中的、（有可能）确立行动新策略或新风格的文化或意识形态——即明确表述和高度条理化的符号系统”（Swidler, 1986: 第278页），也可以是“激发最终冲破组织能力和环境约束极限的行动的企业家眼光”（藤本，1999），甚至可能是革命党的政治纲领（如“一切工厂归工人所有，一切土地归贫农所有！”）。第9章我们将说明理性有限的个体参与人形成自己的“主观博弈模型”的方式，并把制度变迁的机制作为这些主观模型不断修改、完善和最终收敛于共同的表征系统的过程来讨论。

（5）成文法和公共政策的作用　最后，究竟把构成制度的博弈规则看作是内生于相关域还是在政治域外生设定，这对解释公共政策的作用具有重要的影响。如果人们接受制度是政体决定的规则并对经济绩效影响重大这一观点，那其隐含的推论将是，绩效不佳的经济应该通过设计和推行更好的规则来改革自身,这些更好的规则可能从别国借鉴而来;但如果这一目标未能实现,则应拿政府是问。这种观点存在两个问题。首先,政府自身是一个组织,它由具有自己动机和抱负的个人构成。在政治域的博弈中,政府是一个内生的参与人,任何政策制定的结果都应理解为是由政府、政治家、私人等参与人策略互动决定的①。谴责政治家道德和能力低下,这本身无助于问题的真正解决。

其次,如上所述,一项政策若与其他域的现存制度不相耦合,或人才积累不足,均可能产生政治家意料之外的结果。本书将把成文的法律法规视为定义博弈形式的外生参数(即博弈的外生规则),然后考察在此条件下参与人策略互动的结果②。成文的法律法规也许会引致制度的变迁,但它们自身不是制度。一项制度结果也可能与立法者或政府的初衷不尽相同。以下一些问题特别值得进行仔细和系统的研究:诸如初始的"制度"条件——如旧制度的遗产、现行的非正式规则(规范、社会伦理等等),人力资产存量的水平和种类等等因素如何影响公共政策对制度变迁的作用,政治域的规则设定又如何与其他域内生的博弈规则的演变相互作用③。

目前讨论的微妙之处在于,内生地看待政府并不必然意味着博弈结果将完全被决定了,不存在任何政策建议的空间——这被称为"决定论悖论"(Bhagwatti、Brecher 和 Srinivasan, 1984)。前面曾经暗示过,当某域陷入"制度危机"的时候,参与人关于博弈状态缺乏清晰的预期,即便他们自认为有清晰的预期,其预期也可能不相一致。这时将存在一定的余地让竞相争当"聚焦点"(focal point) 的外生性符号系统发挥影响力(Schelling, 1960)。这些符号系统可以是竞争性政党的施政纲领或职业政治家的建议。因此,在政治域内外的政治言论对制度演化将产生一定影响(Weingast, 1997)④。至于影响大小,其中一个关键因素在于它们和政治域之外通行的实践"耦合"的程度。

---

① 巴格瓦蒂等(Bhagwati, 1984),巴苏(1997),卡沃特(Calvert, 1995)和温加斯特(1995, 1997)。

② 格雷夫(1998a、b);巴苏(1997b, 1998)和科恩豪瑟(Korhauser, 1991a、b)。

③ 格雷夫(1998a、b)。

④ 诺斯(1990,1995)和巴苏(1997a)。

1.3 全书的安排

1.3.1 域、博弈形式和制度

我们已经介绍了本书将研究的关于制度分析的基本概念架构。本书的根本目的是将这个概念结构运用于当代制度问题的一些基本方面,并考察其相应的含义。为此我们需要系统地分析制度在不同域之间的相互关联。与此同时,如果我们能够结合经济学、社会学、政治学和认知科学关于制度的重要理论贡献,发展一种内在一致的博弈论分析框架,那将是非常有意义的。在本节中,我们想进一步为本书提出的雄心勃勃的目标做一些概念性的准备,然后说明本书的整个安排。

首先让我们对迄今为止所介绍过的基本概念重新做一番严格而准确的表述。如前所述,我们分析的基本单元是博弈的域。它由参与人集合和每个参与人在随后各个时期所面临的技术上可行的行动集组成,参与人可以是自然人,也可以是组织①。记住在域内所有参与人在一个时期所选择的行动被定义为一个行动组合。给定每一期开始时外在的环境和历史决定的域状态,该期的一个行动组合将产生在状态空间的一个结果,状态空间定义了在该域与参与人有关的所有可能的物质状态。该期的结果决定了随后一个时期的初始状态。根据一个函数关系(或规则),对于每一个行动组合和历史给定的初始状态,都有一个状态空间下的结果相对应,该函数(规则)被称为后果函数。各种环境因素,如在其他域通行的技术和"制度"以及由政体决定的成文的法律和政策,定义了后果函数的具体参数值。一定域和相关的后果函数则界定了一定的博弈形式,它代表了博弈(或机制)的外生性规则。

每个参与人对状态空间下每期所有可能的结果都有一个偏好序。后果函数和参与人的偏好函数结合在一起定义了博弈论通常意义上的参与人的报酬函数。我们之所以区分客观性的后果函数和主观性的偏好函数,原因在于界定博弈的外生性规则这一概念,以区别于作为内生性博弈规则的制度。如果域中所有的参与人,给定其自身关于别人策略

① 在第9章,我们将讨论参与人的主观认知定义其行动决策的启用集合(activated set of action choices)的情形。

选择的预期,均选择一定的行动计划,使其当期报酬或当期和未来报酬现值之和最大,那么,这种情形就称为是一种博弈。参与人选择的行动计划就称为他或她的策略。策略可以只是一个特定的行动,也可以是依域状态(或历史状态)而定的全面的行动计划(脚本)。

我们将涉及六种基本的域类型:共用资源、交易(经济交换)、组织、社会交换、政体和一般性组织领域。我们将考察何种类型的制度或规范在相关域或跨域是有生命力的。第1.2节曾提到,诺斯把组织排除在制度类型之外。他认为,组织是博弈的参与人而非博弈规则。他这样做的原因是强调组织是政治域制度变迁的主体。相反,本书相对来说不那么强调政治决定的正式规则以及从政治到经济过程的因果性,虽然政治域的博弈结果和经济交易域的博弈结果之间的反馈机制是非常重要的,我们将在后面讨论它们。另一方面,本书强调企业和其他私人机构(如金融中介)的组织惯例作为经济整体制度安排的一个不可分割和内生的一部分。我们主要根据参与人集合和不同参与人决策规则的不同特征区分域的类型。我们尽量鉴于它们的技术特征作出区分,以便于界定在域内和不同域之间内生演化的制度的差异性。但是,正如已经指出的那样,在理论上,试图从一种与制度无关、纯粹属于技术的地方开始我们对于制度的探讨是不可能的。因此,在下述域的分类中,一些一般性制度如所有权、角色预期和权力分配将不可避免地出现或隐含地包含在其中,虽然是以非常原始的方式。

共用资源域(Commons Domain)　在该域内的参与人集合是由那些使用共用资源的个人构成的,共用资源是任何参与人都可获得的(或由他们联合生产提供的)资源。这里假定,要排除一些潜在的获益者从共用资源得益在技术上是非常困难的,因而参与人集合假定是固定的。他们对共用资源的使用,可以是同时进行,也可以是按顺序进行,但未必要联合进行①。关于共用资源的使用,我们不假定参与人具有

① 这里使用的共用资源概念接近于奥斯特罗姆使用的"公用资源"(common-pool resources)。但她把后者和公共产品(由政府机构提供),即必须"联合使用"的服务区分开来(Ostrom, 1990: 第30—33页)。只要相关域的参与人的行动集合是对称的,我们的概念并不必然把集体物品和集体次品(collective goods/bads)如环境污染从(负面的)共用资源中排除出去。如果共用资源由政府机构单方面提供,我们就称之为公共产品,将它放在下面涉及的政治域内讨论,像奥斯特罗姆所做的那样。

一个公共目标或使公共价值内在化，而是假定他们是策略性参与人，每人只感兴趣于如何在预期别人行动的条件下使自己的报酬最大化。由于共用资源的存在是该域的一个主要特征，所有参与人的行动集合基本上是对称的，即每个人的行动决策都包括生产、维护和使用共用资源（如增加或减少共用资源的积累，或以不同的密集程度使用它）。因为参与人集合的固定性，个人的行动决策将通过域导致外在经济或外在不经济（例如，使用共用资源的拥挤现象，维护共用资源时的“搭便车”行为，或者惠及他人的提供公共物品的个人努力）。一种内生于该域的制度可能是（习俗性）产权规则（见第2章）。

交易（经济交换）域　该类型的域是由那些私人拥有可以自由交换或处置的物品的个人构成。虽然他们在初始拥有的物品是千差万别的，但其决策集在性质上是对称的，即包含所有技术上可能的用特定数量的物品或货币交换其他物品的价格，接受或拒绝别人的出价，遵守或违背商定好的交易条件。交易博弈的一个重要特征是所有参与人都有不交易的选择权。该域还可以进一步区分为金融交易域、劳动交易适用域、供应域和产品市场域等等（见第3章）。

组织域　在本域中，参与人可以通过联合行动生产产品（收益）并在他们之间进行分配。虽然这些联合行动可能涉及某些共用资源的使用（如品牌、公共信息、组织的基础设施），但该域还是在两方面不同于共用资源域。首先，参与人可以选择是否参与该类型的博弈。换言之，如果本类型的博弈是重复进行的，参与人有选择退出的权利，或者一个参与人在任何一期结束时有权让其他参与人退出本域，因而参与人集合不是固定的。其次，参与人的行动集合彼此可能存在巨大差异，具体视操作性和管理性劳动分工的情况（例如劳动分为管理、工程和操作性任务），但与此同时，有一个聚焦性（集中化的）参与人——经理，他的决策对该域所有其他人的决策都有直接或间接的影响①。交易域和组织域有一个共同的特征，那就是参与人拥有参与博弈的自由。但是，交易博弈的协调任务可以通过两个交易者

① 这里我们主要关心组织的协调方面，当然必须指出，组织还有其他的方面。从这个角度看，即使是平等主义的或集体主义的组织就治理结构而言也是有聚焦点（管理层）的。

之间自愿协议来达到，而在组织博弈中，所有参与人都必须赋予必要的激励，以吸引他们加入博弈同时适当地协调其行动决策（见第4章）①。

组织场（Organizational Field） 我们还考察一种称为组织场的一般性的域，它介于交易和组织域之间，但又区别于两者。这是一种相对来说较为原始的域，其中组织的建立是通过域内人们的配对（matching）实现的。组织结构的类型高度依赖于参与人在配对之前投资于信息加工的人力资产的类型。参与人可以自由退出该域，但他们的行动决策集合假定是对称的，即选择人力资产的类型，决定是否接受某种配对结果，在配对之前没有对层级安排（hierarchical assignment）的具体规定。我们可以把本域想象为一种理论建构，它对于理解组织规范和人力资产的共同演化的内在逻辑意义重大（见第5章）。

政治域 本域包含一个独特的中心参与人——政府，它拥有和私人参与者不对称的决策集合。私人参与者可以是公民、利益集团、产业协会、工会、阶级等等，具体视场合而定。政府的行动集合包括单方面将私人参与者的财产转移给自己或其他参与人（税收、补贴和罚金等），强制动员私人参与者的服务（如服兵役和参加陪审团），对私人参与者施加的有组织的暴力（如死刑、逮捕）和垄断供应某些公共服务，如司法。私人参与者无法通过选择逃避政府行动的影响，后者具有排他性的管制权力。但私人参与者可以选择是支持还是抵制政府。如果政府行动引起私人参与者的强烈抵制和反抗，其结果对政府将是代价昂贵的（如失去权力），虽然反抗也许对私人参与者也是有代价的。当政治域出现某中心参与人被认可为中央政府这一稳定结果时，我们将这一显著特征称为国家。换言之，我们区分作为博弈参与人的政府和作为博弈稳定结果的国家（见第6章）②。

社会交换域 这是社会学研究的领域，本书不准备专门探讨它，

---

① 这被巴纳德（Barnard，1938）论组织的经典著作视为组织的决定性特征。

② 通过将政府视为博弈中自主的参与人，我们的观点和一些政治学家如斯科波（Skocpol，1979、1985）、克拉斯内（Krasner，1978、1984）和温加斯特（1997）研究的思路是一致的。但这些学者均把政府（主权政府）当作“国家”而不是政治的均衡状态。关于政治学各种相关概念和观点，参见克拉斯内（Krasner，1984）。

但它对于理解某些制度如社区规范和同质团队或组织的地位分层现象扮演了一个重要的互补性角色①。在该域，那些直接影响接受方参与人报酬（如尊严、赞同、反对、同情、谴责、善意的疏忽等）的非经济物品（如社会符号、语言）被单方面提供，或与“非明确的回报义务”相交换（Blau, 1964/1998），有时甚至伴随着礼物馈赠行为（gift-giving）②。当交换以多边的形式发生在相互认识的一群固定的参与人中间时，我们就称之为一个社区（a community）。它可以是乡村社区、商人社区、职业社区等等。这些域连同其他类型的域一起导致了各种各样的社会规范的产生（见第2章）。

下面的矩阵从两个维度表述了博弈的六种域的区别。纵向维度对应着域参与人行动集合的差异，而横向维度描述了参与人是否有选择退出或被强制驱逐于博弈之外的可能性。六种域的位置根据上面的说明在矩阵图上应该是一目了然的。

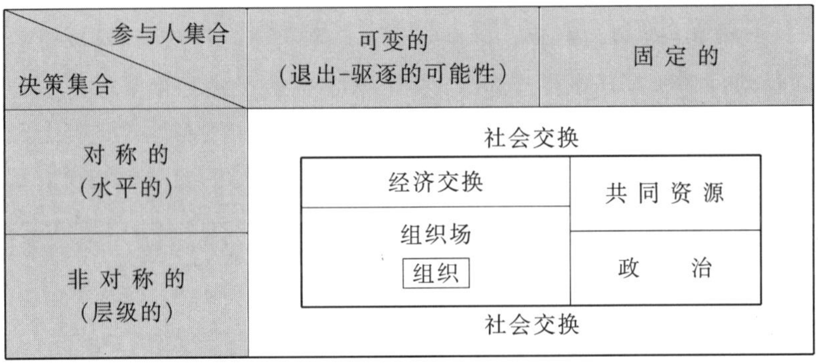

图1.2 博弈域的六种类型

如上所述，任何关于域类型的划分不可能是在纯粹技术意义上进行。因此，上述域的分界不免多少有些任意。如果我们从策略互

① 这一类域一直是各种学派的社会学家制度研究的对象，如社会交换学派如布劳（Blau, 1964/1998），赫曼斯（Homans, 1961）；现象学派如伯格和卢克曼（Berger 和 Luckmann, 1966）；新制度主义学派如梅耶和罗文（Meyer 和 Rowan, 1977），扎克（Zucker, 1977），梅耶和斯科特（1983），蒂马基奥和鲍威尔（DiMaggio 和 Powell, 1983）；社会嵌入学派格拉诺威特（Granovetter, 1985）和理性选择学派如科尔曼（Coleman, 1990）。

② 在符号和语言交流影响参与人报酬这个意义上说，他们与博弈论中所谓的“廉价交谈”（cheap talk）是相区别的。关于廉价交谈理论的通俗性概览，请参见法勒和拉宾（Farrell 和 Rabin, 1996）。

动的参与人中选取某个特定集合，他们因具备多个域的特征，有时不容易恰好归入某个域类型。例如公司企业，毋庸置疑，其最显著的特征是组织性的，是涉及操作性和管理性劳动分工的组织。但合同理论经济学家强调企业作为“合同的联结”这一方面(Jensen 和 Meckling, 1976)：即理解为作为交易域一种制度安排的方面。在一般意义上，企业的本质也可以概括为组织场参与人配对的结果。公司企业同时还具有社区的特征，其中公司成员的社会交换形成一定的公司文化(如 IBM 人)和各种亚组织规范(如车间工作规范)。公司企业也分享共用资源域的一些特征(如使用无形的信息资产)。最后，公司企业被认为镶嵌在类似于政治域内的制度的治理结构之中。在一开始，我们不可能发展一种企业理论，将上述所有的特征均考虑在内。企业不同的各个特征将在本书的不同章节中涉及。我们最根本的目的是在历史的和环境的条件下，试图理解企业的各个方面以不同方式相互适应的逻辑结构。

最后，让我们基于共有信念和均衡的概要表征的观点对制度这一直观的概念重新下一个定义，关于该定义的严格和重要的发展将在后面的章节进行。假定参与人在一个域或跨域策略性地选择行动决策的计划，并且，在该域或跨域内已演化出可持续的稳定结果。那么，给定其他均衡(或更一般地说，另一个均衡序列)存在的情况下，我们定义制度如下：

> 制度是关于博弈如何进行的共有信念的一个自我维系系统。制度的本质是对均衡博弈路径显著和固定特征的一种浓缩性表征，该表征被相关域几乎所有参与人所感知，认为是与他们策略决策相关的。这样，制度就以一种自我实施的方式制约着参与人的策略互动，并反过来又被他们在连续变化的环境下的实际决策不断再生产出来。

上述定义涉及制度的五个特征：内生性(隐含在“自我维持”、“自我实施”和“不断再生产”三个词组中)，信息浓缩(隐含在“浓缩性表征”一词中)，对于环境连续性变化和微小动荡的刚性(“均衡路径显著和固定特征”、“被所有参与者所感知”和“在连续变化的环境下……不断再生产出来”)，与相关域几乎所有参与人相关的普遍性(“共享的”、“制约着参与人策略互动的方式”和“被所有的参与人所感知”)和多重性。一项制度可以简要地代表域内不同类型的行动决策规则或所有参与人共同的决策规则，这具体取决于域内参与人的行动集合是否对称。举例来说，在政治域，参与人的行动集合不是对称的，概要表征就由关于政府和公民或利益集团依状态而定的不同行动决策的预期构成(回忆一下商人行会的例子)。类似地，在组织域，概要表征则由组织中处于不同位置的参与人的预期角色(如经理、工头和工人)构成。另一方面，在共用资源和社会交换域，行动决策集合是对称性的，概要表征采取的是规范和自我实施的合同的形式，它们受到有关博弈重复进行的方式的共有信念的支持。

经济可认为是由不同域——共用资源、经济和社会交换、组织和政治——的混合体组成的，其中有些相互重叠和交叉，有些则可能寓于其他域之中，凡此种种，不一而足。对于同一外生性博弈规则(如技术)，多重制度可能共存于每一个域之中。不仅如此，制度因为参与人策略决策的关联性也可能跨域而演化。我们把经济中跨域的共时性制度集合称为整体性制度安排(overall institutional arrangement)。其结构毫无疑问是非常复杂和多变的，但尽管如此，它们并非随机组合在一起。本书的主要目的之一就是揭示各种各样的整体性制度安排背后的规律性。

1.3.2 本书的安排

本书由三大部分组成。第 1 编将依次讨论六种域最原初的形式，界定每种域里作为稳定多重均衡现象的制度原型(prototype)。这将为第 2 编建立一个一般性博弈论框架奠定基础，该框架将用来定义制度，分析制度跨域和随时间的相互依存性，从而理解制度变迁的机制。然后，我们需要考核该理论框架是否真正能够帮助理解当代经济制度安排的复杂性和多样性以及制度变迁。这是第 3 编的任务。

第 1 编从第 2 章开始，讨论共用资源域以及嵌入其中的社会交换域。从中我们将推导出习俗性产权规则和社区规范，它们作为这些域参与人策略互动的内生结果而出现。第 3 章是关于交易(交换)

域,从中可引出在没有政府干预下治理和促进交易和市场的各种各样的自主性制度类型。第 4 章集中分析组织域,界定各种富有现实意义的组织和准组织结构,然后研究其相对的信息效率以及治理问题。第 5 章分析组织场,其中不同的组织结构连同不同的人力资产类型(信息加工能力)共同演化成一定的组织规范,然后讨论如何利用来自组织多样性的收益。第 1 编的结束——第 6 章转向政治域,探讨在政府作为博弈参与人的情况下,各种国家形态作为政治交换博弈的稳定结果出现的条件。在第 1 编所界定和讨论的制度被称为元制度(proto-institutions),原因在于它们均是在单一域得出的,没有借助域之间的相互依存性,故不可避免地表现为原始的形态。这一部分主要依赖于许多学者——包括我自己在内——以前的研究结果,为当前关于制度的分析观点提供一个概览(当然这决不是一个全面而广泛的文献概览)。

建立在第 1 编准备性的分类研究基础之上,第 2 编着重于建构关于制度的一般性分析框架,其中伴有一些阐示性的例子和案例。主要目的在于提供一个分析经济整体制度安排的系统特征及其变迁的统一架构。第 7 章将给出关于制度的一个精确的博弈论定义,我们把制度视为共有信念的自我维持系统和均衡的概要表征,然后是关于制度作用的讨论。第 8 章系统地研究跨域的博弈关联如何导致新制度形式产生以及(非帕累托有效的)制度安排的多重性,以揭示其中的深层逻辑。在第 1 编使用的重复博弈或进化博弈模型有助于对单个制度进行严格的分析。但正因为其内在的逻辑力量,这些模型在把握制度变迁的基本特征——新奇性和创新性时表现出一定的局限性。第 9 章将放弃参与人行动集合客观固定的假设,引入参与人用于主观地认识博弈结构的个体主观博弈模型这个概念。通过研究参与人在面对外部冲击或内在危机时如何相应地在认知上修改其主观博弈模型,我们试图描述制度变迁的一种可能的机制。第 10 章转向制度变迁的客观机制,并讨论导致路径依赖现象的制度间的历时性关系。

在建立了一个分析制度间历时性和共时性关联的理论框架之后,第 3 编开始对当代经济中现实且更复杂的制度安排进行比较制度分析。第 11 章根据组织结构的不同类型,将公司治理机制划分为几种相应的形态，然后讨论它们与其他域的制度可能存在的互补性。第12章将给出关于关系融资的新定义，论证在日益加深的全球金融市场一体化过程中，一些基于意会信息的关系融资类型仍将保持经济活力。第13章结合关系融资的经典例子——日本主银行制，考察一种制度起源、兴盛和陷入危机的过程。第14章将试图理解硅谷模式，讨论在什么条件下和在何种意义上它构成了产品系统创新和治理方面的制度创新。第15章作为结束语，结合前面的分析结果，首先归纳整体性制度安排的几种重要模型，然后对全球范围内整体性制度安排在全球一体化加深和通信信息技术大发展的情况下仍然呈现多样性的原因提出一些猜想。

第 1 编

元制度：基本类型介绍

经济是一种复杂的制度安排。经济制度不仅复杂,而且还因国家而异。本书的主要目的在于探究制度安排因时因地呈现多样性的原因及可能的收益,但是,我们不准备一开始就直接研究所有这些复杂的制度安排,这样做显然是不明智的,极容易使我们陷入迷宫而不能自拔。因此,在第1编,我们先研究那些被认为是基本制度的一般形态——即元制度。元制度建构于简单的、带有思想试验性质的环境之中,以期反映产权规则、规范、自我实施合同、第三方合同实施、组织规范以及国家等基本制度的某些重要方面。直到最近,经济学家对制度的兴趣才有所上升。而在此之前,制度安排均被经济分析视为既定之物,被假定由超经济的领域决定,如法律、社会、生态、技术和政治等等。然而,博弈论及其他分析工具的发展逐渐使得经济学家能够分析与这些事物相关的问题。诸如,制度为什么会产生,以及它们是如何得以维系的?制度究竟扮演什么样的角色?为什么制度安排因地点而彼此不同,且相应的经济绩效也各不相同?

第1编将初步探讨这些问题。我们将讲述一系列的理论寓言,说明第1章所介绍的相关域内元制度的运行方式及其自我实施的性质。对于每一个相关域的元制度,我们还将提供分析性的分类,并在必要时结合历史或当代的实例加以阐示。叙述结构将按照从简单到复杂的顺序,以在一定程度上反映历史发展的顺序。但这并不意味着制度发展在实际的历史过程中一定按照这种顺序进行。这种叙述结构可以认为反映了当代经济的整体性制度安排的重要方面:即从较为自发和潜在的形态(如习俗性产权、规范、惯例)到较为复杂和精细的设置(如合同、组织结构和国家)。整体性制度安排可以看作是一些元制度复杂而又内在一致的联结,其结构将在下一编进行研究。

第2章　习俗性产权和社区规范

两人划船，不是靠相互承诺，而是凭着双方的默契或惯例。所有权的稳定性也是来自人类社会逐渐形成的惯例，来自侵犯产权所导致的不方便的反复经历。而且，这些经历还告诉我们，尊重所有权符合大家的共同利益，从而使我们对他人的未来行为更具信心。

——大卫·休谟：
《人性论》1739 年 *

本章将讲述有关习俗性产权规则和社区规范这两种基本元制度的理论寓言。如第 1 章所述，不存在任何独立于制度，只由技术和生态因素决定的经济域，但与此同时，我们将尽量在接近原始状态的社会背景下构造这两个理论寓言。这么做的目的并非想说明，这些元制度只能在先于市场经济的原始状态下出现，并支配参与人的策略互动。我们想澄清的是，为什么产权和规范可以作为基础性社会建构以管制共用资源域所存在的外部不经济性的基本逻辑。在这些寓言中，习俗性产权不依赖界定和实施所有权的法律规则而自组织；社区规范具有类似的特征，尽管规范是在特

* David Hume，*Treatise of Human Nature*（1739/1992：p490）.

定的社会和政治条件下出现的,但它不借助于外部的文化纽带。这些寓言本身看上去不免有些粗糙或者太专业,但有着广泛和深刻的寓意:有效的产权法律来自实践和惯例,而不是相反;社区规范在私有产权制度和市场失效的情况下可以成为社会的治理机制,这在现代环境下也是如此。下面第一个理论寓言反映了进化博弈论的基本逻辑,第二个寓言则引入关联博弈均衡概念和相关的社会学概念——“嵌入性”。所有这些分析性工具在随后的章节中将不断得到运用和拓展。

2.1 作为自组织系统的习俗性产权

2.1.1 一个初步的寓言

关于私有产权的起源,德姆塞茨(Demsetz, 1967)提出了一个著名理论。他认为,私有产权的首要功能在于驱使经济参与人实现“外部性进一步的内在化”。假如稀缺资源被置于公共领域,人们会倾向于竞争性地使用它,以增进私人利益,这样资源的可得性不久便会降至社会理想水平以下。建立私人所有制以及排除非所有者的使用(消费),将促使所有者对资源使用成本和收益进行理性计算。更进一步地,如果所有权可转让给出价最高的人,那么社会福利将趋于最大化。所有权结构最终会调整到如此状态,即每种资源均被置于对它评价最高的人手中。因此,从效率的角度来看,所有权的初始分配并不重要。基于这种理论,德姆塞茨认为产权的初始分配完全可以“随机决定”(1967,第 356 页)。在德姆塞茨之前,科斯(Coase, 1960)也认为,只要产权的初始分配是由立法决定的,不论其决定的结果如何,由外在不经济引起的社会成本都可以通过相关参与人的双边协商而内在化。因此,产权界定只有从财富分配的角度看是重要的,从效率角度看则无足轻重。

的确,正像阿罗-德布鲁一般均衡模型,或者有关社会成本的科斯模型所显示的那样,私有产权的初始分配一旦外生给定,互惠互利和自愿的产权交易将从中自动演化出来,这是毋庸置疑的。

但是，任何产权制度都隐含解决个人（家庭）因使用资源而产生的利益纠纷的一种稳定方式。这种稳定的产权安排如何从那些自利但又理性和信息有限的个体参与人中间产生呢？即使法律明确规定了私有产权，并且国家被认为是产权实施的最终源泉，政府（法庭）也不直接监督每笔产权交易的过程，判断它是否合法，而且也不可能这样做。在一个稳定的社会，产权得到人们的广泛尊重，纠纷通常在没有第三方直接监督的情况下得到解决。而在另一些国家，政府制定的产权规则却经常遭到人们的漠视和违背，甚至政府官员自己也不认真执行。这表明，尽管存在利益纠纷，但稳定的产权安排中一定包含某种自我实施的因素，即它的有效运行毋需依靠外生的第三方界定和实施。

让我们先从一个简单的故事开始。它取自博尔藤·扬（Young 1992，1998：第 8 章）富有独创性的讨价还价模型，旨在说明在没有第三方理性设计的情况下，自利且理性有限的个人如何在稀缺资源的竞争中自组织一种互惠互利的元产权制度。假定某一片土地每个季节可捕获 100 只野兔而不影响其繁殖力。有 A 和 B 两人居住在这片土地上，每人都想捕获更多的野兔。A 希望一个季节捕获 x 只，B 希望捕获 y 只。因为兔子本身不可分，所以 x 和 y 必须是整数。如果 $x+y\leqslant 100$，那么每人都可以得到他们想要的数量。如果 $x+y>100$，结果对双方都不利（比如两人争执不休时兔子跑了，或者捕获太多破坏了自然繁衍环境，或者他们不得不陷入极不愉快甚至诉诸暴力的纠纷，既耗费资源又伤害感情）。A 和 B 分别拥有效用函数 $u(x:y)$ 和 $v(y:x)$，在 x 和 y 满足 $x+y\leqslant 100$ 的定义域内两函数均单调递增且为凹函数，并令 $u(0:y)=v(0:x)=0$。为了突出外部性效应的影响，我们假定只要 $x+y>100$，其损害之严重将使得双方的效用所得均被剥夺，即 $u(x:y)=v(y:x)=0$，代表对方捕获量的第二个参数不影响效用水平[①]。效用函数的曲率（由 $-u''/u'$ 和 $-v''/v'$ 来测度）衡量的是个人对纠纷风险规避的程度。但该信息是私人性质的，也就是说，双方都不知道

① 我们假定，对于所有的 x，y' 和 y''，只要 $x+y'$，$x+y''\leqslant 100$，$u(x:y')=u(x:y'')$；对于所有的 y，x' 和 x''，只要 $x'+y$，$x''+y\leqslant 100$，$v(y:x')=v(y:x'')$。

对方效用函数的形状。

假定两人的寿命只有一个季节，他们的后代拥有和其先辈一样的效用函数，在接下来的季节重复同样的博弈。博弈一代又一代地重复进行。由于每人都不知道对方的效用函数，其策略就只能依据过去的信息来制定。每个人在决定具体的捕获量时，首先要收集的信息包括：过去他先辈的对手的捕获量是多少，现在的对手属于何种类型。但是，他先辈的信息并不直接传给他本人，因此他只能得到一些关于先辈对手捕获量的不精确信息。他随机地从过去的 m 年中收集 $k(i)$年的信息。比例 $I(i) = k(i)/m$ 代表个人 $i(i = A, B)$ 的信息收集量。这个比例所衡量的信息收集能力假定能够代代相传。

每人利用上述信息开始猜测对方捕获量的概率分布，猜测它可能等于 $k(i)$样本中捕获量的频率分布。从这一估计出发，每人能够计算出为实现预期效用最大化所需的捕获量（如果不止一个解，那么每个解以相同概率被选中）。也就是说，个人 A 求解下列问题：

$$\max_{x} \sum_{0 \leq y \leq 100-x} \frac{n(y : A)}{k(A)} u(x : y)$$

其中 $n(y:A)$是 A 有关 $k(A)$的记录中对（计划）捕获量 y 的计数。根据对称性，B 的最优化问题可以同样的方式定义。然后，每人开始按计划捕捉野兔（如果两人的计划不兼容，还可能引起纠纷）。

因为两人对历史事件的回忆是随机的，（计划）捕获量 $\{x_t, y_t\}_{t=1, 2, 3, \ldots}$的序列构成了一个随机过程。扬证明了只要两人的信息收集能力不完备且小于 1/2，那么从任何初始状态出发，该随机过程都几乎确定地收敛于一种惯例（进化均衡）或规范①。在该故

---

① 简要证明。为简单起见，只考虑 $k(A) = k(B) = k$ 的情况。假定在介于第 1 期到第 k 期的时间内，A 和 B 总是选择相同的样本，它们由介于第 $-k+1$ 期和第 0 期之间的捕获量构成（因 $2k < m$，这是可能的），而且他们总是分别捕捉 x 和 y。又假定在接下来的从 $k+1$ 到 $2k$ 的时期内，A 和 B 总是抽取由先前从 0 到 k 时期的捕获量构成的样本，这样使得 A 和 B 的最优捕获量总是分别为 $100-y$ 和 $100-x$。最后假定在随后从第 $3k+1$ 期到第 $3k+m$ 期的时间内，A 的样本只包括从第 $k+1$ 期 到第 $2k$ 期内的 $(100-x)$，而 B 的样本只包括从第 1 期到第 k 期的 x。于是，自第 $2k+m+1$ 时期以后，A 和 B 的最优捕获量分别为 x 和 $100-x$，这意味着一种惯例的建立。从 m 个记录中选取 k 个样本是随机的，因此上面刻画的情形将会以正概率 $p > 0$ 发生。而在共有 $T(2k+m)$ 个时期内惯例不能建立的概率是 $(1-p)^T$，当 T 趋于无穷大时它将趋近于零。

事中，惯例是指一种状态，即某种固定分配（x^*，$100-x^*$）在连续 m 年中不断重复。由于用来估计对方捕获量的概率分布的样本是从过去 m 年中随机抽取的，因此，一旦某种惯例建立起来了，除非遇到随机扰动或者有人犯了错误，否则它将恒久不变，并将自我实施。这意味着该惯例一旦建立，便成为两人的最佳反应策略。

惯例通过稳定两人的行为使得他们在缺乏对方偏好知识的情况下，不必每年都重新计算最优捕获量，并且避免了成本高昂的冲突以及外在不经济，实现了集体效率。当然，两人在阅读历年记录时可能会犯错误，或者需要从事一些试验来测试对方及自然的反应，从而使得捕获量大于或小于惯例水平。假定双方的错误或试验在每个季节以小概率发生，并且当它们发生时，其结果将会被后辈随机抽取，成为他们形成新的概率估计的样本。那么，该过程不会演变成稳态的惯例。而且，只要错误不是经常发生，该过程还将收敛于旧惯例。但是，错误或试验的日积月累有可能会导致上述过程最终偏离旧惯例。因此，在长时间内，该过程可以描述成一个不同惯例的连续序列，中间偶尔被一些不稳定时期打断。但在足够长的时间内，可能会存在一种惯例，比其他惯例被观察的概率高出无数倍：这种惯例就是那种一旦建立，相对来说不容易被错误或试验干扰的惯例。这种特定的惯例被扬称之为“类稳定”（generically stable）惯例。扬证明了类稳定惯例可由惟一分配（x^*，$100-x^*$）来描述，该分配使得下列一般化的纳什乘积函数最大化：

$$[u(x:y)]^{I(A)}\times[v(y:x)]^{I(B)}$$

上述式子的解界定了一种分配：风险规避倾向较小和信息收集能力较强（由 $I(.)$ 衡量）的个人得到捕获量的较大份额①。

---

① 直观的证明。假定惯例 $X=(x^*,100-x^*)$ 已经确立。我们将从 x^* 到 x^*+1 的转型成本定义为参与人 A 为了让参与人 B 接受 $100-x^*-1$ 为最佳反应所需进行试验的“最小”次数 p（参与人 A（或 B）是指个人 A（或 B）以及他或她的先辈）。如果 A 进行 p 次连续的捕获试验 x^*+1，B 将此信息收集在其样本 $k(B)$ 中，使得 $v(100-x^*-1:x^*+1)\geqslant\left(1-\frac{p}{k(B)}\right)v(100-x^*:x^*)$. 经整理可得（转下页）

稳定惯例或规范一旦确立，每人便会将惯例所隐含规定的捕获量视为他当然的权利，同时他也会将剩下的数量视为别人当然的权利。这样，上述故事中惯例的确立可以解释为稳定的习俗性产权的出现。这故事本身不免有些简单，对于上述模型的建构及其应用，读者一定会提出这样或那样的疑问，诸如为什么参与人只对另一方的决策做反应，为什么参与人赋予那些在过去导致零效用后果的样本同等的权重，为什么不能为后代做一些利他主义的试验，为什么一代又一代的参与人在一起反复博弈而不能大致准确地估计出另一方的风险偏好并相机更理性地行事①，作为有限理性的个人如何能完全预见到集体过度捕获的后果，等等。尽管如此，其理论结果却具有启示性。习俗性产权是一种自我维系的内生性秩序，它产生于自利和理性有限的个人之间的相互作用。一经确立，它就将在纳什均衡的意义上自我实施：没有任何一方想单方面偏离该种状态。虽然结果是纳什均衡，但参与人事先并未意识到纳什均衡会被大家博弈。他们试图理性地作出反应，但仍然无法按照某种寻找纳什均衡的先验的逻辑演绎方法消除劣等策略，因为他们事先不知道对方的风险

（接上页）

$$p \geqslant -k(B)[v(100-x^*-1:x^*+1)-v(100-x^*:x^*)]/v(100-x^*:x^*)$$

不考虑整数问题，不等式右边可近似为 $-k(B)v'(100-x^*:x^*)/v(100-x^*:x^*)$，我们将它定义为从 x^* 到 x^*-1 的转型成本。根据对称性，从 x^* 到 x^*+1 的转型成本可定义为 $k(A)u'(x^*:100-x^*)/u(x^*:100-x^*)$. 设想随机试验驱使着惯例朝着减少转型成本的方向变化。然后重复同样的推理。虽然有些跳跃，但我们仍然可以推测，在长期，该过程将以更高的概率在某惯例周围趋向于稳定，该惯例使得朝相反方向的转型成本达到平衡[1]。对平衡条件

$$k(A)u'(x^*:100-x^*)/u(x^*:100-x^*) = k(B)v'(100-x^*:x^*)/v(100-x^*:x^*)$$

的两边分别除以 m 然后积分，我们得到

$$x^* \in \arg\max u(x:100-x^*)^{k(A)/m} \cdot v(100-x:x^*)^{k(B)/m}$$
$$= \arg\max u(x:100-x^*)^{I(A)} \cdot v(100-x:x^*)^{I(B)}$$

更进一步的证明请参见扬(1993)。

① 人们也许认为，在博弈重复进行而风险偏好又保持静态的环境下，关于对方风险偏好(效用函数)完全无知的假设是不合理的。现假定每一方都准确猜测到对方的偏好。那么，上面定义的从 x^* 到 x^*+1 的转型成本除以 $k(A)$ 可以解释为 A 对 B 的"大胆程度"(Auman 和 Kurz, 1977) 或"局部谈判能力"(Harsanyi, 1977) 的估价，因为它也可解释为在冲突环境(零效用环境)下 B 所能忍受 x^* 以阻止 A 进一步要求 x^*+1 的最大概率。如果我们假定谈判结果是朝着有利于局部谈判能力更强的一方发展，那整个过程将在局部谈判能力平衡的情况下趋于稳定。在均衡状态，我们得到正常的纳什谈判解：$x^* \in \arg\max u(x:100-x^*) \cdot v(100-x:x^*)$。请参见青木(1984)，第2部分，那里有对该想法更详尽的讨论以及它在企业的谈判理论中的具体应用，其中雇员和股东同被视为利益相关者。

倾向和信息收集能力。他们无法借助中立的第三方(如瓦尔拉斯拍卖人)得到有关参与人的(边际)偏好(以价格的形式)的信息,也不可能依靠仁慈和万能的政府从外部计算和实施最优纳什均衡。然而,他们能够自发地寻找到自我实施的惯例。

2.1.2 元制度的一般性作用

通过讲述一个以扬的想法为基础的故事,我们已经看到,习俗性产权作为一种自我实施的安排可以在有限理性的个人为稀缺资源而竞争的环境中产生。正如我们已经警告的那样,上述故事决非构成对产权形成的历史过程的描述。连同家庭一起,产权被认为是人类社会存在的最古老的制度之一。可是事实上,关于产权的初始演进,我们除了能够猜想到制造和使用工具的同一人首先"占有"工具以排除他人使用之外,我们几乎一无所知。关于对于资源的各种权利(如捕获权、耕种权、收益权、处置权)是如何演化和得以安排的,一定存在许多历史差异①。上面的故事与任何历史经验相比肯定都有相当的距离。但它的意义在于提供一个"寓言"。它表明,习俗性产权制度,基于如果我尊重别人的权利,别人也将同样尊重我的权利的稳定预期,它的出现并不是出于任何个人或组织的理性和有目的的设计。它之所以有可能自发演生,是因为人们从经验中认识到,遵循这样一种约束实际上有助于每人对目标的追求。如果他们不能认识到这一点,元制度就不会产生,从而导致共用资源的退化和衰竭。这种结果可以解释为另外一种均衡,但那样的话,人们就不得不从该地区迁走,寻找新的可资利用的资源,否则,他们的集体生存将受到威胁。

上述故事正因为其简单性才有助于澄清元制度的几种作用。

首先,就参与人而言,元制度降低了其他人行为的不确定性。这对不甚了解其他人偏好(效用函数)、知识、能力等方面的参与人来说是大有作用的。一旦确立了习俗性产权,博弈双方不必每年都从零开始,费力去弄清对方的意图并形成对决策环境的主观

① 关于产权发展的历史文献的概览,参见 De Alessi (1980),Libecap,Eggertsson (1990)和 Platteau(1999)。

估计。

其次，通过使捕获量常规化，元制度成为“背景”的一部分（Shearle, 1998），使参与人得以进一步开发与其性情、偏好和愿望相一致的技能。当对方的计划捕获量趋于稳定时，他们不必动用其本来就有限的计算能力去估计实现自己最大效用的捕获量。他们可以将这些稀缺的个人资源用于其他目的，比如学习如何烤野兔，如何将兔皮做成衣料，以及考虑是否要送一些给亲戚朋友，等等。对捕获量的约束极大地拓展了他们能够追求的目标范围。个人行为的习惯化反过来又稳定了他们相互预期的反馈效果。

再次，不用诉诸对集体目标的明文规定，元制度有助于协调人们对环境的集体反应。更具体地说，在上述故事中，它使得自利的参与人避免了相互施加过度捕获的外在成本（也就是说，惯例使得 $x + y = 100$）。这恰恰是前面提到的德姆塞茨所强调的论点。我们故事中的参与人没有蓄意地避免过度捕获或最大化效用乘积，按照公共目标行动，但惯例的确立帮助他们使外在不经济内在化，实现效用乘积的最大化。需要特别指出的是，该结果的最优性源于模型的简单性。在更复杂的制度安排下，无法有效协调人们决策的情况也可能出现。例如，我们在第 5 章将看到，组织域会演化出多重惯例，其中一些惯例比另一些在特定的技术环境下更有效率，而另一些惯例则在其他的技术环境下表现得更好。不论怎样，关键点在于，在元制度下自利和理性有限的个人被无意识地导引着去行动，对环境产生相应的集体后果。

最后，元制度针对不同人的特点赋予不同的价值。在我们的寓言中，风险规避倾向较小（即更胆大）和信息收集能力较强的人被赋予了较多的权利。虽然在模型中我们将这些因素视为外生参数，但完全可以使之内生化：风险规避程度随财富积累而减少，信息加工能力可通过投资于学习和掌握更多的信息加工的资源而得到改善。因此，制度界定了参与人的激励①。也就是说，寓言中的参与人事实上会被驱使着去积累财富和加强学习，以控制更多的资源。但当参与人掌握了更高的信息加工能力之后再来对内在环境作出反应，这

① 这一点也被诺斯所强调（North, 1990）。

不仅可能导致现有惯例的不稳定,而且还会使自组织的习俗性产权自身出现相应的问题①。

2.1.3 两种秩序和法律

当一种稳定的惯例开始演化时,参与人倾向于按某种特定方式行事。在这个意义上,参与人遵循着隐含的"行为规则",共同自组织一种秩序。这种秩序可以认为是门格尔所命名的"自发秩序"(Spontaneous Order)(Menger, 1883/1985),或者哈耶克所指的希腊文 *cosmos*,意即"国家或社会的正当秩序"(Hayek, 1973,第 37 页)。这种秩序仍然可能受到人为错误以及偶尔偏离隐含规则的干扰,造成各种各样的失衡成本。为了控制失衡成本,人们发现将隐含规则明晰化、形式化并加以实施对大家都有益处。例如,在上述故事中,双方也许会同意将狩猎地划分为两片,其大小与惯例所隐含的相一致,使得每人只在自己所属的土地上捕获成为一种明确的"规则"。也许两人还同意竖起一道栅栏将两片地隔开。如果一人对其负责的栅栏维护不力,使兔子跑到邻居的地里,邻居可以正当地要求补偿。他们可能根据关于土地划分的现行规范处理这场纠纷②。如果纠纷无法自行解决,他们还可以求助第三方裁决。第三方不必一定是拥有实施权力的法庭。它可以是不偏袒任何一方的调停者,鼓励双方达成共同满意的协议。如果调停不起作用,第三方则必须扮演仲裁者这样更积极的角色,宣布一个解决冲突的方案,有时甚至判定谁对谁错。在此案例中,第三方扮演恢复自发秩序而不是实施新秩序的角色。虽然邻里和公众舆论的压力可能会促使双方尊重判决,但它不具备实施

---

① 参见第 38 页注①的证明。当用来测度信息加工能力的 $I(.)$ 超过 1/2,惯例的收敛便成问题了。

② 在一本以调研工作为基础,调查加州沙塔县邻里纠纷处理的书中,艾利克森(Robert Ellickson)发现,那里的地主在不借助司法系统,有时甚至与它冲突的情况下处理了他们之间的大部分纠纷(例如走丢的牲畜与高速公路的汽车相撞引起的赔偿问题或在边界设栏的出资问题)。他指出,"邻里之间通过发展和实施比正式的法律所有权更有效的适应性邻里规范实现了合作"(1991: 第 4 页)。从这个观点出发,他批评了有关社会成本的科斯定理所隐含的司法中心主义。在他看来,该定理将法律定义的所有权作为纠纷处理的出发点,而"未能注意到在某些场景下初始权利不是产生于法律,而是产生于通过分权化的社会过程形成的规范"(1991: 第 138—139 页)。

协议或裁决的正式权力①。由自发秩序衍生的规则被哈耶克称为 *nomos*，或所谓的律师的法律②。作为自发秩序的惯例先于律师的法律，并创造了后者，而不是反过来。

和人们互动自组织的自发秩序相对照，哈耶克将那种人为设计的秩序称为“组织”(organization)，或希腊语的 *taxis*，意即“人为秩序”。政府就是 *taxis* 的一个例子，而政府制定的规则被称之为规章(*thesis*)，或所谓立法者的法律③。两种秩序——自发秩序(*cosmos*)和人为秩序(*taxis*)；两种对应的规则——规范(*nomos*)和规章(*thesis*)，并不是必然相互排斥的。虽然某些规则会随时间自发演化，且被人们观察到，但“人们逐渐学会改进这些规则；而且，某种自发秩序的形成完全依赖于人为制定的规则是完全可以想象的”(Hayek，1973：第 45 页)。习俗性产权的自发秩序可能逐渐会被由政府(法庭)实施的明确的法律条文所取代，虽然并非所有的情况都是如此。人为设计的所有权规则形式各种各样、精细复杂，包括赋予人为秩序以所有权，如法人和政府。然而，立法机关并不能随心所欲地创造秩序。另外，即便两种秩序——人为秩序和自发秩序，能够共存，也不意味着它们能够如我们所愿随意组合在一起。如果随意制定一项法律，与现存的自发秩序不一致，该项法律至少不会受到重视，甚至更糟，使人们的动机扭曲，导致与立法初衷南辕北辙的后果。交易作为一种自发秩序，很可能首先出现于拥有习俗性产权的人群当中。虽然旨在限制不诚实和欺诈行为的法律有助于促进交易的顺利进行和拓展，但若没有产权和交易规范的同步演化，它本身是不可能创造或替代市场的。我们在第 4 章将讨论这一点。

---

① Black 和 Baumgartner (1983)。

② 关于法律是习俗的明文化的最近表述，参见 Schlicht (1998)，第 12 章。

③ 从某种意义上说，*nomos* 和 *thesis* 的区别大致对应着第 1.3 节所讨论的博弈内生性规则和外生性规则的区分。后者是从后果函数的角度界定博弈形式(规定对参与人——公民和政府官员的惩罚，具体依他们的行为而定)，而前者对应着在特定博弈形式下所选择的均衡秩序。但是，如果我们将法律狭义地解释为明文化的文本，那么，在纳什均衡的意义上，它就称不上是 *nomos*。有形法律是正式起草和颁布的，但只是偶尔才被真正实施。每个人因为相信别人几乎都遵从一项法律，自己也就自觉遵守，这种情况不一定会发生(如纽约市颁布的一些制止行人乱穿马路的法律)。参见 Kornhauser(1998a，1998b)。

2.2 社区规范作为解决共用资源问题的自我实施规则

在上一节的寓言中，如果兔子只是在地里随机地跑来跑去，或者需要在更大的范围里繁殖，人们可能觉得，划一条固定分界线隔开各自的“私有地”比较困难或者不恰当。这时，理性有限的参与人也许更愿意将狩猎地开辟为公有地，捕获量由惯例所隐含的习俗性规则来管理①。在开放的共用资源领域，习俗性产权究竟怎样才能变成可自我实施的呢？我们可以观察到，在世界某些地区和历史的某些时期，社区控制演化到对一些共用资源域所产生的外部不经济进行管制，这些域包括捕捞区域，放牧场地、灌溉系统和森林等。社区控制规则既可以是明确的成文形式，由正式组织进行实施，也可以通过被社区成员隐含理解的规范的形式，在自发的基础上实施②。本章我们将考察自主产生于社区并能自实施的规范，这些社区在共用资源的维护和使用方面面临严重的搭便车问题。

从比较制度分析的角度看，关于社区规范有许多重要问题需要讨论。在本节我们集中研究社区规范的基本性质，关注的问题有：假定社区成员使用共用资源的机会在技术上无法禁止，社区规范如何协调社区成员对公有资源的决策？是应该把社区规范看做是历史和文化赋予的外生性约束因而恒定不变，还是应该理解为内生的，自我实施的社会结构，它通过人们策略互动而不断再生？经济学家一直对（社区）规范的概念感到非常困惑。他们通常把它们视为“文化决定”或“生态决定”的结果。下面我们将构造一个特定背景下的博弈论模型，说明社区规范如何内在产生，考察其自我实施的条件。我们将社区规范看做是联结共用资源（灌溉系统）域和社区社会交换域两个博弈的一个稳定结果。为了说明建

---

① 关于选择资源私有形式和公用形式的各种决定因素的讨论，请参见 J.M. Balland 和 J.P. Platteau(1998)。但正如我们在 第 9.3 节(A)(iii)将要看到的那样，该选择并不完全取决于技术因素。

② 关于这方面的参考文献可说是汗牛充栋。例如从比较观点出发的文献可参见 Ostrom(1990, 1992)，Ostrom 和 Walker(1994)， Bardhan (1993)，Platteau(2000)，Balland 和 Platteau (1996)。

构博弈论寓言的动因，我们先简要叙述德川时期（17—19世纪）日本东部地区一个典型村庄开发和维护灌溉工程的情况。虽然我们举这个实例是因为它非常清晰的寓意，但正如我们随后指出的那样，从该博弈论寓言引申的一般结构近似于社会学家格拉诺威特(Granovetter, 1985)所概括的“社会嵌入性”，它对于研究非正式规则在整体制度安排中的作用具有一般意义。在附录部分，我们将讨论德川日本和李朝朝鲜在17—19世纪决定其不同社区规范的生态（技术）条件和历史因素的相互作用。

2.2.1　历史实例：德川时期日本村庄的灌溉系统

在1600—1867年的日本德川时期，江户（现在的东京）的德川幕府在政治上实行集权，国内一片太平。但是，幕府将军的经济控制权却相当有限。它除了垄断了造币厂，通过长崎港口控制对外交易之外，只享有所辖领地的征税权。与幕府相平行，300多个大名（领主）建立了各自的藩政府。它们对于其领地拥有排他性的征税权。藩政府通过向商人行会和稻米交易商发行债券筹集资金，推行鼓励本地手工业发展的产业政策。幕府-藩体制的一个重要的政治经济特征是武士阶级的所有成员均要求居住在江户或藩政府的城堡里，这使得政治军事权力与农业社区彻底分离，这对于下面的讨论意义非常重大①。经济史学家通常将德川时期进一步划分为两个阶段：从1600年至18世纪中叶为第一阶段，余下的时间为第二阶段。第一阶段以乡村社会经济自主发展，以及伴随的人口增长和耕地扩张为特征；第二阶段则是以市场关系向乡村社会的广泛渗透以及初始工业化的出现为特征。

根据一项权威的经济人口学研究的估计，1600—1721年，日本人

① 德川幕府为了便于统治对城镇和乡村作了严格划分。据规定，惟有幕府大名的居住地才属于正式的城镇，而剩下的均属于乡村，包括在交通要道、集市、寺庙发展而来市镇人口中心。在这些“伪乡村”，虽然人们的职业包括商人、工匠等等，但正常纳税人均被界定为农民，其纳税义务仍然固定为一定量的稻谷(Amino, 1997：第127—128页)。本节只涉及那些大多数负有集体纳税义务的有地农民居住的正常村庄，当然村庄也逐渐地介入经济作物如生丝、棉花和油菜籽的生产，以及非农活动如织布和酿酒。我们将在第9.3.1节考察农户工商业活动及其对市场经济转型的影响。

口从800万到1000万增长到2600万。这意味着每年增长一个百分点[①]。这期间，可耕地增加了40%，故称为大垦荒时期。如此惊人的耕地扩张在很大程度上是通过将相对落后的东部地区的冲积平原改造为稻米产区而实现的。然而，从1645—1697年，乡村的数目增加了7 000多。尽管耕地增长显著，却并未赶上人口的增加。与此同时，生产性开垦的可行性也变得越来越困难了。因此到第一阶段末期，越来越多的努力开始转向改进灌溉系统，增加商业肥料（例如干鱼）的投入，以及更密集地使用人力。

随着灌溉系统的发展，德川时期农业生产的主要形式由旱地耕作转变为水田耕作。稻米生产要求秧苗及时从秧田移到大田，同时水量供应必须保证充足。西部地区更早地发展出依靠水库引水的灌溉系统，而东部地区的稻米生产则更依赖于新的灌溉系统。这些新的灌溉工程通常傍依天然河流，以武士时期发展出来的民间工程技术为基础修建而成。由于河水流速较快，为了控制水量供应，整个系统内必须保持持续的微调（通常要跨越不同村庄），具体情况要视水文条件、稻谷生长阶段等等而定。而且，东部种植系统可以概括为“分散带状播种系统”，即每个村庄的稻田由不同农户占有，它们分散分布，相互交错。造成这种状况的部分原因是长期的集体开荒导致了耕地的边际增加。另外一个原因可能与公平搭配劣质地和优良地，以及分散稻田位置带来的自然风险有关。

每家农户拥有各自单独的稻田供水系统究竟从何时开始流行，这在灌溉史学家看来还是一个未解决的问题。一些灌溉专家认为最晚应该在明治时期的第二阶段（永田，1971：第34—39页）。另外一些专家则认为，在明治重新划分耕地之前，尚不存在专属每片稻田的单独取水点，插秧时期的灌溉完全采取多家农户“交叉稻田灌溉”方式（玉城和旗手，1974：第234—235页；玉城等，1984：第20页）。这是一种引力灌溉系统，取自河流和沟渠的水沿着地面的自然坡度连续地从一片稻田向另一片稻田浇灌。在任何情况下，由于在江户时期结束之前，个体农户尚未拥有自成一体的稻田系统，因此，不管交叉稻田灌溉是限于单个农户还是在更大范围内实施，一个村庄内部

① S.速水（Hayami）和M.宫本（Miyamoto，1988）。

农户之间的集体协调和共同努力都是必不可少的。

例如,维护和使用灌溉系统需要艰苦的集体劳动:定期清除水渠的淤泥和杂草;维护设施正常运转;在洪水来临时,必须确保系统完好无损;在枯水期,村民还要积极加入同上游或下游邻近村庄为争夺水源而发生的“抢水械斗”。另外,还必须限制个人对供水权的过分要求。到了插秧时节以及接近夏末时为了阻止稻秆生长过快,抽干稻田淤水也离不开大家协调一致的努力。在收获之前的台风季节,如有洪水来临,村民们还需协同一致,抵御洪涝灾害。关于灌溉系统如何影响日本村民的生活,一位研究日本经济史的美国权威人士托马斯·史密斯有如下评论:“稻农自己从未占有或控制过所有基本的生产手段,他也不可能单独作出所有重要的决策。比如他或许想要把一片未灌溉地变为水田,但如果这样做会妨碍他人的供水,那他的决定就不会被允许。”(Smith, 1959: 第 209 页)

在集体行使对灌溉系统修建、维护和使用的控制过程中,村民的相互配合究竟是怎样实现的呢?德川时期军事政治权力和乡村社会分离的一个重要后果是外部实施机制的缺乏。于是,当涉及众多村庄的大型工程竣工之后,局部灌溉系统的修建、维护和使用就完全依赖于村级社区的自治管理。灌溉系统的技术生态特征所导致的问题是村民间搭便车的潜在危险和具有严重外在不经济效应的自私自利行为。一旦村民在灌溉系统建成之后成了使用者,即便他在集体劳动中偷懒,也很难不让他接近水源,以示处罚。但尽管存在技术上非排他性,禁止偷懒者参加村庄其他日常社会、政治和经济生活,仍然构成一种可信的威胁。有一种被称为村八分的惯例,其字面意思就是“成为一个 80% 的村庄成员”。其他村民可以通过回绝偷懒者在紧要时(比如盖房子和照顾病人)希望有人帮忙的请求,禁止他参加节日、宗教仪式之类的社会活动——救火和葬礼除外,拒绝与偷懒者合作。在没有外部实施机制干预的情况下,这种威胁对于促成灌溉系统修建、维护和使用的高水平合作是非常有效的。

2.2.2 社区规范作为关联博弈的均衡

按博弈论的观点,我们上面描述的情形可以看作是下述命题的一种典型情况,即联结两个博弈和汇合不同的激励约束有助于放松激励约束。假想一个村庄共有 N 个均质农户,每期他们同时参加灌溉博弈和社区博弈,如此进行无穷多个时期(家庭的延续可以通过长子继承制来实现;如无男嗣,则可领养一个继承人)。在灌溉博弈中,对于灌溉系统的建设、维修、保护及使用这些集体任务,村民可以从策略集(合作,偷懒)中进行选择。在本博弈中,每家农户合作努力的成本每期假定为 C_i;如果大家都合作,每家农户从灌溉系统所获的每期收益为 B_i;如果 n 家农户都偷懒,每期收益则为 $B_i - nd_i$。我们假定

$$C_i > d_i \text{ 且 } C_i < Nd_i$$

第一个不等式意味着每个人都有偷懒的动机;第二个不等式是说偷懒将给整个社区带来外在不经济效应。不过我们同时又假定,每个农户使用灌溉系统有一种技术上的非排他性,因此通过禁止未来使用灌溉系统来惩罚偷懒者在合理的成本条件下是困难的。

在社区的社会交换博弈中,每人参加社会活动需要花费成本 C_s,从中消费可获得一定收益,其数量是其他参与成员数目的非递减函数 $B_s(n)$,其中 n 代表参加活动的其他农户的数目。我们假定,存在 $\hat{n} \leqslant N$,使得对于所有满足 $\hat{n} \leqslant n < N$ 的 n 有 $B_s'(n) = 0$,即社会活动生产率存在一个饱和点。社区博弈是重复进行的。每个阶段博弈开始时,任何农户都可以被其他农户驱逐出社会产品的生产与消费。现在让我们考虑一下社区博弈中 N 个农户齐心合作没有驱逐事件发生的充分合作路径。我们需要弄清楚,假定非合作社会行为要受到永久驱逐的惩罚,农户是否有偏离该路径的动机。假如该博弈与灌溉博弈分开进行,那么村民认真合作的激励相容条件就由下式给出:

$$C_s < \frac{\delta[B_s(N) - C_s]}{1 - \delta} \text{ 或等价地 } C_s < \delta B_s(N)$$

δ 是农户的时间贴现率。也就是说,努力成本的节省(第一个不等式的左边部分)应该小于因被驱逐而牺牲的未来收益之和的贴现值(右边部分)。第一个不等式的左边可以看作是农户因遭受社会驱

逐而损失的社会资本①。我们假定当 δ 充分大,也就是说,当农户有足够耐心时,上述条件将成立且有一定的松弛量。令 z 代表松弛量,且 $z = \delta B_s(N) - C_s$,它可视为社会资本的收益流量。

现假定灌溉博弈由同一村庄农户在每个春季重复进行,而社区博弈则在每个秋季进行,如此无穷循环下去。每个家庭根据前一个博弈结果协调每个博弈的策略。假定每个农户相机采取以下策略组合:(1) 如果前一个博弈选择了偷懒,那么在灌溉博弈就选择偷懒,在社区的社会交换博弈中选择不合作;否则在灌溉博弈和社区的社会交换博弈中均选择合作;(2) 对于任何在灌溉博弈中曾经偷过懒的农户,其他农户一律将他驱逐出所有未来的社会活动,而且只驱逐那些偷过懒的农户。假定每个农户的信念是,其他农户已经并且将来还要选择上述策略组合,除非事实上出现了偏离上述策略组合的情况。现在让我们来核实一下该策略组合连同上述信念是否构成一种均衡。

为了显示该策略组合构成一种均衡,我们只需核实,在任何时候,偏离上述策略组合对农户是无利可图的②。首先要注意到,如果某农户以前在灌溉博弈曾经偷过懒的话,那么他以后在两个博弈中选择合作将不会提高其未来收益。另一方面,如果某农户在以前两个博弈都合作的话,在灌溉博弈再偷懒就不值得了。偷懒收益是使本期和未来所有时期的劳力成本节省了 $(C_i + C_s)$,而成本则是牺牲了合作可能带来的本期和未来所有时期的收益 $(\delta B_s N + d_i)$。因此,每个家庭不偷懒的激励约束由 $C_i + C_s < \delta B_s(N) + d_i$。给出,或

$$C_i < z + d_i$$

① “社会资本”概念源自科尔曼。他把它定义如下:“我将这些社会结构资源视为个人的资本性资产,即社会资本。社会资本是根据它的功能定义的。它不是一个单一的实体,而是一系列不同实体,但具有两个共同特征:这些实体都包含了社会结构的某些方面,而且它们能够促进处于该社会结构内部的个人的某些行动……与其他形式的资本不同,社会资本的本质在于人们之间关系的结构,它既不存在于个人身上,也存在于生产的物质过程。”(Coleman, 1990:第 302 页)科尔曼没有明确在博弈环境下定义社会资本,但在其他一些地方有过类似的论述(第 11 页)。不过,在他和我的定义之间不存在明显的抵触。

② 事实上,这里我们所关心的是策略组合的子博弈精炼性。该概念将在第 7 章正式给出。

很清楚，即使灌溉博弈的激励约束（$C_i < d_i$）不满足，但如果满足社区博弈的激励约束且有足够大的松弛量（$z > C_i - d_i$），上述不等式仍可成立。因此，连接两个博弈放松了激励约束[①]。

为了核实第二个条件，注意在社区的社会交换博弈中，只要偷懒者数目小于 $N - \hat{n}$，其他农户与灌溉博弈的偷懒者合作就根本没有好处。另一方面，驱逐任何从未偷懒过的农户也没有好处。所以，虽然农户在非联结状态下的灌溉博弈中搭便车的动机非常强烈，但是因为社会驱逐的威胁是可信的，所以至少 $\hat{n}$ 个农户的合作可以构成一种均衡结果。这样，在灌溉博弈中，合作至少能在乡村社区 $\hat{n}$ 个农户之间形成一种行为规范。上述均衡策略组合的第二部分提供了一种自我维系的信念，它使得村民对于偷懒的后果有了共同认识，从而使自己的实际行动合乎准则。我们将这样一种由共同信念支持的行为规范称为社区规范。

重复博弈的均衡结果可以是多重的。在上述联结博弈中，村民重复选择不合作行为，或大家永久驱逐一些农户（数目小于 $N - \hat{n}$），也可以是一种均衡结果。而且，我们建模的方式也有些特殊，例如，模型没有明确地考虑某农户统一占有带状稻田的策略选择[②]，或者通过暴力单方面惩罚不合作行为等等可能性。而且，我们也没有考虑以下情况，即村民分成不同亚阶层，每个亚阶层发展出各自特殊的社会资本，以至于对驱逐某一农户达不成一致意见。但是，通过将分析局限于这样一个特定模型，我们能够界定合作性社区规范成为自我实施的条件，如村庄成员的同质性和社区成员在生产社会资本时的多余性。在向德川时期转型的过程中，日本一些激进的政治和社会事件为形成这种社会和生产结构铺平了道路。就在德川时期之前的武士时期，丰臣秀吉严禁乡村居民持有任何武器。其直接目的在

---

① 关于关联博弈的其他运用，参见 Kreps 和 Fudenberg（1987），Bernheim 和 Whinston（1990），Spagnolo（1999）。

② 例如，在德川末期，村民为了获得对水源和排水一定程度的控制权，便开始交换分散的稻田，挖渠作垄将各自的稻田相互隔开（永田，1971：第 34—56 页）。个人在村庄内的用水权最终在明治维新之后的 20 多年里以法律的形式明确下来，但从大范围的供水系统取水的权力仍然采取集体控制的方式，掌握在以多数制投票为规则的村级用水委员会手中。我们将在第 9.3 节（A）（iii）研究英国经过 17—18 世纪的圈地运动之后，自耕农之间的社区规范最终让位于市场关系，而其中的主要驱动力是外部市场的发展。

于阻止新兴的武士集团反抗他建立中央集权的企图。但这项运动——即所谓的刀狩运动(搜剑运动)获得成功的一个意想不到的副产品就是,乡村从此摆脱了聚集在城堡内的武士阶级的直接控制,享有除交粮和服劳役两项纳税义务之外的自治权。

这意味着技术和生态因素固然重要,但不是选择特定均衡结果和特定规范的惟一的决定因素,政治和社会因素也将发生作用。否则,规范(制度)只不过是技术和生态特征的机械性转换,那样,我们就完全变成了制度发展的技术地理决定论者。例如,小农种植也许适合于亚洲季风气候下的水稻生产方式,需要对作物持续和精心的照顾,而它对大规模种植则未必有效,因为对雇佣劳动的层级监督将是有限的[速水和大塚(Ohtsuka, 1993:第1章)]。但是,即便在适合于小农种植的生态环境下,如果政治和社会条件不配合,促进地域性公共产品形成的社区规范不一定会产生(参见附录)。这里我们拿供求因素决定均衡价格的形成作比喻,也许是合适的。也就是说,在决定规范或均衡非正式规则的过程中,生态和技术因素决定了哪一种规则可能是有效率的(需求因素),但社会和历史条件将限制可行规则的供给。

2.2.3 关于社会嵌入性的几点说明

我们借助德川时期村庄共用资源的集体治理结构的历史叙述,建立和阐明了上述模型,主要目的在于通过一个相对清晰的例子揭示关联博弈的结构和逻辑。内容虽是特定的,但模型本身却蕴含着足以一般化的结构,使我们能够从中得出两点一般性结论:一是关于规范的性质,另一个是关于共用资源生产、维护和使用过程中产生的外部性(如搭便车和拥挤)的治理机制——该问题被称之为共用资源问题。

首先,我们引入关联博弈试图使社区规范这个概念能够诉诸经济分析。在博弈论发展以前,经济学家倾向于认为,规范与经济分析无关,甚至认为它们对有效市场的发展有害(肯尼思·阿罗是个明显的例外,参见 Arrow, 1969、1970)。在20世纪60和80年代,各种新学派(如知识现象社会学、社会交换理论、新制度主义和理性选择理论)兴起之前的杜克海姆和帕森斯(1951)的社会学传统中,规范被认为是一种先验的社会存在,它们等待着个人通过社会化过程去内在化，而不是通过“日常经验”或“社会交换”，以社会的方式建构和重建①。我们将社区规范概括为联结博弈的一种内生性结果，而不是把它们看做是从社会系统之外给定的外生性约束（博弈规则）②。我们也界定了特定规范演生和自我实施的各种条件——如社区成员通过社会交往积累社会资本，在惩罚犯规者方面的利益一致性，以及使社区成员尽可能均一的政治和社会条件。界定这些条件有助于澄清规范在维持某种特定经济秩序而不是其他秩序方面的作用，同时也为理解为什么其他地区会出现不同的解决方案，如集中所有权使外部性内在化（德姆塞茨），提供了一些必要的线索。

更重要的是，理解那些促使社区规范具有存活力的因素可以帮助我们弄清楚它们在促进或者阻碍以社区为基础的经济秩序向以市场为基础的经济转型过程中所扮演的潜在角色。例如，超社区的市场关系的日益渗透将削弱村庄社会生活的内在一致性，并相应地侵蚀把驱逐作为社会惩罚的威胁力度。那么，以集体合作、相互回报和共同分享为特征的社区规范是否注定要失效呢？它们是否必须被全新的市场伦理完全取代呢？传统观点支持这一看法，因为不论是经济学家（如 Hicks，1969）还是其他社会科学的学者（如 Polanyi，1944），都在市场经济与前市场经济之间划了一条明确的界限。近来出现了一种修正性观点，认为以合作规范为特征的乡村社会在一定条件下能够发挥积极作用，促进前市场乡村经济向市场经济过渡。因此，彻底摧毁传统乡村社会对于市场发展既不充分也不必要。换句话说，在一定条件下，前现代社会关系的存在可能对市场发展是互补性的。问题是，这些互补性条件是什么？本章我们澄清了特定社区规范存续所需的根本条件，从而为考察该问题创造了初步条件。更满意的讨论必须进一步了解控制交易域的制度性质，我们会在第9章重新回到这些问题③。

---

① 参见 North（1990、1995）和 Basu（1997a）。

② 最早用博弈论框架研究规范的是乌尔曼-马格利特（Ulman-Margalit，1977），虽然其模型不是从关联博弈的角度建立的。

③ 关于社区规范在市场发展中的作用是一个集体项目“经济发展中的社区和市场”的主题，该项目由世界银行经济发展署和斯坦福经济政策研究所资助。为本项目递交的14篇论文已结集在青木和速水（2000）一书中。

其次，联结博弈的逻辑结构预示了克服公共产品供应的“搭便车”问题的一般方法。在经济交换领域追求自我利益并不必然意味着，个人为了实现它，不论是否出于自愿都只是有限地收集和利用该领域的信息。而这恰恰是经济学家关于公共产品供应市场失效的根据所在。因为使用公共产品在技术上无法排除那些未承担成本的人，个人被认为将尽一切可能的办法对公共产品进行搭便车。结果，有效提供公共产品的可能性只能到政府服务的领域去寻找。然而，在该域同样存在一个让人头疼的政府失效问题。政府也许对满足人们的真实需要缺乏反应，其原因包括信息缺乏、政治偏好、行政效率低下，以及要在同时满足民主、信息充分且信息一致的条件下进行社会选择的困难等等因素。是否还有别的办法摆脱这种困境呢？

人们在考虑对公共产品做多少贡献时，其实还可能收集共用资源域之外的信息，决策因而也将受到这些信息的约束。作为一个例子，让我们来看一看丹尼尔·克莱因(Klein)关于早期美国修建公路的一篇文章(Klein, 1990)。18 世纪末至 19 世纪初，美国的公路修建和维护不是由政府来管理，也不是依靠税收融资，而是让在各州注册上市的公路公司代理。铺路给邻近农场主和工商业创造了巨大的外在收益。可是，认购这些公司的股票作为支付修路费的方式，在那时不被看作是有利可图的投资。部分原因是征收过路费有严格的法律限制，要排除搭便车者使用新修建的公路非常困难。人们可以不买股票而直接或间接从修路中获益。虽然存在着搭便车问题，可市镇社区居民仍然踊跃购买股票。这是为什么呢？克莱因解释说，他们这样做是出于一种社会责任感，这种责任感来自“负筛选激励(negative selective incentives)……这在**封闭和均一的集团内**尤其有效。不合作行为将引起人们的注意”(第 803 页，着重号为引者所加)。通过在人人有道德义务参加的市镇会议上兜售股票，负面选择激励被制度化为一种社会压力而起作用。

如果以建模方式描述这种情形，其结果会和我们的灌溉寓言有着惊人的相似性。在这两种情形下，正是社会交往域存在的制裁的可信威胁，或者说“负面选择激励”，制约着社区成员在共用资源(公共产品)博弈中的搭便车行为。惟有一点差别，北美市镇社区的社会交往域更为开放，内部更多元化，因而与德川日本村庄相比，惩罚会在形式上更微妙，内容上更和缓，对犯规行为也将更宽容。但从技术上说，分析结果在本质上应该是一致的，即某些策略（如在灌溉系统或道路收费域的合作策略）在孤立的共用资源域不构成均衡策略，因此无法自我实施，但当该域“嵌入”到社区社会交换域时，这些策略就变成了有利可图的策略。这正是社会学家格拉诺威特所提出的“社会嵌入性”（social embeddedness）概念的一种体现，虽然他首要关心的是在现代市场经济中交易或组织域嵌入在参与人“社会网络”的情形①。

格拉诺威特（1985）在其开创性论文中批评以帕森斯为代表的现代社会学关于人的认知“过度社会化”，而以新古典经济学和交易费用经济学为代表的效用主义传统关于人的概念又有“社会化不足”的倾向。他认为，价值和规范系统是一个不断进行的过程，需要通过互动行为持续建构和再建构，它们并不是一次性产生永久性影响。换言之，“部分出于其策略性的考虑”（第 57 页），价值和规范被个人感知为外部给予的，但实际上是他们的行为内生决定的。另一方面，他又指出，在现代社会里，市场上和组织内的参与人因嵌入在“具体的人际关系和结构（网络）”之中而产生相互信任，反对违法乱纪。格拉诺威特不赞成规范的建构与重建完全可以由策略性动机加以解释的说法，他强调了分析一个具体网络的形成和性质的历史独特轨迹的必要性。但是，他的理论在本质上可以由社会交换域和经济交易域之间的关联博弈来概括，而经济交易域可以是共用资源域、交易或组织域②。

毋庸置疑，德川日本乡村社会或早期美国自治市镇与当今市民社会之间有着本质性差别。现代社会的公民在财富、教育水平、文化背景和职业等诸方面日益分化，公民也变得更具流动性。因此初看上去社会关系在促进公共产品的提供方面已失去了往日的制约性力量。但是，另一方面，非政府组织和自愿组织在提供和倡导公共产品如保护自然环境、公共安全及贫困援助以及技术创新和转让等方面

① 据我所知，斯帕诺洛（Spagnolo）在其 1999 年发表的论文中首先指出了关联博弈和社会嵌入性之间的联系，该论文的早期版本可追溯到 1994 年。

② 在第 9 和第 10 章，我们将把关联博弈的概念拓展到共用资源域之外的场合，理解不同制度作为这种博弈的均衡结果的性质。

发挥着重大作用，这已越来越成为一种共识。

就以因特网的公开源码软件（OSS）如 TCP/IP 和 Linux 为例子[①]。这些软件为因特网提供基本设施，也为进一步的软件开发奠定了基础，因而是信息空间领域（cyberspace）杰出的公共产品。他们的程序源码在网上公开，免费下载，被世界各地的程序员以电子邮件的交流方式不断加以改进。其结果，OSS 成了比那些以汇编目标密码（compiled object codes）方式保护、以商业方式销售的软件更稳定和更可靠得多的软件。为什么程序员在没有物质报酬的情况下会积极参与 OSS 的改进工作呢[②]？既然在技术上可以对知识产权进行保护，那为什么不这样做呢？由于法律保护将极大地阻碍通信技术的发展，程序员可能被驱使着去改进他们自己使用的软件，但他们也会从自身对集体产品的贡献中得到非物质性的报酬，这就如同学者从同事的赞许和尊重中获取满足一样。

作为另外一个例子，萨克森尼安（Saxenaian, 1999）考察了中国台湾崛起的高科技中心——新竹园区，发现由在美国受过教育的台湾地区工程师组成的"一个跨区域和以分享信息、信任和密切联系为核心资产的社区"（Portes, 1996），是成功的关键，其重要性超过了政府决策和全球性跨国公司。该社区协调着硅谷和新竹工业园区两地分散化的产业升级过程。这是通过两个地区的专业人士之间转移资本、技能和商业诀窍实现的。萨克森尼安指出，这个案例说明了技术社区对传播信息和理念的重要意义。

传统经济学的观点一直认为市场和政府互为替代品，最终有一方负责提供公共产品，而没有给介于其中的自愿组织和市民组织留下任何空间。随着技术进步带来的通讯便利和市民责任意识的不断增强，这些自愿组织正变得越来越活跃。有意思的一点是，自愿组织最主要的意义也许不在于提供公共产品本身，而是在于服从共同考虑的成员所创造的独特的社会资本，从而以分散化和多元化的方式形成了对公共产品供应大有作用的市民规范和职业伦理。因此，即

---

① 关于这个例子，我从与池田（Ikeda, 1997、1999）的交谈中获益甚多。

② 和 OSS 做生意也是可能的。Linux 通过为商业软件包提供用户辅助服务获取利润。

便在现代社会的场合下,我们仍然可以识别在共用资源域“社会嵌入性”的一般意义。当然,我们不难发现,在乡村社区和崛起的自愿组织和职业社区之间存在一个重要区别:即成员资格的开放性的差异。在下一章(第3.1节),我们将研究社区在原子式交易域自愿和内生地形成的路径。

附录:历史和生态作为规范的决定因素:

关于李朝朝鲜的案例

在第2.2节我们考察了在共用资源域合作性社区规范成为自我实施的条件,即通过村民与社区的联系为他们创造大量的社会资本。不过,我们也注意到多重均衡的可能性,社区规范的出现不是针对共用资源问题的惟一反应。我们看到,导致德川幕府体制的特定历史和政治事件,即所谓的“刀狩”运动和城市与乡村的最终分离,为治理共用资源问题的社区规范的形成铺平了道路。但是,也有一种学派的观点强调生态因素对社区规范的决定性影响。我们指的是速水关于亚洲季风气候促成小农种植方式和他们在使用集体产品时的合作行为的论点。在本附录,我们试图对德川日本和李朝朝鲜社区规范的演变做一个粗略的比较历史分析,探讨历史和生态条件之间的互动作用①。两国具有大致相同的生态条件,在这一方面,日本和朝鲜就像实验心理学上的一对受控小组一样,便于研究社会-历史因素对均衡选择的可能影响。

同一时期朝鲜半岛和日本在村庄的社会和政治结构方面有着巨大差异②。当时朝鲜半岛由三大阶级构成:两班、奴婢和普通民。两班定居乡村,始于15—17世纪之间的时间。法律上他们不属于一个界限明确的阶级,但最终演化成了一个社会阶级,由祖上有人中过

---

① 因为本人不是经济史学家出身,下面的历史解释带有很大的猜测成分。在本节的写作过程中,我得益于同宫屿搏史(Miyajima)和M.禹-卡明斯(Meredith W.Cummings)两位教授的交谈,他们给我提供了史实和文献方面的指导。但所有的解释均出自我本人,他们不对其中的错误负责。

② 参见Palais(1975),尤其是第1章和第4章,以及Palais(1996),第6章;Wagner(1974)。我的解释更多地依赖于宫屿搏史(1995)。

科举考试和在朝廷做过官的(京班)家族组成。两班祖祖辈辈生活在以血缘关系结成的村庄里。他们合法占有奴婢(通常翻译成奴隶),有时超过数百人,奴婢是可以买卖和继承的。有些奴婢不依赖主人为生,他们拥有自己的土地,甚至也占有奴婢。奴婢阶级的人数在15世纪上升到人口的30%至50%,在很大程度上是因为蒙古入侵北方和日本海盗不时骚扰南边,以及丰臣秀吉率兵入侵,使越来越多的农村人口失去了土地。普通民占有或租佃小片土地自己耕种,但不占有奴婢。据估计,普通民在16世纪占据了人口的大多数,但饱受苛捐杂税和高利贷盘剥之苦。地方官吏强迫他们接受谷物贷款以收取高利贷,以此压榨他们①。

在15和16世纪的垦荒初期,两班将奴婢和贫苦的普通民用作劳力,积极参与土地开荒和经营较大规模的耕地。可是,两班与其他阶级的社会隔阂使得包容性的集体规范的出现极为困难,因为不同社会地位的人被惩罚的可能性是不对称的。历史文献里有着大量两班抱怨奴婢偷窃财产和偷懒的记载。可是驱逐威胁作为一种约束机制并不能奏效。相反,强征苦力和高额地租使奴婢和小农逃离两班的土地。两班有权严厉处罚那些被追回的逃亡奴仆。

那么,如此分化的社会结构对乡村生产领域的制度结构会带来什么样的影响呢?严重分化的社会阶级之间缺乏共同的社会资本是不是使得生产域的合作性努力永远不可能实现,使得速水的论断在朝鲜半岛不适用?直到15世纪,朝鲜半岛仍以旱地种植为主。当时有一本影响很大的关于农业指南的书,是世宗(1418—1950)下令编撰的,劝告不要采用水田种植方法,原因是风险太大,若雨水不足会带来很大麻烦。书中还指出,朝鲜半岛比日本岛雨季来得迟,因此水田种植在生态上也相对不合适(宫屿搏史,1995)。可是,这个问题可以通过发展灌溉系统来克服。其实,朝鲜后来的历史一直到今天都充分表明,技术发展可以提高水田种植的生产率。

在李朝末期主要有两种灌溉方法:水库和小型水坝(宫屿搏史,

---

① 李朝委派朝廷官员担任地方长官,任期有限,但同时又禁止他们居住在任职所在地(因而属于城市两班),结果治理地方不力。地方长官授权当地官吏负责征税和管理其他地方事务,而后者事实上是被祖上有人做过朝廷官员的地方两班控制。关于谷物贷款,参见 Palais(1975),第7章。

1983)。兴建和维护水库需要大规模的劳动力投入。尤其是为了借助自然引力蓄水,水库通常在山谷底部修建,因此必须定期清理河水带来的淤泥。在缺乏包容性的社区规范的情况下,这一类大型工程不得不依靠中央政府来动员劳动力。从历史记载看,水库建设的兴衰和中央政府权力的兴衰是吻合的。特别是19世纪,当政府机构的积极性大大下降时,水库的修建也随之大幅度衰落了(宫屿搏史等,1982)。另一方面,第二种方法是通过修建小型水坝,提升水位将河水引入稻田。这类方法显然离不开村民的集体努力。在两班村的周围,普通民的聚集地(普通民村)星罗棋布。每个村庄逐步演化出一些合作性协会或称为村契的社区组织,旨在筹集资本,轮流借给协会成员,或看护耕牛等等。其中一个重要的组织就是灌溉协会。因此,虽然不同村之间存在着初始的社会地位的差别,但在村一级还是有可能演化出一定的社区规范。

18世纪晚期到19世纪一个有趣的发展是家谱"公诸于世"及其自由买卖,使普通民上升为两班、奴婢上升为普通民的社会地位成为可能。到19世纪中期,据估计,地方两班已经占到人口的绝大多数①。地位较高的两班家族成了不事耕作的地主,放弃了对相对较大规模耕种的自我管理。而地位较低的两班、普通民和奴婢成为事实上的农民。就这样,虽然土地占有和收租能力仍然保持着广泛的社会差别,但是,朝鲜农耕系统逐渐适应了稻米生产的生态环境,使小规模的小农经营成为更适应的方式。而且,有间接的证据表明,在村契的支持下,调节地方共用资源使用的社区规范得到了发展。在19世纪30年代末期,殖民政府推动了灌溉系统的兴建。宫屿博史等(1992)观察到,最有成效的灌溉系统一般出现在自李朝以来传统灌溉协会一直非常活跃的地方,而那些根据殖民政府的法令和日本地主的建议成立的灌溉协会只取得了有限的成功。

---

① 大家普遍引用的是H.四方(Shikata)的历史估计。四方是一位日本学者,他在殖民时期担任汉城帝国大学教授时研究李朝的户籍档案。在1690年,两班、普通民和奴婢在特谷(Tegu)省的人口中所占比例分别为7.4%、49.5%和43.1%。到1858年,档案显示了明显的变化:比例分别变成48.6%、20.1%和31.2%。他的研究结果因为分类方法和覆盖面比较狭窄而受到后来历史学家的批评(如Palais 1996,第251页)。但是,这些批评似乎更关心分类的政治含义,如中央官僚机构的资格问题,而更少关心其社会含义。四方给出的总的估计和韩国学者一般所持的观点相符。

这样，我们看到了一幅非常有趣的图画。传统的社会、政治和历史因素在初始阶段可能会阻碍灌溉系统和治理灌溉系统的社区规范的共同演化。尽管存在这些障碍，土地所有权的分配也严重不均，但小农耕作经济仍然在李朝后期逐渐占据支配地位。一种接近马克思主义观点的传统解释更强调土地分配不均这个直观的因素：因为中央政府和富有的上层两班阶级的地租剥削，下层两班、普通民和奴婢陷于极端贫困。19 世纪不断爆发的农民起义被解释为后者极为不满的一种表现①。可是，“农民暴动和起义的矛头指向的是官吏而不是地主、富裕农民或私人借贷者”(Palais, 1975：第 67 页)，这一事实可以解释为一种反映政治制度框架和小农种植经济发展过程中演化而成的社区规范日益不协调的征兆。不断爆发的农民起义也同样可以看做是农民日益上升的期望和施加在他们身上的政治束缚之间的矛盾加深的一种征兆，而不是一种绝望情绪的自然表达。这种假说似乎值得进一步探讨。

---

① 该理论可以在韩国正式的历史教科书中找到根据(Cho 和 Sung, 1995)。研究李朝的美国权威詹姆斯·帕雷斯基本上也赞成这种观点。一些韩国学者所持的另一种观点则强调在 19 世纪日益加深的市场化过程中一些具有创新精神的农民所发挥的作用。

第3章 交易、合同和市场的私人秩序治理结构

我们应该从商法仲裁(law merchant)以及港口与商品交易会的实践中去追溯使开放社会成为可能的法律的演化过程。我们甚至可以认为,一般行为规则的发展不是始于有组织的部落社会的内部,而是始于第一次不声不响的物物交换:一个原始人在部落的边界放下一些东西,寄希望他会以同样的方式得到对方部落的回报,于是一种新的习俗便由此形成。总之,一般行为规则最终被人们接受,不是通过统治者的指令而是通过人们的预期赖以建立的习俗的发展。

——弗里德里希·A.哈耶克:
《法律、立法与自由》1973年*

本章我们考察确立私有产权的一个重要方面:由个人进行的对物品私有权的自愿交易。假如许多物品的私有产权是依次(sequentially)确立的话,那么,最后形成的全部安排并不一定能保证实现帕累托效率,即达到人们的效用不可能通过改变产权的安排而同时提高的一种状态。因此,人们为了互利而交换其私有产权的动机就可

* Friedrich A. Hayek, *Law*, *Legislation*, *and Liverty* (1973: p82).

能会自发出现。可是,如果交易机会只限于物物交换,来自交易的收益将是有限的。货币和商人作为交易中介能够促使交易机会扩展到超出封闭社会之外的地方,导致哈耶克所说的"扩展的人类合作秩序(the extended order of cooperation)"。然而,为了实现这一点,尚有一些问题必须解决。比如交易者(商人及其他人)如何能够彼此信任?买者答应某日支付货款,这承诺可靠吗?买者支付的货币能被其他人认可为支付手段吗?卖者会不会信守诺言在某月某日按规定送货?买者如何能保证购买的物品不是次品呢(Akerlof, 1970)?这正如希克斯曾经说过的那样:

> 即便最简单的交换也含有合同的因素;交换的每一方放弃他对所售物品的权利,以换取对所购物品的权利。从一开始就可能发生这样的情况:在交易发生时货物不在现场或者说并不是所有的货物都在现场。这时双方讨价还价便具有三个可识别的要素:签订协议,一方交货,然后另一方交货。一旦对交易作出这种区分,协议本身就仅仅是交货的承诺。交易是交换承诺;但是除非存在一定的信守承诺的保证,否则交换承诺是没有意义的。(Hicks, 1969:第 34 页)

物品交易机会可以概括为一种典型的一次性囚犯困境:双方能够从相互诚实的交易中获益,但是如果任何一方欺骗对方,则可能带来更大的利益。所以,若不存在限制这种不诚实行为的机制,潜在地对双方有利的交易可能无法发生。请看图 3.1 的一个例子。矩阵代表交易双方从一次交易中可得到的收益,收益大小取决于他们采取的策略。H 代表选择诚实,C 代表选择欺骗。矩阵中每一方格的第一个数字表示行参与人(比如说买者)的报酬,第二个数字表示列参与人(比如说卖者)的报酬。如果双方都选择 H,他们从诚实交易中获得的净收益是 Γ,然后各人分一半。如果有一方单方面欺骗对方,他或她的个人收益将是 $\alpha > \Gamma/2$或$\hat{\alpha} > \Gamma/2$,但给对方造成损害 $-\beta<0$ 或 $-\hat{\beta}<0$。这种情况导致了一定的社会损失,由于 $\Gamma-(\alpha-\beta)>0$,相应地,$\Gamma-(\hat{\alpha}-\hat{\beta})>0$。如果每人都预期对方会选择 C,那他或她也会选择 C,导致两人报酬为零。

当该博弈只进行一次，两人选择 C 将是惟一的纳什均衡。

卖家 / 买家	H	C
H	$\Gamma/2, \Gamma/2$	$-\hat{\beta}, \hat{\alpha}$
C	$\alpha, -\beta$	$-\gamma, -\gamma$

图 3.1　交易博弈的报酬结果

现在的问题是，什么样的机制能够约束交易者选择 H？换言之，在什么样的机制下，双方能够信守交易承诺使得私有产权在交易过程中受到保护从而对双方有利？本章我们将讨论适用于各种交易域的保证承诺的机制，其中交易域可由（多个）上述报酬矩阵及修正形式来刻画（除非特别说明，我们假定 $\alpha = \Lambda$ 和 $\beta = \Lambda$）。我们将这种机制称为交易的治理机制。特别地，当交易域把无数人之间的交易机会聚集在一起时，其中每个交易机会均由上述报酬矩阵界定，那么，该交易域的治理机制便可称之为市场治理结构（机制）。考虑到"即使是最简单的交易也含有合同的因素"，交易和市场的治理机制又可称之为"合同执行机制"。

在本章和后面的第 6 章，我们试图理解各种治理机制之所以成为自我实施——从而能够维持具有不同特征的参与人之间交易关系——的条件。也就是说，我们考察治理机制得以制度化进而约束交易者进行诚实交易的条件①。随着产权交易域不断扩展，潜在交易者已无法事先识别其潜在的交易伙伴，这时，第三方就有必要代替直接的交易伙伴成为非人格化交易的治理手段。但我们并不把第三方视为外生和中立的。我们关心的是第三方实施者是否自愿和可信地选择对市场有利的行动决策。换言之，我们关心这些规则如何成为第三方激励兼容的选择，因而将治理机制看做是有第三方实施者作为策略性参与人介入的博弈的稳定结果。

① 在第 1.3 节我们把博弈的外生规则称为博弈形式，或等价地称为机制。这里我们把治理"机制"视为制度，或等价地视为博弈的内生规则，它们将在交易者中间产生维持诚实交易的预期。我们将治理的内生性规则理解为交易博弈重复进行的稳定均衡。这些规则一旦确立为制度，便治理着每个参与人的行动。

本章以许多学者的重要理论贡献为基础，对一系列私人治理机制做一次文献概览，这些机制包括个人信任、交易者社会规范、惠顾关系（clientship）和俱乐部规范、自我实施的雇佣合同、第三方私人实施以及第一方实施（道德约束）。熟悉这些文献的读者可以跳过本章第一部分而直接阅读第5节，那里详细比较了这些治理机制作为调节市场的制度安排的特点及其相互关系。最后的附录部分对于货币作为产权交易中介产生和延续的方式提供了一个进化论的解释（另一种交易中介——商人将在第8章涉及）。关于国家（法庭）作为第三方实施机制的作用，本章只一笔带过。原因在于，国家的类型多种多样，它们发挥的治理市场的作用也相去甚远，为了对它们作出区分，我们必须对其组织结构和治理市场的功能进行深入的讨论。这个任务将在第6章完成。

交易和市场的私人治理机制的演化先于现代民族国家的兴起，本章所讨论的理论寓言大部分取自历史经验。这一点并不意味着私人治理机制最后就完全让位于国家，也不说明前者已经被后者所取代，本章最后一节对此还将进一步讨论。相反，私人治理机制一直发挥着重要的治理作用，有时互补于国家的合同实施机制，有时是国家的替代物。而且，随着交易域向全球网路发展，国家作为首要的合同实施机制现在正开始受到怀疑。在信息空间交易域（即所谓的电子商务域），作为对国家实施机制的替代，各种私人实施机制正不断涌现和尝试。正如敏锐的读者可能已经注意到的那样，其中不少机制，就其信息结构和实施机制而言，正是本章所讨论的一些机制的具体表现。因此，虽然本章介绍的理论寓言来自历史经验，但其内在逻辑对当代现实仍然具有普遍的适用性。

3.1 交易者规范

3.1.1 个人信任和交易者社会规范

关于囚犯困境问题的一个著名解决方式是所谓的声誉机制。如果两个交易者重复相遇，只要它们对交易的未来收益的折扣不太大，即双方对未来有足够的耐心，那么，受骗方终止未来所有与对方的交易机会的威胁将有可能遏制双方的行骗动机。例如,假定上述交易博弈每周重复一次,双方对下一周单位效用按贴现因子 δ 折现。设想每人都采取以下相机策略:只要对方选择 H,我就选择 H;如果对方本周选择了 C,我就永远选择 C。现在让我们看看某人单方面偏离一次上述策略的后果。假定一人选择 C,而另一人选择 H。选择 C 的人得到的现期净收益是 $\alpha - \Gamma/2$,但他自下期开始每期收益均为零,因而偏离带来的成本之和的现值为$\frac{\delta}{1-\delta} \times \frac{\Gamma}{2}$。因此,只要 δ 足够大使得 $\delta > \frac{\alpha - \Gamma/2}{\alpha}$,选择 C 永远是得不偿失的。博弈的结果将是永远无交易发生。

但如果对方不小心选择了 C,这种策略对实施惩罚的一方来说也代价高昂:其程度和受罚者一样。所以让我们考虑下面另外一种策略。假定选择 C 的人将被其交易伙伴在未来连续 T 周内惩罚。如果犯规者在这期间一直选择 H,他将得到原谅,诚实交易继续进行。如果在惩罚期间受罚人又选择过 C 策略,那惩罚期将重新开始。现在设想某人在某一星期偏离上述策略,选择了 C,而另一人选择了 H。假设对方坚持上述的惩罚策略,那么,偏离所导致的成本总和的贴现值等于 $\frac{\delta(1-\delta^T)}{1-\delta}(\Gamma/2 + \beta)$。如果 δ 和 T 足够大,使得成本总和大于偏离一周的收益 $\alpha - \Gamma/2$,那么选择 C 将永远是得不偿失的。但另一方面,T 不能太大,使得犯规者在受罚期间接受惩罚和选择 H 是激励兼容的。该条件由下式给出:

$$- \beta(\delta + \cdots + \delta^T) + \frac{\Gamma}{2}(\delta^{T+1} + \delta^{T+2} + \cdots) > 0$$

如果像以前一样 $\delta > \frac{\alpha - \Gamma/2}{\alpha}$,那么,对于正数的 T,上述两个条件必须同时满足。但是,如果有人选择 C,另一方最好的反应将是报复 T^* 期,T^* 是满足上述两个条件的最大的 T 值(假定只考虑纯策略)。如果互惠互利的交易在这种双边声誉机制的作用下每周进行一次,“私人信任”完全可以支持它,因为它建筑在双方认定欺骗会招致严厉报复因而肯定不会发生的信念基础之上。

现在让我们假设交易者在集市进行交易,集市每周开放一次。每人每周与另外一个交易者配对,他们每次进行如图 3.1 所示相同的交易博弈。如果两人重复相遇,单凭个人信任就可以支持相互合作。现在我们假定交易者每周只是随机相遇。又假定交易者只要感到交易结果令人满意,就一直选择诚实策略,而一旦有欺骗行为发生,消息就会迅速传播,于是所有的交易者将永不再去集市(即选择不交易策略)。这时,每人的激励状况与两人重复博弈下的无交易解就完全一样了。这种博弈解是非常极端的,因为只要有一个人偏离了诚实策略,哪怕是不小心犯的错误,其结果也将是整个集市彻底关闭,每人都蒙受巨大损失。

但是,如果欺骗者能够准确地被识别并让集市上每人都知道的话,如前所述的有限惩罚策略就可以有选择地施加给欺骗者(神取,1992,命题 2;藤原和 Postelwaithe, 1995)。也就是说,交易者随机相遇,但他们能够识别另一方是否有受罚的印记,如果有的话,就拒绝与之诚实交易,并要求他选择 H。在一人受罚期间若任何其他人选择了欺骗策略,受罚人可以被原谅,而这个最近的行骗者将遭受惩罚。这种选择性惩罚机制在配对是随机的条件下要求获得有关惩罚的更多信息(只知道欺骗发生了是不够的)。它的优点在于,当欺骗发生时,诚实交易者所承担的惩罚欺骗者的成本要小得多,而欺骗者受到的惩罚与它们在个人信任的机制下可能受到的惩罚一样大。这里简明的推演清楚地导出了市场治理机制必需的一个一般信息条件:如果在有耐心的交易者社群里,欺骗者可以被识别,它们之间的重复交易将产生和维持这样的信念,即欺骗者一定会受到惩罚。如果在信息共享的交易者社群里,这样的信念基础支持了诚信交易,那么,我们把这种信念称之为交易者社群规范。但是,随机交易(非个人化的交易)的假设与信息充分传播的假设之间,总是存在着矛盾。是否有办法在不存在集权的、第三方的信息发布渠道的情况下解决这个矛盾呢?

3.1.2 惠顾关系和俱乐部规范

对于经验不足的观察者来说,集市交易看上去像是一个秩序混乱的交易场所,其特点是,买卖双方随机配对和缺乏一个传播信息的中心参与人。在这种情况下,参与人如何能够控制有些商人想行为不轨的动机呢?经济人类学家克里弗德·吉尔茨(Clifford·Geertz)曾经敏锐地观察到,在摩洛哥集市上,买者与卖者之间的交易存在稳定的惠顾关系，这构成了当地制度结构最重要的特征。他注意到：

> 在西福罗(Sefrou)，重复性购买某些特定商品和服务的买主不是在每次需要的时候才到集市上去转悠，经常惠顾成了他们与供应商建立稳定关系的一种手段。在表面上看来像布朗运动一样随机碰撞的集市背后，隐藏了一种富有弹性的非正式的人际网络模式(Geertz，1978：第 30 页)。

现在让我们来考察在非人格化交易(随机配对)占主导位置时，交易域个人信任机制是如何演化形成的。虽然下面的例子旨在回答上面提出的问题，但它的目的不是为了重建惠顾关系形成的历史过程本身，而是试图理解内生形成的交易者集团规范出现的方式，以及规范如何帮助他们克服大范围交易信息不足问题的基本逻辑①。

让我们假定在集市上，阶段博弈每周进行一次，其中未形成任何结构关系之前的交易机会的报酬特征如图 3.1 所示。交易者集合是由许多来自不同地方、随机配对的交易者组成。他们不知道集市上潜在交易伙伴的历史背景，因而不敢完全信任这些陌生人。已经配对的交易者如果愿意的话未来还会再遇见。在这个意义上说，集市不是一个真正的匿名市场。

如果配对一直是随机的，那么，惟一可能的纳什均衡就是无交易发生。但这种状态是不是梅纳德-史密斯(Maynard-Smith)意义上的"进化稳定策略"(evolutionarily stable strategy，简称 ESS)呢？大致说来，ESS 旨在概括一种域的"坚不可摧的"(uninvadable)状态：如果域处于 ESS，那么一小部分变异者的入侵最终会在自然选择的过程中消失②。预期到长期合作的可能收益，有些交易者也许想打破僵局，先沟通一下，表达愿意选择 H 并且如果关系能够维持，就一直恪守

① 如后面还将涉及的那样，集市的基本特征，如一大群互不相视的交易者相聚在一起，实际上在当今电子商务的网路上以更大的规模再现了。

② 令图 3.1 所代表的报酬矩阵为 M，参与人可能采取的混合策略为 $x=(x_1,x_2)$，其中 x_1 是选择 H 的概率，x_2 是选择 C 的概率。x 的元素也可用来表示每个策略被选择的参与人的比例。这样，进化稳定策略就是 x^*，使得对于所有的 $x^* \neq x$，要么(1) $x'Mx^* < x^{*\prime}Mx^*$，要么(2) $x'Mx^* = x^{*\prime}Mx^*$ 和 $x'Mx < x^{*\prime}Mx$(即 x^* 是比 x 更好的对付 x 的策略)。

它。他们也想从交易伙伴的言谈举止或发出的信号,如表情、兴趣、习惯、说话口音、共同朋友或亲戚的名字、“饮食习惯”(Landa, 1995)等等推测他们交易的意向和一些别人不太容易理解的意思①。假如趣味相投,双方就进入实质性的交易过程,罗伯逊(Robson)把这种配对称之为“变异者”的“秘密握手”②。在这种情况下,诚实交易会逐渐成为压倒无交易结局的主导性策略吗?这样做的问题在于,某些交易者事先答应合作,可实际上选择 C,然后逃之夭夭,以后再也不与同一位交易伙伴配对。我们称这类人为“寄食者(寄生虫)”。由于他们的存在,通过无成本的“廉价交谈”(cheap talk)* 也无法支持诚实的交易。其结果是每人都选择欺骗的纳什均衡,无交易结局仍然不可避免。现假定存在“变异者”,他们持续加入这场博弈,使用新的语言或信号绕开寄食者,在他们自己之间进行秘密握手。可是,下一期对变异者的进行模仿的寄食者又会很快出现。这将是无休止的竞赛。在这个过程将不存在人人合作的纳什均衡(Robson,1990)。

现假定交易者在交易前握手(聊天)时必须相互递交礼物以证实他们言谈的内容(Carmichael 和 MacLeod, 1998)。送礼物的人必须花费成本,对别人却没有什么价值(如精美的包装)或者说必须被接收者迅速(比如说一年内)消费掉。否则,寄食者收到礼物后,选择欺骗,然后用收到的礼物去欺骗下一个交易伙伴,卡米歇尔和麦克劳德称他们为“循环寄食者”。假定参与人采取以下策略:如果他们从无数可能的交流话语中选择的话语正好与随机配对的交易伙伴一样,那他们就相互交换礼物,选择 H,假如对方也一直选择 H,就维持这种关系,直到死亡。否则,他们就分手,到市场寻找新的伙伴。我们称这类交易者为“主顾”。为了使上述策略成为激励兼容,必须满足下述两个条件:

---

① 如第1章所述,因为语言和符号的交流假定是无成本的(“廉价交谈”!),不会直接影响参与人的报酬(虽然影响他们的策略),它们应区别于社会交换。

② 罗伯逊把个人视为进化选择的单位,该选择过程将淘汰无效率的进化稳态均衡(ESS),在此基础上,他描述了简单机制(变异)的条件:“变异者必须不仅仅拥有不同于原初策略集的选择。确实,变异者需要拥有一种信号,它具有可观察的特征,具有这些特征不需花费任何内在成本。”这里罗伯逊所指的类似于哈里斯麻雀之间的博弈,它们彼此之间通过羽毛的颜色来辨认。

* “廉价交谈”为博弈论术语,意指信息沟通时是无成本交流的,这不一定意味着欺骗,只是在法律和合同上无责任。——编者注

$$\frac{\Gamma/2}{1-\delta}-G>\frac{\alpha-G}{1-\delta},\ \frac{\Gamma/2}{1-\delta}>G。$$

其中 G 是送礼成本。第一个不等式说的是通过本年一次礼物交换实现的持续合作的收益现值严格大于从寄食策略中获得的收益,所谓寄食策略就是每年更新一次礼物进行欺骗。第二个不等式说的是从持续合作的收益现值大于一次性呈送礼物和建立关系的成本。将上述两个条件结合在一起,可得

$$\frac{\Gamma/2}{1-\delta}>G>\frac{\alpha-\Gamma/2}{\delta}$$

如果上述条件成立,那么,惠顾关系可望能够以互惠互利的方式得到维持。

假定每年都有一小部分人死去,被新一代人替换。新一代人中的大多数只是简单地模仿其父母的策略,但有一小部分人随机试验一些新策略。对于这类博弈,卡米歇尔和麦克劳德证明了如下结果,即对于满足上述不等式的同等规模的礼物下的“惠顾”策略,一定存在他们所谓的弱进化稳定均衡,它具有两个特点:(1) 它是纳什均衡;(2) 虽然新型话语不断创造出来以避开寄食者,但变异者永远不可能比“主顾”的效用更高(严格地说,该均衡概念是定义在效用而非策略上的)①。更进一步说,下面任何一种策略都不可能带来更好的结果:使用新型话语的寄食者秘密结伙,相互交换礼物,但对别人一律采取欺骗策略;或者同样的寄食者不交换礼物,但相互合作。当选择惠顾策略的参与人遇上另一位采取同样策略的参与人时,他就离开配对市场,两人在一起从事交易,直到死去。而寄食者将不得不永远呆在配对市场上。于是市场上的寄食者的比例越来越高,使得做寄食者的收益不断下降。如果交易者的耐心足够大的话,促进诚实交易的礼物交换的社会成本可以很低。当贴现因子接近 1 时,G 非常接近 $\alpha-\Gamma/2$,远远小于持续诚实交易的收益。因此,惠顾关系可

① 卡米歇尔和麦克劳德不得不使用弱进化稳定均衡(或更严格地说是中性稳态)的概念的原因是,ESS 概念要求局部惟一性。他们的模型和其他使用符号交流的模型一样,都面临如下问题:和不同的礼物水平和“语言”相对应,存在许多经受不住变异者侵入的纳什均衡,因为它们不严格好于侵入者的策略,所以不构成 ESS。

以看做是参与人对集市信息不足作出的有效反应①。

上述治理机制被描述为一种准永久性双边关系,它在集市交易中自发产生于初始交换相同信号和礼物(或说沉没其拉关系的成本)的交易同伴之间②。但正如"个人信任"机制(即双边声誉机制)可以在相互认识的交易者集团内复制一样,上述机制也可以由参与人集团复制。例如,由人口中一部分参与人构成的集团通过使用同样的语言(信号)相互识别,然后交纳一定的初始费用组成一个俱乐部或关系协会。交纳的会费必须花在对局外人没有价值同时也不可能被成员带走的用途上,如礼节性仪式、会员证、俱乐部纪念品等。在俱乐部成立之后,每个俱乐部将由初始博弈的某个亚域组成,其中成员间的交易关系由俱乐部专用性的规范进行调节,从而在方式上复制着交易者社会规范。换言之,俱乐部内部任何违反行为标准(诚实交易)的举动都将受到终止会员资格的惩罚。在这个意义上,交易者社会规范不仅可以作用于参与人数有限、性质均一的域,而且也可以作用于特定集团的参与人相互识别和相互信任的域。我们把这作用于通过初始礼物交换而形成的选择性集团的准社区规范称为俱乐部规范。

俱乐部规范作为一种市场治理制度,其潜在问题是因惰性而导致潜在损失。在上述寓言中,交易博弈的技术环境(报酬结构)被假定是永远不变的。因此不难理解,交易者一旦终于识别出诚实交易伙伴,就会将这种关系维持到底。可是,如果我们假定每年都有新的商人带着新产品进入交易会,以至于旧的关系将迅速地贬值,那情况就会不一样了。不过,"别轻信陌生人"的劝戒也许会阻止交易者利用新出现的机会。当然这只是一种可能性。在不同条件下,流行于封闭社区——无论是乡村社区还是交易者社

① 与博弈论的预测相一致,吉尔茨指出:"通过增加集市内部基本联结点所携带信息的丰富性和可靠性,惠顾关系代表了在个体水平上应付集市作为交流网络的系统性缺陷并从中获利的努力,这些缺陷表现在集市结构的复杂性和不规则性,缺乏信号显示系统和其他系统的欠发达,经济知识的不精确、分散和不平衡分布。"(Geertz, 1978: 第31页)。

② 卡米歇尔和麦克劳德(1997)模型的重要一点在于,均衡的存在性要求礼物交换必须发生在语言交流之前或者同一时间。如果交流在礼物交换之前进行,那么均衡将不存在。这是非常有意思的结果,不仅因为我们观察到礼物在关系建立之处进行交换,而且还因为它强调了礼仪对于确保效率的重要性。我想在此感谢麦克劳德,他在一次私人通信中向我指出了这一点。

区——的规范也许有利于形成对外部市场开放的传统。我们在第8.2.1节讨论这种情况。

3.2 文化信念和自我实施的雇佣合同

当交易机会向更广大的地理区域扩展时，对商人来说，雇佣代理商让他们代理远地的业务将成为必要。但是，商人很难直接指导和监督代理商的日常经营活动，这使得代理人有可能行为不轨，如偷窃商人的物品、混水摸鱼或偷懒。在关于历史和比较制度分析的突破性工作（1989、1994）中，格雷夫对中世纪地中海交易的特定背景下单方面的囚犯困境问题进行了研究。他比较了来自拉丁世界的热那亚商人和来自北非世界的马格里布商人解决同一代理问题的不同反应方式。他强调在促成代理商诚实交易方面共同预期（他称之为文化信念）所起的重要作用，并进一步引申出它们对于后续制度发展轨迹的影响。

格雷夫运用重复性商人-代理商博弈模型作为他立论的基础。阶段博弈以商人按一定工资水平雇佣一个代理商开始，在观察了代理商的业绩之后决定是否留用。代理商在受雇时的策略集合由两项决策构成：{诚实或欺骗}。商人的目标是控制代理商的欺骗行为，其策略集合由下述决策构成：在阶段博弈之初决定固定的工资水平 w，在阶段博弈结束时决定是否留用代理商，如果不想留用，就决定在下一个阶段博弈开始时雇谁。假定商人总是要开除不诚实的代理商。但同时我们也假定，雇佣关系的终止不仅发生在代理商欺骗之时，而且某些外生的原因如商人的死亡或退休或海上交易突然中断，也会以一定概率 σ 终止雇佣关系。代理商从欺骗中所获当期总收益（包括合同工资的支付）为 α，欺骗对商人造成的损害为 β。代理商失业时的效用为零。雇佣合同的单方面囚犯困境博弈的报酬结构如图3.2所示，其中行参与人是代理商，列参与人是商人。商人的策略 NH 代表不雇佣，H 代表雇佣。

代理商 \ 商人	H	NH
H	$w, \Gamma - w$	0,0
C	$\alpha, -\beta$	0,0

图 3.2　商人-代理商博弈的报酬结构

上述博弈不同于初始的交易博弈，当两人都选择 H 时，代理商的报酬现在是内生地由商人来决定。让我们考察一下，商人应该选择什么样的工资政策使代理商在欺骗就要被解雇的要挟驱使下诚实行事。我们把满足该条件的工资水平称之为效率工资。雇佣关系终止之后，失业的代理商如果从未有过欺骗行为，他重新被雇佣的概率假设为 π_h，若有过欺骗行为，重新被雇的概率为 π_c。根据动态规划原理，如果行骗一次对代理商不利的话，那么，不管行骗多少次，对代理商都会不利的。因此，假设行骗的代理商在重新雇佣之后不再行骗，我们只需考察代理商不愿行骗一次的条件。

用 V^a 代表当期被雇佣而且受雇时一直恪守诚实策略的代理商的终生预期收入的现值。用 V_i^u 代表当 $i = h$ 时目前正失业但一直诚实的代理商的终生预期收入的现值，当 $i = c$ 时，它代表目前正失业但曾经行过骗的代理商的终生预期收入的现值。于是我们有

$$V^a = w + \delta[(1-\sigma)V^a + \sigma V_h^u],$$

$$V_i^u = \pi_i V^a + \delta(1-\pi_i)V_i^u, \qquad i = h, c。$$

其中 δ 是贴现因子。行骗一次的终生预期收入是 $\alpha + \delta V_c^u$，如果它小于 V^a，代理商将不会选择行骗。如果下列式子成立，该条件将得到满足，

$$w \geqslant \alpha[1-\delta(1-\pi_h)(1-\sigma)]\frac{[1-\delta(1-\pi_c)]}{[1-\delta(1-\pi_h)]} = \text{def}\ \omega$$

上述定义的工资率 ω 被商人用来作为控制代理商欺骗行为的手段，我们假定它小于代理商诚实时生产的总产品 Γ。从上述条件

很容易看出，商人选择工资的最优策略与他的概率估计 π_i 有关。特别地，最优工资 ω 随 π_c 的增加而增加。更确切地说，如果 $\pi_c = \pi_h$，即商人预期其他商人会从失业人群中不计前嫌，不加选择地雇佣代理商，那么，商人有必要将工资定在 $w = \alpha[1 - \delta(1 - \pi_h)(1 - \sigma)] = \text{def}\ \omega_I$，以控制代理商可能的欺骗行为。另一方面，如果 $\pi_c = 0$，也就是说，商人“预期”其他商人只雇佣诚实代理商，那么，他可将工资定在如下水平：

$$w = \frac{(1 - \delta)}{[1 - \delta(1 - \pi_h)]}\omega_I = \text{def}\ \omega_C$$

显然 $\omega_I > \omega_C$。

关于商人的雇佣策略，我们区分两种极端情形：一种情形是商人采取不雇佣行为有污点的代理商，给受雇的代理商提供工资 ω_C；另一种情形是采取不加区分地雇佣任何失业的代理商，并一律提供工资 ω_I。前一种策略只有在商人之间存在密切的信息网络，行骗者容易识别的情况下才是可行的，而后一种策略则不用与任何其他人配合，商人可以单方面决定。因此，格雷夫将前者称为集体主义策略，将后者称为个人主义策略。如果相关的预期是自我实现的，那么，这两种策略所提供的工资都能阻止欺骗行为。为了弄清楚策略是否是能够自我实现，我们只需要考察当欺骗发生时，每一种雇佣策略是否确实构成商人的最优反应。在个人主义策略下，当工资等于 ω_I 时，商人愿意采取雇佣任何人的策略，该策略显然是可持续的。在集体主义策略下，有必要证明，对于商人来说，只从失业人群中雇佣诚实的代理商是最优的反应。请注意，如果商人的确雇佣了行骗者，他们必须支付高于 ω_C 的工资以阻止进一步的欺骗行为。出于同样的逻辑，解雇曾经行骗的代理商对他们来说不是最优的举动。因此，集体主义策略也是自我实施的。但另一方面，给定上述任何一种商人策略下的工资水平，代理商的最优策略都是选择 H。注意，集体主义策略和个人主义策略，连同代理商选择诚实的策略，导致了一个分离均衡（seperating equilibrium，子博弈精炼均衡）。

至此为止，上述模型看起来很像效率工资模型的一个直接扩展①。但是,格雷夫的模型是基于历史文献中丰富的比较历史资料。另外,模型所引申的结论可以用后续制度发展的比较历史资料进行检验。在集体主义和个人主义均衡中,均衡结果均可由代理商的诚实策略来刻画。但这些结果是来自商人和代理商关于在欺骗的情况下(即非实际博弈路径)对方将采取的行动的预期。这些预期被格雷夫称之为文化信念(cultural beliefs)。因为均衡可能是多重的(因而不是由技术决定的),文化信念构成了对经济参与人行为的制度性约束。这些信念之所以称为文化的,是因为社会的文化遗产,连同参与人相互作用而形成的历史过程,使得人们的预期趋向于诸多可能性的一种,变成自然而然的“聚焦点”。格雷夫认为,11 世纪早期在地中海开始从事交易的马格里布人(遵从穆斯林社会价值观的犹太商人)具有集体主义的文化价值,而崛起于 11 世纪晚期的热那亚商人信守个人主义文化价值。他从历史文献出发,指出马格里布商人之间确实发展出密切的信息网络,对那些有悖于习俗和传统的行为进行集体惩罚,而热那亚商人则高度个人主义,他们之间不存在集体惩罚和信息共享的实践。

集体主义和个人主义文化信念对后续的制度发展轨迹的影响是非常有趣的。在集体主义文化信念下,商人得益于大家互为代理商。假定某商人兼代理商在代理过程中有不诚实行为。这时,其他商人可以通过不惩罚骗过他的商人兼代理商而实施对他的集体惩罚。于是,该商人必须支付给自己的代理商更高的工资 ω_I 以控制代理商的欺骗行为,其结果,他每期的预期利润变成了 $\Gamma - \omega_I$。对于一定的 $w = \Delta$ 使得 $\Delta < \omega_C$,即使 $\alpha + \delta V_c^u > V^a$,代理商个人的激励兼容条件不满足,但对于同样的 Δ,以下不等式仍可以成立:

$$\alpha + \delta V_c^u - \frac{\delta}{1 - \delta}(\omega_I - \hat{\omega}) < V^a$$

① 如卡尔沃(Calvo,1979),索洛(Solow,1980),夏皮罗(Shapiro)和斯蒂格利茨(Stiglitz,1984),鲍尔斯 (Bowles, 1985)。格雷夫考虑的交换博弈的结构是不对称的,因为不诚实行为的发生只可能在代理人(雇员)一边。但是在实际的雇佣合同中,双方都有可能不诚实。例如,如果合同规定用红利等与业绩有关的支付形式,如果业绩很难被第三方判断,那么雇主就有违约的诱惑。格雷夫模型中个人主义战略的实质是要为代理人的诚实行为创造内生的收益-效率工资 ω_I,从而合同能够自我实施。在一个对称的囚犯困境里,是否可能用类似的机制,使得业绩型雇佣合同能够自我实施,从而维持生产关系呢? 可以对这个问题作出肯定的回答。如 MacLeod 和 Malcomson(1989)以及 Levin(2000)。

不等式左边最后一项是他在无法依靠别人协同惩罚的情况下，为防止代理商欺骗而必须支付给代理商的超额工资的现值。如果上述不等式成立，商人在做代理商时不会选择欺骗。作为代理商，马格里布商人选择欺骗的成本太高了。所以，商人兼代理商的代理费可以规定得比 ω_C 低一些而仍然足以控制不诚实行为。

上述逻辑与前面一章讨论的社区灌溉系统博弈和社会交换博弈相联结的情形是类似的。在那里，即使当灌溉系统博弈单独进行时的激励兼容条件不满足，社区的社会交换博弈中集体施加的惩罚的严厉性也足可遏止灌溉博弈的搭便车问题。在商人-代理商博弈的域，商人同时扮演着商人-委托人和商人-代理人的双重角色。这样，即使代理费很低，使得商人在做代理商时禁不住想欺骗委托人，但这样做会使他在雇佣别的代理商时招致惩罚。不过，这种博弈联结在个人主义文化信念下是不可行的，因为不存在对不诚实商人兼代理商的集体惩罚。因此，在集体主义文化信念下，横向(相互的)商人兼代理商关系得以发展，而在个人主义文化信念下，商人阶层和代理商阶层的垂直分离关系得以形成。

在交易机会扩展时，上述差异对于相应经济组织的扩充能力具有重要影响。热那亚商人对交易机会扩展的反应是拓展个人主义策略，与非热那亚人发展新的商人-代理商关系。在这个意义上，格雷夫认为，个人主义均衡倾向于整合性。与此相对照，马格里布商人只限于在马格里布人的范围内雇佣新的代理商，发展其交易活动，如我们已经看到的那样，这样做更为廉价。如果他们不得不雇佣集体惩罚无法企及的非马格里布人，那他们就不得不支付比 ω_C 更高的工资，以防止欺骗发生。可这样的话，即便有更好的交易机会，他们也会认为无利可图。因此，集体主义均衡是自我隔离性的。虽然从纯粹的理论角度看，个人主义均衡并不必然内在地更有效率，但集体主义社会在开拓新的交易机会方面能力相对不足。

3.3 第三方私人治理结构：商法仲裁者

解决市场上商人不重复碰面问题的办法之一是引入第三方实施

者，让第三方监督欺骗行为，传递某些商人行骗的信息。米尔格罗姆、诺斯和温加斯特(1990)研究了中世纪交易中商法仲裁者的作用，对第三方实施问题进行了探讨。在12—13世纪，北欧和南欧之间的交易主要通过香槟酒交易会(Champagne Fairs)进行。在交易会上，来自不同地方的商人相互签约，在不存在法律实施的条件下成功地保证了合同的实施。为了协调其商业往来，商人逐渐发展出他们自己的商业法典——商法仲裁者，由那些享有商业地位的法官来负责管理。在这段历史经历的启发下，上述三位经济学家建构了一个理论模型，论证了在交易者只碰面一次的条件下，在交易博弈中引入第三方实施者有可能解决囚犯困境问题。

他们设想，有一个联结了许多如图3.1所示的初始交易博弈的新博弈，并引入一个附加参与人。这个附加参与人被称为商法仲裁者(Law Merchant，简称LM)，他发挥着聚集和传播信息、调解交易纠纷的作用。他们重要的理论创新之一就是：在推导博弈的均衡结果时明确地考虑了附加参与人的激励问题。为了避免一开始就陷入过于复杂的情形，让我们先假想商法仲裁者是一个忠实履行其职责的中立的参与人，由此看一看信息传播如何能够帮助商人避免陷入囚犯困境。然后我们将考虑商法仲裁者的策略性行为。我们称前一种博弈为中立性附加博弈，后一种为策略性附加博弈。

中立性附加博弈的结构如下：两位商人在交易会相遇，进行图3.1所描述的交易博弈。在得知博弈的结果之后，有一方花费成本K到商法仲裁者那里起诉其交易伙伴的不当行为(选择欺骗策略)。商法仲裁者公正审理和裁决此案。商法仲裁者的裁决涉及到惩罚能力的问题。在商法仲裁者裁决之后，被告也许愿意支付赔偿，也许根本置之不理。商法仲裁者不具备实施裁决、强迫被告赔偿的权力。它只能记录谁没有支付赔偿，以备未来的商人查询。任何商人都可以花费成本Q，调查其交易伙伴是否在过去有过任何“未履行裁决”的记录。商法仲裁者只接受那些博弈之前查询过记录的商人的起诉。中立性附加博弈的阶段博弈起始于两个新商人的配对，终止于商法仲裁者对未履行裁决的记录。商人的行动集合现在依次由以下决策序列{是否查询记录，是否选择诚实，是否向商法仲裁者起诉或是否履行裁决}构成。阶段博弈假定是无限重复进行的。但任何一对商人只相遇一次。

米尔格罗姆、诺斯和温加斯特证明了，假定贴现因子 δ 充分接近于1，商人的下述策略组合能够确保平均报酬为 $\Gamma/2-Q$：即交易双方如果自己以前没有未履行裁决的记录，一定会在博弈之前查询有关记录；如果发现其交易伙伴有过未履行裁决的记录，就拒绝与之交易；否则选择诚实策略；当且仅当有一方欺骗时，受损的一方向商法仲裁者投诉。商法仲裁者判决补偿受损者 J，该数额大到足以冲销行骗收益 $\alpha-\Gamma/2$。当且仅当被告从未有过未履行裁决的记录，他才支付赔偿。他们还证明了，对于特定的参数环境，除非商人实际上观察到有违反上述策略的情形，否则他们相信所有其他商人已经或将要选择上述策略，在此条件下，上述策略组合构成重复性中立附加博弈的一个序贯均衡(sequential equilibrium)①。

现在我们放弃商法仲裁者中立性这个假定，考察商法仲裁者作为一个策略性参与人的情况。商法仲裁者可能采取不同的方式渎职。设想一种简单的情况，即商法仲裁者向一个从未有过不当记录的商人索贿，威胁说如果不给钱，那么就向其他来查询的商人谎报说他有过不当记录。这样，在阶段博弈之初，商法仲裁者的行动集合由{是索贿还是不索贿}构成。考虑下述对中立性附加博弈策略的补充部分：每当有索贿发生，商人拒绝支付并且在本年不使用商法仲裁者的服务，当且仅当该商人以前从未行贿过。否则，只要贿赂不大于 $\alpha-Q$，支付贿赂 B，向商法仲裁者查询交易伙伴的记录，选择欺骗，并拒付裁定的赔偿。关于商法仲裁者的策略，考虑以下选择：商法仲裁者向任何曾经行贿的商人索取相当于 $\alpha-\Gamma$ 的贿赂，而不管他以前是否有过记录；否则不要求任何贿赂。假定商法仲裁者不按照该策略行事。那么，商人将拒绝支付，并且不使用商法仲裁者本年的

---

① 为了证明这个命题，像以前一样，我们需要核实，在既定的信念下，商人只偏离规定的策略一次，是否会增加他的预期报酬总和的现值。如果不能，那么根据动态规划的最优原理，将不可能存在其他更复杂的且有利可图的偏离策略。作为一个例子，让我们核实，对不诚实的商人来说，不履行裁决是否可以获利。如果他不支付赔偿，他可在本期节省 J，但因为商法仲裁者将记录他拒绝执行的情况，在未来各期他所得的收益均为零。如果他履行裁决，在未来时期可得 $\Gamma/2-Q$，其现值等于 $\delta(\Gamma/2-Q)/(1-\delta)$。如果该现值大于 J，不履行裁决将永远对商人不利。类似地，我们还可核实，不存在任何其他偏离策略使得商人能够从中获利的情形。这样，给定商法仲裁者中立和公正行事，人们关于不诚实交易会受到商法仲裁者裁决和记录的惩罚的共同预期将阻止任何商人的欺骗行为。

服务，这使得商法仲裁者损失 Q。另一方面，如果商法仲裁者不向曾经行贿的商人索贿，他将损失 B。这两种情况的任何一种对商法仲裁者都不利，因此，上述设定的策略对商法仲裁者是激励兼容的。这样，给定商人自己的策略，商人关于商法仲裁者公正行使职责的信念将是可信的。可以看出，前面给出的商人的行动决策规则也是激励兼容的①。

上述寓言表明，在一定条件下，一个私人的第三方集团可通过改变博弈的信息结构而使得商人的诚实行为可实施。该机制的信息要求并不非常苛刻。商人不需了解除本年度交易会上有关直接交易伙伴之外的任何其他商人的信息。商法仲裁者也只需记录那些曾经行骗和未履行裁决的商人的情况。他不必拥有实施裁决赔偿的权力以惩罚不守规矩的人。裁决赔偿之所以能够实施是因为任何不当行为都将肯定无疑地被未来的商人知道而对行骗者不利。

但是，需要注意的是，一次性纳什均衡即无交易发生，也可能是一种均衡。这表明，如果可信的第三方的信息传播作用未能演化出来，陌生商人之间的交易机会将得不到利用。如果我们进一步考虑下述可能性，即商法仲裁者可能接受那些有过记录但又希望抹去记录的人的贿赂，那情形就变得更复杂了。假定某商人每年从欺骗中获得较大收益 $\alpha - \Gamma/2$，他拒绝支付赔偿，但通过将一部分收益行贿换得一个清白记录。设想一下，未来的商人因得到错误信息，被这个商人欺骗，而停止再向商法仲裁者征询信息。这样，随着未来不向商法仲裁者征询的人数以算术级数增长，假定商人间缺乏对商法仲裁者声誉信息的交流，商法仲裁者因受贿损失的收益为 $\delta Q/(1-\delta)^2$。如果该成本小于 $\alpha - \Gamma/2$，那商法仲裁者和商人之间秘密协议贿赂将是激励兼容的。结果，与商法仲裁者信息中介服务相联结的交易域逐渐萎缩，私人第

---

① 假定某商人以前从未行贿过，但想偏离既定策略行一次贿，这样他本年的报酬为 $\alpha - Q - B$，未来收入为零，因为他的名字已收在商法仲裁者的名单里（注意商法仲裁者在本年受贿之后会诚实行事）。如果他拒绝行贿，他预期的报酬就等于一期纳什均衡的结果，即本年无交易，未来每一年的收益为 $\Gamma/2 - Q$。因此，如果下式成立，

$$\frac{\delta}{1-\delta}(\Gamma/2 - Q) > \alpha - Q - B$$

那么行贿对商人无利可图。如果某商人以前行贿过，这次又要求行贿，商人从规定策略所获的净收益是 $\alpha - Q - B$，而如果不行贿的话，报酬为零。所以如果 $B \leqslant \alpha - Q$，继续行贿是有利的。为了最大化收益，商法仲裁者将会把贿赂定在 $B = \alpha - Q$。

三方机制最终因缺乏足够收益而趋于瓦解。

历史上我们观察到商法仲裁者这种私人裁决制度最终让位于正式的第三方机制,它以法典为准绳,由民族国家实施。米尔格罗姆、诺斯和温加斯特认为,当民族国家最终掌握了强制性权力,可以没收不履行裁决的人的财产或将他们投入监狱时,惩罚犯规者的成本大为减少。他们同时也指出,国家实施的全面性税收制度代替个人对商法仲裁者的付费可大大降低维护第三方组织的成本。这种解释是基于效率的一种论点。然而,正如上述寓言所暗示的那样,我们不能简单地以为民族国家能够自动演化成保护私有产权和实施合同的可信机制,这里的私有产权包括对物品的使用权、收益权、处置权和在不可签约状态(uncontractible events)下对人力资产的控制权(下一章将介绍剩余控制权)。尤其需要注意的是,通过暴力保护私人产权的国家能力是一把双刃剑,它同时赋予国家机器侵占私人产权的能力(温加斯特,1997)。的确,在现代民族国家兴起之前,西方经历了贵族、商人和市民等不同阶级反抗王权、限制国王任意课税和敲诈的斗争(参见 Rosenberg 和 Birdzell, 1986: 第 119—123 页;North 和 Weingast,1989;Olson, 1993)。在第 5 章我们将给出一个博弈论的阐示,表明法律制度不仅促进市场交换域的发展,而且它还很可能与广大匿名交易者的利益是一致的。当然,这种发展在不同地方也许是一个不平衡的过程。

不同的国家形态都有可能作为政治域的均衡结果出现,有时会阻碍中立的法律系统发展成为主导的市场治理机制。而国家形态又与组织和市场在经济中演化的方式相关。因此我们准备把国家作为产权潜在保护者的作用问题放在关于组织规范的章节之后讨论。

3.4 道德准则

我们已经整理出习俗性产权规则产生和逐渐让位于多边声誉机制(规范,隐含合同)及正式的第三方实施机制的准历史的逻辑线索。在交易过程中,保护私人产权的外围性制度发展极大地促进了市场交易范围的扩大。当交易域不断扩展时,规范和自我实施合同机制并不能对所有可能的私有产权的侵犯行为进行监督和惩罚，这样做成本过于高昂。另一方面，如果我们仅仅依靠政府实施法律，这有可能造成一种压抑的政治氛围，使其管理成本高到无法接受的地步。第2章的寓言告诉我们，习俗性产权的元制度一旦确立，尊重别人的产权将符合每个人的最大利益，只要他们预期别人也会同等地对待他们。当习俗性产权的元制度一方面外在化和具体化为法律条文，另一方面也会在每人的头脑里内在化为道德判断，如“你不能侵犯别人的财产”，使每个人下意识地去遵从。这种道德判断既不是来自抽象的超自然的公理，也不是被外在的权威所强加，而是可能从习俗中演化出来的。以一种反韦伯的方式颠倒习俗和道德判断之间的因果关系在亚里士多德那里可以找到久远的回应，他注意到，“道德品德（*etike*）……是一种习惯的结果，事实上前者的名称取自后者，是对*ethos*一词的微小改动”（第2编，第91页）。

亚里士多德关于道德判断是习俗的结果而不是相反的论点，可由下面的一个简单例子来说明。假定某车间的工人合作已演化成一种习俗，这时一个工人使用的机器突然坏了，而一个刚好要下班的同事没有帮她修理。虽然到下班时间离开完全符合车间的正式规定，但他仍可能感到内疚。如果换在另外一个地方，机器坏了，但集体协议明确规定了工种的专业化分工，这时“帮忙”意味着对机械工修理机器的权利的剥夺。因此，当机械工满头大汗修理机器而你站在一旁喝咖啡，你的同事不会觉得你道德上有何不妥，你也不会感到任何愧疚①。第8章我们会看到，即使在同一技术条件下，这种不同的工作习俗或规则会演化成不同的惯例（进化结果）。

---

① 这个例子是我在一次讨论会上与斯蒂芬·克拉斯纳（Stephen Krasner）交流时即兴想到的。后来我发现，这个对照性例子与文化心理学关于道德判断和道德情感的理论与经验发现是一致的。一项关于文化心理学及其对社会心理学的启示意义的权威性文献概览提到，直到最近，几乎所有的心理学关于道德和道德推理的发展的研究均根植于“正义传统”，但这种范式只专门适合于以个人自由和社会契约的个人主义理念为基础的西方（文化）系统。“这种传统根据人们的行为是否侵犯了别人的‘权利’来判断其行为的正当性……帮助他人不构成一种道德要求，因为给定正义观对特定个人主义的强调，人们没有权利要求别人帮助；因此，帮助他人……是一种相机的而非道德的要求”（Fiske等，1999：第940页）。另一方面，“在强调相互依赖的文化（如东亚）中，重点放在……履行社会关系的标准上：表现不够将导致羞耻”（第943页）。总而言之，人们判断道德性不是基于不变的人性，而是建构于文化心理学家称之为文化系统或地方文化模式（意义和实践）的社会现实；当然，我们的着重点是强调经济系统是社会现实的一部分。

如果产权规则来自习俗并与之相一致,那它们将在人们心目中产生相应的道德判断。只要违反了规则,不管是习俗的还是成文的,都会在人们心目中自动产生消极的道德情感,如内疚感、羞耻感或焦虑感。这种情形不妨看做是图 3.1 的报酬结构被改成了图 3.3,其中增加了消极道德情感的心理成本 μ 这一项,它足够大,使得 $\alpha-\mu<\Gamma/2$①。于是,参与人即使不受第三方的直接监督也不愿违反规则。我们把在人们心目中作用的第一方机制称为业已建立的习俗道德准则的结果。另一方面,如果不存在牢牢扎根于习俗的产权稳定规则,这种道德准则也很难演化出来。不过,这种不稳定性将不是因为缺乏先验的道德准则,而应该反过来说才对。

自己＼他人	H	C
H	$\Gamma/2,\Gamma/2$	$-\hat{\beta},\ \hat{\alpha}=\hat{\mu}$
C	$\alpha-\mu,\ -\beta$	$0,0$

图 3.3　道德准则下的报酬结构

3.5　市场治理机制的整体性安排

3.5.1　交易治理机制的多样性

图 3.4 概括了作为交易博弈的稳定结果的各种市场治理机制。第一列列举了各种机制[在本节最后介绍"数码式实施机制"(digital enforcement mechanism)]。第二列栏目列举的参与人——商人或附加第三方参与人(组织)——是对应机制的实施者。第三列栏目是在对应机制下约束交易者行动决策的均衡策略组合的一些重要方面。它们包括交易者所持的对违约情况(即不诚实交易或侵犯产权的情况)的预期,预期第三方实施者提供的信息和惩罚,以及驱使交易者自我

① J.P.波拉特(Platteau, 1994)把这种报酬结构的博弈称为信心博弈(assurance game),并讨论了它和道德规则的关系。

治理机制	实施者	预期行动决策规则（内生性博弈规则）	域特征
个人信任	交易伙伴(第二方)	对欺骗行为的报复	重复性双边交易机会
交易者社会规范	社区内共享沟通网络的交易者	社区对欺骗行为的驱逐	由(综合性)沟通交流网络联结的交易者
惠顾关系	已经付出拉关系费用的交易伙伴	以终止关系惩罚不诚实的交易者	事前匿名但事后可重复的交易机会
俱乐部规范	由初始交纳会员费组成的内生性“俱乐部”的交易者	将不诚实的交易者从“俱乐部”中驱除	事前匿名但事后可重复的交易机会
自我实施(雇佣)合同	市场上的交易者	欺骗行为引致合同终止及对其后果的预期	行动和结果可观察但无法证实
第三方的信息传播	第三方组织(如商法仲裁者、信用局、网上拍卖组织、电子商务的认证机构)	对欺骗行为的信息传播，因欺骗而失去交易机会	匿名交易者
第三方的强制实施	第三方组织(如政治统治者，黑社会)	对欺骗行为的暴力惩罚	强制性暴力的不对称分配，不诚实交易的巨大收益
道德准则	自我(第一方)	因欺骗行为引起的消极的道德情感	享有相同习俗的相对均质的参与人
法治系统	法庭	对欺骗行为的依法惩治	匿名交易者，行动或结果可证实，政府对强制性暴力的垄断
数字化实施	由交易伙伴设计的计算机程序	只根据程序化的条件实施的方式交货	通过网络可提供的数字化内容和服务的交易

图 3.4　各种交易治理机制

约束不选择欺骗行为的道德情感。最后为了使某种特定的市场治理机制能够在合理的社会成本下有效运行——或者更根本地，为了使某种特定机制作为博弈的稳定结果而出现并被制度化，交易博弈的域必须在一些方面满足某些性质，这些方面包括参与人的范围和特征、他们沟通信息的渠道、他们再次相遇的可能性、交易的性质及后果等等。它们被列在最后一列，现在让我们对它们做一些简要的说明。

例如，交易者社会规范预先假定，交易博弈的域只限制在参与人能够相互交流并识别骗子的范围之内。他们的特征必须是对称的，即任何人只要未遵循交易行为的标准都应受到惩罚，而惩罚的实施预期是协同一致的。换言之，没有人在这里扮演第三方的角色，专门行使证实和惩罚违规者的职责。相应地，交易者社会规范很可能在交易者人数有限、交易特征相对均一(买卖双方的区分除外)的域内制度化。"同一种族的交易集团"就是一个例子①。

我们看到，当潜在交易域扩大之后，交易者群体可以以交纳初始费为条件组成一个排他性的俱乐部，通过内生性的惠顾关系或俱乐部规范来调节他们之间的交易关系。即便在发达经济中也不难发现这种机制。例如，在供应专用于最终产品的中间品的域里，交易的形式可采取层级制、关系合同或者现场交易。当需要有交易专用性的投资介入时，虽然事前存在着充分的竞争，交易者的人数事后必须是有限的。而且，关系专用性投资一旦被沉没，要将它轻易地转向其他用途是非常困难的。因此，常识告诉我们，资产价值可能成为另一方寻租行为的目标。这就是所谓的要挟问题 (hold-up problem)：如果这种风险被投资方预期到的话，降低关系专用性投资使其低于社会有效水平对他来说是最优的。因此，有人声称，解决该问题的办法是实行专用资产的产权一体化，即由交易的某一方对投资进行层级控制(Klein、Crawford 和 Alchian, 1978；Hart, 1995)。但是，在许多域(日本的汽车行业、意大利的服装业或德国的机械行业)，供应关系的协调通常不是依赖一体化(层级控制)，而是依赖关系合同的方式。下一章我们将看到，关于信息结构的考虑使得非一体化可能更有效率。

① 例如，兰达(Landa, 1994)，第6章。

但这需要存在一种交易治理机制使得关系合同能够得到相互尊重，不被任何一方的机会主义行为所破坏。俱乐部规范(常规交易者之间或公司集团如财阀内部的非正式规范)似乎是一种可能的解决办法。按照这种观点，相互投资于无形的关系专用性资产相当于初始的礼物交换，而不是被当作机会主义寻租行为的目标，其价值不能携带出俱乐部的范围之外。

俱乐部规范控制不诚实行为的机制可能只会在那些交易者可以选择在初始见面之后经常接触以从重复交易中获益的域发挥作用。如果交易博弈的域扩展到许多潜在的交易者，因交易的性质(比如一般人不会经常购买房子)相互接触机会不多，或者大家频繁流动，或者其他原因，那么，过去侵犯过别人产权的人就不易通过信息网络加以识别。在缺乏别的市场治理制度的条件下，无交易便会成为一种均衡策略。一种办法是在原有的交易博弈中增加新的专门从事收集和传播侵犯产权信息的参与人(组织)。商法仲裁者是这方面机制的一个例子，各种各样的信用调查局则是另外的例子①。

第三方私人实施机制的另外一个有趣的例子是美国协调交易公正进行的押证服务(escrow services)。押证方相当于一个清算行，在所有的交易手续和要素齐备之后结清交易。比如，在简单的不动产交易中，经由押证方转让房产合同和款项，买者被确保得到一份有效的转让合同，卖者被确保拿到商定好的款项②。为了保证该机制的有效性，第三方——押证方必须保持中立立场，使交易公平交割。虽

① 当今发展中经济市场交换的改善有赖于这种制度发展。马瑟尔·法弗钱普斯(Marcel Fafchamps)及其合作者对当今非洲使用交易贷款作了大量问卷调查的比较研究，对于他们的研究发现作出如下总结："在爪哇，新顾客在他们首次购买时基本上得不到交易贷款。接近供应商贷款的正常方式是通过现金购买，维持6—12个月，建立一种关系。与此相对照，许多肯尼亚企业在第一次交易时就可得到贷款。比如，一个接受调查的内罗毕(Nairobi)商人在创办之初，经亲戚朋友介绍从新的供应商那里获得贷款，使得商店里商品琳琅满目。但是似乎只有肯尼亚裔社区的成员能够从这种系统获益。其他企业家就像爪哇的情况一样必须用现金购买一段时间才行。赞比亚提供了另外一种图景。信用咨询机构的存在加上非正式的信息分享，使得供应商能够从新顾客中进行筛选，比在肯尼亚和爪哇更有效。其结果，已建成的企业很容易变换供应商。而那些新兴企业，尤其是黑人经营的企业，就被排除出该系统之外了。"(1996：第4页)

② 当然，不动产交易通常比这里描述的过程要复杂。经常的做法不是直接付款，而是贷方如商业银行将贷款合同寄给押证方。而且，给予押证方的各种指示——规定每一方在交易完成之前必须履行的义务——会相当复杂；在双方满足这些规定之前交易不会结清。

然法律规定了押证方必须保护交易双方免受对方的欺骗，但这仍然有一部分靠自我规制(self-regulating)：押证方需要具备牢固的声誉，否则，人们不会找它做生意。的确，在法律规制之前，押证业务就已经自发地发展起来了①。

近来与商法仲裁者类似的机构可以在网络的交易(电子商务)域中找到(Hadfield, 2000)。比如建于1995年的电子湾(eBay)是世界上规模最大的个人拍卖网址②。电子湾网上公司(eBay.com)持续记录买主的(正面和负面的)交易经历，这信息对于任何在电子湾进行交易的人都是可得的。它还公布买主历次交易的出价。这样，人们就很容易获得一个本来完全匿名的交易伙伴的公正信息。另外一个很好的例子是认证机构(certification authorities, 简称CA)，如VeriSign公司，为信息加密提供像"公共钥匙"一类的基础设施。该基础设施对匿名交易者之间的电子交易所需的有关订单、送货地址和信用卡号码等信息进行加密和解密，而且接受方还能确认其来源的真实性。希望自己身份能够被确认的网上客户可以获得一个数码证书，存储在CA安全的服务器里；而接受方为了确认一个持证客户的身份，则只需点击挂在后者网址上的CA标志即可。这些步骤在网上几乎瞬间就可完成。认证机构监督参与人对该设施的使用情况，一旦发现违规者，立即吊销其证书(驱逐)。拍卖机构和CA均为私人机构，它们保持中立和诚实的动机是出于他们对声誉的关心，并同时受到审计机构的监督。

在双边和多边声誉机制中，交易者获知对方不诚实行为之后实施的惩罚就是不交易。可是，如果一次性欺骗的收益相对于诚实交

---

① 押证业务在上个世纪得到长足发展。财产保险和信托公司的副总裁L.J.贝尼昂(Benyon)在一篇文章中回忆了南加州第一家押证行的情况，该文刊登在1928年的《财产保险新闻》上："1895年的某一天，有个人走进财产保险和信托公司的办公室，留下了一份财产证明书。他说，他必须在几天之后离开本地，问公司负责财产证书的职员能否帮个忙，把他的财产转让合同连同财产证书一起交给买主，向买主索取1 000美元，然后寄给他。这是我们公司的第一次押证服务，它成了今天我们所熟悉的押证业务的起源。"(财产保险和信托公司，1977：第11页)"需求迅速上升，当人们无法在方便的时候遇见另一方，或难以定下交易的所有细节的时候，他们都去办理押证业务。财产保险公司很快就满足了人们对押证业务的需求。银行也开始提供押证服务。随着南加州的房产销售不断攀升，'组建起来迅速地处理押证业务的独立的押证公司就自然地出现了'。"(Reyburn, 1980, 第5页)

② 在2000年的头三个月，eBay的拍卖次数高达5 360万，其中商品的交易额达11.5亿美元。

易的收益要大许多(即 $\alpha - \Gamma/2$ 很大),或者潜在行骗者的时间贴现因子 δ 很小,这种自发的惩罚也许不足于阻止人们选择欺骗。在此情形下,惟一的阻止因素是人们对行骗立即要受到严厉惩罚的预期。即使在双边和多边关系中,不诚实交易有时也会引发受害方的暴力报复。可这种自愿的惩罚对受害方来说也可能代价太高昂了。所以,在交易域,当短视的交易者得到的机会主义收益较高时,人们对人身报复的服务的需求将随之出现。在向市场经济转型的过程中,积聚了暴力能力的统治者逐渐变成这种服务的(准)垄断供应者,以换取向公众征税的权力(Olson, 1993)。给定使用暴力的规模经济特征,垄断不失为一种有效率的方法。每当君王或现代政府的实施能力不足时,私人组织的竞争性服务将起而代之。例如,在一项饶有趣味的社会学的研究中,蒂亚哥·甘贝塔(Diego Gambetta, 1993)将西西里的黑社会描述为"一种特定的经济企业,一种生产、改善和销售私人保护的产业"(1993: 第 1 页)。黑社会本身"是一种均衡状态:即使有人认识到它的缺点,但也没有人愿意改变它,也不会与之抗争"(同上,第 8 页)。

正如前面已经注意到的那样,当统治者、王权或政府强大到有效运用暴力保护私有产权的时候,它也同时可以通过任意惩罚和税收对私有产权进行侵犯。这被温加斯特称之为"经济制度的一个根本性的政治悖论"。在许多可能的政治域中,约束统治者或政府,令其服从明确制定的规则,否则就取消政治支持,这种策略可以构成一种均衡结果(第 6 章)。如果该结果出现的话,那么,由独立的司法部门(如法庭)处理合同纠纷就会成为一个重要的衍生机制。但是法庭裁决需要有违反合同的证据,这是法律规则作为一种市场治理机制在实际运用中的局限性。在许多交易域,要找到无可置疑的事实证明有违反合同的情形极其困难,合同本身也不可能预先写明所有可能的意外情况及处理办法。由此不难理解,在大多数发达的市场经济国家,市场交换的治理结构不仅仅限于法律规则系统。它需要许多其他私人裁决的治理结构作为补充。

我们知道,自我实施合同可以成为一种重要的交易治理机制。在雇佣交易域,合同隐含地规定了对关系专用性努力的报酬(奖金、提职等),但这些报酬均不易被第三方证实。以解雇或辞职的方式惩罚违约方对执行者来说有时代价很高。隐含合同被认为能够自我实施,可总免不了有出现错误、随机试验或变异者的可能性。为了对付这些问题,确保工作的合法权益和管理人员防止权力滥用的优先权,经济中出现了处理纠纷的各种各样的互补性私人裁决机制①。它们包括组织申诉和刑法程序、工厂一级的劳工委员会和集体谈判渠道。劳工仲裁委员会就是一种准司法的第三方裁决机制,它旨在处理产业关系中企业集体协议或工厂惯例规定的有关工种控制权的争议。私人仲裁试图更多地依靠习俗,寻求妥善的办法解决纠纷,而不是试图非要证明谁对谁错并相应地实行处罚,这样虽缺乏法律实施的效力,但可节省不少时间和精力,有助于营造一种非对抗性的工作环境,促进生产率的提高。在雇佣交易域,法庭成为处理纠纷最后诉诸的手段。在这些域,第三方私人裁决机制往往首先被动用,它的存在有力地促进和补充了隐含合同的双边治理机制。

产权难以界定导致侵权行为难以通过正式的司法程序进行判断和证实,这方面的例子在知识产权的交易域中不难找到。例如,硅谷关于高科技领域知识产权的纠纷现在越来越多地通过职业性专利律师而不是法庭得到解决。通讯和信息产业的新发明层出不穷,一项发明极容易过时,使得常规的专利制度和正式的司法系统难以保护它们的权利及其有效使用。因此,达成互惠和激励兼容的私人产权协议需要知识产权法方面的专家和拥有产品专业(工程)知识的工程师两方的精湛技艺和服务②。

最后,在相关域所对应的要求满足的情况下,第 2 章讨论的社会规范也可用来补充甚至替代法律系统。在一本以加州沙塔县邻里纠纷处理的实地调查工作为基础的书中,艾利克森(Ellickson)发现,那里的农场主在不借助司法系统的情况下处理了他们之间的大部分纠纷(例如走丢的牲畜与高速公路的汽车相撞引起的赔偿或在边界设栏的出资问题),其处理有时甚至与加州法律不一致(例如,车、畜相撞的损失由当事的各方承担,而不是照加州的法律规定由司机完全承担)。他指出,"邻里之间通过发展和实施比正式的法律所有权更

---

① 关于该问题的开创性文献,参见邓洛普(Dunlop, 1958/1993)。

② 见 Suchman(2000)和 Johnson(2000)。

有效的适应性邻里规范实现了合作”(1991：第4页)。从这个观点出发,他批评了有关社会成本的所谓的科斯定理隐含的“司法中心主义”。在他看来,科斯定理将法律定义的所有权作为纠纷处理的出发点,而“未能注意到在某些场景下初始权利不是产生于法律,而是产生于分权化的社会过程形成的规范”(1991：第138—139页)。农场主们自发地发展出解决纠纷的标准,预期到违反了该标准将面临着从遭受社区内人们议论纷纷到暴力“自助”(如杀死走失的牲口)的惩罚。

总结上面的讨论,我们得出下面的命题：

命题3.1　即便在发达的市场经济,私有产权和合同也不仅仅由正式的法律系统来执行。各种各样的治理机制——无论是私人的还是公共的,正式的还是非正式的,它们作为制度安排的复合体都同时发生作用。

我们将经济中运行的各种机制的复合体称为市场治理结构的整体性制度安排。

3.5.2 市场治理结构的整体性安排中的互补性和替代性

我们在上面已经强调,不同的交易域千差万别的特征是导致市场治理机制呈现复杂性的一个原因。但这不能简单理解为我们认为技术因素是市场治理结构各种安排组合的惟一的决定因素,虽然它们确实很重要。即使基本的技术信息完全一样,不同经济仍可能衍生出形态各异的治理安排。至于这种多样性产生的方式和原因,在目前的分析发展阶段尚无法给予充分的解释,但我们可以指出进一步研究的基本方向。

各种不同的市场治理机制共存于一个国家的经济之中,这个事实可以理解为整个市场交易域被分割成不同的亚域,其中每一个策略组合对于处于该域的个人来说构成一个稳定均衡的行动决策规则。在每一个亚域,个体参与人被事前赋予了不同的行动可能性。比如说,沙塔县的农场主如果愿意的话,可以考虑是雇一个律师起诉对其造成损害的邻居,还是通过私下协商的方式处理损失的赔偿问题。同样，一个制造商可以通过现场交易，从多个独立供应商中选一家购买标准零件，或者有选择地从某些供应商那里长期定做零部件。但他们实际的策略决策受到邻居和商业伙伴的策略决策的影响。起诉邻居对农场主来说多少有点过头了，虽然同一个人搬到城市之后很可能会选择这个决定（他会发现，在城里难以依靠个人暴力或通过传播流言来报复犯规的伙伴或邻里）。如果关系合同已经作为惯例在某些供应领域盛行，那些生产标准零件的企业要想进入该领域获取利润就相当困难，虽然换成在依靠法律以执行合同的机制或者在电子交易服务商已经将交易方式标准化的其他域，它们也许可能盈利。在第5章和第8章我们把这种在一种域里人们决策的相互依存性概括为策略互补性。也就是说，可替代的行动决策仍然对个体参与人开放，但他们的实际决策受到了目前他们所在的域的主导性策略组合的影响。

更微妙的情形是混合策略均衡。例如，通常认为，日本人相对其他国家的人来说更少地把纠纷带到法庭。这种倾向被轻易地归结为日本人在公共场合不易让步和偏好私下妥协的文化特征。可是，有些人确实把纠纷带到法庭。拉姆齐尔（Ramseyer，1990）的经验研究发现，在日本，不通过法庭对交通事故赔偿的调解结果在统计上与通过法庭判决的结果大体是一致的。法院裁决的可预见性促进了人们通过私下调解汽车事故的动机，而盛行的私人裁决的习俗又节省了频繁诉讼的成本。这样，私人裁决和诉讼在个人层面上是替代品，但它们的混合（混合策略组合）可以在社会层面上形成一个均衡。诉讼或私人裁决单独都不可能成为一种可持续的均衡结果。策略互补性的存在恰恰表明了多重均衡的可能性，即每个亚域不同治理机制存在的合理性。问题是，给定在某一域中众多可能有效的治理机制，为什么某些特定的治理机制能够脱颖而出，占据主导地位呢？

粗略的历史观察表明，交易范围越扩大，主导交易域的治理机制中，交易者社会规范比个人信任更有效，俱乐部规范和自我实施合同比交易者社会规范更有效，法制比不受约束的统治者保护或侵犯私有产权更有效。确实，不同的市场治理机制在特定的交易域可能是替代品而不是补充物。如果在某域存在不止一种替代性机制，其中每一种机制都要求投入巨额的初始成本，那结果将是不稳定的。例如，当某国政府与黑社会竞争向私人提供保护性服务的时候，公民就不得不面对双重的成本、税收和敲诈，使得任何一方提供的保护因为过度竞争或合谋都达不到足够的水平。在交易域扩张的经济中，我们通常所观察到的是政府尽力压制私人暴力的作用。

我们也观察到，在历史上，中间商和各种第三方实施机构不断地演化为在本来被分割的交易域中间扮演仲裁和协调的角色。于是，新的治理机制取代了域中的旧机制。例如，我们看到商法仲裁者作为信息中介取代了在封闭的交易社区流行的交易者规范。因此，市场治理机制的演进历史可以解释为随着外部和内部条件变化而持续发生在交易域及其新结合的域里的均衡选择过程。当一个更有效的治理机制最终确立时，其结果往往更接近互惠互利，更远离无交易发生的情况（另一种纳什均衡）或交易经常被欺骗行为所打断的局面。由此看来，一种治理机制越是效率促进型，它就越可能生存并占据更广阔的交易域。

但是，如果在特定时点上观察一个国家交易域市场治理机制之间的关系，人们不难发现，它们往往是互补的：即某种交易（产权）治理机制的有效性（或存在性），直接或间接地被同一个域或相嵌的域另一种机制的存在（制度化）所强化。这种存在于制度化机制之间的互补关系可以称之为制度互补性，它与上面涉及的策略互补性有关联，但在概念上有区别（对这些概念更形式化的说明将在第 8 章给出）。我们有必要举一些简单的例子加以说明。比如，尊重私人产权的道德准则若被人们广泛认同，将降低特定交易域法制监督和实施的成本。反过来，法制不公正将败坏人们的道德情感，从而削弱他们对不诚实行为的自制。因此，市场支持型的道德准则（第一方治理机制）和公正的法制（第三方治理机制）之间是互补的。如果它们不同时演化，一个可能的结果将是：不得不诉诸私人暴力去保护私有产权。

作为另外一个例子，假定某制造商和某供应商考虑发展关系合同的可能性，前者提供技术知识，而后者对人力资产进行关系专用性投资。如果劳动力交易域盛行瓦尔拉斯市场机制，处于后者地位的工人或工程师在从制造商处得到技术知识之后，会离开企业到别处谋取更高的报酬，而不用承担学习可转移知识的投资成本。因此，当劳动力交易域缺乏双方的共同承诺时，关系合同在供应交易域也很难演化出来。在这种情况下,制造商可能会试图兼并后者,即意味着将后者置于一种不同的治理机制(即组织治理结构)之下,或者依赖法律上可实施的现场交易合同(以获得标准零部件)。在后面我们会看到一种类似的但更复杂的制度互补性的例子,它涉及到金融域和劳动力交易域的市场治理结构(参见第11章)。正像策略互补性意味着一个特定域内多重均衡的可能性一样,不同域的制度互补性意味着市场治理的多重整体安排的可能性,而且这种可能性不能归结为博弈结构隐含的技术差异。每一种整体性安排都构成一个内在一致的体系,在面临相互强化的互补性条件下,每一个元素机制都无法以渐进的方式被另一种类型的制度元素所轻易替代。因此,我们尝试性地提出下述命题:

命题3.2　市场治理的整体性安排呈现多样性的一个源泉是各机制元素之间存在的相互支持的互补性关系。互补性的存在意味着整体性制度安排的结构可以是内在一致和刚性的。

如果多种制度安排是内在一致的,那么,为什么某种特定的整体安排而不是其他安排出现在一国经济之中呢?一个明显的原因是,"历史是重要的"。例如我们经常看到,当市场交易域逐渐从传统的乡村社区演化出来的时候,俱乐部规范作为市场治理机制倾向于在更大范围内产生。虽然这种发展过程并不必然那么直截了当(参见第9.3节),但其中一个可能的原因是,具有共同乡土根基的参与人在日益扩大的市场环境下能够找到共同"语言",更容易相互交流,发现建立惠顾关系的潜在伙伴。另一方面,在由不同种族背景的公民组成的经济中,非人格化的第三方机制(无论私人的还是公共的)则更经常出现,成为实施合同和解决纠纷的核心市场治理机制。这些差异通过治理机制之间互补或替代关系可能会对各自的整体性制度安排产生广泛的影响。

政府设计和实施法规和管制条例,对整体性制度安排的动态轨迹产生一定的影响。另外,一个有效和正式的第三方机制的存在有助于产生对合同可实施性和产权安全性的稳定预期,从而扩大交易域的范围。但与此同时,如果政府设计的治理安排和交易域自发的秩序不相符合，政府的作用将大大受到限制。如上所述，正式的第三方机制的有效性真正在于对私人裁决机制的扶助，而不是取代。所以，政府在市场治理中的作用可以理解为由整体性制度安排内生决定，而不是相反①。

美国押证服务的发展历程可以说明政府在整体性制度安排的历史演化过程中的作用。在押证业务发展的早期阶段政府没有直接介入，不动产交易中受骗的一方可以诉诸法庭。但这样做的成本与损失相比可能太高，使得受骗方认为通过法庭寻求赔偿的方式不可行。押证业务的自发出现就是为了解决这个问题，但在一开始押证业务完全不受政府的管制。1947 年加州州议会在绝大多数经营押证业务的公司赞同的情况下通过了押证法，"而关于押证公司则一般听不到什么有针对性的抱怨"（Home，1952：第 242 页）。因此，这项法案作为对押证公司信用度的一个补充，在确保押证方中立和诚实的同时，发挥着第三方治理机制的特殊作用。在日本，尽管不动产的所有权只有在政府管理办公室登记之后才能在法律上生效，但不动产交易却一直没有出现类似美国那样的第三方私人机制。登记申请通常由买方的代理人——抵押融资银行或不动产代理人——去办理。日本第三方私人机制的发展不足可以归结为竞争性不动产市场的发展不足，反之亦然②。

3.5.3 信息空间上的交易治理机制

虽然治理市场的整体性制度安排多种多样，政府在其中也发挥作用，但人们仍然可能相信，全球交易一体化会最终导致制度安排收敛于某种单一的整体性安排。更进一步说，人们想知道，匿名性交易域的扩展是否会导致正式的第三方机制的绝对统治地位。然而，近年来电子商务的出现似乎暴露了正式的第三方实施机制的局限性。

随着电子商务的范围跨越了国界，究竟运用哪国法律判定违约成了一个棘手的问题，因为各国法律说法不一。例如，法国的法律规

---

① 在第 6 章，我们将进一步论证，国家的形式由市场发达程度、市场域的组织结构的模式和经济阶级的相关结构共同决定。

② 众所周知，在 20 世纪 80 年代后期日本房地产泡沫期间，不少像黑社会一样的组织在幕后积极操纵房地产交易。

定，知识产权中所谓的"道德权利"（moral rights）是不可分割和自主的，而美国的法律规定，在当事人通过因特网向签约方传递数码内容时，这些道德权利必须豁免（Radin, 2000）。人们也许希望各国法律不一致的问题最终可以通过各国法律的一体化获得解决，事实上，各国应该这样做①。可是，另一方面，电子商务的有关国际规则根本赶不上电子商务技术的迅猛发展。在电子商务的定形阶段，有必要鼓励私人域的各种试验，最终以进化的方式选择通用规则。

事实上，电子商务域已经涌现了各式各样的私人和准政府的第三方机制。如前所述，信息中介服务已经出现，如网上拍卖和发行信用证书给网上合格交易者的认证机构。由于潜在的匿名交易者在网上交流信息的速度非常之快，第三方或交易代理商违约的消息可以迅速传播。这种可能性使得第三方私人裁决机制可以推广到前所未有的规模②。另外，电子商务拥有独特的以技术为基础的"数码执行机制"（Radin, 2000），如数码权利管理（digital rights management）。经过编程，该机制保证在货款收到之前，数码内容不予送出，或者当有人未经授权想在计算机上复制某项内容，该机制将会自动从注册机器上删除有关内容。在这些机制作用下，违约行为不会发生，不过它们是以技术方式制止的。而且，如第2章结束时所指出的那样，嵌入在职业社区的规范对于界定和实施网上产权也将发挥积极作用。由免费软件基金倡导的开放源码的"运动"使得 Linux 操作系统的使用者觉得有义务把自己对该系统的任何改进公诸于众。因为这项运动主要是针对版权（copyright）而来的，版权许可也被叫做"勿需版权"（copyleft）。

随着私人裁决机制被广泛接受，它们可能会成为事实上的世界通用标准，甚至可能变成法律条文。正如前面提到的那样，有必要统一各国法律，尤其是那些有关基本产权和规则界定的部分，它们制约

---

① 关于合同和财产法的国际一体化的富有说服力的论证，参见 Radin(2000)。

② 亚马逊网上公司（Amazon.com）曾一度想把"一次点击"订货方式申请为商业模式的专利，引起轩然大波，遭到理查德· 斯塔尔曼（Richard Stallman）组织的电子邮件抗议，号召人们抵制亚马逊公司的产品。亚马逊公司总裁杰夫·伯泽斯（Jeff Bezos）不得不立即回复，建议改革商业模式的专利申请程序（如缩短专利有效期），同时声称亚马逊公司没有滥用专利权的行为。这一事件表明，在电子交易域的交易者受到无数匿名同仁的监督，一旦有不当行为，其声誉将可能立即遭到损坏。

了为合同实施提供基本设施的私人努力。相互冲突的各国法律和习俗以及有关地域管辖权的不确定性将阻碍电子商务巨大潜力的发挥。有鉴于此,工业界具有自身发展全球电子商务治理机制的激励。目前这种状况在一定程度上就像民族国家兴起之前那种各种私人裁决机制竞相试验的景象。历史会重复吗?也就是说,是否这次在全球范围里真的会出现稳定和统一的治理市场的整体性制度安排?借助于国际公共域的法律统一化的努力,通过数码通信实现的全球交易一体化和有效治理机制的进化选择,毫无疑问会对全球范围内的制度安排产生趋同的影响。但是,在第3编,我将论证说,因为数码信息的普遍可得性,在此基础上日益加剧的竞争反而将增加那些意会的和无法成文化的知识的经济价值,这些知识只有在现场或社区内相关参与人(职业人士、专家等)才能获得,对它们的最佳利用要求合适的(地方化的)机制。而职业社区要发展出这样一种合适的机制又取决于历史路径和超越交易域的整体性制度安排。所以,对市场治理的整体性安排的复杂性和多样性仍将在数码时代持续存在,我们不可轻易否决这种可能性。

附录:作为进化惯例的货币

如果两人只想以物物交换的方式实现交易的收益,这种机会将严重受制于杰文斯(Jevons, 1875)所说的"需求的双重巧合"问题——即如果两人偶然相遇,一人不仅仅手里恰好要有另一人所需要的,而且还必须恰好需要另一人手里所有的。如果货币作为交易中介出现了,交易机会就可以极大地得到拓展。但是,人们为什么会接受货币?在货币高度发达的经济中,人们遇到的约束是,"货币购买商品,商品购买货币,但商品不购买商品"(Clower, 1967)。

关于货币的流通性质一直有两种主要的理论思路:商品货币论和法币货币论。前者认为,货币因为本身也是商品,因此充当了交易的中介。众所周知,这种观点经由伟大的古典经济学家如亚当·斯密和大卫·李嘉图的努力已经发展成系统的市场交换理论,它后来被马克思所继承、发展成劳动价值论。在他们看来,人们接受货币是因为货币材料(金银)内在的使用价值,或者其中所包含的劳动价值。与此相对照，法币货币论主张，货币不必具备内在价值，它的流通性能是由交换过程之外的权威机构的蓄意设计，如社区协议、统治者的法令、自然状态下公民之间的社会合同，或者国家立法。

但是还有另外一种重要的货币论，即把货币看做是一种惯例。根据这种观点，我们每人接受货币是因为其他人过去接受它，以后还会接受它（K. 岩井，1993）。基于人们的这种预期，货币交换在交易博弈中逐渐演化并持续成为一种均衡，它反过来又证实人们的预期。一旦这种预期被动摇了，货币惯例也将随之动摇，物物交换将取而代之。根据亚里士多德的说法，“按照惯例，需求最终被货币来代表。货币（*nomisma*）的存在不是源于其自身的性质，而是源于习俗（*nomos*）。我们完全可以改变它的价值甚至让它毫无用途”（伦理学[1955]：第184页）。休谟论证说，产权“是逐渐产生的，它历经缓慢的变迁，在我们反复体验违背它所带来的不便之后才获得效力”。“类似地，金银成了交换的共同媒介，它们获得了比自身价值高出百倍的价值”（休谟，1740[1992]：第490页）。不可能再还原成商品的国际货币如美元的出现以及新近在网络上流通的电子货币似乎提醒我们必须认真看待这种进化论的货币观。清滝（Kiyoyaki）和莱特（Wright）（1991）发展了一个解释货币的惯例性质的很有意思的模型，虽然该模型没有直接运用进化博弈论的观点①。他们建立了一个理论模型，假定货币既不能提供直接的效用，也不能协助生产，更不能还原成某种商品。不存在外部的约束强制使得货币得以流通，但物物交换是可能的。物物交换和货币交换的交易费用是一样的。这样，他们排除了各种货币论用来解释货币的那些因素的作用。通过这些设定，他们论证了货币之所以成为货币是因为人们尊崇货币交换的惯例。

在他们的模型中，双重巧合问题是按如下方式形式化的：假定参与人的数目是一个连续变量，他们的偏好各异，同时有差异的商品也是一个连续变量。每个参与人和每件商品均由一个圆圈上的一点

① 琼斯（Jones，1976）提供了一个讨论货币商品作为交易媒介流通的理论框架。Matsuyama、Kiyotaki和Matsui（1993）提出了一个有趣的关于国际货币的进化论模型，其中涉及多重均衡解。

表示。每个参与人都对应着某一理想类型的商品——由圆圈上的同一点代表,参与人从该商品获得最高的效用。参与人初始随机拥有的或通过交换获得的商品离理想商品点越远,其效用就越低。假定按照某个固定的抵达市场的速率,参与人在市场上随机配对。然后交换发生了,或是使用货币,或是不用货币,这完全取决于对方是否同意。参与人选择是否使用货币的策略,使其消费的预期贴现净效用(减去交易费用)最大化。货币策略取决于参与人的信念,即关于使用货币的交易机会的概率估计。“市场货币交易博弈”的结果由每一时点上拥有商品和拥有货币的交易者的分布来刻画。博弈的理想预期均衡被定义为所有参与人的一项可持续的对称策略,给定该策略,预期将自我实现,人口分布将趋于固定不变。

清滝和莱特发现,给定任何低于参与人测度的固定货币供应量,都存在一个货币经济均衡,其中货币被接受的概率等于1,货币被普遍接受。但是,货币交换能够维持的原因在于参与人相信,其他人将总是愿意用商品交换货币。这些信念形成于过去的经验,又持续被均衡所证实。如果货币量超过了人口测度,将没有人愿意接受货币,物物交换将盛行。货币交换的惯例随之瓦解。这表明,货币交换惯例以及它协调解决双重巧合问题的作用取决于货币量的稳定供应。

上述模型没有解释货币是如何出现又是如何最终被人们所认同的。关于货币的历史研究显示,在商品交换的早期阶段,一些特定材料——如本身难于携带又几乎毫无用途的重石头——被通常用作货币,表明其惯例的性质。的确,在中世纪,当商品交换发展到更大规模的时候,货币通常变成贵金属铸成的钱币,并印刻有国王的签名或头像。国王的印刻表明钱币是税收支付的手段,这有助于强化货币将被广泛接受的预期。因此,货币的流通性能不能认为是单方面由国王所施加,它是国王和纳税人兼交易人之间共同确认的结果。上述模型的结论也表明,政府可以通过违背诺言,超过合理限制地发行货币来摧毁货币的流通,但这样做也会危及他自身的税收基础。在这个意义上,货币和国家一同演化。那种认为货币流通源于政府的权威的观点是片面的。

第4章　组织结构和治理

组织一词是指群体内人们交流的复杂模式和其他关系。该模式给群体中每个人提供了决策所需的大量信息、假设、目标和态度，同时也给他提供了关于群体内其他人所作所为和别人对自己言行的反应的一系列稳定和可理解的预期。社会学家称之为"角色系统"；对于我们大多数人来说，它更广为人知的称呼是"组织"。

——赫伯特·西蒙：
《管理行为》1957年 *

商人的出现使得潜在的买主与卖主之间商品交易的机会大为增加。商人履行许多经济功能①，但商人的目标无疑只在于低价买进高价卖出，以赚取利润。工厂制度的起源可以是多方面的，但有一点是确切无疑的，那就是工厂的第一个组织者的首要动机和商人的"资本主义"的追求是类似的：他们都"购买"工人的劳动和其他生产要素，然后再以更高的价格"销售"其产品从而获得利润。工厂制度的

* Herbert A. Simon, *Administrative Behavior* (1957: p.xvi).

① 例如，他们能够借助运输、储存等方面的规模效应节省交易费用，解决缺乏需求一致性的问题（参见前一章的附录，以及 Rubinstein 和 Wolinsky, 1987），使外在不经济局部化，外在不经济表现在一次合同关系的失败会波及一连锁的合同关系（Landa, 1994: 第3章），并且可以减少买卖双方的信息不对称（参见第8.2节）。

历史发展对经济学家概括企业的特征产生了深远的影响。企业将投入品转化为产出品的能力仅仅被经济学家概括为一种技术黑箱(生产函数),根据这种观点,企业只是市场交易域的中介单元。如我们在第 1.4.1 节所指出的那样,企业的很多方面其实具有其他域的特征。

本章试图集中讨论市场经济中现代企业的信息结构方面的特征,它是区别于价格机制及其治理的信息系统,无法简单地由雇佣合同涵盖。在市场交易域,参与人以价格为中介协调各自的活动,实现参与人禀赋资源的重新配置。在组织域,参与人依靠内容上丰富得多的信息中介协调其活动。从协调机制或信息系统的角度看,组织信息结构是复杂和特色各异的。本章和下一章的主要任务是探究组织信息结构的类型和演化的原因,它们的治理结构及其含义。

本章涉及的是经济学中最重要的问题之一,它首先由科斯提出并予以回答,即:“企业在市场经济中为什么会出现?”科斯的回答是,企业家协调可以降低或消除“使用价格机制的成本”。特别地,他区分了两种成本:即“发现相关价格的成本”(Coase,1937:第 390 页)和签订“供应某些物品和服务的长期合同”而节省的反复延续短期合同的成本(第 391 页)。在过去的 20 多年,经济学家们一直致力于阐述科斯的基本思想,并围绕着企业组织节约交易费用的主要源泉和企业的本质问题争论不休。但争论的主要焦点似乎都集中在促使企业形成的长期合同所造成的影响和后果①。在本章和下一章,我们将侧重点放在企业对第一类交易费用的节约方面:即组织协调对以价格为信号的市场协调的替代。

---

① 产权理论认为,在复杂的环境下,签订包涵所有可能性在内的完备的(长期)合同是可能的,因此,为了控制工人(经理)的激励,将剩余控制权授予物质资产的所有者就成为必要的(Grossman 和 Hart,1986;Hart 和 Moore,1990)。交易费用经济学家如威廉姆森则强调对人力和物质资产的层级控制,以便在资产专用性的情况下减缓签约方的机会主义动机。合同论者如米尔格罗姆和霍姆斯特姆(1994),认为对人力资产的层级控制,对物质资产的产权和企业内的固定工资合同之间的互补性是对工人规避风险的倾向,市场的不确定性和监督的困难的有效反应。最后,博弈论者如克瑞普斯(1990b),则提醒我们注意隐含的公司文化的重要性,公司文化被认为是在无法写入合同的事态(uncontractible events)下决策惯例的企业声誉。在随后的第 8 章和第 10 章我们将讨论其中的一些理论。

由于个人注意力的范围、理解、交流和机算的能力以及活动范围均是有限的，组织可以看做是一种通过"认知的分工"部分地克服个人的这些局限性的设置(Williamson, 1999)。组织能够在组织参与人之间对搜集信息的范围进行分工。组织可以通过设计控制交流和决策的组织规章、程序和文化来更有效地利用分散的信息——用哈耶克著名的话说，就是现场可得的"关于特定时间和环境的知识"(1945)①。最后，组织能够通过一定的组织设计在组织参与人之间实现生产性任务的分工(这无疑是亚当·斯密所关注的)。但是，将有限理性的个人加总在一起并不能创造一个具有完全理性和能力的整体。由此引申的含义是，即使撇开激励问题不考虑，也不存在一个尽善尽美的组织，能够完美地处理有关连续变化的市场和技术环境的信息，实现最优的结果。完全可能存在多种多样不尽完善的方式组织信息在参与人之间的收集、传递、利用决策和积累；它们之间的相对效率取决于组织环境的性质。这种可能性的存在要求我们从非价格中介的协调机制的角度对企业作一番比较研究②。

包括科斯和威廉姆森在内的经济学家习惯于把组织协调机制的基本性质概括为层级制。这种一般性的概括并无不妥当的地方，但过于宽泛的概括容易忽略企业间的一些结构性差异，而这种结构差异对于比较制度分析来说是非常相关而且重要的。在层级制的一般结构中，不同企业的信息流动方向既可以是向上或向下垂直的，也可以是水平的。作为信息系统的组织结构可以变得非常多样化和复杂化，这取决于信息交流的技术、人力资产(即信息加工的技能)的类型、处理富有经济价值的信息的具体模式和任务单元之间信息联结方式等等因素。不仅如此，同样这些因素还有助于促进交易域企业之间或企业集团内部的准组织协调，从而与瓦尔拉斯价格机制相区别。因此，本章的第一个任务就是发展一种对比较制度分析意义重大的组织结构和准组织结构的分类体系。我们也试图界定影响组织结构的相对信息效率的环境

① 如 Nelson 和 Winter(1982)，Dosi 和 Marengo(1994)，Dosi(1995)。

② 我不加区分地使用"组织协调机制"和"组织结构"两个术语，虽然当我使用前者时强调与域内各种机制的对照，而不是与组织的对照。后者是指组织单元之间信息联结的基本结构，至于他们交流话语的内容则没有规定。

因素。

在比较组织结构的过程中，我们首先假定组织是马沙克和拉德纳（Marschak 和 Radner，1972）意义上的“团队”（teams），它们由具有共同目标函数的成员构成。这相当于不予考虑组织内部博弈方面的内容。但正如本章一开始引自 H. 西蒙的话所表明的那样，除非组织参与人之间形成稳定预期，使各自的决策建立在稳定关系的基础上，否则组织结构很难富有活力。换句话说，组织结构需要制度化（记住我们把制度概括为共有信念系统）。沿着这个方向的研究需要明确地把人的因素引入我们的分析。

我们认为，不同类型的组织结构要求组织参与人具备相应的心智模型——即通常所说的人力资产和技能。换言之，在人力资产和组织结构类型之间必须存在耦合关系。但因为整个经济中理想的人力资产类型的可得性不能简单地视为既定，耦合性问题是一个超出任何单个组织能力之外的协调问题。即使每个组织都解决了协调问题，能够顺利找到适合其组织结构的人力资产类型，它仍然面临着如何在该组织域中管理这些人力资产的使用这一难题。本章最后一节将讨论这个问题。

前一章讨论了交易域的治理机制。人格化和非人格化的市场交换成为互惠行为的必要条件是各种治理机制能够在交易者之间维持市场交换可以依赖的稳定预期。同理，组织活动在组织目标之下得以协调的必要条件是某种治理机制能够产生和维持制约参与人误用人力资产（如偷懒、盗用财产、疏忽、不合作、坑害别人等）的稳定预期。在讨论市场治理结构时我们从简单的两人交换的情形开始，与此相类似，我们讨论组织治理结构也从简单的不存在金融市场中介的两人组织域开始。这样做的目的在于界定组织结构和相关的人力资产类型所面临的独特的治理问题。特别地，我们将考察组织结构的一些基本类型何以出现特定的治理问题，应该如何解决，我们将发现，这些解决方案不可能在完全封闭的条件下形成。在准备了更多分析市场和组织关联的概念性工具之后，我们将在第 3 编发展出研究这些解决方案的更完备的观点。

4.1 组织结构的基本要素：层级分解、信息同化和信息包裹①

任何组织在根本上都呈现为一种层级结构，其中相互关联的活动被分解为各不相同的任务单元，上级和下属之间的关系形同“树状结构”。为了实现一定的组织目标，各任务单元的活动水平和产品特征必须协调一致。各任务单元在稀缺的组织资源（人力、物质和资金）的使用方面有可能存在竞争关系。管理的重要任务之一是在存在错综复杂的技术和信息关系的各任务单元之间配置稀缺的组织资源，为组织协调提供一个总体架构。在这个意义上，任何组织都从事集中计划。

但是，在竞争性市场和持续变动的技术条件下，光靠事前计划是不可能维持组织的竞争力的。为了保持竞争力，组织必须持续调整各任务单元的活动，使之适应于环境的变化（例如，当某种产品的需求比预期水平高的时候，其产量以及生产产品所需的零部件购买量必须随之提高；如果别的公司在技术上获得意想不到的突破，本公司目前正在进行中的开发项目就不得不重新估价；如果流水线的某台机器突然坏了，就必须决定是否停止整条生产线的运转）。这正如中央计划经济的经历所充分显示的那样，以集权的方式处理有关组织域中市场、技术和操作环境变化的信息不可能实现效率。事实上，现在的许多公司企业面临着比计划经济还要复杂得多的信息加工难度。信息处理不能简单地分解到各任务单元，有些经济上有价值的信息适合于在现场及时加以利用。有些信息适合于在不同任务单元间进行共享，以便实现良好的组织协调，而其他信息则应该以平行的方式在各单元内部加以利用，以避免不同的任务单元犯同样的致命性错误。有时，即使各任务单元信息共享潜在是有利的，但由于不同参与人的信息加工能力存在巨大差别，联合信息加工仍然得不偿失。有时，当环境的不确定性非常高的时候，让多个单元重复同样的信息加工过程可能利大于弊，因为这可以使未来的选择留有余地。可见，在一般的层级结构中，信息加工活动（认知劳动）的分工连同操作性

① 关于本节更技术性的研究，参见青木(1995a)。

任务的分工可能呈现错综复杂的关系。

信息加工可以得益于信息和通信技术(如计算机、网络和传感器)的发展,这日益成为现实。但是,人力资产因素,即"以往固化在机器设计中,但大部分储存于人类大脑中的程序"(Simon,1982:第107页),在任何组织仍然都是不可或缺的。这些程序的潜力或者说信息加工的潜力不是无限的。而且,在信息处理的收益和分散人们对生产操作的注意力所导致的成本之间应该有一种权衡和折中,虽然这两种活动也可能存在互补性(例如边干边学)。另外,不同人所拥有的信息处理的技能类型也各不相同。"在任一时点上,个人即能力和所积累的信息的组合体。他会很容易发现,利用已有的能力和知识开通某些信息渠道比开通其他信息渠道要省力得多。"(Arrow,1975,第41页)因此,信息加工的分工模式在不同的组织之间存在差异性,这种差异性部分导源于组织任务的性质和外在环境的技术特征,但也和组织内部和外部可得的人力资产类型相联系。我们把组织内部不同任务单元信息加工活动的分配(认知劳动的分工)称为组织结构。操作性任务的分工是与此相联系的,但我们侧重于研究组织的信息系统方面的特征。

如前所述,本节的主要任务是界定现代经济中组织和准组织结构的重要类型,并讨论它们对于技术和市场环境的适应性。我们不妨把组织结构看做是一组上级和下属的垂直信息关联和下属不同任务单元间的水平信息关联关系。不过我们首先必须注意到,无论是垂直关联还是水平关联,只能存在三种信息关联的一般模式。我们对于现实中组织结构类型的分析将以这三种一般模式为基础。

我们假定在一般性亚组织域只有两个基本的任务单元,分别表示为 $T1$ 和 $T2$。在目前阶段,这些任务单元应该看做抽象的单元,但为了便于阐述,不妨将这两个任务单元想象为管理单元和操作单元,开发研究单元和制造单元,两个车间,两个车间小组,或两项任务。它们使用公共资源共同生产一个单位的产品。产品成本取决于他们的行动决策 x_1 和 x_2 以及环境状态,环境状态由随机参数向量代表。行动决策变量 x_1 和 x_2 分别被约化为一维域的(连续或间断)变量。它们可以是活动的密度、产量水平或产品设计的特征规定(如装置设计的模拟与数字特征)。

设想在组织活动开始之前，组织对环境参数的分布拥有先验估计，它们可能来自过去的经验或正式知识。根据这些先验估计，组织得出使每项任务预期报酬最大化的最优决策。然后各相关任务单元将这些决策视为行动计划或行动指南。这种事前"优化"决策是在没有任何进一步的环境信息的条件下形成的，所以可以定义为计划或者标准。

在生产过程开始之后，环境参数的具体数值便得以显现。于是，组织开始监测环境参数的实现状态并根据监测结果相应地调整其决策变量，修订计划，以提高组织报酬。但每个任务单元监测环境的效果因囿于有限的信息加工能力而无法做到完美无缺。因此问题变成了如何在组织内部各任务单元之间最优分配信息加工任务，以及应该采取怎样的事后决策规则处理观察数据。这是一个组织结构的设计问题，有三个重要因素必须加以考虑：

- 环境参数的实现值会以不同方式影响到任务单元的决策对组织报酬的（边际）贡献，计划决策必须随之做相应的变动。假定环境可以分解为三部分，分别由 E_s、E_1 和 E_2 代表。E_s 和 E_1 的状态将影响 $T1$ 的生产率条件，而 E_s 和 E_2 的状态将影响 $T2$ 的生产率条件。我们把 E_s 称为环境的系统性部分，称 E_1 和 E_2 为环境的特质性部分。我们假定任何关于特质性部分的后验信息都是哈耶克式的信息：即它们只能被相关的任务单元观察到，而且在计划决策修改期间，环境的观察值无法由观察单位事后精确地传递给他人。换言之，它们是"关于特定时间和地点的知识"（Hayek，1945：第 521 页），只能被现场的人掌握。
- 组织的总体报酬还取决于两个任务单元决策组合的方式，因此，两者的决策必须加以协调。例如，当某个任务单元的产出被另一个单元用作投入时，若它们的活动步调不一致，就会导致库存过度或库存不足，从而增加成本（技术互补性场合）；如果同时提高两个单元的活动水平，又会导致内部资源使用的拥挤（技术外在性场合）；两项任务的产品的设计特征必须能够兼容，以形成内在一致的产品系统（特征互补性场合），或者为了满足多样化的外部需求及保持未来的灵活性，两者又最好能够相互区别（特征替代性场合），等等。当技术和特征互补关系在埃奇沃斯意义上(即某个决策变量的边际报酬随另一个决策变量的同时增加而递增)支配替代和外在性关系时,我们就称这两项任务是互补的。否则,它们就是竞争性的(或替代的,视具体情况而定)①。

- 当环境变化时,决策变量应该如何做出事后调整取决于观察的精确程度②。如果精确度低,过度对环境做出反应将对组织报酬产生不利影响。观察的精确度取决于观察单元的信息加工能力,信息加工技术以及信息加工活动的努力程度。另外,我们假定,每个任务单元变换对环境不同部分的观察将引致一笔固定费用。

由于环境的特质性部分只能被相关任务单元观察到,因此组织结构只存在下列三种模式,具体情况视有关环境的系统性部分的信息加工活动在两个任务单元之间的分配。至于每个任务单元在利用事后信息形成决策时究竟运用何种决策规则,目前我们暂时不加设定。

---

① 这种情形可以由以下单位产出的报酬函数来概括:

$$V = V^* + (\gamma_s + \gamma_1)x_1 + (\gamma_s + \gamma_2)x_2 - \frac{1}{2}[G(x_1 + x_2)^2 + H(x_1 - x_2)^2]$$

$$= V^* + (\gamma_s + \gamma_1)x_1 + (\gamma_s + \gamma_2)x_2 - \frac{1}{2}(G + H)(x_1^2 + x_2^2) - (G - H)x_1x_2$$

其中 γ_i 是反映环境部分 $i, E_i(i = s, 1, 2)$ 状态的随机参数。我们假定它事前被认为服从期望值为零,方差为 σ_i^2 的正态分布。该报酬函数可以看作是对一般成本函数在 x 的最优值作类似于泰勒展开的逼近,其中 x 的最优值对应着随机参数的先验分布(所以,如果除先验分布之外没有任何其他信息,期望报酬就是 V^*)。参数 G 用于衡量两项任务单元之间的资源约束和多样性要求,参数 H 则衡量的是两个单元之间的技术和特征互补性程度。不难看出,如果 $G - H < 0$(或 > 0),那么

$$\frac{\partial^2 V}{\partial x_1 \partial x_2} = -(G - H) > 0 \quad (或 < 0)$$

也就是说,一个决策变量的边际报酬随另一个决策变量的增加而递增(递减);如果 $G - H < 0$(或 > 0),那么,我们就称这两项任务为互补品(替代品)。

② 在本书(本章和第 13 章)我们根据贝耶斯的统计推断理论(the Bayesian theory of inference)定义观察的精确度。假定被观察的环境参数的先验方差是 $\sigma_i^2(i = s, 1, 2)$,任务单元 i 的(数据产生过程)观察误差是 s_i^2。观察的精确度被定义为 $\Pi_i = \sigma_i^2/(\sigma_i^2 + s_i^2)$。$\Pi_i$ 是任务单元 i 的事后观察精确度(s_i^2 的倒数)相对于其先验估计(σ_i^2 的倒数)的比例的增函数,该比例在 0 和 1 之间取值。用贝耶斯的语言,我们可以把这种情况想像成如下过程:在生产初期,每个参与人从环境参数中抽取一个样本,该环境参数作为随机变量服从正态分布,方差是一固定常数。然后,他或她以观察值(样本均值)为基础,根据贝耶斯准则修改其对于参数的先验分布。后验分布的精确度,由后验方差的倒数测度,与观察值的精确度,由数据产生过程的方差的倒数乘以样本数目衡量,呈线性正相关关系。参与人对观察的环境参数的信息处理能力可以定义为数据产生过程的精确度与先验分布的精确度之比,后者是由参数的先验方差的倒数或它的单调递增函数衡量。

(1) 层级分解(Hiearchical Decomposition,简称 HD)　*T*1 监测系统性环境参数。*T*1 根据它对环境参数(包括对应的特质性环境参数)的估计相应地调整自己的行动变量 x_1。随后 *T*1 以一定的交流误差(如交流噪音、接收错误)告知 *T*2 它的决策(或 *T*1 对系统性环境参数的观察值),然后 *T*2 相应作出自己的决策。

(2) 信息同化(Information Assimilation,简称 IA)　两个单元共同监测系统性环境部分。我们进一步假定他们的观察相互关联,以至于形成对环境的同化认知(后验分布)。在下述分析中,为简化起见,我们假设他们的观察完全相关,因而后验分布相同。他们形成同化认知是通过两种方式达到的。两个单元或是从环境的公共数字信息网络抽取相同的成文数据(codified data),或是分别从环境中抽取样本但集体形成对其后验分布的共同估计。我们将前者称为数字式信息共享,后者为意会的信息共享,因为后者所共享的信息无法完全以成文的形式规范下来。

(3) 信息包裹(Information Encapsulation,简称 IE)　两个任务单元独立地监测环境的系统性和特质性部分。因此他们的观察误差互不相关,对环境的认知(后验分布)也各不一样。我们将这种一般性模式称为信息包裹型模式,原因是每个任务单元的信息加工活动是相互"隐蔽"的。该模式的一个极端情形是两个任务单元仅仅观察其各自的特质性部分,无人观察环境的系统性部分。

请看图 4.1(相关单元对其特质性部分的观察在所有三种模式中均是一样的,因此没有标明)。这三种模式仅仅是原型。它们很容易扩展到两个任务单元以上的情形。而且,实际中的组织可以垂直或水平的方式构造成这些原型的复合体。不过,在深入探讨这些复杂性以及将这些巢式结构与现实世界的组织类型联系起来之前,考察一下三种一般模式的信息效率的基本性质是有帮助的。

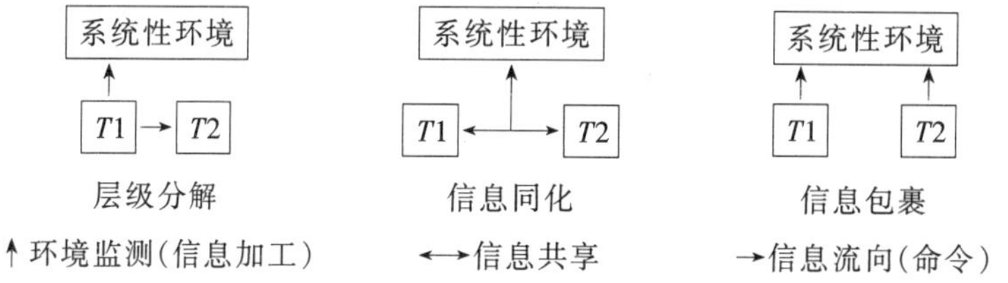

图 4.1　任务单元信息关联的三种一般模式

如上所述,任务单元的观察精确度取决于它们信息加工活动的努力水平(或投资于信息加工能力培养的努力水平)。如何决定努力水平是每种信息模式必须面对的组织结构的激励(治理)问题,我们将在第3节对此加以讨论。在本节剩下的部分,我们不考虑努力水平的决定问题,假定观察的精确度惟一地由任务单元的信息加工能力和可行的信息加工技术决定。现在回到前面的假设,即在每一种模式下,每个任务单元根据某种事先确立的规则将观察转化为决策,或者说修正一定的标准决策。我们把这种事先的规则称为决策规则。

如果对于模式 M 存在一个事前的决策规则集合,它在一定环境下的组织收益将总是比模式 N 的任何决策规则产生的组织收益都要大,那么,我们就说在该环境下,模式 M 比模式 N 在信息上更有效率。这些规则也许是理性设计的,也许是偶然发现的,或者从实践中总结出来的。在现阶段,我们不关心这些问题。我们只需注意到,具有更好的决策规则的组织更可能经受得住竞争的考验,使得竞争的结果看上去像是在给定信息处理单元理性有限的情况下(即给定环境参数的先验主观分布和数据获得过程中的误差),组织选择了"次优"的决策规则①。

下列命题提供了在次优决策规则下比较三种模式信息效率的一

---

① 如果目标函数(报酬函数)如第104页注①给出的那样是二次型,我们知道,"次优"决策规则是环境参数观察值的线性函数。信息同化和信息包裹下的次优决策规则分别由下式给出:

$$x_i^{IA} = \frac{1}{2G}\Pi_{(1\oplus 2)}\xi_{s,1\oplus 2} + \frac{1}{G+H}\Pi_i\xi_{i,i},\ i = 1,2;$$

$$x_i^{IE} = \frac{1}{(G+H)+(G-H)\Pi_i}\Pi_i\xi_{s,i} + \frac{1}{G+H}\Pi_i\xi_{i,i},\ i = 1,2。$$

其中 $\xi_{j,i}$是每个模式中第 i 个单元对环境的 j 部分的观察值(样本均值),$\xi_{s,1\oplus 2}$代表 $T1$ 和 $T2$ 共同的观察误差。Π_i 是任务单元 i 的信息加工能力,定义见第104页注②层级分解下次优决策规则由下式给出:

$$x_i^{HD} = \frac{(G+H)-(G-H)\Pi_2}{(G+H)^2-(G-H)^2\Pi_2}\Pi_1\xi_{s,1} + \frac{1}{G+H}\Pi_1\xi_{1,1};$$

$$x_2^{HD} = \frac{2H\Pi_1}{(G+H)^2-(G-H)^2\Pi_2}\Pi_2(\xi_{s,1}+\varepsilon_{s,2}) + \frac{1}{G+H}\Pi_2\xi_{2,2}。$$

其中 $\varepsilon_{s,2}$是 $T1$ 到 $T2$ 的传输误差,Π_2 定义为$(\sigma_s^2+s_1^2)/(\sigma_s^2+s_1^2+s_2^2)$,$s_2^2$ 是从 $T1$ 到 $T2$ 的传输方差,后者可看作是测度从 $T1$ 到 $T2$ 层级沟通的相对精确度。将上述次优规则代入报酬函数,通过比较不同模式下的预期报酬,我们可得出正文里关于它们比较信息效率的命题。

个基准。

命题 4.1(克莱默 Cremer)　假定每个模式的所有任务单元的信息处理能力是一样的。如果两个任务单元是竞争性的,那么信息包裹模式比信息同化模式在信息上更有效率。如果两个任务单元是互补的,那么相反的结论将成立①。

直观地说,如果两项任务是互补的,那么为了使协调失效的成本最小化,为适应变化的环境,按同化方式调节两项任务的活动水平总是最优的。这个目标可以通过同化两人的信息加工过程来更好地实现。如果是相反的情况,那么,相互隐蔽各自利用的信息从而避免行动变量的同化调节将会更好。否则,它会增加因观察不当而导致内部资源利用过度或不足的机会。同样的逻辑可应用于 *IA* 和 *HD* 的比较。在层级模式中,关于环境的信息是同化的,这是因为 *T*1 单独完成信息加工和发布任务,虽然这样做也存在层级交流过程中的沟通误差和接收单元的认识误差。

命题 4.2　如果两个任务单元是互补的,假定两单元之间的沟通成本不至于太高,那么,层级分解模式比信息包裹模式信息上更有效率。

为了比较 *IA* 和 *HD*,我们有必要引入每个模式中任务单元信息处理能力分布的差异。假定在(意会的)信息同化模式下,集体信息处理能力是两个单元单独能力的平均②。面对面的交流和在意会的

---

① 假定信息包裹和信息同化下的任务单元的信息加工能力 Π 完全一样,将各自的次优决策规则代入报酬函数,然后求两种模式总预期值之差,我们得到

$$E[V^{IE}] - E_x[V^{IA}] = \frac{(G-H)(1-\Pi)}{2G[G+H+(G-H)\Pi]}\Pi\sigma_s^2。$$

因为 Π 小于 1(见第 104 页注②),只要 G < H,$E[V^{IE}]$大于 $E[V^{IA}]$。该命题首先由克莱默(Cremer, 1990)在不考虑环境的特质性部分的情况下给出证明。参见青木(1995a)所做的拓展。伯拉特(Prat, 1996)将克莱默的证明扩展到报酬函数不被二次型函数近似并不可导的情况。

② 这一点在贝耶斯场景下可通过以下式方式得到保证:每个任务单元各自独立地花一半信息处理的时间抽取样本,然后用剩下的一半时间汇集他们的观察样本,建立作为个人行动决策基础的对环境的公共后验分布。

信息同化中达成共识需要时间和精力。只要从 $T1$ 到 $T2$ 的层级沟通成本不是太高,在能力不等的单元之间双向交流和达成联合后验估计相对来说比由能力较强的一人独揽信息加工和传递要耗费更多成本。因此,我们有以下命题:

命题 4.3　如果任务单元的信息处理能力存在充分的差距,同时给定层级交流足够有效,那么,层级分解模式比(意会的)信息同化模式在信息上更有效率。另一方面,如果两单元间的信息处理能力存在充分的均质性,而在汇集样本和建立有关环境的公共认知的交流成本相对较低,那么,相反的情形将成立。

下面的命题基本上涉及的是信息同化模式的相对优势,应该一目了然:

命题 4.4　只要数字通信技术的发展能够降低任务单元信息处理能力的差距,层级分解模式相对于数字信息同化模式的信息优势在两项任务单元互补的情况下递减。

迄今为止,我们尚未考虑任务单元在环境的系统性部分和特质性部分之间变换观察所引致的固定费用问题。这些固定费用源于所需的培训、注意力的分散、监测设备的安装等等。在这种情况下,如果系统性环境部分或特质性部分的参数变动性相对另一部分很小,那么,让每个任务单元专门从事某种特定环境部分的监测工作可能在信息上会更有效率。当环境系统性参数的变动性(由它的先验方差测量)相对于特质性参数的变动性较大时,我们就说两任务单元所面临的环境是统计相关的。于是,下述命题成立。该命题在直观上非常明晰,它在后面的组织比较分析中的运用非常有趣。

命题 4.5　如果任务单元所面临的环境之间的统计相关性很高,那么,在两项任务互补的情况下,层级分解模式在信息上最有效率。但另一方面,如果统计相关性很低,信息包裹模式(只有特质性参数需要处理)在信息上最有效,而无论两项任务是互补还是替代关系。

图 4.2 对上述讨论的结果做了一个总结。当关于环境的系统性和特质性的信息处理对于互补的任务单元同等重要时,那么,信息同化模式将比其他模式更有效率。但该模式必须得到通信技术发展的支撑或者任务单元的信息加工能力是相对均质的。当任务单元的环境在统计上独立或者决策变量互为替代的时候,信息包裹模式更有效率。层级分解模式则在互补单元环境高度相关且不同单元信息加工能力差异较大的时候更有效率。当然,这些比较结果只提供了一些基本的基准点。

统计相关性 / 任务特征	低		高
互　补	信息包裹	信息同化	层级分解
替　代	信息包裹		

图 4.2　信息效率模式的分布

4.2　组织信息结构的类型

首先,设想任务单元 $T2$ 可以进一步分解为两个子单元 $T2a$ 和 $T2b$。我们不妨假定,$T1$ 对应的是组织的上级,行使管理任务;$T2$ 是其下属,从事操作性任务。我们就能够根据这两个一般模式组合在一起的方式对组织的基本信息结构进行分类:一种代表了 $T1$ 和 $T2$ 信息联结的垂直模式($T2a$ 和 $T2b$ 合并),它涉及对影响 $T1$ 和 $T2$ 生产率的系统性环境部分的信息处理;另一种代表了 $T2$ 中两个子单元 $T2a$ 和 $T2b$ 的水平模式,它涉及对只影响 $T2$ 生产率的特质性环境部分的信息处理。我们假设环境的特质性部分只由相关单元进行处理。

层级分解用 *HD* 代表,信息同化用 *IA* 代表,信息包裹用 *IE* 代表。当上级和下属的任务之间是互补品而非替代品时,我们预期垂

直关系将发生在 *HD* 或 *IA* 但不会在 *IE*。至于水平关系，则可以在 *IA* 或 *IE* 观察到。而 *HD* 只会引致垂直关系。因此，如果我们将注意力限制在两级结构，那么，只可能得到下面列举的四种元类型：*HD* - *IE*，*HD* - *IA*，*IA* - *IA* 和 *IA* - *IE*，这里列举的原型的第一项指的是垂直关系，第二项是水平关系。我们进一步区分两种类型的信息同化：数字式和意会式，分别由 *IA*(*d*)和 *IA*(*t*)代表。前者指的是通过组织内部正式的数字式通信网络进行的信息共享，而后者则指的是主要通过面对面交流而进行的信息共享。另外，也可能存在这样的情况，即垂直或水平关系是两种信息联结模式的混合，其中一种为主，另一种为辅(我们用符号[.]代表两种混合模式中的一个附属模式)。

下面我们确定各种组织和准组织信息结构的类型。每一个类型名称的第一项指的是垂直关系的信息联结模式，第二项是水平关系的模式。当我们讨论每种结构的特定例子时，我们设想的是一个企业或一个企业集团在一个多级层级制中组合相关结构，但控制幅度(下属单元的数目)是不确定的。需要注意的是，下面的分类只考虑了其信息结构的特征，其他重要的组织方面如治理结构、市场界定的合同、组织文化等则完全被省略了。我们在本章第 3 节和第 3 编讨论它们之间的关系。

(1) *HD* - *IE*：(决策一体化的)功能层级制[(Decision-Integrated) Functional Hiearchies，简称 FH]　在该结构中，*T*1 完全负责监测环境的系统性部分，并相应地调节其行动变量。*T*1 将其决定以公共信息的形式发布给每个下属，下属在一定的噪音下得到指示，噪音是相互独立的。*T*2 也相互独立地观察他们层级共同的局部环境以及他们各自的特质性环境部分①。每个任务单元的观察和决策均在 T2 层级各自完全包裹，而 *T*1 层级的决策发挥着惟一的协调功能。因为每个下属专门加工只和他的任务有关的信息，而协调他们行动决策所需的信息完全由上级加工并以后者为中介进行协调，所以我们将这种层级分解的分叉结构称为(决策一体化的)功能层级制。功能层

① 作为另外一种可能性，专门从事局部环境信息处理的中间单元可以插入 *T*1 和 *T*2 之间。然后该单元向下属下达结合了上级决定和他自己观察的信号。这样一个面临更多的交流成本的三级层级制(*HD* - *HD*)便产生了。

级制是绝大多数关于企业内部组织的经济学模型所隐含的结构[①]。因为在 $T2$ 层级不存在直接的水平信息联结，该系统只有在下述条件下才能运行得更好，即 $T2$ 层级的操作性任务之间的互补性不强，同时信息局部切块的方差小于特质性部分的方差（即下属环境不是统计相关的）。前一个要求可以通过将两项任务模块化使得它们不需要密切连续的合作即可完成来达到。如果两个下属的任务在技术上是通过投入产出关系联系在一起的话，这个要求可以通过建立中间品库存来实现[②]。

19 世纪早期至中期在美国机器制造业出现的所谓的“美国制造系统”为功能层级制提供了一个经典的历史实例。1851 年在伦敦举行的水晶宫展览会上，美国的制造商尤其是枪支制造商运用组装可互换的标准件的方法，以精确、高速批量生产和修理枪支的精湛技艺，让英国人大开眼界。那时英国主要的枪支制造商既无工厂也无车间，还主要停留在从专业技工那里采购零件的阶段，这些专业技工在家或更大一些的作坊里生产（Rosenberg，1969：第 34 页）。英国下议院专门派遣了一个“美国机器委员会”赴美考察，研究美国一举成为世界经济强国的源泉。于 1875 年公布的研究报告将其发现概括为“美国制造系统”。在该系统中，企业主控制了一个两级功能层级结构，在生产标准零件时借助专业化机器和专业化训练的工人，各个工种分工明确[③]。该系统的注意力更放在生产过程上，即各个操作任务的协调而不是对它们直接的层级指挥。将产品系统分解为标准模块件，然后以存货控制的办法来处理特征互补性，这样任务之间对协调的需要随之减少，工人可以更专注于其专业化的工作。该系统更强调生产过程的顺利协调而非对工人直接的层级监督。每个岗位上的工人很容易被经过适当训练的其他工人替代。

大批量生产的美国系统，或称福特模式，发轫于 20 世纪 20 年代

---

① 例如西蒙（1951）、威廉姆森（1975、1985）、基纳柯普洛斯（Geanakoplos）和米尔格罗姆（1991）、拉德纳（Radner，1992、1993）、哈特和穆尔（1999）。

② 威廉姆森（1985），第 9 章。关于从比较观点对功能层级制的详细讨论，请参见青木（1988），第 2 章。

③ 关于这些使节的报告和罗森伯格的详细介绍重版于罗森伯格（1969）。也请参见派恩（Pine，1993），第 2 章。

后期，承袭了“美国制造系统”基本的信息结构特征，可以看做是后者直接的继承者。当产品系统变得日趋复杂，如在汽车行业，操作性任务之间的专业化分工必须进一步细化。这些专业化任务不得不根据局部技术环境的统计相关性程度进一步分成小组，以协调日益增多的专业化任务。对于共享局部环境的每一个小组来说，需要一个中层部门，专门为该环境从事信息处理工作，协调小组内的任务。中层部门被更高的上级所控制，后者负责管理更大的系统环境。于是一个多级层级结构由此形成，但它的基本信息结构特征仍然与组合型 *HD-IE* 模式一致。

随着企业规模的扩大，一种被称为 M 型组织的创新应运而生(Chandler, 1977; Williamson, 1975)，取代了以功能为基础的多级组织形式(单一制，即 U 型组织)，这是众所周知的，我们毋需在这里进一步阐述。在 M 型组织，公司总部以金融手段控制了下属的多个部门，每个部门拥有自己的功能组织，它们各自相互独立。这样就避免了随层级增加而可能猛升的层级交流成本。该结构后来甚至超越了公司的法律边界，发展出许多形式，如控股公司和 LBO 合伙人(Jensen, 1989)[①]。

(2) *HD-IA(d)*：网络一体化功能层级制(Network-Integrated Functional Hierarchies，简称 NFH)　面对新的市场条件，当供应多样化产品的能力变成决定企业竞争力的关键性因素时，可互换零部件的种类和数量将加倍增长。由(决策一体化)功能层级制实现的规模经济便开始递减，而保留库存的成本则开始上升。与此同时，在缺乏纵向交流的情况下，不确定的技术和市场环境会减低决策一体化的功能层级制的信息效率。特别地，当 *T*2 层次上存在技术和特征的强互补性时，任务单元在该层次上的水平交流对于协调其行动决策就变得不可缺少了。通信和信息加工技术的发展可以对付这类问题。一方面，由 *T*1 负责设计一个正式的组织专用性的交流网络提供给 *T*2 层次上的任务单元，让他们共享其局部公共环境的信息(命题 4.4)。另一方面，通过把统计相关的任务单元合在一起，授权给某一

① 钱颖一和许成钢(1993)运用 M 型结构和 U 型结构的区分解释前苏联和中国在向市场经济转轨前，国家经济计划制度的差异。参见第 10 章第 272 页注①。

个单元统一负责，$T1$ 可以去掉专门从事同化各任务单元有关局部环境信息的中介协调性单元。运用计算机或机器人之类的信息加工技术有助于在 $T2$ 层级上扩大某一单元的任务功能。这样一来，功能层级制的控制幅度（上级监督下属单元的数目）可以扩大，其结构深度（层级的数量）可以缩短。

举例来说，有一家大型工程公司经营 40 多家研究中心，一个全球销售网络以及遍布世界各地的生产基地，拥有一个开发和生产记录系统（Development & Production Record System，简称 DPPS）和一个公司中心文件（Corporate Central File，简称 CCF），供公司内部共享各种信息。通过 CCF，工程师们获得他们已经开发但有待改进的零部件的基准数目，这样，这些零部件在世界范围内随时随地都可识别和使用。当他们想知道试验产品所需的零部件能否找到时，他们可以通过 DPPS 写明所需零部件的大小、功能、材料、成本等等，然后进行搜寻。然后，一家在欧洲开发新产品系统的实验室可以与南美的某家制造商接触，签订特殊零部件的供货合同。网络一体化功能层级制以更精致的方式保留了包裹型功能层级制的基本特征——可互换的标准件，从而能够对（技术和市场）环境的变化作出更快速的反应①。但是，在 $T2$ 层级共享的信息种类取决于对信息系统的事前设计，研究和开发的方向也要受到组织内标准化信息的制约。

（3）$HD-IA(t)$：层级控制型团队（Hierarchical-Controlled Teams，简称 HT） 在该结构中，$T1$ 和 $T2$ 的垂直关系通过层级分解模式调节，但在 $T2$ 层次上存在着所属单元对其局部公共环境的信息同化。这方面的一个简单例子是阿尔钦－德姆赛茨寓言（1972）中的卡车卸货团队。团队由老板指挥，但在搬运过程中为了实现团队目标，团队成员必须自发协调各自的行动。信息上与此同构的组织是这样一类组织，即它的上级极具领导才能，通过拥有专业化技能的成员之间的协调，该组织生产高度复杂的一次性产品。足球队或美国棒球队就类似于这种组织结构，队员的行动在主教练设定的策略框架内持续和相机地合作与协调。属于这种结构的企业组织包括从事创造性活

① 参见鲍德温（Baldwin）和克拉克（Clark，1988），第 2 章。

动的团队，如娱乐业（如电影业），或多媒体方面复杂的应用软件设计[①]。在这些活动中，为生产白璧无瑕的最终产品，任务单元的特征或技术互补性必须非常之高，而同时又要求每个成员具备高度的专业化技能。不仅如此，由于局部技术和市场环境每个时点上都意味着一种不可重复的新情境，信息同化在很大程度上注定是意会的。

（4）$HD[IA(t)]-IA(t)$：水平层级制（Horizontal Hierarchies，简称HH） 在此结构中，$T1$ 和 $T2$ 在总的层级制（管理人员 - 下属）的框架下意会地同化他们关于系统环境的信息，但在 $T2$ 层次上，操作性单元共享有关他们局部公共环境的信息。我们称这种结构为水平层级制是因为双向信息交流扩展到了垂直关系，在 $T1$ 层次的行动决策（策略决定）相应地包含了共识形成或集体决策的因素。

众所周知，典型日本企业的一个基本特征是，不管是垂直方向还是水平方向，整个组织贯穿着密集的信息同化[②]。管理决策通常在与相关的下属单位进行沟通和协商之后作出，这种做法被称之为“自下而上”（root-wrapping）。一种经常被援引，反映高度的水平信息联结的实践就是所谓的看板制度，它依靠供应单元和使用单元的直接沟通而不是存货控制管理系统，促进了半成品和零部件的及时传送[③]。车间（蓝领工人）和跨部门（白领工人）的工作轮换制帮助工人熟悉工作过程的各个方面，培养他们在局部紧急状态下——如机器坏了或出现了次品——集体解决问题的能力（小池，1977、1984、1992）。这种信息结构能够很好地协调互补性很强的任务（如在汽车组装或轧钢过程）。另外，它鼓励研究开发、制造和市场销售部门之间的信息沟通，相对于涉及重大理念突破的产品设计创新来说它更有利于促进产品工艺过程的持续创新（青木和 Rosenberg，1986；青木，1990）。但随着组织不断扩大，这种结构的信息负荷将会变得非常沉重。这是日本制造商更倾向于依赖外部供应商的原因之一，我们在下面要讨论由此引起的组织结构问题。另外，随着通信技术的发展，

---

① 在后面的第 12.1 节，我们会看到，在汽车产业的一些成功的研发团队——克拉克和藤本（1991）和藤本（1999）称之为由重量级经理领导的团队——与这种组织结构类型有一定的相似之处。

② 参见青木（1988，第 2 章；1990）。

③ 参见 Monden（1983）；青木（1988，第 2 章）；Womack 等（1990），藤本（Fujimoto，1999）。

该系统在强互补性情况下相对于网络型功能层级制的比较优势也将随之减少。

(5) $HD[IA]-IE[IA]$：参与型层级制(Participatory Hierarchies, PH) 这是在功能层级制(任务专业化)的总体框架下以跨边界信息共享为特征的一种结构。如命题4.3所述，如果$T2$层次的信息处理能力较强，那么，将该层次对系统环境的观察传递给$T1$层次在信息上是更有效率的。另外，$T2$层次上操作性任务单元的互补性的不断增强也使得水平的信息共享更有必要。因此，我们把辅之以相当程度的垂直和水平信息同化的功能层级制称为参与型层级制。

在工作组织方面，典型的德国企业(简称G企业)与典型的日本企业(简称J企业)形成鲜明对比。在前者，工人基于各企业认可的职业资格证书在特定工种形成专业化技能，而后者的工人不断轮换工作，使得其技能范围倾向于宽泛且具有企业专用性的特点。但正像小池(1988、1994)所强调的那样，日本工厂的工作轮换和团队生产并非要使工人的技能同质化，相反，它们通过加深个人对其参与的工序过程的理解促进了个人和集体解决问题的能力。类似地，一项关于德国和法国企业对比调查的权威分析显示，经资格审定的德国技术工人实际上可从事企业的多种类别的工作。该分析还指出，"由于工头、技术师、工程师以及经理人员都是从技术工人干起，这种社会化体制建立了一个广泛的职业社会，促进了企业层级制下不同职位的雇员之间的沟通与合作"(Maurice、Sellier和Silvestre, 1996：第93页)。而且，为了对付来自日本企业的竞争威胁，德国企业近年来特地大大减少了职业类别的数目，车间内工种边界的重叠也得到加强，以增强不同工种的工人的水平协调和沟通。一位敏锐的学者对这种情况作了如下的概括：

> 在80年代晚期，德国的职业结构和工作组织已经开始告别泰勒主义，迅速向德国早期偏离泰勒基本模型所预示的方向靠拢：……通过技能重叠、技能组合的水平和垂直一体化实现灵活性；通过扩充职业内容重新将理念和实施一体化，并在此基础上引入"团队工作"；在广泛范围内受训的工人被赋予更广泛的职责，以降低经理人员的监管和组

织压力。(Streeck,1996：第 161 页)

读者一定会惊诧于以上论述与小池若干年前对日本团队工作模型的论述是何其相似。另外,德国工厂经理人员与工人的垂直沟通也以建立咨询性工人委员会的形式被固定下来。因此,从信息结构的角度看,德国企业可以概括为水平层级制和功能层级制的混合体,说明日本企业和德国企业之间的相似性比人们通常想像的要大。两国企业的差别之一是德国企业通过正式的组织渠道如工人委员会交换高度成文的信息,实现信息共享,而日本企业则更多地依赖组织惯例所鼓励的意会信息的交流。这两者的另外一个差异体现在公司治理结构方面,这和前一个差异有关系。第 11 章我们将讨论公司治理结构方面的差异是如何演化而来的。

现在让我们转向企业群体的信息结构,它们之间存在着比新古典价格机制更密集的信息交流。这类信息结构有很多种类型,下面我们只涉及三种在后面章节将要提到或要详细讨论的类型。

(6) *HD*[*IA*(*t*)]- *IE*：供应商系列(Suppliers Keiretsu)　在此结构中,*T*1 和每一个 *T*2 单元分别在功能层级制的总体框架下同化有关环境系统性部分的信息。在 *T*2 层次上的各任务单元则实施信息包裹。日本汽车行业的供应商系列可以看做是类似该结构的一个例子①。在供应商系列中,*T*1 对应着核心的最终组装企业,如丰田,而

---

① 关于日本汽车行业的发包制度,请参见青木(1988),第 6 章;浅沼(Asanuma,1984、1989),西口(Nishiguchi, 1994),藤本(1999)。日本的系列制度和美国企业一体化的功能层级制形成了鲜明的对比。威廉姆森(1985)和哈特(1995)均引用过克劳福德、克莱因和阿尔钦(1978)研究过的案例,即关于 20 年代通用汽车收购费舍车身厂的一件逸事,该案例作为重要的经验证据引发和支持了他们的理论。在收购之前,费舍车身厂作为独立的供应商向通用汽车供应车身。可是,当通用汽车不断要求它投资于交易专用性设备时,它因惧怕通用汽车事后强占其盈余而未作出回应。威廉姆森和哈特解释说,通用汽车的收购是这种处境下一种有效率的解决方案,因为它使得通用汽车的管理人员能够对费舍车身厂的管理人员进行层级控制(交易费用理论),或者说它给通用汽车提供了对物质资产的剩余控制权(产权理论)。可是,这些理论并不能解释为什么在日本会出现完全不同的组织结构。有些经济学家将日本汽车行业一体化程度低归结为以前核心制造商曾经面临过资本稀缺。这种解释不仅从资本成本的角度看站不住脚(如果组装厂面临资本稀缺,那为什么供应商不面临同样的问题呢?),而且它不能解释为什么随后当这些核心制造商积累资本之后却未能相应地提高一体化程度。另外,近来一项在详尽考察通用汽车公司的档案资料的基础上形成的历史研究表明,克莱因等人所描绘的胁迫问题在兼并之后也没有消失(Freeland, 1997)。

T2 层次上的任务单元对应着向 T1 供应各种关系专用性的零部件的企业，供应是按照多头发包合同进行的。在处理那些涉及新车型开发的系统性信息方面，T1 发挥着主导作用。核心企业和 T2 层次的各企业之间的联结方式是关系式的，这表明从联合开发小组的形成到看板制度的运用，两者存在非常密切的信息共享，以利用任务之间的互补性。需要注意的是，这种准组织信息结构通过将部分任务从核心企业分解出去的办法减轻一体化水平层级制繁重的信息负荷。零部件的设计工作授权给 T2 层次上的企业，T1 并不知道其设计过程①。T2 层次上的供应商要么是提供关系专用性模块化零部件的特定市场上的竞争者，要么分别属于不同的缝隙市场（niche market）。所以，除非在极端紧急的情况下或需要交换一般性的工程信息，T2 层次的企业不存在重要的信息同化活动。T2 层次的企业也可能将其生产的零部件进一步分解成更小的部件，发包给其他企业，如 T3 层次的企业，如此等等。因此，供应商系列制也许会存在 HD[IA(t) - IE]模式的层级组合。

(7) HD[IA(t) - IA(t)]：意大利工业区　让我们考虑如下情形：T1（某企业）仍然处于协调 T2 层次上任务单元（企业群）信息加工活动的位置，但在 T2 层次上存在一定程度的信息共享。这种情形的信息结构类似于上面讨论的水平层级制，只是 T1 和 T2 层次上的任务单元不再是一个企业内部的各单元，而是独立的企业。因此，T1 的单个企业和 T2 的企业群之间的联系也许更非正式一些，但信息共享的实践将倾向于使之关系化。这种信息结构类型的一个经典例子是意大利所谓的“工业区”里的企业关系网络，主要集中于柏拉托（Prato）（毛织品），科莫（Como）（丝绸），卡尔比（Carpi）（皮革）和比耶拉（Biela）（毛织品）。在该例子中，T1 相当于专门负责时装设计、协调和营销的核心企业，而 T2 则相当于许多小型承包企业，其中每个企业都专业化于整个生产流程中的一个特定阶段。例如在科莫的丝绸加工业，T1 的角色是由相互竞争的被称为“转换者”（converters）的

① 所以，克拉克和藤本（1991）把系列供应商关系概括为“黑箱零部件”交易系统，而浅沼（1984、1997）则称之为“授权的设计系统”（产品设计由供应商提供，经核心制造商同意），和“供应的设计系统”（产品设计由核心供应商提供）相对照。“授权的设计系统”这个概括旨在说明供应商对于产品设计具有相当的自主权，核心制造商不予干预。

企业承担，$T2$ 则是由专门负责设计、编织、染色、印模、印花和最后加工的小型企业组成[①]。

时装行业的设计和制造技能之间的特征互补性很强，高质量和生产周期短是该行业的主要特点。精湛的时装设计要求材料合适、加工得体、技艺高超，而所有这些都无法加以标准化，无法写成服装生产手册之类的东西（如科莫丝绸加工的最后工序就不可能这样做）。因此，核心制造商与承包企业意会的信息共享将促进前者的设计创新。后者也可以从中得益，获得最新时装潮流的信息，并发展出潜在有用的技能和知识。在水平方向上，小型企业为了适应时装换季的多变性，也必须在兼顾技术和特征互补性的情况下，在数量和品种上灵活快捷地协调其各项任务（如科莫的印模厂和印花厂在选定设计之前会相互切磋）。面对不断增加的市场需求，跨企业的持续沟通有助于协调工序计划，而同一类任务的企业之间的沟通则可以加强相互的工作共享，以便对生产能力过剩和短缺的季节性变换作出适当反应。与此同时，企业在特定地点的聚集可以通过相互学习和模仿，以及不同任务间的同化创新提高制造技能，这些任务可能是强互补性的（比如，一项染色新技术的出现要求相应地提高织布的质量）。

(8) *IA-IE*：*第三方信息中介——硅谷的企业簇群*　这是一种操作性任务单元（$T2$）通过第三方中介（$T1$）同化本来相互包裹的信息的准组织结构。这方面有一个不那么显而易见却非常重要的例子，那就是聚集在硅谷的创新企业之间的信息联结方式。有两个相互联系但又相互区别的特征使这类信息结构真正富有创新活力。第一，几乎所有的企业在特定缝隙市场上竞相创新。这些企业面临一样的技术环境（即活动高度相关），其创新努力基本上可替代，无论从竞争企业的角度还是从信息效率的角度看，它们的信息加工活动必须相互包裹（命题 4.1）。其次，与更早些时候建立的一体化企业如 IBM 不同，这些创新企业不是事先以集权的方式发展出有关新产品系统的理念（如 IBM360），而是分散地在特定的缝隙市场从事创新活

---

① 据说在人口只有 85 000 的科莫（Como）有 1000 个转换者，从小企业到拥有自己生产设备的大型企业不等。参见 Ogawa（1998）。

动。从这些分散化的努力中演化出来的部件，经组合在一起，逐步形成一个新的产品系统。创新过程的这种特定的变化得益于不同缝隙市场上的信息加工活动（创新努力）最大限度的相互独立和自给自足[①]。而这一点又借助于企业家信息加工技能的提高和支持性技术的进步，使得对统计相关的环境的监测能够在一个企业内部相互包裹（命题 4.5）。这是硅谷信息结构之所以有效的第二个重要条件。

为了使这种进化选择成为可能，必须要确立联结不同部件界面的公共标准和传递数据的公共手段，以便让不同产品的特征相互兼容。这种标准也许来自各缝隙市场上的主导企业，也许由设立标准的行业协会制定。或者由于市场和技术环境的高度不确定性，这些标准不可能事先加以设定，而只是作为事实上的标准通过竞争逐步演化而成的。但不论怎样，创业资本家在竞争性企业中发挥着传递系统性环境信息的中介作用，这些信息涉及到演化中的标准和最终产品系统的内容。但是，与功能层级制的经理人员相比，创业资本家的信息中介作用相对更少一些命令色彩，而与水平层级制的经理相比，则又更超然一些。正像后面（第 4.3.3 节和第 13 章）要阐述和分析的那样，创业资本家实际上还在创新企业中扮演独特的公司治理的角色，与它在信息结构中的作用相互补充。

萨克森尼安（1994）在一本以细致的问卷调查为基础写成的著作中提出了一个有趣的问题，即为什么硅谷和大波士顿地区 128 号公路作为高技术信息产业的两大簇群，在 80 年代中期一次严重的经济衰退之后会表现出完全不同的经济绩效。硅谷以强劲的势头从衰退中恢复过来，其中主要的推动力是一些较少层级控制和市场导向的新型企业的异军突起。另一方面，128 号公路却长时间一蹶不振，萨克森尼安认为，这可能是因为该地区一体化程度高的层级企业占据了主导地位，它们之间缺乏必要的信息关联。我们对硅谷模型的信息结构的概括大致与她的观察一致。

上面我们定义了三种由多个企业构成的准组织结构。$T1$ 的角色可以由单个企业承担，如日本供应商系列的情形，或者由多个企业承担，如意大利工业区的转换者和硅谷模式中的创业资本家。相应

① 这里的概括看起来很像 Baldwin 和 Clark（2000）说的“模块簇群”。

地，在不同情形下 $T1$ 控制信息的能力也有不同。另外，每种信息结构名称的第二项均代表（$T2$）企业之间的水平关系，而不是企业内部的信息结构。它们拥有自己特定的内部信息结构。在日本供应商系列和意大利工业区，每一个承包供应商都将水平层级制内部化（或者像某些意大利企业那样由技术精湛的手艺人带领层级控制型的团队）。聚集在硅谷的创新企业的信息结构特征却各式各样。它们内部的信息结构类型更接近于水平层级和参与型层级制，或者"明星带头"的（层级控制型）团队，但不怎么像功能层级制，至少在开始的时候是如此（Baron、Burton 和 Hannan，1996；Hannan、Burton 和 Baron，1996）①。

图 4.3 概括了我们迄今为止所讨论的所有组织类型。图中水平方向代表组织信息结构中系统性信息（即关系到整个组织域的信息）的集中程度，从最左边的层级分解模式中的集中化处理到中间"较强的"信息同化模式，其中 $T1$ 单元（企业经理）作为一个聚焦点成为系统性信息同化的对象，到最右边"较弱"的信息同化模式，其中多个 $T1$ 单元作为中介（创业资本家、转换者等）在众多企业中同化系统性信息。

图中垂直方向代表任务单元在相关的信息结构中关联的程度。关联程度部分地与组织信息结构中横向和纵向交流信号的标准化程度相关。最上面的位置表明任务单元主要通过标准化的信号媒介（如正式计划、命令、工作报告、界面标准、网络通信所用的数码语言）进行交流，越往下的位置表明任务单元交流的信号越具有意会的性质。交流信号的标准多少更适合使用于单个组织内部。但这些标准在各个

① 巴伦、伯顿和汉南通过在硅谷访谈 100 多个企业收集了大量的数据，在此数据基础上，他们从创始人模式中"协调和控制工作"的角度区分了三种类型（Baron 等，1996：第 251—252 页；Hannan 等，1996：第 512—513 页）。它们是"（1）以监督为手段的经理控制；（2）同事和文化控制（其中雇员对于自身的工作有很大的自主权，但无权涉足公司的战略方向和主攻项目的决定）；（3）授权给专业人士，让他们大致决定工作方式和大的战略方针"。他们把最后一种模式称之为"明星模式"，因为该模式在录用雇员时主要靠发现潜在的明星式的人物。模式（1）的协调特征大致对应着功能层级制；模式（2）对应着水平或参与型层级制；模式（3）则对应着明星带头的"层级控制型团队"。他们发现，在创始人模式中，模式（1）相比模式（2）和（3）来说比较少见，虽然后两种模式更不稳定，容易变动。他们认为，虽然后两种模式不太稳定，但对企业的早期演化产生了强大的影响，而且它们在完成企业初次股票上市方面胜率更高。

企业之间的差异性并不很大,参与人很容易理解和运用在不同的组织环境下的标准。另一方面,意会交流要求参与人必须具备共享信息和以易懂的方式解释(非成文化)数据的能力。因此,位于下端的信息结构中信息关联程度可能更紧密和更具专用性,从而使得参与人跨组织的流动(或进入和退出准组织结构的安排)变得更为困难。

系统信息 / 局部信息	层级控制	强同化	弱同化
信息包裹	功能层级制		硅谷模式
信息同化（网络诱导式）	网络一体化的功能层级制		
	层级控制	团队参与型层级制	日本供应商系列
（意会式）		水平层级制	意大利工业区

图 4.3　组织和准组织结构的类型

4.3　组织结构的治理：初步讨论

在第 4.1 节我们界定了组织单元之间信息联结的一般模式,并在假定各任务单元信息加工能力相同的情况下考察了每种模式实现相对信息效率的条件。我们曾暗示,决定信息加工精确度的因素之一是负责信息加工的参与人的激励。特定类型的组织结构面临特定的内在激励和治理问题。在本节我们将研究三种一般模式分别引起的治理问题及解决办法。在下述初步讨论的基础上,第 3 编将引入更多的分析工具,更全面系统地探讨组织的治理问题。

我们首先要注意到,每种组织模式都使用特定的资产,包括物质的和人力的、有形和无形的。下一章将详细讨论层级分解和信息同化模式下人力资产类型的区分。这里我们只简单把它们区分为个人型和背景导向型人力资产(individuated and context-oriented human assets)(参见图 4.4)。大致说来,在层级分解中,为了适应功能分工清晰的信息加工任务,人力资产必须是个人型的,而在信息同化模式中,人力资产则有必要导向信息共享的组织场景。在本节,我们将看到,对于层级分解的治理至关重要的问题是在拥有不同个人型人力资产的参与人中,谁应该控制物质资产的支配权。这一部分的讨论主要依赖于产权理论经济学家的贡献,如格罗斯曼和哈特(Grossman 和 Hart, 1986),哈特和穆尔(Hart 和 Moore, 1990)以及哈特(1995)。然后,我们接着研究在信息同化模式中,阿尔钦和德姆赛茨(1972)意义上的团队中的搭便车问题如何引起了独特的激励问题,该问题无法通过在内部分配物质资产的所有权的办法加以解决。

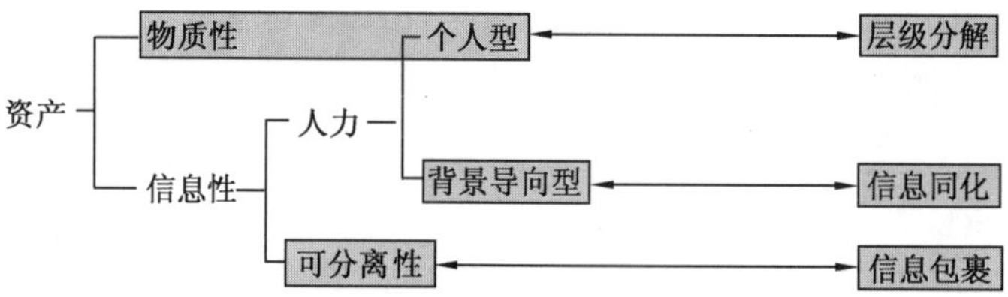

图 4.4　组织结构的类型及相关资产

根据布赖约夫森(Brynjolfsson, 1994)的定义,个人型和背景导向型人力资产因为是一种固化在人身上的信息加工技能,不可能将它们和个人分开,因而可以统一概括为“不可分离的信息资产”。与此相对照,非物质和非人力的信息资产,如软件、数码内容、发明等,可以概括为“可分离的信息资产”,原因在于,它们的所有权可以和它们的生产者相分离,用于交易。但是对于在生产过程(研究与开发)加工到一半阶段的信息资产,生产者(发明者)想确立对它们的产权非常困难,而如果允许他人使用这些信息资产一定会带来许多经济价值。正由于信息资产的这种公共产品性质,那些生产可分离的信息资产的信息加工活动(如创新活动)也许有必要相互隐蔽(包裹)。第 4.3.3 节将讨论这种情形,即参与人(组织)系统当中每个参与人都以隐蔽的方式从事生产可分离信息资产的信息加工活动。在该系统中,对人力和可分离信息资产的使用,而不是对物质资产的使用,发挥着关键性的作用。因此,这类治理问题不可能归结为物质资产所有权的安排问题,而必须寻求新的思路。

4.3.1 层级控制和资产所有权的一体化：哈特–穆尔式企业

让我们从层级分解模式开始。我们将从哈特－穆尔产权理论的角度研究这种模式的基本特征，并探讨这种组织结构（及组合结构如水平层级制）如何通过物质资产所有权和层级控制的一体化实现内部治理。

层级分解的任务就其性质而言比水平层级制（组合型信息同化）的任务更容易界定清楚。在层级分解模式中，经理根据系统性环境信息和组织协调的需要进行市场导向型的决策，而工人则从事互不相同的操作性任务。履行每项任务所需的人力资产（技能）是个人型的。工人任务的性质因而能够写进和“厂商”（firm）签订的合同，工人的报酬视工人具体的人力资产性质决定。但是，由于签约人的有限理性，无法事前预见未来所有的可能性，关于工作性质的描述不可能是完备的。这种合同的不完备性意味着必然存在哈特所说的“剩余控制权”的安排问题，剩余控制权是在不可写入合同的意外情况（non-contractible contingencies）下对资产的支配权。根据科斯（1937）和西蒙（1951）的观点，在层级制下，关于人力资产使用的剩余控制权归属雇主所有，虽然它也受到雇佣合同的总体制约。问题是，工人为什么会接受雇主的权威（剩余控制权）呢？工人的业绩必须使用那些只能在工作岗位上进行培训和学习的技能。而且投入培训的努力水平无法在合同中写明，因而不可能由法庭实施。我们对哈特－穆尔论据的解释是物质资产所有权（剩余控制权）与层级协调的一体化赋予了雇主兼经理间接控制和激励工人的能力，因为工人离开了物质资产将不可能进行生产。

为了理解哈特－穆尔理论的基本逻辑，假定两个参与人配对形成了一个层级组织。其中有一人（$T1$）加工有关组织环境的系统性信息，然后给另一个参与人（$T2$）下达行动指令，而 $T2$ 只加工与他的工作相关的特质性信息。我们称前者为经理，后者为工人。假定两人愿意在一起工作，该组织可以持续一个时期，由两个阶段构成。在第一阶段，经理和工人各自投资自己的人力资产（如管理性信息加工技能和使用机器的技能），投资需要花费努力。在第二阶段，每人使用自己的人力资产，连同物质资产一起，创造供两人分配的准租金。用 e_m 和 e_w 分别代表经理和工人的人力资产的投资水平，令

$V(e_m, e_w)$代表两人合作的总收益，$\bar{v}_m(e_m)$和$\bar{v}_w(e_w)$分别代表在没有对方合作的情况下经理和工人人力资产的外部机会价值(outsideoption value)。后面将会说明，外部机会价值$\bar{v}_m(e_m)$和$\bar{v}_w(e_w)$取决于物质资产的所有权的分配。但目前我们暂不说明物质资产所有权的结构和有关参数。假设

$$V(e_m, e_w) - (\bar{v}_m(e_m) + \bar{v}_w(e_w)) > 0, \frac{\partial V(e_m, e_w)}{\partial e_m} - \bar{v}_m'(e_m) > 0$$

和 $\frac{\partial V(e_m, e_w)}{\partial e_w} - \bar{v}_w'(e_w) > 0$（所有参数随后加以设定）。这些式子的意思是，经理和工人的人力资产投资的平均和边际准租金都为正。换言之，两人的人力资产在平均和边际的意义上均为企业专用性资产。令 $c_m(e_m)$和 $c_w(e_w)$分别代表经理和工人投资成本，边际成本是递增的，即令 $c'_m(e_m) > 0$和 $c'_w(e_w) > 0$，$c''_m(e_m) > 0$和 $c''_w(e_w) > 0$。

假设投资水平在第一阶段末可以相互观察到，但无法在法庭上证实，因此不可能在第一阶段开始写入合同。在第一阶段投资之后但在第二阶段之前，经理和工人就第二阶段末可实现的准租金的分配进行谈判。假定他们按照对半分的原则分配准租金。给定这种相同的谈判能力，经理将得到$1/2[V(e_m, e_w) - (\bar{v}_m(e_m) + \bar{v}_w(e_w))] + \bar{v}_m(e_m)$，相应地，工人得到$1/2[V(e_m, e_w) - (\bar{v}_m(e_m) + \bar{v}_w(e_w))] + \bar{v}_w(e_w)$，即每人得到准租金的一半加上各自的人力资产的外部机会价值。每人在预期到这种谈判结果的情况下，决定第一阶段的投资水平，使其投资的私人边际成本等于私人边际收益。由于私人边际收益等于总的边际收益的一半，纳什均衡条件由下列式子代表：

$$\frac{1}{2}\left[\frac{\partial V(e_m, e_w)}{\partial e_m} + \bar{v}_m'(e_m)\right] = c_m'(e_m)$$

$$\frac{1}{2}\left[\frac{\partial V(e_m, e_w)}{\partial e_w} + \bar{v}_w'(e_w)\right] = c_w'(e_w)$$

另一方面，最优效率条件要求总的边际收益等于每人的边际成本。由于每人都可以持有对方人力资产一半的价值，每人的投资水平势必低于社会最优水平。哈特和穆尔于是寻求次优结果。正是在

这个时候，产权结构需要加以明确界定。

在第二阶段，假设经理和工人能够结合各自的物质资产（如经理所需的办公室、信息网络和文件系统、工人所需的机器和工具），分别由 a_m 和 a_w 代表，通过运用其人力资产进行有效生产。让我们进一步决定，如果他们同意了关于分配准租金的合同，他们将以最有效的方式使用人力和物质资产。这样，第二阶段的道德风险问题就被排除了。但如果两人在第一阶段末达不成合同，他们人力资产的外部机会价值就取决于物质资产所有权的结构。因此，所有权结构成为决定双方在第一阶段末谈判地位的主要因素。那么，在层级分解模式下最有效的所有权结构是怎样的呢？哈特和穆尔在各种不同的技术环境下研究了各种所有权结构的影响。下面是我们最关心的一些结果。

假设对于每一种水平的 e_w，工人专用性人力资产的外部机会价值 $\overline{v}_w(e_w)$ 在没有经理的人力资产合作的情况下不受所有权结构的影响，而如果经理同时占有 a_m 和 a_w，他的人力资产的外部机会价值 $\overline{v}_m(e_m)$ 则对于任何水平的 e_m 来说都要比只占有 a_m 时大。用哈特和穆尔的术语，即经理的人力资产是“基本性”的，而工人的人力资产不是①。这种情形在层级分解模式中对应着经理加工系统性信息对于物质资产的用途来说是不可或缺的情况，工人离开了经理的人力资产，即便他拥有整个物质资产，也不可能有效进行生产。可是，如果经理拥有物质资产，即便没有该工人的配合，他仍可以到市场上雇佣一个未经训练的工人，通过剩余控制权支配物质资产，增加他的外部机会价值。在这种情况下，从上述纳什均衡条件容易看出，让经理拥有整个物质资产将是一种次优选择。通过占有整个物质资产，经理更有了积累不可分离的人力资产的激励②。这样，我们有下列命题：

命题 4.6（哈特和穆尔）　为了控制功能层级制，在该层级制

① 哈特和穆尔（1990）把这种情况称之为“经理的存在对于物质资产来说是不可或缺的”，但我采用哈特（1995）的术语。

② 容易看出，上述模型可以拓展到双层功能层级制的情形，其中多个工人在一个经理的指挥下专门从事各自的被分解的任务。在这种情况下，经理的人力资产的不可或缺的性质体现在他在组织专用性的层级协调中扮演的角色。因为功能层级制中的操作性任务进一步分解给每个工人，各自相互独立，经理在支配使用工人的人力资产和相应的物质资产方面因此是不可或缺的。

中经理的系统性信息加工任务在哈特和穆尔意义上是至关重要的，则让经理占有整个物质资产是最优的所有权安排①。

现在我们放宽经理的人力资产至关重要这一假设，允许两人的人力资产外部机会的边际价值$\overline{v}'_m(e_m)$和$\overline{v}'_w(e_w)$均在每个e_m和e_w的水平上根据所有权结构而发生变化。首先假定，每人的外部机会的边际价值因拥有各自的物质资产的剩余控制权而增加，但不受是否拥有对方的物质资产的所有权的影响。这种情况被哈特和穆尔称为物质资产是“独立的”。从上述纳什均衡条件不难看出，为了不干扰工人的工作激励，经理不应占有工人使用的物质资产。在这种情况下，工人应该成为独立的承包方[第4.2节(7)讨论的意大利工业区就是一个例子]。但如果物质资产是互补的，即每人的人力资产的边际价值因占有整个物质资产而上升，那么，如果经理占有的价值增加效果更大，让经理占有整个物质资产将是一种更有效的产权安排。如果相关的物质资产(如机器和工具)被工人占有，经理投资人力资产的激励将降低，因为工人会在事后以带走他的物质资产退出合同关系相要挟，攫取经理的一部分租金。当然在经理占有的情况下，工人的激励也会降低，但对整个效率的不利影响却要小一些②。另一方面，经理通过占有互补性的物质资产，可以不让工人接近物质资产相要挟，攫取工人生产的一部分组织准租金。为了使经理不愿意真的辞退工人，工人就应该在第一阶段投资于专用性人力资产。“因此，企业的非人力资产就是一种将企业捆在一起的粘合剂，至于这种粘合剂是什么则是不重要的。”(Hart，1995：第57页)

组织信息加工的层级分解和经理集中占有物质资产的所有权的安排可以称为哈特－穆尔式的企业，它概括了古典私人企业的基本特征。在第11章，我们将看到，当组织的所有者兼经理缺乏足够的金融资产占有整个物质资产的时候，私人企业的这种基本特征会发

---

① 参见Brynjolfsson(1994，p1654)，他给出了一个类似的证明，并称这种方案为“泰勒式的解决方案”。

② 在这种情况下，所有者兼经理会感兴趣于开发和采取人力资产要求较小的技术。关于产权和权力决定技术和劳动组织的观点长久以来被马克思和激进经济学家所强调(例如参见Marglin，1974；Bowles，1985；Bowles and Gintis，1986)。也请参见Pagano，1993。

生变化，转变成由许多股东占有的股份公司。

4.3.2 信息同化模式下内部人控制的局限性

在讨论哈特－穆尔企业形成的时候，我们假设经理和工人的人力资产投资水平事前（在第一阶段开始时）无法写入合同，但事后（第一阶段之后）可观察到，因此第二阶段的合同可以将根据相互可观察的投资水平签订。这是可能的，因为组织专用性的人力资产被分解为个人型，分别由经理和工人进行积累。而且，经理和工人人力资产的重要性存在基本的不对称性。这两个假定作为对层级分解模式及其组合型模式特征的初步近似是大致合理的。但将它们运用到另一种组织协调模式——信息同化模式及其组合型模式——水平层级制，其合理性就值得怀疑了。

这种组织信息结构的主要特征是，参与人在垂直方向和水平方向共享信息和相互影响，以至于组织收益很难清晰地分解为个人的贡献。因此，如果缺乏一个合适的治理结构，参与人在积累和使用人力资产时就会萌生搭便车的动机。这种搭便车的道德风险问题在性质上区别于层级分解模式中的胁迫问题，其相应的解决办法也自然会不一样。而且，即使整个物质资产都投入使用，如果经理和工人之间相互分离，他们的人力资产价值也会因为它们之间的"关联性"而贬值。哈特和穆尔认为，也就是说，双方的人力资产同时都是基本的，各自的外部机会价值在离开了对方的配合是一个常数，不论物质资产所有权结构如何安排。这也许是一个极端的假设，但它近似地概括了信息同化模式的基本性质。对于这种组织结构所存在的治理问题，物质资产所有权的一体化并不是一个有效途径。事实上资本所有权的安排并不重要。是否存在一种不同的内部治理结构？让每一个参与人拥有组织准租金的一个相同的份额（和物质资产的联合所有权）能否解决这个问题？

我们假定每人投资背景导向型人力资产的努力水平无法单独观察到。经济学家把个人（投资）努力水平不能观察到的生产组织称为团队，并建议了一些解决团队内在的道德风险问题的方案。阿尔钦和德姆赛茨（1972）开创了从合同观点看待团队问题的先河，他们认为企业的基本功能在于对团队成员搭便车行为的层级监督。如果监督者被授予获取监督的全部收益权利,他就有动力去监督。换言之,组织的团队性质要求引入第三方控制和监督。他们认为,这个第三方就是有权获取准租金的企业的所有者。但是,假定第三方只要有充分的激励就可以完备地观察团队成员的个人行动对于他们的论点来说是至关重要的。可是,关于可完备观察的假设恰恰与团队的原初定义是矛盾的。

霍姆斯特朗(1982)是第一个放弃可完备观察的假定的经济学家。他阐明了如下观点:如果第三方(委托人)只能够观察到团队的联合产出,而且他还能够对业绩不佳的团队行使严重的惩罚,那么,就可实现一个近似最优的结果。他指出,第三方的基本功能不是监督个人的行动,而是"打破团队预算平衡"的能力。然后,如果第三方可以从行使打破预算平衡的惩罚中获取效用,那么他将从团队的不佳业绩中得利。正如埃斯沃兰和科特瓦尔(Eswaran 和 Kotwal, 1984)所指出的那样,这将使得第三方和团队某成员有可能秘密合谋,让后者故意偷懒,致使整个团队达不到指定目标而受罚,这样两人从中渔利。很难想象有这样一种治理机制,其中委托人得益于被监督团队的失败。不仅如此,哪怕一个随机扰动使团队实现不了目标,团队成员也必须遭受严重的惩罚。假如团队成员面临财富约束,支付不了罚金,这个机制设计就根本不能实施。

霍姆斯特朗模型中有一点对于以次优方式解决团队中搭便车问题非常有用,这就是对业绩不佳的团队从外部进行严厉惩罚的可能性。让我们假定一个由两个同质成员 w 和 m 构成的团队。团队的产出由成员的人力资产投资和团队成员无法控制的环境状态联合决定。令 V 代表团队的产出,$F(V:\ e_m, e_w)$代表 V 的随机分布函数,它由两成员的投资向量 e_m 和 e_w 决定。我们假设团队的总产出是事后可观察的,但个人的投资水平却不能被观察到。V 的观察值假定总体来说是成员投资水平的一个良好指标,即成员投资水平的增加有助于提高高产出的概率和降低低产出的概率①。

① 在数学上,该假设可以表述为概率密度函数满足单调似然比例性质(monotone likelihood ratio propoerty,简称 MLRP),即对应每一个 $e=(e_m, e_w)$, $f_i(y,e)/f(y,e)$ 都是 y 的单调递增函数,其中 $f(y,e)$ 是 F 的概率密度函数, $f_i(y,e)$是 f 对于 e_i 的偏导数。

假设每个成员获得产出的同等份额 $\frac{1}{2}V$，而付出的成本是 $c(e_i)$。与哈特-穆尔的情形相似，团队成员选择 e_i 使得净收入最大，即满足条件：

$\frac{1}{2}\frac{\partial E[V(e_m,e_w)]}{\partial e_i} = c'(e_i)$，其中 $E[V(e_m,e_w)]$代表团队产出的预期价值。

社会最优化的一阶条件要求 $\partial E[V(e_m,e_w)]/\partial e_i = c'(e_i)$，显然存在投资不足（搭便车）的问题。但是，假设如果团队产出低于某个临界水平，如 $\underline{b}$，每个成员将要遭受来自外部的惩罚，支付罚金 J。这样，每个成员选择最优的 e_i 的问题就转化成如下问题：

$$\max_{ei}\left\{\frac{1}{2}E[V(e_m,e_w)] - F(\underline{b}:e_m,e_w)J - c(e_i)\right\}$$

求解上述问题得出如下纳什均衡条件：

$$\frac{1}{2}\frac{\partial E[V(e_m,e_w)]}{\partial e_m} - F_m(\underline{b}:e_m,e_w)J = c'(e_m)$$

$$\frac{1}{2}\frac{\partial E[V(e_m,e_w)]}{\partial e_w} - F_w(\underline{b}:e_m,e_w)J = c'(e_w)$$

其中对于足够低的 $\underline{b}$，$F_i(\underline{b}:e_m,e_w) = \partial F/(\underline{b}:e_m,e_w)/\partial e_i < 0$ $(i = m,w)$。也就是说，额外的投资将降低总产出低于临界值 $\underline{b}$ 的概率。现在，每个成员增加人力资产投资的边际收益由两部分构成：边际产出的一半份额加上预期惩罚的边际降低，后者是由集体业绩低于临界水平的概率的降低表示。因此，为了谋求投资的边际私人收益等于边际私人成本，相对于每人均分产出的内部治理机制而言，每个成员都有增加投资的激励。现在的问题是，是否有可能给第三方监督者提供适当的激励，使其不从团队的失败中获利，避免霍姆斯特朗设计的方案所面临的问题。在第 11 章，我们将正式考察一个被称为关系－相机治理结构的第三方机制，它在组织领域的特定制度环境下可以解决这个问题。特别地，我们将讨论这种治理结构类型在信息同化模式（或它的组合型结构水平层级制）在组织领域确立为一种惯例的情况下如何变得更有效率。

4.3.3 信息包裹模式下联赛式的治理

我们已经论述过，硅谷的创新企业的聚集可以概括为信息包裹模式的一种类型，其中创业资本家扮演着信息中介的角色。事实上，创业资本家也扮演独特的治理角色。硅谷创新企业有一个区别于哈特－穆尔企业的特征，即它们当中大多数在一开始缺乏足够的金融资产，必须依靠创业资本家从外部融资，作为交换，它们放弃剩余控制权（Hellman, 1998）。这样一来，物质资产并不构成企业主要的“粘合剂”①。那么，是什么激励这些创新企业家呢？假设他们从创业资本家那里得到一些股票期权。但这些期权的价值只有在他们赢得缝隙市场上的竞争时才可能兑现。否则，在产品尚未开发完毕就可能被竞争逐出市场。因此，创新企业的整体性治理机制的基本特征可以概括为类似某种联赛（tournament）。

创新企业的竞争过程的独特性将在第 14 章详细分析，但企业家的产品开发努力的激励效应后面的基本逻辑可以简述如下。首先，考虑融资者只向资金不足的创新企业融资研究开发的域。研究开发的结果高度不确定，但其预期价值取决于企业的投资水平。可是企业的努力水平无法被融资者观察到，因而是无法写入合同的。假设融资者和企业家同意五五分成的合同。令 $E[V(e)]$ 和 $c(e)$ 分别代表研究开发的预期总价值和企业的私人成本，两者均取决于努力水平 e。企业家将选择 e^* 使得努力的私人边际收益等于其私人成本：即 $\frac{1}{2}E[V'(e^*)]=c'(e^*)$。而社会最优结果却要求社会边际收益等于社会边际成本，即 $E[V'(e^*)]=c'(e^*)$，研究开发的投资将低于社会最优水平。

现假设第三方——创业资本家——出面把两个从事同样研究开发的企业（由 $i=1,2$ 表示）捆绑在一起。创业资本家能够观察到两个企业的研究开发成果，但不能观察到每个企业的投资水平，她决定在两个企业之间举行一次联赛。她比较两者的开发成果，答应给赢家 50% 的市场价值份额，输家则一分钱拿不着。融资者支付两份投资金额。由于事后只有一家企业的开发成果被采用，输家的开发努

① 拉杰和金格拉斯（Rajan and Zingles, 2000）有同样的看法。

力就成了净福利损失。但是，创业资本家把两家创新企业捆绑在一起所创造的外在性也会激励创新企业增加开发努力。为了看清这一点，令两企业的开发努力分别为 e_1 和 e_2，两企业在联赛中取胜的概率分别为 $F(e_1, e_2)$和 $1 - F(e_1, e_2)$，其中如果 $e_1 = e_2$，$F(e_1, e_2) = 1 - F(e_1, e_2) = 1/2$，每个企业试图使$\frac{1}{2}F(e_1, e_2)E[V(e_1) - c(e_1)]$或者$\frac{1}{2}F(e_1, e_2)E[V(e_2)] - c(e_2)$最大化。由于两个企业是相同的，我们有如下纳什均衡条件：

$$\frac{1}{2}\{F(e,e)(\mathrm{d}E[V(e)]/\mathrm{d}e_i) + (\partial F(e,e)/\partial e_i)E[V(e)]\}$$

$$= c'(e), \qquad i = 1,2。$$

也就是说，创新企业研究开发努力的私人边际收益（等式左边）现在由如下两个因素乘以 1/2 组成：在联赛获胜的概率（在均衡状态下为 1/2）乘以获胜的预期的边际价值，加上获胜概率的提高乘以赢家开发成果的总预期价值。这与联赛之前单个企业域的情形相比，第一个因素因获胜的不确定性而降低了一半，但因为捆绑的外在性，创新企业的激励增加了。整个净结果将取决于 $E[V(e)]$相对于 $\mathrm{d}E[V(e)]/\mathrm{d}e_i$ 的大小。也就是说，如果赢家开发的预期价值相对其边际价值要大许多，那么，在联赛中每个企业的开发努力比单个企业开发的情况下都要高。赢家开发成功的价值的提高也许足以补偿融资者的重复投资，并为创业资本家提供租金机会。

我们已经探讨了三种一般信息关联模式各自所面临的独特的治理问题。当然我们的讨论并不能到此结束。虽然我们已经看到，哈特和穆尔意义上的层级控制和物质资产所有权的一体化是解决层级分解模式的一种治理机制，但如果层级分解模式中的经理面临资金约束，这种导向私人企业的封闭式的古典方式并不能够维持。如我们所讨论的那样，以一种封闭的内部治理机制处理信息同化模式缺乏效率，需要引入第三方干预，干预的时机取决于团队的业绩表现。我们尚未讨论第三方干预的激励问题。类似地，我们暗示联赛的治理方式可能是一种有效的从外部控制研究开发信息加工活动的途径，但创业资本家作为第三方管理联赛的激励问题也未涉及。诸如此类的未解决的问题要求我们去探究每种组织信息结构中“谁来治理治理者”的问题。我们计划在第 3 编当讨论到企业组织嵌入在金融交易和其他域的互补性制度安排的时候再深入研究这一问题。那时组织治理问题就转化成“公司治理”问题。

第5章　组织惯例和人力资产类型的共同演进

人们也许要问，正像在厂商理论中经常问及的那样，为什么所有的企业不拥有相同的行为规范，从而使得行为规范的训练可以自由转换？首先，在一种互补的情形下，也许很容易有许多优化的规范，都一样好，但为了使其对企业有用，知道哪一个是合适的规范非常重要。这里的情形非常类似于谢林（Schelling）着重强调的协调博弈的情形。假如两人在旅行中不能相互交流但又需要在某处碰头，碰头地点必须事先商定。在哪碰面并不那么重要。但是，已经非常熟悉某碰头地点的人对于选定了另一个碰头地点的组织就没有什么价值。

——肯尼斯·J.阿罗：
《组织的局限性》1974 年 *

前一章我们界定了组织和准组织信息结构的不同类型。如果确实存在着一系列组织和准组织信息结构，那么，一个自然而然的问题便是：从如此众多的可能性中进行选择的过程是如何发生的？为了对技术和市场条件作出反应，企业会选择最好的信息结构以及企业

* Kenneth J. Arrow, *The Limits of Organization* (1974: p56).

的边界吗？近来的企业理论似乎对该问题的回答是肯定的[①]。现在我们不关心预言这些问题的具体的技术细节，我们关心的是近年来企业理论共有的技术决定论的推理逻辑：在面临类似技术和市场参数的同一产业，不同企业应该收敛于一种组织结构。可我们经常观察到，不同国家和地区的相同产业，企业的信息结构特征以及一体化程度都千差万别。

为什么会这样呢？

毫无疑问，任何特定的组织结构都存在着理性设计的因素，但同时也存在着因个人和企业的"有限理性"而出现的惯例的因素。组织惯例一旦开始发展，就交织着结构惰性和变动环境的竞争性压力之间的冲突。企业家力图尝试新的组织形式，努力模仿别的地方被认为是有竞争力的组织形式。但是，这些试验和模仿如果达到了临界规模，其结果通常既不会是组织规范的突变，也不会是迥然不同的组织形式的"无序"共存。其结果往往可能是对常规组织形式的一种"改良"，即显著地改变了现存规范的某些特征，但同时也保留了其他的一些基本特征。另外一种可能是，新组织形式的出现表现为创新企业在传统工业区的边缘聚集发展，就像硅谷一样[②]。因此，正如前面我们已经看到的那样，人们通常谈论一个国家或地区的组织形式，例如硅谷企业、"美国制造业系统"、福特生产模式、德国参与型企业、日本供应商系列制、意大利工业区等等。有人论证说，国家和地区之间组织形式及其所隐含的组织能力的差异可以解释工业和贸易中国家和地区优势的分布规律[③]。

然而，与构成李嘉图比较优势核心的自然禀赋不同，组织结构

---

① 例如，合同理论认为，诸如多项任务是一起分配给工人还是让每个人各司其职之类的问题可以视技术参数而定。举例来说，如果任务间的技术关联性在统计相关的意义上高(低)的话，那么，将这些任务分别(联合)分配给工人在激励上是更可取的(米尔格罗姆和霍姆斯特朗，1991；伊藤，1992)。交易费用经济学家认为，当物质资产的专用性下降时，非层级的治理结构将可能被采取，以便减缓组织内部激励不足的问题，但在组织之外可采取关系合同的方式(威廉姆森)。根据产权理论的观点，对组织活动至关重要的但又无法事先用合同规定的物质资产的用途由企业的所有者来控制，在此约束下，经理或工人按照最大化他们事后谈判收益的原则，决定其努力水平(人力资本投资)。因此，企业的边界被认为由物质资产的技术特征决定。例如，企业倾向于将那些具有互补性的物质资产的所有权一体化(格罗斯曼和哈特，1986；哈特和穆尔，1990)。

② 帕加洛(1999a、b)运用生物学中的"孤立发生的物种形成"来解释这种现象。

③ 参见青木(1986、1990)，Dosi、Pavitt 和 Soete(1990)，Saxenian(1994)，Teece 等(1994)。

是一种人为设置。既然这样，它能不能在不同国家之间相互移植呢？即便理性有限的企业家无力实施组织结构的最优设计，竞争性选择过程会不会最终淘汰各个产业中那些不适合技术条件的非效率的组织结构呢？或者，是否正像阿尔钦（1950）和弗里德曼（1953）在许多年前所论证的那样，竞争性结果看起来就像是最优设计的实现？尤其是，通信和信息技术的进步、跨国企业的迅速发展以及金融市场的全球化会最终实现由市场和技术效率决定的组织形式的趋同吗？这些问题都是本书准备讨论的，本章将提供一个讨论这些问题的基本理论框架。为此，我们设想了一个相对缺乏结构的博弈域，即企业组织结构能够共时演化的组织场①。我们将建构一个定义在该域的进化博弈论模型，它虽然可能过于简单而无法用经验验证，但对于理解上述一系列问题却是富有启发意义的。

我们首先要阐示不同的组织信息结构需要参与人拥有相应不同的信息加工技能——即通常所说的人力资产，这一点在上一章只做了简要的说明。在上一章我们比较了三种组织模式的相对信息效率，但依赖的假定是参与人的信息加工能力是定量可比的②。然而，个体参与人的信息加工能力不仅在数量上有差异，而且在性质上也各不相同。给定这种情况，参与人因为信息加工能力有限而不得不专门投资某种特定类型，支付沉没成本。但当参与人在制定人力投资的策略性决策时，他们最后的决定将受到现实中流行的组织类型的制约。另一方面，企业家在设计组织结构时，他们的决定也要受到可得的人力资产类型的限制。我们将描述组织场的这种策略互补性关系，运用一个简单的进化博弈论模型分析组织结构和人力资产类

---

① “组织场”的概念首先源于新制度主义社会学家。根据他们的定义，它是指“那些在总体上构成制度生活的一个公认领域的组织”（DiMaggio 和 Powell，1983：第 143 页）。它意味着“存在一系列代表共同意义系统的组织，其参与者在该领域之内的互动比在外面更频繁和更重要”（Scott，1994：第 207 页—208 页）。我们把它定义为组织结构能够作为一种进化博弈结果而出现的域。关于用进化博弈观点研究组织人口动态学的社会学模型，参见 Carroll 和 Hannan（1989）以及 Hannan 和 Carroll（1992）。

② 这背后隐含的框架是贝耶斯的，参与人通过观察的样本修改关于环境状态的先验估计，形成后验信念。这样参与人的信息加工能力就被定义为观察变量的先验方差与样本误差的方差之比。

型的共同演化①。与阿尔钦和弗里德曼的猜想相反，我们可以看到组织结构的次优的惯例在进化选择的压力下可以在封闭的组织场衍生出来。

但是正如前文暗示的，人力资产地理流动性的加大，起源于不同的地区/民族的企业向其他企业的传统地区的渗透，关于其他地方更好的组织实践的准确信息越来越多，等等，都激发了在封闭的组织领域里演化出来的各种次优惯例的活力。那么，组织领域的互相融合或互相作用最后是否会挤掉每个产业里效率低下的组织形式，从而进化出一种适用于所有产业的有效的组织结构框架呢？换句话说，是否有利于实现组织多样性带来的利益，即在所用产品和技术的特征的基础上，最有效率的组织结构形式在每个产业都占主导地位？为了考察这个问题，我们分析了发展出不同惯例的组织领域的各种类型的相互作用的结果，并考察它的含义。

最后，我们对进化博弈论的实际意义及其局限性作一些评论。第9章将提出一种摆脱进化博弈论局限的方式。

5.1 心智模型的类型：背景取向型和个人型人力资产

如前一章所指出的那样，组织中的任何活动，包括最初级的体力活动都包含信息加工的因素。这意味着在组织活动中，个体参与人运用一定的智力程序或认知机制，推断环境状态，预测行动结果，以及为解决问题而作出决策。这些智力程序由一系列"规则"构成，通常采取"如果……就……"的形式。例如医院的大夫按以下方式动用他储存的规则来判断病人的病情："如果X光照出这种图像，由听诊器听到这种声音，那说明病人犯的是支气管炎"，"如果服用这种药，病人可能会

① 关于社会秩序和人们偏好的共同演化的分析性工作，参见Kuran(1991)和Bowles(1996)。另外，帕加洛(1993)和帕加洛与罗森(Pagano 和 Rowthorn，1994)分析了产权安排(资本家和工人的权利安排)和技术(易监督的资本和易监督的劳动)在策略互补的情况下作为"组织均衡"(纳什均衡)的共同决定，其中"生产经理"在既定的产权制度下选择利润最大化的技术，而"融资者"则在既定的技术下选择使所有权租金最大的产权制度。他们论证说，因为"网络外在性"(即整个经济范围内的策略互补性)的存在，产权制度和技术类型将出现同时"均质化"(即惯例化)。

有过敏反应，就不能给他服用”，等等。这些规则经过长期积累和修改而成，以一定的秩序在大脑加以组织，然后依认知的情景而“启动”（Holland 等，1986）。因此，它们具有人力资本的性质。在目前的讨论阶段，我们认为心智模型只由两个规则构成：一种是认知规则，被参与人用来从认知投入品（如数字数据、书面报告、公司标志、交谈、姿势和表情等等）形成对相关处境的解释性判断；另一种是决策规则，被用来将解释性判断转换成相关行动变量的选择①。注意这里的“决策规则”是指个人智力程序的一部分，不是集体决策过程所依赖的组织或管理规则和程序，虽然两者无疑存在一定的联系②。我们这里关心的是这些规则的内在组织原则。

在组织中个人任务的执行涉及到有关各自特质性环境信息的加工。在这个意义上，任何组织都存在信息加工活动的分工。但真正使企业成为一个组织的特征是环境系统性部分的存在，其状态关系到每一个任务单元的决策。如果不存在环境的系统性部分，信息加工的劳动分工便能履行其职，根本不需要组织协调。恰恰是系统性环境的加工方式决定了组织信息结构的鲜明特征。前一章图 4.3 清楚地表明，功能层级制和水平层级制在这一方面形成强烈对比。

在功能层级制中，组织域有关的环境完全被分解成互不相关的几个部分，供任务单元进行专业化的信息加工。因此，信息处理的劳动分工是完备的。从个人心智程序的角度看，这意味着参与人分别处理只与自己相关的环境部分的信号，以此作为惟一的信息投入输入到一定的认知规则，而输入给决策规则的信号则是他自己对相关环境的解释性判断以及别的单元传递的正式信号，如指令和公告等。在这个意义上，不同的任务单元可以运用各自独立的心智程序。参与人基于他们自己的经验和学习，或许会修改和补充其认知和决策规则。但只要参与人面临相同（或类似）的任务，那么，因运用同一推断规则而积累的能力在任何组织的任何功能层级制都是适用和有价值的。更广泛地说，只要任务在信息处理所需的范围和目标意义上

---

① 我们在第 9 章将提出一个更复杂的名为“主观博弈模型”的心智模型。

② 本章所定义的心智程序或人力资产可以看做是邓泽和诺斯（Denzau 和 North，1994）提出的“心智模型”的近似物。两者的关系将在第 9 章进一步阐示。

可互换，那么，拥有在某种功能层级有效的认知和决策规则的心智程序就可从一个决策层级转移到另一个决策层级。这样，我们就将这类的心智程序称为个人型心智程序，而运用这类心智程序的个人能力和技能称之为个人型人力资产。

然而，对于在水平层级制所使用的智力程序来说，情形就大不一样了。在该类组织结构中，信息加工活动无法完全分解为非重叠的任务单元。对于各单元共同面对的系统性环境部分，参与人之间协同他们的观察和解释，然后建构一个共同的决策基础。在基本层次上，参与人各自收集环境的各种信号，就像在功能层级制下所做的那样。但为了达成一种协同的认知解释，形成决策共识，这时参与人就不仅需要处理个体所收集的相关环境的信号，而且还要以意会或明确的方式处理其他任务单元对同一环境的不同认知。借用波拉尼(Polanyi，1958)的表述，我们不妨可以说，参与人必须“和睦相处”(in-dwell)于一个共同环境。这和网络一体化的功能层级制下所观察的情形完全不同，在后者，参与人从一个共同的正式交流网络获得相同的数码信息，然后以此作为投入输入到组织设计的决策规则当中。为了实现认知判断的趋同，参与人有可能需要抛弃一些潜在有用的信息。这样做的结果是，个体参与人使用的认知和决策规则可能涉及更多的辩证的(dialectic)而非分析性的推理方式①。这种方式也许会损失掉一些潜在有价值的信息，但正像我们已经看到的那样，只要任务间技术互补性高，参与人的信息处理能力大致相同，以及环境持续但并非剧烈变化，这也许会更好地实现组织的目标②。

因此，水平层级制所适用的心智程序在性质上区别于个人型的心智程序，前者包含了认知判断的协同机制这个基本要素。在水平层级制中有效的心智程序在一个组织内是相互联结在一起的。我们把这种心智程序的特征概括为背景取向型(context-oriented)，而参与

---

① 近年来文化和社会心理学的一些理论和经验性的新进展充分支持这一区分。例如，彭和尼斯贝特(Peng 和 Nisbett，1999)通过实验研究显示，当实验对象面临关于环境的两种相互矛盾的描述时，中国人总是试图寻求一种让两种解释都大致成立的“中间途径”，而美国人则倾向于完全反对其中的一种描述，接受另一种。关于近年来心理学对于分析性和有机性思维模式的研究的文献概览，参见 Piske 等(1998)。

② 当环境状态成为变幻莫测和高度不确定时，参与人的认知判断也许不太容易收敛。在这种情况下，信息同化模式可能行不通。第 9 章将探讨这个问题及其影响。

人有效运用这种心智程序的技能可称为背景取向型人力资产。背景取向型心智程序的基本特征之一是其价值不能在不同的组织中自由转移。有效使用认知和判断协同机制所需的技能一旦获得,便只能和同类型的参与人合作才是有价值的。他们之间的持续合作会促进背景取向型人力资产的有效性。在这个意义上,背景取向型人力资产比个人型人力资产更具组织专用性。

迄今为止我们隐含地假定,功能和水平层级制所需的人力资产类型都是可得的。但这种假定是值得怀疑的。如果环境参数发生变化,某种曾经享受效率优势的信息结构可能不得不让位于其他信息结构。新的信息结构能不能迅速取代旧的结构?如果这种取代过程需要信息处理技能从背景取向型转换为个人型,那就不那么容易了。如上所述,任何人的实际的心智程序都由一系列认知判断和决策规则组成,有些相互排斥,有些相互补充,它们按一定的秩序组织起来,在特定组合下被启用,具体视参与人的认知而定。这些规则的组织结构也许根据参与人的学习情况和经验不断修改和完善。在这个意义上,任何心智模型在不同程度上既是个人型,又是背景取向型,并且还具有路径依赖的性质。

参与人在开始选择职业之前面临如下抉择:是投资于对不同组织同一专业化任务都有效的个人型技能,还是投资于相对更通用的沟通和解决问题的技能,寄希望于选定特定组织之后再将它塑造成更具场景专用性的技能。关于投资于何种技能的个人决策除了取决于他或她自身的禀赋以外,更重要地还取决于影响教育和培训机会的社会和金融资本,以及周围企业中何种组织形式居于主导地位。我们注意到,文化心理学的最新理论和经验成果与我们这里对人力资产类型的区分是一致的①。文化心理学家论证说,虽然一种文化观可以转化为

① 例如,马库斯(Markus)和北山(Kitayama)在一系列研究工作的基础上试图对许多心理领域如认知,感情和动机的跨文化差异进行总结和综合,他们得出如下结论:"西方尤其是欧洲裔美国中产阶级的文化是根据强调自我独立和自主的价值和实践组织起来的,其中自我区别于别的自我,区别于社会环境。……在西方文化中,人们主动地去发现和界定自我中积极的内在特征。……与此相对照,许多亚洲文化不强调个人之间的分离。这些文化是根据鼓励人们在一定的关系(如家庭、工厂和学校)基础上相互联结的价值和实践组织起来的。自我的价值主要在个人参与的社会关系中获得。因此,在亚洲文化中,人们主动调整和适应自己和社会的重要关系。"(Kitayama、Markus、Matsumoto 和 Norasakkunikit, 1997: p1247)

个人型和背景取向型中的任何一种个人特征，但个人特征支持和再生出人们心理的文化模式。因此，心理过程和文化系统是互相促进的。

同样，我们主张，人力资产（心智程序）类型和组织信息结构是互相促进和共同演化的。个人心智程序的形成受到主导组织信息结构的影响，但企业家对组织形式的选择也取决于技能类型的人口分布。因此，双方的决策具有重要的策略互补性。个人或者企业家（企业的组织者）一旦偏离了主导的策略形式，他们将面临着与组织信息结构或人力技能不相匹配的较大风险。由于策略互补性的存在，即使某种信息结构比其他信息结构更能适合于某些特定产业的市场和技术环境，该结构能否在这些产业居于主导地位仍然是不可知的。假如信息处理技能类型的人口分布高度偏向于某种信息结构，即便它不是最优的，它仍有可能作为一种组织惯例而持续存在。从这种观点出发，组织规范可视为一种协调机制，它使得参与人对投资策略（技能形成）的选择得以相互一致，有助于他们避免因不相匹配而带来的高额风险。下面我们将运用简单的进化博弈论模型使这直观的想法形式化。

5.2 组织惯例的演化过程[①]

设想一域，由许多参与人组成，我们称之为组织场，其中企业是通过匹配两个参与人建成的。参与人在其一生中只投资于一种技能类型，个人型或是背景取向型。他们以一定的速率死亡或退出工作，被其后代接替。如果两人均投资于个人型人力资产，他们配对组建的企业的信息结构将是功能层级制。如果两人均投资于背景取向型人力资产，他们配对形成的信息结构将是水平层级制[②]。我们进一

① 这一节和下一节取自青木(1998)。虽然我们这里去掉了所用的命题证明，这两节仍然比较技术性。对于那些不特别关心进化形成过程细节的读者，可以略去剩下的部分。

② 另外一种模型策略是考虑两类人口而不是一类人的配对博弈：一类人是企业家，其策略由关于组织结构和产业选择的决策构成，另一类人是工人，他们的策略是由关于人力资产类型和产业选择的决策构成。这种模型策略虽然看上去更为现实，但实际上不会比本章的模型增加什么实质性的东西。另外，两个个人型技能的参与人组建的企业信息结构是功能层级制，在施加这个假定时，我并不明确讨论两人的信息加工能力的差异，而这种差异是水平层级制的基本特征（参见命题4.3）。不过，个人型技能的数量差异与个人型和场景型技能的性质差异相比，只是第二位的，所以我们把它略去不加考虑。

步假定存在两类产业 B 和 D。功能层级制在产业 B 拥有效率优势(比如因为任务之间可替代),而水平层级制在产业 D 拥有效率优势(比如因为任务之间有互补性)①。如果两种不同类型的心智模型发生误配,其对应的组织在两类产业中将是最没有效率的。该假定可以由两个表明生产成本依心智模型类型的匹配状况而定的矩阵来代表,其中一个矩阵对应着一个产业。心智模型类型由 I(个人型)和 C(背景取向型)代表,如果心智模型类型 j 和 k($j,k=I$ 或 C)配对,产业 B(或 D)的单位产出成本则由 b_{jk}(或 d_{jk})来代表。我们有

$$B=\begin{bmatrix} b_{II} & b_{IC} \\ b_{CI} & b_{CC} \end{bmatrix} \quad 和 \quad D=\begin{bmatrix} d_{II} & d_{IC} \\ d_{CI} & d_{CC} \end{bmatrix}。$$

其中 $b_{II}<b_{CC}<b_{IC}=b_{CI}, d_{CC}<d_{II}<d_{IC}=d_{CI}$。参与人在两类产业中的一类 B 或 D 工作。在特定时点上,人口在人力资产类型和产业的分布假定由 $m=(m_{CB},m_{CD},m_{IB},m_{ID})$ 代表,其中 $m_{CB}+m_{CD}+m_{IB}+m_{ID}=1$,$m_{\zeta i}$ 代表人口中具有人力资产类型 ζ 的参与人在产业 i 所占的比例(如果需要的话,符号(t)可以标在每个变量上以表明它们是时间 t 的数值)。一个企业在每个时刻可以生产两个单位的产出,成本取决于配对状况(信息结构)。

关于配对技术,我们做如下假定。拥有个人型技能的参与人任何时间都可以在两个产业间自由流动。而另一方面,由于背景取向型技能适合于特定的产业组织环境,因此,拥有背景取向型技能的个人并不那么容易跨产业(组织)流动。正因为这种不易流动性,拥有该类技能的人就必须更审慎地选择配对搭档。我们假定,拥有场景技能的人与产业 i 中同一类型的人配对的概率由下式给出:

$$\pi_{Ci}=\left(\frac{m_{Ci}}{m_{Ci}+m_{Ii}}\right)^{\gamma}, \qquad i=B,D。$$

其中 $0<\gamma\leqslant 1$。如果 $\gamma=1$,配对将是随机的;如果它小于1,配对则将是正项同类相择(positively assortative),γ 越小,准确配对的概率越大。下面我会说明如何在数学上描述个人型人力资产的完全流动性。

① 参见命题4.1至4.5。

假定组织场中所有成员具有相同的消费偏好，他们将全部收入花在购买产业 B 和 D 的产品上，支出比例各为 β 和 Δ，其中 $\beta + \Delta = 1$。记住每个企业生产两个单位的产品，产业 B 和 D 的总产出分别为 $m_{CB} + m_{IB}$和 $m_{CD} + m_{ID}$。产品 B 和 D 的单位价格则分别由单位弹性逆需求函数 $P_B = \dfrac{\beta}{m_{CB} + m_{IB}}$，$P_D = \dfrac{\Delta}{m_{CD} + m_{ID}}$ 给出。为确保正利润均衡存在，我们假定成本系数（b 和 d）均小于 1。

具有背景取向型人力资产的参与人在产业 $i = B, D$ 工作的预期报酬分别为

$$u_{CB} = \frac{\beta}{m_{CB} + m_{IB}} - \pi_{CB} b_{CC} - (1 - \pi_{CB}) b_{CI},$$

$$u_{CD} = \frac{\Delta}{m_{CD} + m_{ID}} - \pi_{CD} d_{CC} - (1 - \pi_{CD}) d_{CI}。$$

举例来说，进入 B 产业的人面临 π_{CB}的概率与同类型的人配对，承担成本 b_{CC}，他同时也面临 $1 - \pi_{CB}$的概率与一个不同类型的人发生误配，从而承担更大的成本 b_{CI}。不论他的搭档是谁，他都得到净收益的同等份额。

类似地，具有个人型人力资产的参与人在产业 B 和 D 工作的预期收益分别为

$$u_{IB} = \frac{\beta}{m_{CB} + m_{IB}} - \pi_{IB} b_{II} - (1 - \pi_{IB}) b_{IC},$$

$$u_{ID} = \frac{\Delta}{m_{CD} + m_{ID}} - \pi_{ID} d_{II} - (1 - \pi_{ID}) d_{IC}。$$

其中 $\pi_{Ii}(i = B, D)$是具有个人型人力资产的参与人在产业 i 与同类型的参与人配对的概率。这些概率由劳动力市场出清条件决定：

$$(1 - \pi_{Ci}) m_{Ci} = (1 - \pi_{Ii}) m_{Ii},\ i = B, D。$$

也就是说，即使参与人错过了一次正确配对的机会，他们仍然可以与其他类型的参与人配对，从而不存在失业。具有个人型人力资产的参与人并不按照多样化配对方式（assortative matching）选择同一技能类型的人，但他们在选择产业时更有灵活性。假定他们一旦发现某产业能够获得更高的预期收益，就立即选择这一产业，也就是

说，个人型人力资产的产业分布使得他们的预期收益在不同产业趋于相等。

至此，我们已完成了对任一时点上经济状态的描述，经济状态由人口分布 $m = (m_{CB}, m_{CD}, m_{IB} + m_{ID})$ 所刻画。接下来的任务是描述随时间发生的组织域及人口分布演化的动态过程，并探讨该过程均衡的性质。尽管我们不想明确地建立关于该动态过程的模型，但关于这样一种模型背后的过程的说明可以概述如下。

在任一时点上，人口中的一小部分被新一代人所替换，新一代的大多数人只是模仿他们父母的策略。但其中的一小部分人选择现存策略中收益预期最高的策略（随后我们会考虑更小比例的人试验随机选择的可能性）。其结果，人口中惟有最成功的类型的相对比例会增加。我们称这种动态过程为最优反应的进化动力学（best response evolutionary dynamics）。这些动态过程的均衡是对于所有的 s 和 i 满足 $\frac{\mathrm{d}m_{si}}{\mathrm{d}t} = 0$ 的任何人口分布 $m^* = (m^*_{CB}, m^*_{CD}, m^*_{IB}, m^*_{ID})$。如果一种均衡是局部渐进稳定的，那么这种均衡就被称为进化均衡（D. Friedman, 1993）。所有邻近进化均衡的状态都会最终收敛于它①。

在最优反应的进化动力学中共有九个均衡，它们都是纳什均衡。其中四个是进化均衡，只有一个以组织形式的多样性为特征的均衡是帕累托有效均衡。它们被表示在图 5.1 中，图 5.1 在代表 $m = (m_{CB}, m_{CD}, m_{IB} + m_{ID})$ 的三维单纯形中描绘了均衡的分布。包含了进化均衡 P、I、C 和 L 的区域是引力域，它们是所有通过最优反应的进化动力学最终收敛于对应均衡的初始点的集合[IP、IL、CP 和 CL 都是鞍点，W 是源点（source）]。

在所有的九个均衡中，P -均衡是惟一的帕累托最优均衡，在此均衡中，两个产业均实现了最优组织形式的多样性（即最有效率的配对）：B 产业实现了功能层级制，D 产业实现了水平层级制。在 I -均衡和 C-均衡中，所有的参与人采取了统一的人力资产类型的选

① 在现有模型的设定下，现有动态过程的任何进化均衡同时也是梅纳德－斯密斯意义上的进化稳定均衡。

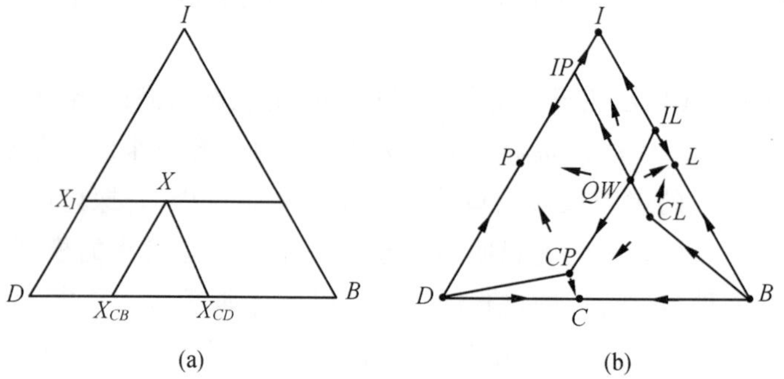

图 5.1　单纯形(m_{CB},m_{CD},$m_{IB}+m_{ID}$)：进化动力学的最优反应和多重均衡

择策略,或者是个人型或者是背景取向型,而不论所在产业,因此,功能层级制或者水平层级制将会居主导地位。一旦这两种均衡在历史上形成,虽然它们不是最优均衡,但要改变它们还是非常困难的,因为一小部分人若是偏离了对应的均衡策略,将受到误配的高额风险的严厉惩罚。于是,选择流行的人力资产类型将变成一种惯例,于是功能或水平层级制独立于产业性质而成为一种组织惯例。由于这些组织惯例中没有任何一种拥有绝对的效率优势,只有相对优势,不同组织域形成不同的组织惯例也许能在不同产业享受绝对优势。L-均衡只是一种病理学意义上的均衡,在此均衡中,因历史的偶然性,非效率的配对主导所有产业。

5.3　组织场的一体化和来自多样性的收益

上述模型表明,帕累托最优的产业结构的特征是组织形式的多样性,具体形式取决于每个产业的技术和市场参数;而只有一种组织形式盛行的组织场却不能达到同样的效率水平。这种来自组织多样性的效率收益在下面被称之为来自组织多样性的收益。迄今为止,模型除了预言进化均衡将惟一地由初始条件决定以外,尚未预言哪一种均衡很可能会出现。而且,如前所述,任何经济(全国性或地方性经济)或多或少是以组织形式的相对均质性为特征的,尽管在形成均质性之前可能会有一段多种组织试验共存的时期。

假设在市场经济的初始阶段盛行一种原始的组织模式，比如说古典层级分解制，在这种制度中，操作性任务按照业主企业家事前规定的指示，依据简单的技能完成。设想随后出现了多种多样的组织试验，具体形式取决于执行操作任务的工人的信息处理能力。它们可以是以个人型、任务专用性人力资产为基础的功能层级制，也可以是以背景取向型人力资产为基础的团队导向的水平层级制。无论在何种制度下，由于它们能更好地利用在操作层次上不断变化的事后信息，因而都比盛行于两个产业的古典层级制更有效率。现在假定技能类型能够相互匹配，功能或水平层级制中的任何一种模式只在某个产业拥有相对于另外一种模式的绝对生产率优势，这正像前面引入的成本矩阵所定义的那样。

在一开始也许各种组织试验之间还存在竞争，我们假设两种模式当中有一种模式因匹配的人力资产的供应相对充裕而更有活力。这样，即使另外一种模式在某一产业更有潜在效率，但进化的压力会使得它的存续越来越困难。出于对误配风险的惧怕，新一代人将越来越不愿意投资只和非主流的组织形式匹配的人力资产（这是策略互补性的一个例子）。因此，进化压力的存在表明，组织多样性，即形式各异的组织结构共存于一个国家或地区，不能仅仅视为当然的结果。多重均衡的可能性也说明，不同国家和地区可能发生不同组织惯例的进化。给定跨组织域存在组织多样性，我们下面讨论两种具有不同组织惯例的组织域通过互动或一体化利用组织多样性收益的一些具体途径①。

5.3.1 自由贸易

首先，让我们看一下来自多样性的收益能否通过两种历史上形成的组织场的自由贸易加以实现，这两种组织场分别是 *FH*（指功能层级惯例流行的组织场）和 *HH*（指水平层级惯例流行的组织场）。我们假定两种组织场中人们的偏好是一样的。我们还假定，由于存在着人员跨组织域自由流动的限制，经济一体化之后每种组织场的

① 关于研究不同国家经济互动及其后果的进化论模型，参见 Boyer 和 Orlean（1992）论企业，松井和奥野（藤原）（1997）论文化，松山、Kiyotaki 和松井（1993）论货币。

惯例仍然得以延续。有两种可能的贸易均衡,具体结果要依两种组织场的相对规模而定:

(a) 假设其中规模较小的组织场(比如说 *HH*)发展出一种组织惯例(比如说 *HH* 规范),使其在某种特定的市场缝隙(如 *D*)具有生产率优势。在自由贸易均衡下,该组织场将在其优势产业形成专业化生产。但由于它的供给能力非常有限,规模较大的组织场(比如说 *FH*)生产效率虽低一些,但其中相当一部分人口也将从事这个产业,以满足市场需求。为了维持规模较大的组织场的劣势产业在开放贸易之后不被淘汰,均衡价格水平必须和该组织场封闭的情形下一样。所以,对它来说,自由贸易并没有带来什么好处,但对规模小的组织场来说,自由贸易确实带来了好处,具体表现为专业化产业的组织创新所产生的准租金。

(b) 假定两种组织场的规模大致相同但组织惯例不同,这样,它们便可以通过在各自拥有优势的行业形成专业化生产,从自由贸易中获益。

当组织惯例在两种组织场中作为均衡持续存在时,来自自由贸易的总收益达不到来自最优的组织多样性(P-均衡)的总收益,除了在两国经济的相对规模恰好等于需求参数之比这种极不可能的情况。

命题 5.1　对于业已在某产业发展出组织优势的小规模的组织场来说,自由贸易所带来的收益要高一些。但是,来自组织优势的准租金将随着组织场的相对规模的增大而递减。除了偶然情况,自由贸易的总收益将低于最优水平。

5.3.2 人力资产市场的一体化

假定两种组织场 *HH* 和 *FH* 由以前禁止人员自由流动到允许流动。这样,来自这两种组织场的参与人现在按照前一节模型所描述的方式相互配对。下面的命题是非常直观的:

命题 5.2　给定任何技术和需求条件,只要两种组织场的任何一种相对来说不是太大也不是太小,那么形成不同组织惯例的组织场的一体化将导致帕累托有效的组织多样性。除非具有背景取向型技能的参与人之间以多样化配对的方式(assortive matching)得以发展(也就是 γ 变得足够小),否则,规模小的组织场虽然在某一产业拥有绝对优势,其组织惯例仍将在一体化后趋于消失。

该命题可以解释为进化动态过程中类似路径依赖的特征:一旦某种组织惯例在封闭组织场中形成并达到一定规模,它就能够存在,即便促成其形成的初始条件已经消失了。另一方面,如果组织创新是发生在小规模的组织场的话,即使是一种潜在富有效率的组织创新也可能因与一个更大规模的组织场进行"早熟"的一体化而趋于灭绝。

5.3.3 组织试验和外国直接投资

在任何情况下,由于技术和政治经济的原因(如运输成本、商品和劳务的内在流动性、贸易壁垒等等),贸易和要素流动都可能受到各种各样的限制。在我们的模型中,多样性所带来的可能收益来源于人为设置的组织结构。同样,无论是个人型还是背景取向型人力资产,均不是基因或文化决定的。它们也是人力投资决策的结果。这也许会让人怀疑来自组织多样性的收益能否通过参与人的选择在一国之内真正实现。

虽然不遵从业已建立的组织惯例对参与人来说不够理性,但是,他们可以试验非常规的人力资产类型,比如在水平层级成为惯例的环境下尝试投资于个人型人力资产,或者在功能层级规范盛行的环境下尝试投资背景取向型人力资产。这些随机试验类似于生物进化中的变异,它们独立于适者生存的自然选择。社会变异会在很多情形下发生,如人口中一小部分人被不受传统规范约束的新一代替代,或者许多在国外求学和受训的人回到自己的国家,或者一家外国企业来本国直接投资,有意挑选那些适合它自己的组织惯例的工人。当这些变异发生时,进化选择的长期结果将会是怎样的呢?是不是要改变现存的规范仍然非常困难?为了便于在封闭经济条件下对该问题进行理论探讨,让我们引入试验转型成本的概念,即试验从一种规范转型为帕累托最优多样性的成本,它可以定义为跨越引力域趋

向帕累托最优的 P -均衡所需的最低的变异人口比例。

首先，作为一个起点，让我们考虑成本系数矩阵和需求参数都是对称的，以致于任一产业 B 或 D 均没有内在优势的情况①。另外，具有背景取向型人力资产的人假定是随机配对的。这样，下列命题将成立：

命题 5.3　假定两个产业的技术和需求条件是对称的，而且具有背景取向型人力资产的参与人随机配对，那么，从功能层级规范（I -均衡）到最优组织多样性（P -均衡）的试验转型成本将小于从水平层级（C -均衡）到 P -均衡的成本。

包含了多样性的 FH 组织域的相对优势来自于个人型人力资产在不同产业的自由流动。面对一些新兴的具有潜在优势的试验机会，他们能够更容易地从相对处于劣势的 D 产业转移出来。而在 HH 惯例之下，尽管具有潜在优势的机会已经出现，那些投资于适用 B 产业的背景取向型人力资产的个人也不能随便转移。这样，HH 惯例更具有惰性。

背景取向型个人随机配对的假定作为一个分析起点是有意义的，但毕竟不现实。因此，考虑到同类相择以及需求和技术参数不对称的可能性，研究一下拥有组织多样性的 HH 组织域的相对劣势是如何被克服的将会很有意思。该问题的答案由下列命题给出：

命题 5.4　(1) 在劣势产业 B 的水平层级制相对于变异的功能层级的效率越低；(2) 对 B 产品的相对需求越低；(3) 背景取向型个人同类相择的概率越高；(4) 在流行的水平层级制下，两个产业的生产率差别越大，那么从 H -惯例向最优多样性的试验转型成本则越低②。

---

① 即假定 $b_{II} - b_{IC} = d_{CC} - d_{CI}$，$b_{II} - b_{CC} = d_{CC} - d_{II}$；$\beta = \Delta = 1/2$。

② 这些条件可以更严格地表述为：(1) $b_{IC} - b_{CC}$相对于 $b_{IC} - b_{II}$要小，(2) 参数 β 越小，(3) γ 越低，(4) $b_{CC} - d_{CC}$越大，则转型成本越低。

这些结果与下述时常观察到的典型事实是一致的：即在相对有效率的组织场，组织惯例非常强大，而当本国的生产率与国外经济的差距被认为很大时，组织学习有时会以更快的速度发生并产生新的组织惯例。而且，如果正的多样化配对(positive assortative matching)的程度较高以至于背景取向型人力资产较容易聚集，那么个体变异者所遇到的进化压力将因为误配风险的降低而变小。因此，变异的组织形式将更有生命力，转型成本也将较低。这在理论上非常符合直觉，但常规的理论并不必然引向这些结果。

5.3.4 基于远见的"组织设计"

最优反应进化动力学以两个有限理性因素为特征：(1) 对人力资产类型和产业的短视选择，它是基于被观察到的当前人口行为而不是基于任何预见作出的；(2) 惰性，它使得完备、瞬间和最优的调整变得不可能。这两个有限理性因素造成了对非最优均衡的路径依赖性的选择(组织惯例的出现)。上一段落的描述表明，变异在促成组织场克服历史决定论方面也许会发挥作用。但是，以变异的方式实现组织多样性的收益所面临的障碍似乎还是不可逾越的。因此，人们也许想知道，加进一些"理性"因素以及组织创新的渐进积累是否会帮助组织场实现组织安排的最优选择。让我们提出下列问题：假如一小部分人能够成功地预见某种非常规规范的潜在价值并相应选定策略，坚持不懈，这样组织场会不会逐渐自组织而达到最优的组织多样性？

要建立一个包含某些有限理性因素在内同时又有说服力的预期行为的数学模型比较困难。因此，我准备做以下折衷：假定每一时刻人口中随机产生一部分人，比如说一群企业家，他们具有完全的预见性，并以此作为其策略决策的基础；而其他人因为惰性仍然固守原有的策略。我进一步假定，每一时点上企业家的相对规模与被意识到的非均衡的规模呈正比，也就是说，两种技能类型的资产价值差别越大，基于未来预期而作决策的人也就越多。这样，在远离任何进化均衡态的情况下，存在一种情形，即企业家的预期对于决定动态轨迹和克服历史初始点的惟一决定作用具有重大影响。但是，这并不必然意味着经济将确定无疑地收敛于组织多样性的最优状态。在远离任何进化均衡态时，会出现一个动态均衡路径的分叉，其中一条路径收敛于最优的组织多样性，另一条则收敛于一个非效率的进化均衡（组织惯例）。

为了使分析不至于过分复杂，让我们假定选择 C 策略的人总是从事具有技术优势的 D 产业。这样，参与人的策略集就约化为技能类型的策略选择 I 或 C。和以前一样，在任何时点上，选定 I 策略的人可以在 B 和 D 产业自由转移①。令 Q_C 代表获得背景取向型人力资产相对于个人型的隐含的净资产价值。给定未来贴现率 ρ，套利条件使得

$$\frac{\mathrm{d}Q_C}{\mathrm{d}t} + \Delta u_C(t) \leqslant \rho Q_C(t)\text{，如果 } m_{CD} > 0 \text{ 式子变成等式。}$$

其中 Δu_C 是背景取向型与个人型人力资产的报酬水平之差。换句话说，隐含的净资产价值是当预期净资本收益之和加上现期资产净收益等于投资等额财富在无风险资产所得的利息收入时决定的。

假定在每一时刻，从人口中随机抽取一部分人，他们能够正确认识到隐含的净资产价值 Q_C，并以此作为其投资决策的基础。具体地说，我们假定：

$$\frac{\mathrm{d}m_{CD}}{\mathrm{d}t} = \lambda Q_C(T)$$

其中 λ 代表经济中企业家精神的总体水平。上述式子隐含地表明，由 Q_C 的绝对值所衡量的非均衡状态越严重，企业家群体的相对规模也就越大。

上述两个微分方程决定了克鲁格曼-松山（Krugman-Matsuyama）类型的均衡动态路径②。于是我们证明了下列命题：

命题 5.5　如果相对于误配的成本来说，贴现率 ρ 较低，企业

① 用图 5.3 来说，这一界定表明，心智模型类型和产业的人口分布的进化动态（0，m_{CD}，m_{IB+ID}）是由 I 和 CD 之间的线段——即一维单纯形来代表。问题于是变成了是否 IP 是动态的源泉，即将一维单纯形分成 I 和 P 两个引力域。

② 见克鲁格曼（1991）和松山（1991）。

家精神水平 λ 较高[①],那么,当动态均衡路径开始于远离某种惯例和最优多样性时,它不可能惟一地由初始位置决定。它能够自组织达到最优多样性或是效率较低的规范,具体情形取决于企业家的初始预期。

如果所述条件满足的话,企业家的预见是起作用的,但其活动的方向尚不清楚。在图 5.2 介于 I 和 P 之间的线段上,有一小段包含 IP 在内的正区间使得如果初始位置落在其间,动态路径就能到达 I

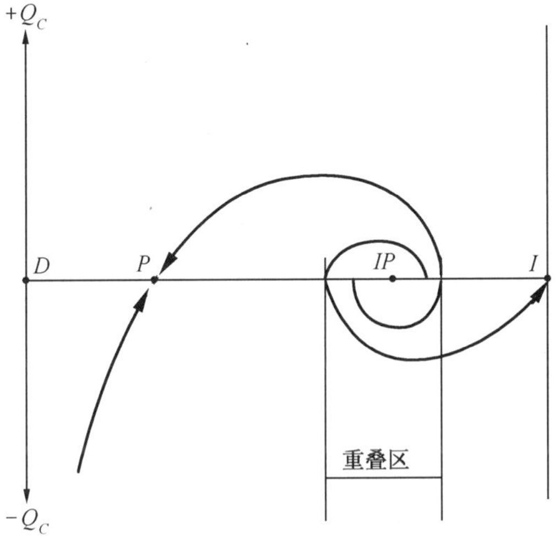

图 5.2

注:当起点远离均衡时,进化路径就会出现分支。纵轴表示背景取向型人力资产价值与个人化的人力资本之差 Q_C,横轴表示图 5.1 中单纯形的边 D_i。从左角(或右角)起,对个人化人力资产进行投资的人口比例是 $m_{IB}+m_{ID}$(分别是背景取向的人力资产 m_{CB} 的值)。当人口的初始分布落在重叠区时,进化过程会在 P 或 I 汇合;具体在二者中哪一点汇合取决于企业家对 Q_C 的水平的预期。

或 P。换句话说,在远离均衡 I 和 P 时,动态路径开始分叉。它要么自组织达到最优多样性,要么导致一种次优单一惯例的形成。经济究竟沿哪条路径演化,这取决于某些影响企业家预期的独特的历史因素,上述模型尚无法加以描述。如果他们预期投资于背景取向型

① 即 $d_{IC}+d_{CI}-d_{CC}-d_{II}>\frac{\rho}{4\lambda}$。

技能的未来收益很高(或很低)并相应地作出决策,那这种预期可能会成为自我实现的,相对有效率的组织多样性(或相对无效率的 *FH* 惯例)将会逐渐演化而成。在任何一种情况下,上述命题表明,混沌(远离均衡态)可能能够瓦解历史决定论。但这也表明,引入理性预期因素并不必然保证动态路径将收敛于经济中组织形式的最优安排。

5.4 进化博弈模型的意义和局限

本章的主要目的之一是考察在潜在的技术和偏好处处均一的情况下,不同的组织惯例如何产生于不同的国家和地区以及如何又成为相对工业优势或劣势的源泉。多重次优规范的演化不是因为规模经济,如经济学家所强调的那样,而是因为参与人策略决策的互补性。如果人口中大部分人选择了某种策略,选择同一策略对于参与人来说就成为最好的应对了。这明显区别于研究组织的合同理论,它试图预言委托人对外生参数的最好(次优)反应。导致这种区别的原因在于合同理论将委托人和代理人所面临的外部机会视为外生给定的,而在进化模型中每个参与人面临的备选机会是作为参与人之间的策略互动的结果内生决定的。

这里讨论的模型是极其简单的:只有两种人力资产类型和两种组织形式,技术和市场条件以参数的形式被固定下来。尽管模型的设定仍然停留在非常抽象的水平,但是,我希望它揭示了所观察到的国家间组织多样性以及人力资产类型多样性演化背后的一些基本因素。更具体地说,我认为,人们如果比较一下北美和日本组织演化的两种(也许是极端的)情形,不可能不注意到本章(以及后面)区分功能和水平层级、个人型和背景取向型人力资产的重要意义。

想一想在生产组织场发源于北美并逐渐制度化的一些著名的创新:19 世纪在新英格兰发展出来的,以其竞争威胁震惊欧洲的"美国制造系统"(Rosenberg, 1963;Pine,1993);泰勒科学管理运动(其创新的性质经常被误解——请参看 Wrege 和 Greenwood, 1991);以及后来的管理层级制的发展、人事管理的官僚化(Jacoby, 1985;Baron、Dobbin 和 Devereaux,1986)和 20 世纪 30—40 年代控制工种的工会主义。所有这些例子都有一个共同点:它们要么引入要么制度化一种结合不同熟练程度的个人型人力资产的新方法——这些技能类型通过职业和短期培训的方式固化在工人、工程师和经理人员身上,虽然我们不能完全忽略一些制度背景的因素。近来硅谷出现的组织创新被认为是对传统功能层级制的一种激进的偏离,因为在传统功能层级制下,对高度细分的工种的层级控制是普遍现象,这种看法不无道理,但这些组织创新似乎是沿着同一路线演化而来的。在第 11 章和第 14 章,我们将分析在哪些方面硅谷模型区别于传统功能层级制,在哪些方面又与它相似,以及为什么它会在北美的边缘地区演进而成。

如果我们转向日本,看一看日本历史上著名的组织惯例和创新,我们将立即发现它们与美国路径有极大的不同。这方面的例子有:20 世纪初比较先进的工厂为了限制熟练工人的频繁辞职而设计的年功序列和奖金制度;二战期间由于工具和原材料的匮乏在车间发展起来的对集体解决问题的依赖;在美国发源由工程师主导的质量控制制度在日本转化成车间水平上的工作团队实践;部分出于模仿美国 50 年代超市流行的库存积压(inventory restocking)方法而逐渐演化出来的"看板"制度①。虽然近年来的组织创新似乎正日益溶入一些个人型信息处理人力资产的因素,但与美国的情况相比,在特定的组织环境下对水平共享各信息渠道的依赖仍然构成一个鲜明的特征。比如,若离开了修理机器故障、发现零部件不合格等等现场紧急情况的处理的个人能力,现在非常著名的"看板制度"是不可能实施下去的。但即便是这些能力也要得到工人信息网络渠道的支持(如团队内的互助、通过工作轮换、交叉部门会议以及公司专用性培训项目而实现的工程和生产信息的共享)。值得指出的是,当"看板制度"在 20 世纪 80 年代作为所谓"日本管理"经验传回美国时,它又被转换成某种不同的、但与美国路径相一致的东西——"精益生产方法"(Womack、Jones 和 Roos, 1990),它通过与专业供应商保持灵活配对(向外采购)来降低库存和减少生产控制的管理层次。

---

① 参见冈崎(Okazaki, 1993、1997);青木(1996b);冈崎和奥野-藤原(1998);森口(Moriguchi, 1998);藤本(1999)。

上述简要的观察也说明了运用“静态”进化模型解释实际现象的局限性。我用“静态”(stationary)一词是针对每人的策略集合均属外生固定这个假定而言的。由于这一点,在我们的理论模型中,经济中的“创新”只能以一种均衡向另一种多样性均衡转移的形式发生。不同国家间的竞争通常会导致对外国经济中优越的组织规范的模仿。但是,正如“看板制度”的演化和它重新回到北美所表明的那样,向国外学习并不一定导致简单的移植,而是形成与本国的组织惯例杂交的混合体。另外,最终促成新组织形式出现的企业家试验事实上可能是现存策略更丰富的衍生,正如硅谷企业所表明的那样。

因此,包含创新在内的实际的组织演化过程不能仅仅描述为从一种基于某种技能类型的惯例(如图5.1的 C 或 I 均衡)向简单糅和两种均衡的多样性(如 P -均衡)过渡。它可以描述为一个拓展参与人积极设计和选择策略的空间的过程。一种可能的办法是将该过程刻画成均衡的连接,在每个均衡,某类人力资产不断从自主的设计和学习中得以丰富和完善。在这一点上,生物学进化博弈论的先驱梅纳德-史密斯(Maynard-Smith)的评论非常有启发意义:“最优化或博弈论分析的一个基本特征是对最优点得以产生的所有可能的表型(phenotypes)集合的一种界定。这种界定和对发展的约束条件的描述是一致的。”(1982:第5页;着重号为引者所加)。换言之,最优化分析(即进化选择)可以解释给定发展约束(即组织结构的各种类型)的条件下组织惯例多样性的现象,但不能解释这些发展约束是如何决定的(即何种组织结构是可能的)。为了理解这一过程,我们必须超越本章运用的常规“静态”模型的范围。第9章将沿着这种方向做一些初步的尝试。

第6章 作为政治域稳定均衡的国家

不论采取公开的还是隐蔽的形式，所有政府都面临着权威和自由的永恒冲突，没有任何一方能够绝对战胜另一方。任何政府都必然要牺牲相当的自由，但即便是禁止自由的专制统治者的权力也不可能真正是绝对和无约束的。苏丹是所有人生命和财产的主宰，但他想要开征新的税目将不会得到允许；法国国王可以随意增加税收，但要对个人生命和财产有所企图将是非常危险的。

——大卫·休谟：
《论道德、政治与文学》，1777年 *

第3章已经表明，随着市场交换的不断扩张，民族国家将逐渐成为首要的保护产权和实施合同的第三方实施机制。虽然人们以拒绝购买未来服务的方式可以约束私人第三方实施者如法商的欺骗行为，但统一的中央政府拥有疆域内排他性和强制性管辖权，除非移民，否则居民无法退出管辖，即便逃离本国，别国政府也没有义务接受。而且，私人第三方实施者缺乏司法效力。相比之下，中央政府则垄断了对暴力的合法使用权，实施司法裁决，并向私人征税。

* David Hume, *Essays, Moral, Political and Literary* (1777: Part Ⅰ).

经济学家一直倾向于把政府界定和实施产权的作用看作外生于市场机制，其实，政府的力量是否总是用于促进市场，我们并不能简单地视为当然。这正是巴里·温加斯特所提出的“经济制度的基本性政治悖论”：

> 强大到足以保护产权和实施合同的政府也同样强大到足以剥夺公民的财产。市场繁荣不仅需要适当的产权制度和合同法，而且还需要一种能够限制国家剥夺公民财富的能力的政治基础。但导致政治制度发挥某种作用而不是另一些作用的条件还远没弄清。(Weingast，1995：第 1 页)

本章我们先界定政治域中的三种政府的元类型，其中有些能够解决上述政治悖论，有些则不能。然后，我们接着引申出这些元类型具有现实意义的演化形态，并考察它们对保护产权和发展市场的影响。

本章在考察国家元类型及其演化形态时，对两种国家形态将作出明确的区分：一种是作为政治域组织的政府，另一种是作为政府组织与私人互动关系的稳定秩序的国家。国家(State)一词来自拉丁文 *stare*(站立)，更确切地说来自 *status*(地位或条件)。*status* 用来指某种已经确立的，被认为是固定在特定位置的东西，就像它衍生的英文 *static*(静态)和 *stable*(稳定)所指称的意思一样①。国家本身适用于“均衡”分析，可产生不同的结果。因此，我们将国家概括为政治域中一般政治交换博弈的多重稳定均衡，其中政府和私人之间将达成某种秩序。这样，国家就不仅仅是一种政府组织或它所制定的规则系统(可以被破坏或漠视)，而且还是约束政府本身的秩序。它涉及到私人和政府关于偏离均衡行为可能招致的后果的稳定的集体信念，这种信念使得他们之间能够维系一种可预期的行为模式。在这个意义上，国家可认为是内生性规范秩序的一个方面。后面将清楚地表明，把国家视为一种均衡现象有助于我们从比较的角度理解经济域

① 威廉姆森(1976/1983)认为，英语的“institution”可以追溯到拉丁语“*stature*”(结构)一词，有建立的意思。

国家和各种制度之间关系的性质以及政治经济现象的特征。

本章第1节讨论三种国家类型，它们作为类似于温加斯特(1993、1995、1997)[①] 所建构的政治博弈的稳定结果而出现。这三种国家类型是民主型、剥夺型和勾结型国家。我们将看到，最一般的民主型国家，如果存在的话，对产权的自发秩序侵犯最少。但这种民主型国家的出现不是自动的，不能视为理所当然的事情。勾结型国家是指政府(总统办公室、司法机关、永久性官僚部门、独裁者、统治集团等等，视具体情况而定)与特定私人集团(利益集团)为了自身利益相互勾结的状态，这种状态有时可能是稳态的，有时可能是周期性振荡的。即使在20世纪，勾结型国家的某些方面依旧在许多经济中得以存续，干扰和阻碍着市场和经济的长期发展。但也有不少形式各异的国家演化出一些制度安排，克服和防止了勾结型国家的非对称性和剥夺性。在本章第2部分，我们将讨论以下的一些国家形态：市场维护型联邦主义国家、自由民主型国家、社会民主社团主义国家、包容乡村的发展型国家和官僚多元主义国家。这些国家形态的活力可能与政治域之外的制度安排相互依赖，这一点我们在本书第2编和第3编将涉及到。本章的任务仅限于界定从几类国家元类型中引出的国家形态。由于我们明确认为政府是一个追求自身目标但又受到私人策略行为制约的策略性参与人，我们的观点既区别于新古典经济学的国家观，即视政府为仁慈的社会福利最大化者或潜在万能的社会工程师，同时又区别于超自由主义者(ultra-libertarian)的国家观，他们认为政府在本性上是侵犯个人权利的。[②]

6.1 作为稳定博弈结果的三种国家元类型

让我们考虑一种简单的博弈情形，只有政府和个人两类参与人。

---

① 温加斯特的原始模型的目的在于理解民主型国家和法制的性质。但它也提供了比较分析作为均衡结果出现的各种国家形态的一个理论框架。塞尼德提出了一个类似的分析政府职能的博弈模型。但我不同意他的政治中心主义和博弈规则制度观，即政治中心主义的前提是“我们基本的财产权和人权是政治过程的产物”(Sened, 1997:第183页)。

② Bhagwatti等(1984), Basu(1997a),与Calvert(1995)及其他人将政府视为博弈的一方。

为了便于从事经济活动，个人需要对他们的私有产权进行保护。政府因为垄断了暴力手段，可以在一定成本条件下提供这种产权保护。保护成本将以个人纳税的方式支付。而且，除非受到有效制约，政府潜在地具有侵犯某些人或所有人的产权的能力（和动机），如征收高额税收，剥夺财产，过度发行货币等等。可是，任何个人都无法凭借自身的力量有效地应付政府对权力的滥用。那么，在什么条件下以及怎样才能使政府愿意用受限的权力保护私人产权这种想法成为自我实施的呢？因为规则可以被政府和私人更改或忽视，颁布的法律条文肯定不可能是问题的答案，尊重和保护产权必须符合政府和私人的自我利益。

为研究这个问题，让我们考虑以下由温加斯特（1993、1997）建立的一个简单的政治交换博弈，它有两类参与人：政府（主权国家的一般行为代表，即包括立法、行政、司法、永久性官僚部门、统治集团等在内的组织）和两个参与人 A 和 B（用来代表公民、选民、利益集团等的类别表示）①。在本章的第 2 节，我们将赋予政府和个人更多的特征，以区分具有现实意义的几种国家形态。现在暂时假定，如果政府能够将其作用限制在保护私人产权神圣不可侵犯，它可花费成本 $2t$ 做到这一点，$2t$ 必须向个人筹集。这样，每人可享受效用 Γ，但必须承担税收成本 t。当这种状态实现时，用诺兹克（Nozick，1974）的术语，可称它为“最小国家”，也可称为“守夜人国家”（亚当·斯密）。现假定，政府能够从超出最小国家的限制而增进自身利益（如加固统治地位、积累和消费财富、设置官僚冗员等等）。假定政府为获取 α 单位的额外收益，试图向某参与人比如说 A 增税，移转了他的一部分财富。两人为抵抗政府的这种侵权行为，可选择抵制或默认。

政府侵权时的博弈结果可由图 6.1 的报酬矩阵代表，其中行（列）表示被侵犯的个人 A（未被侵犯的个人 B）的策略，矩阵每一个空格里第一、第二和第三个数分别代表政府、个人 A 和个人 B 的报酬。每人抵制政府的成本为 c，它不依赖另一个人在抵制过程中是

---

① 将政府视为一个组织进行比较制度分析，见 Medina（2000）。他分析了以下三个领域组织差异对博弈理论的含义：立法（封闭体系与开放体系）、政党（机会主义者主导与行动主义者主导）以及其制度上的互补性。

否合作。如果 B 与 A 合作，政府侵犯 A 的产权的企图注定要失败，政府因此将承担巨额成本 C(如被赶下台)。但如果 B 不合作，A 单独抵制不能奏效，政府从 A 攫取 α 的额外收益的企图得逞。我们暂时假定政府的侵权行为对产权的安全性构成威胁，因而造成私人部分效率损失 2Δ，由 A 和 B 平均分摊。如果 A 不抵制，他能节省冲突成本 c，但每人仍然承受由政府侵权引起的效率损失 Δ。

非侵权的 \ 侵权的	抵　　制	默　　认
抵制	$2t - C,\ \Gamma - c,\ \Gamma - c$	$2t + \alpha,\ \Gamma - \alpha - c - \Delta,\ \Gamma - \Delta$
默认		$2t + \alpha,\ \Gamma - \alpha - \Delta,\ \Gamma - \Delta$

图 6.1　政治交换博弈的报酬结构

假设博弈只进行一次，而且个人之间不可能事前安排任何有效的私下支付(side payment)。如果 $\Delta - c \leqslant 0$，也就是说，B 和 A 合作共同抵制政府侵权的成本大于侵权本身导致的效率损失，这时，B 的最优策略是不合作，保证 $\Gamma - \Delta$。A 预期到这一点，其最优策略是默认政府侵权，以避免冲突成本 c。因个人无法协调他们的抵制活动，策略组合{侵权，默认，默认}将成为一次性博弈的纳什均衡结果。现假定博弈重复进行。由于静态纳什均衡同时也是重复博弈的一个解，因此，下述掠夺型国家(predatory state)可能成为自我实施的：即 A 或 B 总被政府选为侵权对象，两人慑于冲突成本均采取默认态度，结果每期导致社会成本 2Δ。

假定 $\Delta - c > 0$，即政府侵权导致的效率损失大于 B 和 A 合作抵制的成本。在这种情况下，与 A 合作符合 B 的自身利益。但是，如果 $\Delta - c < \alpha$，政府愿意向 B 支付(贿赂)s，其中 $\Delta - c \leqslant s < \alpha$，其福利状态可得到改进。这样一来，$B$ 不愿和 A 合作，A 也不值得进行抵制。于是，策略组合{侵权和贿赂，默认，接受贿赂并默认}就构成一次性博弈的纳什均衡结果，其中报酬组合为{$2t + \alpha - s,\ \Gamma - \alpha - \Delta,\ \Gamma - \Delta + s$}。如果该结果在重复博弈中不断持续的话，那么我们就称这种状态为勾结型国家(collusive state)。在勾结型国家，政府和 B 互相勾结，出于双方的共同利益对 A 的产权进行剥夺，导致

社会成本 2Δ。

在上述两种情况中，A 和 B 未能就共同抵制政府的侵权行为达成一致，遭受了剥夺产权和损失社会效率的不利后果。那么，什么东西能够促成个人协同抵制侵权的行动自我实施呢？设想一下这种情形，在任何阶段博弈，政府都无法分辨 A 和 B，只能以同等概率随机选择一人作为侵犯对象。下面我们会陈述支持该假设的条件。目前我们暂时将注意力限于政府和个人的关系是不明朗的这种情况。假定政府侵犯 B 产权的阶段博弈的报酬结构和上述矩阵是对称的。考虑以下策略组合：(1) 政府总是随机侵犯某一个人，当且仅当 A 和(或)B 在过去从未抵制过政府的侵权行为。否则，它将尊重两人的私有产权。(2) 当政府侵权时，个人采取默认态度，当且仅当两人中有一人以前这么做过。否则，他们总是共同抵制政府的侵权行为。我们进一步假定，所有参与人除非观察到偏离上述策略的例外情形，否则均相信其他参与人一直并将继续采取上述策略。在这种策略组合下，很显然，政府在任何阶段博弈都没有不尊重私人产权的动机，当且仅当共同抵制的威胁是可信的。所以，我们需要核实，任何个人在别人的产权受到侵犯时参与抵制活动是符合自身利益的。

考虑一下当政府侵犯另一人的权利时某人决定偏离抵制策略。由于政府在未来时期以 1/2 的概率持续侵犯其中的一个人，不抵制的未来损失之和的现值为 $\frac{\delta(\alpha + 2\Delta)}{2(1 - \delta)}$，而抵制的现期成本为 $c - \Delta$。如果个人担心未来政府随机侵权的成本相对来说会大于共同抵制的现期成本，那么共同抵制的威胁就是可信的。该条件在下述情形将成立，即对于 $\Delta - c \leqslant 0$ 和当 $0 < \Delta - c$ 时任何正数的 δ，我们有 $\delta > \frac{2(c - \Delta)}{2c + \alpha}$。在此条件下，政府将自己限于保护和尊重私人产权符合其自身利益。我们将这种结果称为民主型国家。在民主型国家，政府对有限权力的承诺是可信的，因为一般认为，政府的任何侵权行为都将受到人们一致反对的惩罚，这里包括直接受害者和非受害者在内的所有人，而不论他们在其他方面的政治偏好有何不同。所以，如果 $\Delta - c \leqslant \alpha$，将存在多重子博弈精炼均衡，民主型国家、掠夺型国家或勾结型国家一旦确立，就成为自我实施的。但这些不同均衡对于产权安全和市场发展的影响却大不一样。我们还将看到,市场发展的模式和程度对不同国家类型的均衡选择也会产生作用。

在上述理论寓言中,为了使对政府的民主控制满足激励兼容条件,所有人同等面临政府侵犯的高度不确定性这个假设非常重要。如果谁都知道,政府总是将侵权目标对准某些特定个人(或利益集团),其他人就会袖手旁观,或与政府勾结。正是由于害怕政府可能侵犯到自己头上,人们才有激励参与抵制活动。然而,在什么情况下,政府无法分辨出谁是侵犯目标,谁是勾结对象,以及谁是袖手旁观者呢?

确保上述情形出现的一种可能性是政治域的私人参与人对于政府来说是对称的。例如,我们可以设想一种假想性的情况,市场参与人虽然偏好和初始禀赋构成各不相同,但财富持有量却相对一致,以致于政府无法分清谁是谁。我们可以笼统地将这种情况概括为市场参与人对于政府来说是匿名的。但由于经济学家在特定的意义上才使用“匿名市场”这一概念①。我们还是回避这个表述,把上述情形描述为政治域的私人参与人是对称的交易者。当然这只是一种理论抽象,不存在直接的经验对应物。但通过考察该假设的逻辑后果,我们能更好地理解在诸如商人阶级是政治惟一允许的参与者(如威尼斯共和国)的地方或者中产阶级在代议制中建立了政治支配权的地方(如19世纪的英国)国家演化的性质。

假如政府事前不知道谁是最有利可图和最有效的侵犯对象,这样,政府只能随机地而不是系统地选择侵犯目标。人们可能注意到,

---

① 理论上说,市场“匿名性”的概念在经济学中可用不同的方式表述。根据盖尔(Gale, 1986)的理论,我们考虑这样一种情形,即产品的数目有限,但交易者人数非常多,以至于没有人能够影响交易条件。交易者的类型根据初始禀赋和偏好划分有限类型,但与我们的定义相反,每个交易的类型是常识(common knowledge)。盖尔分析了一种假设不存在瓦尔拉斯拍卖人定价的情况下的市场交易博弈。在此博弈中,一种类型的交易人和另一种类型的交易伙伴在某时点随机配对,就交易条件讨价还价,直到达成协议。如果他们达不成协议,就必须分开,而且一旦分开,尽管两人还留在市场上,两人再碰面的概率仍为零。这就是盖尔对“匿名市场”的表述。盖尔证明这种博弈存在一种类似子博弈精炼性的市场均衡,只要参与人遇上另一种类型的交易伙伴,他们就会建议并达成一种瓦尔拉斯配置——即埃奇沃斯盒状图合约曲线上的一点,在这一点,交易双方的无差异曲线的公共切线经过初始禀赋分配点。交易双方对均衡策略的选择最终会导致博弈结果收敛于帕累托最优的瓦尔拉斯配置,收敛概率为1。

在市场匿名性假设和政府作为产权实施者的假设之间存在一定的逻辑张力。一个不知情的政府怎么能够分辨和惩罚那些破坏产权和合同的人呢？我们假定，虽然交易者不能区别交易谈判过程中对手的身份，但能够在初始合同达成之后鉴别那些犯有偷窃、欺骗、压榨和拒付款项等不轨行为的交易者，并将他们诉诸法庭。如果政府被怀疑接受了违规者的贿赂或者裁决不公，那些事前处于匿名状态的诚实交易者事实上已经面临着被与违规者相勾结的政府随机侵犯的危险。为了防止政府裁决不公，规定政府必须严格依法判案符合所有交易者的一致利益。政府违反法律规则，哪怕只有一次，也将警醒所有交易者，同样不幸的命运有朝一日可能会降临到自己的头上。这促使交易者愿意协同一致，共同抵制政府的肆意侵犯，并通过一致反对罢免该任政府。所以，在民主型国家，政府对暴力的使用仅仅限于侵权行为事后可证实并能依据事前规则进行惩罚的情形。

需要注意，是关于政府的违规行为将受到人们的一致抵制的普遍信念，而不是法律的制定和颁布，使法律规则发生了作用。这种信念因为市场交易者的对称性和政府对交易者特征不知情而成为可信的。政府控制只限于以法治为基础的事后干预恰恰是政府事前无知的结果，这听起来像是一个悖论。换言之，政府缺乏对市场交易者特征的信息可以成为一种政府承诺不进行随机剥夺的可信机制。反过来，民主型国家以法治实施为基础的第三方治理机制促使市场交换域得以不断扩大。也就是说，由于对政府保护产权和实施合同的意愿和能力的信念是可靠的，更多的交易者将加入到市场交换中来(参见第 3 章)。因此，我们有下述命题：

命题 6.1　在民主型国家，政府遵循法律规则的一个源泉是交易者不具备垄断权力的竞争性市场。反过来，以法治为基础的第三方治理机制可以扩大市场交换的域。

这样说来，法治就不仅仅如“司法中心主义”(Ellickson, 1991)所隐含的那样是竞争性市场正常运行的外生性前提。从市场到法治之间也存在一种反馈机制。

政府侵犯目标不确定还存在另外一种情形，即整个国家人口被分成两大(利益)集团,每个集团在界定和保卫产权方面形成自身的共同利益,其规模大致相当,但集团界限不甚分明。一小部分成员会随机地从一个集团转向另一个集团,或者利益边界相对模糊的新生代持续加入进来,使两集团谁究竟占多数变得非常不确定。我们进一步假定,政府以定期选举的方式产生,两党分别与某一个集团结成松散联盟,竞相争取多数选民的支持。假定每次选举都存在一些随机因素影响小部分选民的投票意向,进而对选举结果发生决定性作用。因此,当前的执政党很可能在下届选举中失去权力。在这种情况下,会出现两种稳定结果。

一种结果是,每届新当选的代议制政府都通过转移支付和其他手段更改现行产权规则,为支持者谋取利益,从而导致产权安排的周期性变动。但是,如果选民足够有耐心,风险规避倾向足够高,而且,如果产权重新安排因不利于双方提供资源的积极性而导致成本太高,那么,另一种均衡结果则有可能出现。选民都希望产权安排是持续稳定的,一致同意对政府侵权或更改现行产权安排的能力进行限制。于是,他们同意对任何当选政府干预现行产权安排施加限制,政府一旦越权,大家则以一致放弃政治支持作为对政府的惩罚。但这种安排惟有在大多数选民不计短期得失,恪守凡政府侵权必齐力反对的市民社会道德的情况下才是可持续的。这样,代议制可以成为一种对政府侵权能力进行适当限制的承诺机制(commitment device)。但究竟何种均衡能够出现——是周期性勾结型国家还是民主型国家——我们无法在理论上加以预测,这取决于具体的历史条件。

还有另外一种限制政府剥夺行为的情形。迄今为止,我们一直假定在私人参与者之间不能签订自我实施的私下合同,其中被侵犯的一方答应私下支付补偿,条件是另一位参与人愿意和他一起联合抵制政府。如果参与者数目众多,未能组织成特定利益集团,这一类合同将很难事前达成。即使事前签成了任何合同,也无法保证受侵犯一方不会在事成之后反悔。比如,A 和 B 的联合抵制推翻了侵权政府,但受侵犯的一方 A 也许会和新政府一起勾结,共同对付未受侵犯的 B。

让我们放弃参与人对称性身份的假定,设想一下两个参与人能够事前达成私下合同的情形,而暂时不管合同是如何达成的。假设他们采取如下策略:如果政府侵权,采取默认态度,当且仅当两人当中有一人过去曾经默认过,或者有一方违反了私下合同的承诺;否则,就永远联合抵制政府,并在事成之后由受侵犯方私下支付 σ 给另一方,使得 $\alpha \geqslant \sigma \geqslant \Delta$ 。给定这个策略,除非两个参与人有一方放弃过抵制行为,否则,尊重私人产权符合政府自身的利益。不过,问题在于,如此的私人合同如何能够达成,并自我可实施。显然不可能由政府出面安排和实施该合同。它必须是由私人部门自行组织和自我实施。假定 A 和 B 是两大利益集团如资本家和工人集团的代表性组织,而不是市场上对称的参与者。就与政府勾结的潜力而言,这两个组织的政治力量假设是旗鼓相当的。在参与人身份对称或代议制的条件下导致民主型国家的逻辑同样适用于这里的情形。两个组织都不想处于周期性的勾结型国家状态,而宁愿签订一个私下合同,避免在勾结型国家状态下成为牺牲品和因此遭受的损失。这一类合同是自我实施的,因为违背它意味着另一方在未来退出合作关系。其均衡结果和民主型国家下的结果是一样的,但两者有着不一样的作用机制。这里给政府侵权行为施加的限制是私人(隐含)合同,而不是政府方面信息的缺乏,因此我们把这种类型的民主型国家称为社会契约的民主型国家。

6.2 民主型国家和勾结型国家的各种形态

在上一节,我们在政治域政治交换博弈的简单框架下得出了三种国家的一般形态,并探讨了民主型国家出现的条件。但我们的讨论尚停留在极端抽象的层次上。政府侵犯私人产权的具体方式也未做说明。对称性市场条件在任何历史条件下都不太可能完全满足。两党制度下不确定的人口构成所产生的后果可以是多种多样的,这在很大程度上要视具体情况而定。在开始的时候,勾结型国家的各种形式不断演化,以各自特定的方式影响着产权的分配性模式。某种勾结型国家,或政府侵权的特定方式都可能最终导致政治的不稳定和经济的无效率。作为应对,政府通过个人和政府的策略互动随后不得不分权化,或在结构上进行显著的改革。

本节我们将放弃关于参与人身份的对称性假定，明确考虑个人的不同特征，并研究其可能的含义。个人可以根据特定利益集团或代表共同利益的阶级来区分，如要素或产品市场的供应方（如地主、工人、资本家、中产阶级和农民），特定产品市场上的组织（企业、产业协会）等等。本章将这些特征视为既定的参数。参数值事实上是由经济交换域来决定的。至于政治交换域和经济交换域之间如何相互作用，这方面更明确的分析要留待第 2 编以后进行。虽然以下的讨论仍然停留在非常抽象的水平上，但引申出的国家模型在不改变其原型基本结构特征的情况下比上一节的模型具有更重大的现实意义。

6.2.1 自由民主型国家和社会契约的社团主义国家

诺斯和温加斯特（1989）对英国光荣革命（1688—1689）的分析揭示了君主立宪制在特定历史背景下作为一种稳定均衡结果出现的性质，其中政治域仅限于国王和代表不同贵族阶级利益的党派。16 世纪以前在斯图尔特王朝，英国有两大政党：一是辉格党，其成员主要从事商业活动，主张低且稳定的商业税；另一个是托利党，主张低且稳定的土地税。开始的时候国王和较保守的托利党结盟，对辉格党的政治和经济利益进行压制。然而，在掠夺完辉格党的利益之后，詹姆斯二世——斯图尔特王朝最后的一个国王又将矛头指向托利党。这次，辉格党和托利党携手起来共同抵制，迫使国王逃亡国外。在迎来新国王之际，两党在人权宣言中明确表示，未来对任何一个政党利益的剥夺都是不能忍受的。在这种新制度安排下，两党的政治主张不必强求一致。事实上，它们在政治上仍然存在分歧。它们只需要同意如下约定，即如果国王违背了一定的行为准则，它们将一齐反对。有效限制王权不要求诉诸另外的组织权威。双方只要在国王行为异常时就各方应采取的行动达成一致，就可以确保其政治和经济权利不受侵犯。当这种宪制变革被触发并取得成功的时候，国王管制经济的能力被大大地限制住了。

正像前面所指出的那样，上述稳定结果是在国王和有产阶级之间有限的政治域中出现的。亚当·斯密在 1776 年曾经指出：“就保护产权的功能而言，市民政府的设置在现实中就是为了保护富人防范穷人，或者说保护有产者防范无产者。”（1776/1991：第 715 页）然而，工业发展和城市化导致了各种类型的中产阶级的兴起，中产阶级逐渐获得投票权，其政治支配地位在19世纪中叶终于确立起来了。他们显然非常关心自身的产权保护。但是，由于中产阶级财产所有权类型多样，数目众多，他们在日益扩大的市场中虽然十分活跃，但相对来说仍然属于“对称”的参与者。另一方面，中产阶级内部不存在严重的分歧和内讧，从而未给传统的贵族阶级任何机会，以类似分而治之的办法垄断政治权力。因此，中产阶级为代议制政府的民主控制提供了一个更广泛并且更稳定的基础。[①] 对政府的民主控制与越来越不受管制的市场是一前一后发展起来的。

英国1867年通过的第二次改革法案赋予了大多数城市工人阶级投票权。随着19世纪至20世纪欧洲市场经济的发展，一个至关重要的问题是如何满足处于上升时期的工人阶级对于经济和政治权利的要求，对这个问题的处理决定了国家类型的性质。英国在19世纪后期演化的解决方法是将其政治要求诉诸于代表制度。在中产阶级已经确立其政治支配地位的情况下，该选择不失为一种让工人阶级在政治领域表达其权利要求的有效方法。中产阶级既不用惧怕，也不会因此失去什么。所以，英国逐渐演化出中产阶级自由翼与工人阶级之间的政治联盟（勾结）——这被政治学家鲁贝特（Luebbert，1991）戏称为“自由-劳动主义”（Lib-Labism）。但这样一来，工人捍卫自身的经济权利是通过分散化的与雇主的谈判实现的，劳动工会基本上受制于市场约束。我们将这种在政治域和自由劳动力市场协同演化而来的民主结果称为自由民主型国家（liberal democratic state）。在这种国家，政府被主要由中产阶级操纵的代表制所控制，而经济权利的界定则交给市场交换域调节。这种国家类型偶尔会爆发严重的劳资纠纷，如英国1924年煤矿工人大罢工，但国家能够继续让劳动工会受制于市场约束。英国中产阶级与工人阶级的联盟在20世纪30年代终于走向破裂。中产阶级自身慢慢地形成了一个牢固的联盟，以对抗工会通过政治过程不断提升其经济利益的行动（如工业国有化）。国有化方案直到战后当绝大多数工人投票支持工党时才开始实施。

---

① 鲁贝特（Luebbert，1991）。

德国中产阶级与英国相比内部分歧更为严重，这主要源于前工业化时期的地区分割，城市与乡村的隔绝，清教徒与天主教徒的宗教冲突等等因素①。普鲁士专制政体通过玩弄手腕与各种政治力量勾结，以此维护其统治地位。统一的中产阶级直到工人在政治领域作为一个阶级崛起为一股重要的政治力量时才得以确立其支配地位。因此，“自由-劳动主义”不可能在德国行得通。工人阶级选择了另外一条道路，与自己的政党——社会民主党结成一体。俾斯麦——社会主义最顽固的敌人，为了拉拢工人，引入了一种义务公共健康保险计划。可是，这项计划由工人和资本家双方代表负责的分散化的自我管理方式却带来了意想不到的后果，即工人自此以后开始介入政治经济的决策过程②。

工人介入过程在第一次世界大战期间进一步得到促进，那时德国政府强行限制工人的流动性，以命令的方式把工人安排在军工厂，作为交换，工人在工厂建立了自己的委员会。魏玛共和国使工人委员会合法化。但由于各阶级(资产阶级、工人、农民和城市中产阶级)之间分歧严重，无法形成有效的政治联盟，而且任何一个政党都缺乏承诺和控制政府的能力，魏玛宪法所界定的政治域未能导致一个稳定结果的出现。纳粹的兴起填补了这个政治真空，对工人的民主介入过程构成了严重打击。然而，“当纳粹政权的经济政策以备战为重点时，它试图吸取1914—1918年战时经济的教训，在某种意义上，纳粹时期的遗产之一是出乎意料地巩固了在第一次世界大战业已成形的某些路径依赖的模式。”(Lehmbruch，1999：第38页)在纳粹统治下，所有自治性劳动组织一律被取缔。劳动力被组织成一个完全受纳粹控制的全国性群众机构。工商协会则被转化为由国家控制的强制性和垄断性的产业协会。

第二次世界大战的结束使德国迅速摆脱了纳粹政权的主要特征，但包容工商和劳动组织的遗产却仍然保留了下来。德国劳动工

---

① 鲁伯特(Luebbert，1991)，斯特里克(Streeck，1995)。

② 赖布鲁赫(Lehmbruch，1999)、斯特里克(1995)也指出：“控制权从国家转移到协会，给予后者自我治理的自主权，换取后者认真负责的行为，这在德国有着长期的历史，根植于德国特色各异的思想和意识传统，如强调‘附属性’的社会天主教，强调‘公司’作为国家‘道德根基’的黑格尔有机论，以及强调协会民主的民主社会主义。”(第22页)

会联盟战后被重组，包括了传统上一直分歧很深的社会主义、基督教和自由主义组织，但仍然延续以产业为基础的组织方式。在政治域，政府强力限制或者反过来一味讨好工人阶级显然不是一种行得通的办法。赖布鲁赫对战后德国国家形态的性质做了如下简明的概括：

> 劳动组织的政治地位因受到占领机构（尤其在英国占领区）的同情而大大加强了，这反过来促使工商组织的领导人为了抵制工厂拆散和保护自身产权而寻求工会的支持。这在鲁尔区的重工业尤其明显，鲁尔区在魏玛共和国时期一直是最反对工人组织的地区，这转变反映了整个政治环境的变化。工会领导人正像1918年所做的那样选择和工商组织合作，而且这一次双方在反对国家干预产业关系方面形成强有力的联盟。（Lehmbruch，1999：第44页）

上述概括恰好表明了我们上一节最后所讨论的社会合同的民主国家的性质，即工商和劳动组织在限制政府干预方面达成社会合同的承诺。

战后德国以及二战结束前的北欧国家所出现的国家形态可以称为社团主义国家（corporatist state）[①]。在这种国家形态下，工业企业的经理人员被组织在代表利润获得者利益的产业协会中，而工人则以产业工会的形式组织起来。它们各自的最高组织没有选择直接和政府相勾结，而是通过谈判自主地为它所代表的生产要素（劳动力和资本）所有者争取利益，保护产权。这些组织对内限制同一市场的内部竞争，对外通过协商争取更好的集体交换条件和其他就业条件。双方都愿意达成协议，谈判结果是自我可实施的，这是因为谈判双方都预期到，如果达不成协议，或违反协议，其结果或是推迟享受收益，或是遭到对方可信的报复，这都将导致他们产权价值的贬值。

另一方面，在工商和劳动组织的谈判过程中，政府退而成为一个中立方，保证谈判结果对所有相关市场的竞争者都具有法律效力，维护产业协会和交易工会准国家机构的地位。斯特里克将这种国家分

---

① 关于社团主义的经典论述，参见Schmitter和Lehmbruch（1979）。

权类型称为"扩充能力型国家"(enabling state)(Streeck, 1997b:第 38 页)。各产权所有者包括工人(人力资产的所有者)依靠代表制选举程序对政府进行民主控制,限制政府对自治谈判过程的越权干预。但这种民主国家与自由民主型国家的一个区别是,前者的劳动工会并不受制于分散化的市场约束,而是被确保以一个准公共机构的方式行事。政府除了提供这种扩充能力的框架,而且还将自己的功能限于那些相对中立,不适合于集体谈判的政策领域,如外交、货币政策和反垄断规制。另外,我们在第 11 章将看到,社团主义国家同时还扮演着一个与特定的公司治理结构——共同决定制(co-determination)互补的角色。

6.2.2 市场维护型的联邦主义

政府通过工业关系法、公司执照发放、农产品补贴、社会福利保障等各种规制可以影响经济的整体产权安排。政府有可能偏向某些特定利益集团,如雇主或工人、大企业或小企业、农场主或消费者、养老金领取者或年轻工薪阶层。政府改变财富分配的另外一种更隐蔽的方法是增发大量货币,让通货贬值。各种类型的利益集团如何能够防止政府或政府和其他利益集团勾结侵犯自身利益呢?如何才能使政府过度发行货币的"软预算约束"得到遏止?即使某些利益集团反对不利于自己的政府管制,也不能保证它们不与未来的政府勾结,推行有利于自己的管制措施。而且,政府过度发行货币可能是出于取悦所有利益集团的目的,在这种情况下,对过度货币发行的抵制就很难协调一致。

有一种组织设置能够控制政府的软约束预算倾向和勾结型国家的不利后果,那就是联邦主义的政府结构。如果政府的组织结构是单一集中制,个人将无法摆脱政府行动的后果。而且,政府控制了货币发行权,以满足其预算需要。但政府这种潜在易受滥用的权力可通过分权化来限制。联邦制国家是政治分权化的一种形式。它以一种政府层级制的形式,其中各地方政府对其管辖范围内一系列规制决策拥有自主权,联邦政府则专门提供全国性公共产品,如国防、外交,以及州际交易和环境规制。

以蒂伯特(Tiebout, 1956)和奥茨(Oates, 1972)为代表的所谓的

“第一代联邦主义理论”(钱颖一和 Weingast, 1997)主张,如果个人能够在不同地方政府的管辖地自由流动,他们将选择一个政府规制决策对其有利的管辖地居住。假若政府的政策歧视某一利益集团,该集团的人可以退出该政府的管辖地,迁到另外一个对他们有利的政府管辖地。据认为,在联邦制下所有的地方政府采取类似的歧视政策是不太可能的。但问题是,流动性对于所有利益集团来说并不是均一的(例如,工人的流动性就比资本的流动性要差得多)。因此,我们不能排除这样的可能性,即所有地方政府实行类似的勾结模式,它作为地方政府竞相吸引更具流动性的要素的一个稳定结果而出现。

“第二代联邦主义理论”(钱颖一和 Weingast, 1997)则强调,联邦主义结构作为政府预算约束硬化的承诺机制。这方面特别具有现实意义的联邦制是“市场维护型联邦制”(McKinnon, 1991;Montinola、钱颖一和 Weingast, 1995)。市场维护型联邦制必须满足以下三个条件:首先,为避免各地方政府规制政策的均一性,地方政府对其管辖范围内的经济拥有主要规制权。其次,管辖地之间货物和生产要素允许自由流动。最后,地方政府必须面临硬预算约束:也就是说,它们虽然具备财政自主权,但既不能发行货币,也不能享受无限制的贷款。如果联邦政府在地方政府面临财政困难时出面救助,那么,第三个条件就不满足。在市场维护型联邦制下,地方政府在有关税收、公共产品以及影响各集团利益的规制等公共政策方面相互竞争。在竞争过程中,地方政府无法寄希望于联邦政府会在危机时刻出面救助,而必须受到硬预算约束。当地方政府出现财政赤字时,它们不得不到市场上筹集资金,与私人竞争。

市场维护型联邦主义演化为稳定结果的一个核心条件是,地方政府和当地居民都相信联邦政府不会在他们面临财政困难时出面救助。在什么情况下联邦政府不出面救助的承诺是可信的,不会受到事后重新协商的影响呢?其中一个可信的条件是,联邦政府无力通过税收或货币发行控制足够数量的财政收入。如果在设计联邦制的初始阶段,征税的权力大部分下放给了地方政府,联邦政府想要扩大税基的企图就会遭到地方政府的一致反对。或者,如果中央政府开始失去对税收的有效控制,并被迫大幅度下放征税权限给地方政府,事实上的联邦制也可能作为中央权力自发削弱的结果演化而成。但中央政府对不随意增发货币的承诺则更难以实施。

联邦制最著名的例子毫无疑问是十三个州摆脱英国殖民统治获得独立之后的北美①。在美国独立之初,关于货币控制的问题争议很大,并一直持续了很长的时间。开始美国不准备将货币控制权交给一个统一的中央政府机构。“担心集权控制是美国迟迟不设立中央银行的一个原因”(Mishkin, 1995:第437页)②。的确,美国第一银行(1791—1811年)和美国第二银行(1816—1836年)均具有中央银行的特征,与州政府分享货币控制权。1832年,杰克逊总统以违宪为由否决了关于延续第二银行的提案,在此之后,州银行成了纸币发行的惟一合法机构,纸币因而被称为“野钞”(wildcat currency)。然而,内战的巨额财政支出迫使联邦政府另辟蹊径。1863年银行法被通过,一种全国性银行系统得以建立,发行国家货币。自此美国银行制度出现了双轨并存的局面③。

但是双轨制运行并不顺利。1893年和1907年出现了两次金融恐慌。由于银行系统存在两套规制机构,双方在银行监管政策方面竞争激烈,虽然这对银行家有好处,但对整个经济的稳定却极为不利。银行危机的出现触发了新一轮关于中央银行的争论。到1913年,国会批准建立由12个地区性联邦储备银行组成的联邦储备系统。艾肯格林(Eichengreen)在研究了一些案例之后得出如下结论:“在联邦储备系统的早期岁月,它比许多记述美国中央银行历史的书所声称的要更权力分散和富有争议。权力分散导致了联邦储备法起

---

① 温加斯特(1995)认为,英国光荣革命出现的国家形态可以理解为事实上的联邦制。

② 美国第一银行的主要反对者詹姆斯·麦迪逊(James Madison)对“这种银行的宪法地位”表示质疑(Timberlake, 1978:第7页)。他认为,“一个在全国范围内发行货币的国家银行将直接干扰各州建立和撤销银行的权力,而且,它还将妨碍州银行货币的流通。”(同上)亚历山大·汉弥尔顿(Alexander Hamilton)则依据亚当·斯密的古典经济学极力主张成立国家银行,以促进国家经济的发展。

③ 美国联邦政府向“野钞”征收10%的税收,试图进一步使银行产业集中化。由于州银行的资金来源是铸币收益,这项税收使它们的运营无利可图:“联邦政府寄希望州银行会因此清偿资产,接受全国性管理。事实上,在国会通过这项银行券征税法案时明确表明,其目的在于建立惟一的全国性银行和一个统一的银行系统。”(Clark, 1935:第6页)确实,征税迫使许多州银行关闭。然而,在1880年,当储蓄银行流行起来的时候,州银行又重获生机,致使银行业出现双轨制。每个州政府有权管制州注册银行,而联邦政府有权控制国家注册银行。

草人所未能预期到的许多问题”(1992:第 21 页)。事实上,他把联邦储备系统的头 20 年概括为“最终导致权力有效集中的试错期”(同上,第 21 页)。在大萧条时期,国会通过法案,对联邦储备系统进行了最后一次主要的改革,加强了该系统中央部分的权力,使联邦储备委员会成为货币政策的最高权力机构。

联邦主义新近的两个例子一个是欧盟,另一个是中国。在前者,成员国的中央政府类似于联邦制下的地方政府。在试图统一成员国有关产业关系、公司治理等方面的规制政策的多年尝试失败后,欧盟官僚机构的权力非常有限。成员国政府因此保留了相当程度的规制权和财政独立性。但另一方面,在争夺资本、管理和创新资产等生产性资源方面,它们也面临来自欧盟内外日益严重的竞争。与此同时,单一货币欧元的发行由欧盟银行控制。这样,一种联邦主义的基本框架——货币控制的集中化,财政自主性和管制政策分权化,现正在付诸实施。在这些规则设计下,市场维护型联邦主义能否在欧盟制度化为一种稳定结果,关键取决于欧盟银行货币发行的独立性。最终结果还有待于观察,但值得注意的是,关于将要失去货币供应权的预期已经对欧盟成员国如意大利和西班牙施加了显著的硬预算约束的压力。意大利和西班牙的预算约束在传统上被一直认为是软的。

“中国特色的联邦主义”(Federalism, Chinese Style)(Motinola、钱颖一和 Weingast, 1995;金和辉、钱颖一和 Weingast, 1999)是作为中央权力自发削弱的结果而出现的。中央政府直到 1994 年通过分税制改革才建立了自己的征税机构,而省一级及以下地方政府除了偶尔受中央政府加强控制的影响外,一直享受着相当程度的财政自主权。事实上的联邦主义由此演化而来。这种自发性分权改革开始遇到的一个问题是,省政府通过和地方官员合谋可以从省人民银行获得大量廉价的贷款。1995 年颁布的《人民银行法》禁止中央银行直接贷款给地方政府,从而堵住了这个软预算约束的漏洞。该措施的出台被认为是制止中国 20 世纪 90 年代下半期通货膨胀的重要因素之一①。中央政府如何对待地方政府的财政困难还有待于观察,但中

① 消费物价指数在 1993、1994 和 1995 年分别高达 14.7%、24.1%、17.1%,但 1996 年和 1997 年分别降至 8.3%和 2.8%。

央政府日益拮据的财政资金将降低地方政府对财政援助的预期。在稍后第8章,我们将讨论这种自发形成的财政联邦制如何成为硬化国有企业预算约束的一种可信的制度设置①。

正在形成中的欧盟和中国的联邦主义存在一些显著的差别:前者通过精心设计整合而成,后者则是通过自发的分权化形成的。不仅如此,省际之间的资源流动性尤其是人力资源的流动性在中国仍然受到高度管制,而欧盟国家由于制度演化路径各不相同,其产权安排呈现较大差异。但有一点是基本一致的,那就是地方政府(欧盟成员国政府和中国的省及以下地方政府)财政的自主性。至于这些制度能否演化为一种制度化的市场维护型联邦主义,关键取决于其银行系统能否真正自主地阻止中央和地方政府出于政治考虑而大开软预算约束之门。

6.2.3 发展型国家(The Developmental State)

在欧洲和拉丁美洲国家,社会民主社团主义国家形态作为政治域的一个稳定结果逐渐演化而成,并作为应付工人阶级利益要求的一种机制出现②。可是,在东亚和东南亚,工人从未和占有土地的农民区分开来,成为一个居支配地位的阶级,于是,随着相对自主的政府发展意识的不断增强,为了在特定的国际环境中捍卫和促进国家主权,另一种国家类型逐渐形成③。下面我们将概括发展型国家的一些基本特征,并试图从形式化的角度澄清国家形态作为特定政治域博弈的一种稳定结果的特征。

上一节所描述的报酬结构假定在个人之间是对称的。特别地,

---

① 中国还经历了其他方面的政府分权化,如政府官僚部门逐步放弃中央计划导致界定产权的权力自发地下放给了低一级政府。最基础的乡村政府在创造新型产权的企业(即乡镇企业)方面非常活跃,是限制中央政府可能的侵权行为的有效中介(车嘉华和钱颖一,1998;李稻葵,1996)。它们成为乡镇企业事实上的持股公司,相互在市场和引进外资方面展开激烈竞争。自从20世纪70年代末期以来的近20年间,乡镇企业是GDP增长主要的发动机。俄国也经历了事实上的财政联邦主义的自发演变(OECD,2000)。但是,中央和地方政府关于征税权的分歧似乎对经济产生了严重的不利后果。地方政府尽力绕开银行账户,允许以非现金方式清算税收拖欠,导致企业间交易广泛的非货币化和工资拖欠(Gaddy 和 Iceks,1998,1999;OECD,2000)

② 关于拉丁美洲社团主义的比较研究,参见 Berins Collier 和 Collier,1991)。

③ 日本1867年明治维新形成的国家形态可以看做是下面要讨论的发展型国家的一个经典例子。但它逐级演化成下一节将要分析的官僚多元主义国家。

我们假定,政府超越最小国家职能侵犯任何个人的产权都将对双方造成等额的效率损失。现在我们修改这一假设,然后考察其含义。我们将最小国家作为基准情形,考虑下列由政府作中介进行转移支付的可能性:在每一期开始,政府对个人 A(比如农业部门)征税 τ(超出最小国家职能的数额),这给 A 带来额外的效率损失 Δ,给政府带来行政和政治冲突成本 $c(t)$,其中 $c(.)$ 被假定是单调递增的凸函数,$c(0) = c'(0) = 0$。假定每一期开始政府向个人 B(比如工业或商业部门)支付转移支付 s。该转移支付可以消费掉,也可用作资本和个人 B 的努力 e 结合,其中努力成本是 $e^{\beta}(1 < \beta)$,每期期末产出为 $s^{\alpha}e(0 < \alpha < 1)$。政府试图从个人 B 的产出量中征税。

假定在政府方面不存在任何关于税收数量的事前承诺。政府总是试图从 B 的产出中攫取更多的税收,但每期期末它只能征收其产出的一个固定比例 T。用 δ 代表贴现因子,那么一次性博弈下该机制所产生的净收益总和的现值组合是$\{\tau - c(\tau) + \delta Ts^{\alpha}e - s, -\tau - \Delta, \delta(1 - T)s^{\alpha}e - e^{\beta}\}$。$B$ 将选择最大化其收益的努力水平,即 $e(s) = [\delta(1 - T)s^{\alpha}/\beta]^{1/(\beta-1)}$。给定相对谈判能力和由 T 代表的监督能力的任意组合,政府通过选择 $\tau = \tau^*$ 和 $s = s^*$ 使得 $\tau^* = s^* = c'^{-1}(1)$,从而实现总收益减去与 A 发生政治冲突成本的余额最大化。我们将政府策略$\{\tau^*, s^*\}$称为静态纳什均衡。在这种策略下,虽然存在 B 的增长机会,但因为对 A 进行财富剥夺导致政治冲突成本 $c(s^*)$和效率损失 Δ,勾结型国家并不必然属于效率促进型的。而且,B 潜在生产性活动由于政府能够敲诈 B,攫取事后产出比例 T 而无法充分得到动员。在这种情况下,B 的努力将低于最优水平。因此,在静态纳什策略下勾结型国家有可能无法协调发展型努力。

现在让我们来看一看,在努力无法由法庭证实因而不可能写入合同的情况下,与政府静态纳什策略相关的制肘问题如何在重复性博弈的框架内得以解决。假定政府寄希望永远当政,并宣布以下相机补贴政策:政府将在每期结束时提供给个人(部门)B 补贴 s^*,同时征收一定量的税收。但是,在下一期 B 重续补贴须以纳税量 $Ts^{*\alpha}e^0$ 为条件,其中 e^0 是最优努力水平,满足条件 $\delta s^{\alpha} = \beta[e^0]^{\beta-1}$。为了使 B 永远选择最优努力水平 e^0 成为一种均衡反应,即使存在选择 $e(s^*)$的一次性收益也不偏离它,下列条件必须满足:

$$\frac{1}{1-\delta}[\delta(1-T)s^{*\alpha}e^0-(e^0)^\beta] > \delta(1-T)s^{*\alpha}e(s^*)-e(s^*)^\beta。$$

但问题仍然是,政府对上述相机补贴政策的承诺如何成为可信的。当努力水平低于最优值,B 许诺从此以后支付静态纳什均衡水平的税收量,难道政府不会继续给予补贴吗?如果 B 是不可替代的,那政府也许会放弃上述宣布的政策,争取事后的妥协。但这样的话,执行相机补贴政策的威胁从一开始就不可信,博弈的均衡结果将是静态纳什均衡。

采用穆尔多克(Murdock, 1996)的模型的思路,设想 B 实际上是由许多在位和潜在的工业家组成的工商部门,而 A 是由自耕农构成的农业部门。为简化起见,假定政府将选择两个最具有生产效率的工业家作为补贴对象。我们还进一步假定,工业家之间不能在一起协调他们应对政府的策略。这样,政府便可采取以下相机补贴政策:只要两个工业家支付对应最优产出的税收,政府就继续给予补贴;如果有一个工业家违约,即未能支付与最优产出相对应的税收,政府将终止对该工业家的补贴,让另外的工业家取代他的位置。由于新上来的企业潜在生产效率低,需要学习,或者其他原因,替换工业家给政府带来成本 K。如果两个工业家同时违约,政府将不得不放弃最大惩罚的策略。

我们用 T_{cont} 代表在相机补贴政策下政府从最优产量中征收的税收收益,用 T_{Nash} 代表在静态纳什均衡下政府的税收收益。假定有一个工业家违背合同。因为新上来的工业家和未被替代的工业家均在未来生产最优产量,所以在未来的每个时期政府都将通过采取最大惩罚策略可得到收益 $2T_{cont}$,否则,如果不实施惩罚策略,政府只能得到 $2T_{Nash}$,因为两个工业家将来都会违反合同。因此,如果 $2(T_{cont}-T_{Nash}) > K$,最大惩罚策略将是可信的,虽然该策略在博弈结果 $T_{cont}-T_{Nash} < K$ 或者在产业内工业家能够相互勾结对抗政府的博弈中是不可信的。确保相机补贴策略有效的一个重要条件是,工业家的贴现因子必须足够大,使得上述不等式成立。如果部门 B 的工业家估计政府执政时间有限,他们可能会在领取补贴之后不再努力工作,这样做也许更有利可图。

政府通过从农业部门抽取资源,然后以相机选择的方式转移给某些工业部门，从而引发了经济的高速增长，我们称这种均衡为（市场促进型）发展型国家。在通常的用法中，“发展型国家”一词指的是以直接“驾驭市场”的方式致力于实现最大化经济增长的国家（Wade，1990）。但我们这里的着眼点主要放在政府通过未来每期提供给受选企业相机租金（contingent rent）的方式改变工业部门企业的激励，其中相机租金等于 $\delta(1-T)s^{*\alpha}e^{0}-e^{0\beta}$，它取决于 e 是否等于 e^{0}（Murdock，1996；青木等，1997）。这些租金既不是任意地也不是按固定计划发放给企业。它们完全取决于企业的绩效。这有些类似于专利制度的特点，专利制度本身并不自动保证发明家的创新租金，创新租金只取决于一项发明实现商业化的程度。

我们已经指出过，发展型国家的形成需要具备两个条件，这里有必要再次强调一下。首先，工业家需要普遍意识到推行相机补贴政策的政府能够长期执政。其次，工业部门的企业存在充分竞争，它们之间合谋偷懒的可能性能够被有效制止。发展型国家的上述特征可以说反映了“亚洲奇迹”时期政府在东亚经济发展中所起的一些重要作用（青木等，1997）。这些国家的政府不论是民选政府还是独裁政府，都被认为是能够长期执政，或者由不受政治领导人更替影响的职业官僚管理。以我之见，正是工商部门普遍持有的关于政策连续性的信念，而不是政治领导的专制性质本身，或者政府与工业家的勾结，使得相机补贴观点真正变为行之有效。在相机补贴政策成功的地方，我们都会发现政府鼓励工业家之间的竞争（如朴正熙总统执政的韩国）。

发展型国家可以看做是勾结型国家的衍生物，原因在于，政府政策从 A（农业）部门抽取资源旨在偏向 B（工商业）部门的发展。虽然某些特定的工业部门被选为补贴和优待对象，但发展型国家只有在按竞争性绩效标准挑选重点部门的条件下才能引致工业增长。若是因为工业家之间目光狭隘的勾结，或是因为政府部门无能以及裙带主义导致该标准不被遵守，工业家们的道德风险行为将无法遏止，上述定义的发展型国家也注定要退化成一种非效率的勾结型国家形态。另外，当补贴企业规模变得太大以至于不容易被政府替换时，上述标准也将难以实施和推行。在这个意义上说，发展主义有可能为自己埋下自我毁灭的种子。

任何欠发达国家都必须依靠从传统农业部门抽取资源，启动其工业积累，除非是该国投资完全靠国外融资这种不太可能的情况（即使是这种情况，外债也必须动用未来储蓄偿还，使净流入在长期为零）。部门间资源转移将一直持续到工业部门能够自己融通投资资金实现增长为止。据寺西重郎（Teranishi，1997）近来的一项研究，在1960至1984年这个时期，拉丁美洲和非洲撒哈拉地区，以及拉丁美洲和东南亚国家（韩国、马来西亚、菲律宾和泰国）之间，在通过直接和间接税或低估本国货币的形式从乡村部门大规模转移资源方面没有什么明显的区别①。但政府为维持这种大规模资源转移面临着与农民发生政治冲突的危险。为了减缓冲突，政府可能会将发展收益T_{cont}或T_{Nash}的一部分返还给乡村部门，以作为对资源转移的事后补偿。在补偿性返还的方式上两类经济有着显著的区别②。在拉丁美洲和非洲，（以城市为基础的）政府以供应私人产品（如机械、化肥补贴）的方式对乡村部门的某些特定集团进行补偿，这些特定集团在拉丁美洲是地主精英集团，在非洲是政治上具有影响力的种族集团。

与上述相对照，东亚政府大都以兴建集体公共设施如灌溉和交通的方式返还资源给乡村部门。东亚乡村地区密集地居住着无数相对独立的小农。政府提供公共产品可以增进他们的利益。随着新一代人逐渐转移到工业部门，虽然乡村收入增长仍滞后于工业发展，但政府兴建公共产品的政策带来了小农收入水平稳定而普遍的提高。乡村部门收入的增长扩充了对工业品的市场需求。通过在国内市场销售产品，得到用户对产品质量的反馈意见，工业部门反过来可以积累工业生产的技能（边干边学），培养在国际市场上的竞争力。这正是包容乡村的发展主义的良性循环③。

但如果从农业部门抽取资源在政治上和经济上变得越来越困难，这种良性循环便不可能永远维持下去。除非工业能够自身积累

---

① 从农业抽取资源支持工业化被普遍认为是发展中国家和社会主义计划经济的一致策略。参见 Anderson 和速水（1986），Krueger 等（1991）。

② Ranis 和 Orrock（1985），大岛（Oshima，1987），Bates（1981）及速水和 Ruttan（1985：第13章）。

③ 关于包容乡村的发展主义概念，参见青木等（1997）。也请参见速水（1998）和收录在同一本书中的论东亚“农本主义”的其他相关论文。

足够的发展资金，否则政府和工业界的勾结不得不更多地依赖外部资金（资本流入）维持发展。政府与工业界的勾结试图以人为高估本国货币、抑制通货膨胀的方式安抚城市新兴中产阶级不断上升的利益要求。但这样一来，发展型国家就变得非常脆弱，完全受制于影响资本供给的外部冲击和汇率控制的可持续性。这些冲击有时部分地是由人为高估本国汇率的政策内生地导致的。当政府管制的可信度受到人们普遍怀疑时，发展资金的外部供应来源将被抽走，迫使本国汇率下降。这确实是在 90 年代后期某些发展型国家所发生的情况（参见第 10.2.1 节）。

6.2.4 微观社团主义（Micro-Corporatism）和官僚多元主义国家

上面我们已经表明，政治域交易者身份的对称性有助于强化（自由）民主型国家的可能性。作为另外一种可能性，工人要求保护他们作为生产要素供给方的经济权利也许会促使他们形成自己的组织（产业工会），在社团主义国家的框架内满足自身的要求。前一章我们已经看到，有一种可以替代流动性人力资产市场的发展方式，那就是在信息同化的基础上水平层级制这种组织惯例的演化。适应于水平层级制的（背景取向型）人力资产并不能像那些具有专业化的个人型技能那样富有流动性。背景取向型人力资产持有人与其将自己按照专业技能组成产业工会，还不如寻求雇佣他们的企业保护其经济利益，这样可能会更有成效。从提供公司资产的法律“所有者”的角度看，和这些组织专用性人力资产的持有人分享组织收益符合双方利益。

于是，水平层级制便有可能发展出一种公司所有者与企业专用性人力资产可持续的企业内部联盟[①]。这些组织的管理人员最主要的期望是在管理政策和内部收入分配方面寻求联盟两方的利益平衡。这相当于寻找和确定一个自我实施的谈判均衡，使之成为组织的聚焦点。与社团主义国家相对照，我们称这种组织结果为微观社团主义（青木，1984、1988）。在微观社团主义结构下，工人真正成为企业的成员（利益相关者）。相比之下，工人在社团主义国家结构中

① 市石（Ichiishi，1993）建立和分析了这一模型。

只是“产业公民”(Streeck，1996)。

微观社团主义管理人员的另外一个重要功能是在政府和其他利益集团面前代表和争取利害持有人的产权利益(如就业安全和公司资产的增值)。但是,同一产品市场上的企业彼此可替代,如果他们单独行事,他们和其他利益集团的谈判能力将非常弱小。因此,这些企业倾向于组织并依赖一个产业协会代表本产业的公共利益,该产业协会产生于包括所有成员在内的政治域。需要指出的是,这里的产业协会与社团主义国家下的产业协会不同,它们的组建不是为了代表本产业雇主的利益与本产业工会谈判。它们是在成员企业层次上实施的超微观社团主义结构,其主要功能之一就是保障本产业雇员的就业,在必要时甚至向政府求助。因此,如果在政府组织中存在永久官僚制——由终生职业官僚管理的官僚制——的传统的话,那么,每个产业协会和它对应的官僚部门就有在政治域形成联盟的共同激励。官僚部门将所辖产业不断出现的利益作为重要的公共政策议题纳入到行政过程,以此稳固自身存在的理由和相应的政治收益。不同官僚部门之间通常相互竞争和讨价还价。政治家们不单独控制代表和促进产业利益的官僚,而是依靠行政过程,在可能的时候对之施加影响。

产业利益,政治家和官僚部门的合谋在20世纪50年代的日本确实出现过:这个结果通常被描述为保守政党、官僚和产业经理人员的“铁三角”。这本身可以看做是发展型国家的一种变种。但是,在政府的民主代表制的宪法规则下,该结果不可能是稳定的。一些弱势集团和那些由生产率低的产业生产者组成的组织(如农民合作社、地方小业主商会、地方承包商组织、养老金领取者组织)也希望在政治领域有人代表和争取他们的利益。政治家们为了拓宽政治支持面,急于想扩大其影响范围,以此表达和促进其选民利益。相关的官僚部门于是成了将广泛的产业利益传导为行政过程的入海港①。

我们将这种通过行政官僚(省部),所辖利益集团和政治家多元均衡联盟代表和协调产业或部门集团利益的状态称之为“官僚多元

① 我所使用的“官僚部门”是一个类别词,它指具有独立管辖领域的任何官僚单元。它可以指省部或代表处,如农业部、中小企业代表处或社会福利部等等。

主义”。官僚多元主义不是由颁布的宪法规则定义和设置的一种状态，而是政治域每时每刻通过等级结构不断谈判而延续和再生的状态。在下层的每个分领域中，以官僚部门为一方，以产业协会或部门利益集团组织为另一方的沟通和协商一直持续着①。而在上层，通常以某协调部门为中介（授权分配政府预算资金的协调部门尤其重要），各官僚部门进行多边谈判和协商。按官僚路线划分的政治家集团（这类政治家被称为族成员）也试图在中介过程增进他们所代表的部门利益。执政党在设定主要利益协调的议事日程和处理跨部门纠纷方面发挥着日益积极的作用，但它们似乎更依赖业已建立的多元官僚制度施加和增强其影响力。例如，法案主要是由官僚部门而非政治家起草和送交议会讨论。因此，官僚部门处于层级结构型社会谈判的关节点。这种结构赋予官僚部门两副面孔的特征（青木，1988）。在上层跨部门谈判中，官僚受他们管辖范围内所代表利益的约束。在下层与各个所辖组织的谈判中，他们又受到在跨部门竞争中他们所能动员的预算和其他公共资金的制约。

日本官僚多元主义国家形态中的永久性官僚部门实际上是嵌入在政府的代议制（立法机构和内阁）之中的。虽然永久性官僚部门内的职业成员不可能被选民立即替换下来，但政治家受代议制控制，官僚部门因而也最终置于它的间接控制之下。官僚部门同时还受到公众舆论的影响，一旦职业官僚的行为或部门政策被认为违反了公共利益，其合法性乃至生存都将受到威胁②。尽管如此，只要以行政过程为中介的利益协调持续成为稳定的社会结果，代议制所起的制衡作用就只能是第二位的（日本长期一党统治就是很好的说明）。当官僚内部的冲突已不可能通过常规的行政过程解决的时候，权力平衡可能被打破，公众不满情绪通过代议制的渠道不断表达出来，这时，以官僚为中介的利益协调机制可能会被迫做出重要调整（甚至连官僚多元主义国家性质都要随之改变）③。如果这种局面真的发生了，

---

① 关于官僚多元主义的下层谈判，参见奥野藤原（1997），关于上层谈判，参见青木（1988，第7章）。

② 户谷（Toya, 2000）在考察日本官僚系统于20世纪90年代中期引入所谓金融“爆炸”的作用时提出了这一观点。

③ 青木（1988），第7章。

究竟会如何解决，将取决于许多环境因素。我们在第 3 编将更深入地讨论这个问题。

官僚多元主义可以看做是在政治域中以谈判和寻求一致的方式重新安排产权的一种机制。在这方面，它和社团主义国家以及代表制的自由民主型国家有不少相似之处。在代表制的自由民主型国家，产权安排基本上是由市场决定的，虽然市场决定的结果受到税收和补贴的纠正，而且市场运行通常因利益集团的压力而受到管制。在社团主义国家结构下，政府把寻求谈判解的任务下放给代表不同要素市场利益集团的全国性最高组织。例如，在德国，关于工资和产业工作证书的集体协议对于产业里的每个企业都具有法律效力，而不管该产业是否已经工会化。这就大大地限制了市场竞争机制在劳动力市场的作用。在官僚多元主义下，社会谈判通过行政过程这个中介进行。该机制的核心要素是根据全覆盖成员制和协商性集体行动的原则组织起来的产业协会和部门利益集团。以这些组织为基础的部门利益的整合倾向于公平，甚至是最大—最小化导向的，即最大化最不利集团的报酬原则①。更进一步地，在官僚部门一级的谈判中，达不成一致协议表明现状或既得利益被很好地加以了保护。当政治家干预利益协商的行政过程时，他们会更关注那些生产效率低因而更团结一致地实施用选票换政治支持策略的利益集团(如农民协会、承包商协会及各种金融性产业协会)。因此，在官僚多元化国家下的社会谈判的结果将既是市场限制型又是“公平”的。

图 6.2 对本章的内容做了一个总结。沿水平方向代表私人参与者在政治过程的介入程度和模式。最右边是只有财产所有者参与政治域，最左边的情况是他们完全被排除在外。在中间他们和工人的利益一同被代表。中间的域进一步划分为两种情况，即工人的利益受制于市场约束的情况和通过产业工会、全国性劳动组织或雇佣企业表达的情况。

图 6.2 的纵向维度区分了几种涉及的机制：法治、在国家协助下的私人规则制定过程以及勾结型国家。勾结型国家又根据是否有代

---

① 护送制度(convoy system)就是一个很好的例子，我们将在第 13.3 节讨论金融业时涉及它。

议制和勾结范围进一步做了区分。从信息的角度看,从上到下的次序大致对应着政府和私人参与者沟通手段的普适性和正式性程度。自由民主型国家所依赖的法治平等适用于所有的私人参与者,故列在最上端。在代议制民主型国家,政府政策会受到某些和执政党形成联盟的利益集团的影响,它比法治下的政府政策要少一些普适性。在社团主义国家体制下,各市场要素的最高代表性机构之间达成正式协议,对经济域的法律规则是一个补充。官僚多元主义体制通过非正式的谈判协调多方利益,因而依赖更多利益集团专用性的沟通方式(如所谓的官僚部门的"非正式行政指导")①。但随着这种制度日趋成熟,官僚多元主义体制将更多地依赖于适用于每一个利益集团的正式规则,减少黑箱操作。周期性勾结型国家的一个例子是国家摇摆于以工会为基础的社团主义国家和以财产所有者为联盟的军事独裁统治之间,一些拉美国家一直到20世纪70年代还属于这种情况。国家统治具有很大的任意性。

在理论上,以法治为基础的自由民主型国家是最适合于全球市场一体化的发展。例如,从另一国进入到本国市场的参与人应该受到政府的同等对待。所以它的域是对外开放的。而对于非自由民主型的国家来说,向外界开放经济域将带来各种各样的困难。即使代议制民主国家也会倾向于歧视外人,保护本国特定商业集团、工会及其联盟的利益。我们曾经指出,包容乡村的发展主义战略的良性循环在国家日益依靠外部资源(如进口资本品)的条件下可能会埋下危机的种子。社团主义利益协商在很大程度上会限制国内要素市场的竞争。但随着金融、人力和组织资源变得越来越具有国际流动性,一国的谈判结果在超国家的市场维护型联邦制下将越来越容易被资源外流所改变。有人因此论证说,社团主义国家结构很可能被资源日益增强的国际流动性侵蚀掉。但另一方面,在官僚多元主义框架下由分割的勾结所造成的既得利益可能会阻碍那些能够利用市场全球一体化的新机会,但必须牺牲一些既得利益的制度创新。生产率较高的产业企业不再需要官僚多元主义的保护,可又不得不承担相当一部分的官僚多元主义通过税收和低效率部门的管制价格实现公平

---

① 有些学者将官僚多元主义称为"网络国家"。参见冲本(Okimoto, 1989)。

化带来的行政成本。这些高效率部门对官僚多元主义表现出一种日益矛盾的心态,但低效率部门却希望得到它的更多保护。

我们需要在新的国际环境下透视这些国家形态的内在困境,并考察它们是否需要沿着自由民主型国家的方向经历一次巨大变革。这个问题非常有趣,关于它的答案并不像人们一般想像的那样简单。研究这个问题需要准备更多的分析工具,尤其是分析制度变迁机制和政府与私人部门各种制度安排的相互依存性的工具。

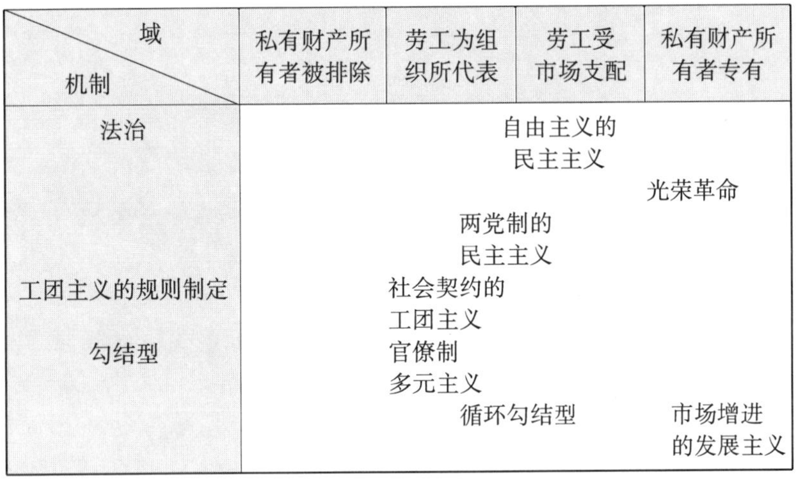

图 6.2　国家形态的类型

第 2 编

制度分析的博弈论框架

在第1编,我们讨论了各种在原始域作为参与人策略互动的稳定结果而演化的各种元制度。就每一种元制度而言,不止有一种理想类型,而是拥有多种变种形式。但我们尚没有系统地探讨这些制度的特定形式,在经济不同域组织在一起、形成内在一致的系统的方式,更没有探讨经济的整体性制度安排是如何随时间演进的。在本编,我们试图建立一个能够探究这些根本性制度问题的基本分析框架。

首先,我们提供一个制度的博弈论诠释,使第1章尝试性提出的博弈均衡观精确化。这种形式化的诠释区分了制度的双重性质:当制度由参与人的策略互动进行社会构建时,它们又被理解为约束参与人决策的外在之物。在均衡制度观的基础上,我们将分析制度如何相互共时和历时关联,如何通过联结不同域的制度组成一个整体以及政府政策和法令在制度变迁中的作用。我们还将结合取自许多国家的有趣实例说明其中的理论逻辑。

制度的博弈论观点因为其分析的严谨性和清晰性为制度分析提供了一个精炼的描述。但这种优点在分析制度演进的历时结构时却成了一个缺点。如果参与人事先知道所有可能决策的完备集合并相应行事,或者借助各种机遇最终探测出所有的相关的可能性,那么,随着时间的推移,参与人迟早会找到最佳的整体制度安排。只有新技术和其他外生的环境将改变这种安排。虽然该图景接近于经济学家所熟悉的关于世界的理想观,但它不免太机械了一些。在制度演进过程中,难道不存在创新或者退化的可能性吗？在本编的最后一章,我们提出一种尝试性观点——主观博弈论模型,认为参与人对博弈结构持一种主观和简化的观点,当他们遇上客观博弈的内部动态力量内生的巨大外部冲击或困境时,他们将以一种互动和创新的方式修改其观点。因此,制度演进过程可以概括为“刻点均衡”(punctuated equilibrium),它兼有路径依赖与创新、稳定和间断双重特征。

第 7 章　制度的博弈论诠释

假定社会经济的物质基础——或者从更广泛的角度说整个社会的物质基础是既定的。从人类传统和经验来看，人类具有适应这种既定背景的独特方式。这体现在人类确立的富有灵活性的而非僵硬的归因系统。该归因系统既包含了一些普遍原则，但又在许多特定方面允许差异性，它描述了“业已形成的社会秩序”或“普遍接受的行为标准”。

——冯·纽曼和奥斯卡·摩根斯坦：
《博弈论与经济行为》，1945 年 *

首先，让我们复述一下第 1 章尝试提出的对制度的诠释：

制度是一种社会建构，在同一域还可能存在其他社会建构的情况下，它代表了参与人内生的、自我实施的行动决策规则的基本特征，因而治理着参与人在重复性博弈的策略互动。

正如第 1 章所述，该诠释蕴含了制度的五个特征：内生性、信息浓缩、能够经受环境连续变化和参与人微小偏离的耐久性、与所有参与人的相关的普遍性以及均衡的多重性。本章将为含有这五个特征

* John von Neumann and Oskar Morgenstern, *Theory of Games and Economic Behavior* (1945: p41).

的制度提供一个形式化的定义，并讨论其与制度作用的关系。形式化定义的意义不仅仅是概念性的。随后我们将看到，该形式化定义概括了制度之间共时性和历时性相互依存的本质，并且在分析上可以驾驭。

为了使共有信念与均衡的概要表征的博弈论观点形式化，并为其应用作准备，本章第 1 节将介绍用来描述参与人在重复性博弈策略互动的“客观”结构的术语符号和一般性框架，然后讨论博弈论的两种观点——古典观点和进化论观点在界定行动决策的均衡规则这个概念时的互补性。熟悉博弈论的读者可略去后一部分（第 7.1.2 节和 7.1.3）。第 7.2 节是本章的核心部分，它从均衡观点出发给制度下一个形式化的博弈论定义，其中援引第 1 编的不少例子进行阐示。第 7.3 节研究以制度作为一方，以域（包括环境）参数（外生性条件）为另一方的互动和反馈关系，这一节同时也是对本编剩余章节的内容介绍。

7.1 外生性的博弈规则与内生性的行动决策规则

7.1.1 博弈论的一般性框架

让我们把经济域作为分析的基本单位。域包括参与人——个人或组织——的有限集合和每个参与人行动的技术可行集。时间是由无限个时期序列构成，在由 t 代表的每个时期，参与人选择和实施行动。在本章，域的特征假定在各期都是恒常不变的。每期所有参与人的行动组合称为行动组合，一个业已实现的组合称为域的（内在）状态。域的数据（data）是影响参与人福利状态的行动组合后果的技术可行集，是参与人无法控制同时又在参数上影响他们行动后果的环境，是在给定环境状态下赋予每个技术上可行的行动组合以特定后果的技术关系。

让我们引入下述符号：

$N = \{1, 2, \cdots, n\}$ = 参与人集合；

$A_i = \{a_i\}$ = 参与人 $i(i \in N)$ 行动的技术可行集；

$A = \times_i A_i = \{a\} = \{a_i, \cdots, a_i, \cdots, a_n\}$

= 行动组合的技术可行集；

$\Omega = \{\omega\}$ = 物质上可行的，可观察的后果集合；

$\phi: A \rightarrow \Omega$ = 赋予每一个属于 A 的 a 以属于 Ω 的 $\omega = \phi(a)$ 的后果函数。

我们称参与人集合、参与人行动的技术可行集和后果函数为博弈形式①。博弈形式定义了博弈的外生性规则。需要特别注意的是，参与人的行动可行集包括所有技术上可行的行动，它不排除任何被人为设置所限制的行动。参与人实际的行动决策不一定能够被其他人观察到，但其后果是可观察的。后果函数的数值隐含地取决于代表域环境状态的参数集合。这些参数规定了技术状态、资源的初始禀赋以及经济其他域（制度环境）的状态。不过，我们暂时假定这些参数恒定不变。特别地，为了集中讨论研究制度的概念性框架，我们准备将有关制度环境的明确讨论推迟到下一章。目前，我们暂时把博弈的外生性规则完全当作由技术决定的东西。

我们假定，参与人每期根据私人的行动决策规则 $s_i: \Omega \rightarrow A_i$ $(i \in N)$ 选择一项行动，使得对于所有的 i，

$$a_i(t+1) = s_i(\omega(t))$$

也就是说，参与人每期根据前一期行动组合可观察的后果选择一项行动②。目前我们暂时将规则内容看作是一个黑箱。它可以解释为隐含地包括了参与人对其他人行动决策的适应性学习，或者

---

① “博弈形式”一词源于赫尔维茨（Hurwicz，1993、1996）。不同于“博弈”，“博弈形式”不包含有关参与人“主观”效用报酬的信息。引入后一概念的意义在于它体现了“外生性博弈规则”的概念，和后面要介绍的“内生性博弈规则”相区别。我假定行动集合只是技术决定，这和赫尔维茨的处理不一样。赫尔维茨认为，行动集合和后果函数均是“制度设计的”。我承认“法律设计”的规则可以由后果函数表述，后果函数的定义域不必只限于法律行动集合，而可以是“违法”和“依法惩处”这些技术上可能的行动集合。我和赫尔维茨的不同区分的含义随后会显得更清楚。但这种差异值得一开始就指出。

② 更一般地，行动决策取决于更长一段历史的后果。令长度为 τ 的历史由函数 $h(t;\tau) = (\omega(0), \omega(1), \omega(2), \cdots, \omega(t-1))$ 描述，其中 $\omega(\tau) \in \Omega(\tau = 1, 2, \cdots, t-1)$ 是在时间 τ 观察到的行动组合，$\omega(0)$是空历史（null history）。令 H^t 代表长度为 τ 的所有历史的集合。这样，个人行动决策规则就可由函数 $s_i(.): U_t H^t \rightarrow A_i$ 给出，其中对于 H 中的任意 $h(t)$，$a_i(t+1) = s_i(h(t))$。

代表了参与人带有路径依赖性质的无所不包的行动计划，它源自对数据的先验性归纳推理。我们在随后的两小节里将讨论这些特定情形。

行动规则和后果函数定义了域内在状态从一个时期到另一个时期的转型，即对于所有的 t，

$$a(t+1)=s(\phi(a(t)))=F(a(t))$$

当状态趋于稳定，

$$a(t)=a(t+1)=a(t+2)=\cdots=a^*,$$

其中 $a^*=F(a^*)$，这时，我们称该域的内在状态处于稳态均衡①。域是如何达到均衡的呢？这显然取决于我们尚未界定的参与人行动决策规则的性质。

我们假定，参与人虽然能力有限，但总是试图从其行动决策中实现跨期报酬的最大化。我们还假定，每个参与人拥有一个定义在后果空间和固定贴现因子 δ 上的报酬（效用）流量函数 u_i。贴现因子可以为零（如参与人完全短视），这具体取决于环境。为了预测他或她自己在现期和未来时期行动决策的后果，每个参与人必须形成对别人行动决策的预期。给定这种预期，参与人每期选择主观上最佳的策略行动，或者一次性为未来选择最佳的行动决策规则。

因此，在一定域对任何参与人相关的博弈结构都可以由下述 2×2 表格形式代表。左边一列代表参与人面临的数据（博弈形式），右边一列代表他或她选择的变量。第一行表示内生于参与人的微观维度，第二行表示参与人面临的外在性宏观维度。矩阵中（CO）格是由后果函数代表的环境对参与人行动后果的影响，（A）格表示参与人的行动决策集合，（S）格代表参与人的策略选择，它受（E）格所代表的对他人决策的预期的制约。下图简称科斯盒子。它有助于澄清一些复杂的论述，使之清晰明了，因而将应用于整个第2编。

① 为了简化起见，我们把注意力集中在稳态均衡的情况，不考虑振荡型均衡的可能性。

	参数性数据 （博弈的外生规则）	内生性变量
内生于参与人 （微观）	（A）行动集合	（S）策略性行动决策
外生性约束 （宏观）	（CO）后果函数	（E）对其他人策略决策的预期

图 7.1　表述一般性博弈结构的科斯盒子*

在这个一般性结构的背景下，我们下一步要讨论实现和维持域均衡的内在状态的两种不同机制。

7.1.2　子博弈精炼均衡和可靠的信念[①]

假定参与人的贴现因子为零，其行动决策完全短视，即时间视野只限于本期。按照惯例，用 A_{-i} 代表除参与人 i 以外所有其他参与人决策集的乘积，令

$a_{-i} \in A_{-i}$ = 参与人 i 对其他人决策的预期（$i \in N$）。

假定参与人每期对其他人行动决策的预期和后者实际的决策是一致的，而且每个参与人该期所做决策是对本人预期的最佳反应，也就是说，存在 $a^N \in A$ 使得对于所有的 i，

$$\alpha_{-i} = a_{-i}^N \text{ 和 } a_i^N \in \underset{a_i \in Ai}{\operatorname{argmax}} u_i(\phi(a_i, \alpha_{-i}))$$

这时我们说行动组合 a^N 是静态纳什均衡。正像我们在第 1 编经常遇到的那样，静态纳什均衡的序列，$a(t) = a(t+1) = a(t+2) = \cdots = a^N$，可以构成域内在状态的一种均衡，但它不一定是一个“好”的均衡。例如，在第 2 章 2.2 节的模型中，序列｛偷懒，偷懒，偷懒，……｝可以是一种均衡状态。

假定相反的情况，每个参与人都非常富有远见，以至于贴现因子

* “科斯盒子”是作者以科斯命名的博弈模型。——编者注

① 熟悉重复博弈下子博弈精炼均衡概念的读者可以跳过本节。关于本概念的更严格的表述和讨论，参见博弈论的一些代表性著作，如 Fudenberg 和 Tirole（1991），Osborne 和 Rubinstein（1994），Gibbons（1992）和 Gintis（2000）。

δ 接近 1。这时参与人充分意识到他们现期的行动决策通过其他人的反应对未来报酬的影响，因而试图跨期协调其行动决策。又假定每个参与人制定了一个关于未来的无所不包的行动决策。为简单起见，让我们假设 $\Omega = A$ 和 $\omega(t) = a(t)$ 。也就是说，参与人一次性地选择了函数形式 $s_i(\cdot)$ 作为应对策略，而不是一期只作出一次决策。这时转型函数 $F(\cdot)$ 就简单地由参与人行动决策规则的策略决策组合 $s(\cdot) = \{s_1(\cdot), \cdots s_i(\cdot), \cdots, s_n(\cdot)\}$ 给出。当域在时期 t 的内在状态为 $a(t)$ 时，自此以后的博弈被称为子博弈。在 $\tau > t$ 的时期里按照参与人策略组合 s 进行的子博弈的内在状态由 $s(\tau : a(t))$ 表示。

令 $\sigma_{-i}(\cdot) : A \to A_{-i}$ = 参与人 i 对其他人行动决策规则的预期。假定有一种情况，所有参与人关于其他人策略的预期均与他们实际的策略相一致，而且对于所有 $a(t)$，所有的 t 和 i，每个参与人的策略都是针对本人预期的最佳反应，以至于存在 $s^P \in S_i$ ，使得对于所有 $a(t) \in \Omega$ ，所有的 $t \geqslant 0$ 和 i，

$$\sigma_{-i}(\tau : a(t)) = s^P_{-i}(\tau : a(t))$$

$$s_i^P(\cdot) \in \underset{s_i(\cdot)}{\operatorname{argmax}} \sum_{\tau > t} \delta^{\tau - t} u_i(s_i(\tau : a(t)), \sigma_{-i}(\tau : a(t)))。$$

这时我们称决策规则组合 s^P 是子博弈精炼均衡。在这种情况下，任何参与人想单方面偏离既定策略都是不合算的，因而被选择的行动决策规则是自我实施的①。

上述均衡规定了在未来所有可能的状态下每个参与人将采取的行动，甚至包括那些当既定策略被每个参与人在任何时间加以实施时而未能实现的状态。其结果，也许只有内在状态的某个特定均衡路径，如 $a(t) = a(t+1) = a(t+2) = \cdots = a^P = s^P(a^P)$ 可以被观察到。举例来说，在第 2.2 节的模型里，所有参与人选择状态{工作，合作}作为子博弈精炼均衡，它们能够被持续观察到。每个参与人选择均衡策略时实现的状态路径，即均衡内在状态的序列，可以称为博弈的实际路径(path of play)，而未被观察到的状态称为非实际路径(off-the-path-of-play)。

---

① 我们很容易将这个解的概念推广到变动环境的序列为 $e = \{e(t), e(t+1), e(t+2), \cdots\}$ 的场合，所增加的只是表述上的复杂性。

在参与人均衡策略中，对应着非实际路径的部分可以解释为其他人持有的理性信念，它们是关于当这些状态因偶然因素、错误或试验而出现时，该参与人将如何行动的信念。理性信念采取“如果……，就……”的规则形式，如“任何农户如果偷懒，不清除灌溉系统的沟渠，那么就将遭到其他农户的驱逐。”如第1.2节(行会)、第2.2节(灌溉博弈)、第4.2节(自我实施合同)和第6.1节(民主型国家)所述，这些自我维系的信念将历史限定在内在状态的某些特定序列。运用子博弈精炼均衡概念有助于剔除重复博弈中包含的不可信威胁的纳什均衡，也就是，参与人宣布他在某种情况下将采取一定的行动计划，但当这种情况真的发生时，他或她其实并没有实施该计划的激励。

子博弈精炼均衡概念虽然可以显著地减少重复博弈纳什均衡的数目，但剩下的均衡仍然会有不少(大众定理，the Folk Theorem)，有人因此声称，这种理论因缺乏预测力而令人失望。但我相信，读过第1编的读者一定会同意奥斯本(Osborne)和鲁宾斯坦(Rubinstein)的如下评价：“我们强调，该理论的主要贡献不仅仅是证明了产生这种组合的均衡的存在性，而且还发现了很有意思的、支持互惠报酬的稳态社会规范(策略)。”(1994:第134页)

产生子博弈精炼均衡的重复博弈结构可以由图7.2的科斯盒子代表。该框架不能回答的一个重要问题是，共享信念究竟是怎样在参与人中间形成的。虽然随时间的推移会有一些参与人退出和进入，但与制度研究有关的博弈必须是那些被同一批参与人重复进行的博弈。因此，我们可以给出一个关于均衡的稳态解释：“每个参与人都知道均衡结果，他从长期经验中积累的知识出发检测其行为的最优性。”(1994:第5页)现在让我们转向另一种观点，它强调基于经验的学习。

	参数性数据 (博弈的外生规则)	内生性变量
内生于参与人 (微观)	(A) 关于未来可能行动的完备知识	(S) 关于未来可能行动的全部策略计划
外生性约束 (宏观)	(CO) 关于后果函数的完备知识	(E) 对他人非实际路径行动的预期

图7.2　代表子博弈精炼均衡的科斯盒子

7.1.3 进化均衡和变异[①]

在推演子博弈精炼均衡概念时,参与人被假定是完全理性的,归纳推理得出关于其他人在非实际路径上行动决策的理性预期,以及在任何情况下自己的理性选择。与此相对照,进化博弈论观点明确引入参与人有限理性因素,侧重于以经验为基础的归纳推理。这方面的例子有第2.1节的习俗性产权模型(参与人的数目为两个)和第5章的组织惯例模型。在后一个模型中,参与人集合由一个连续变量代表,目前的框架无法严格地运用到这种情形。但我们不妨大致地假定,这是对有限大数目的参与人的一个近似,以此作为一个示范性的例子。该模型假定参与人的行动集合是相同的,博弈从无限远的过去开始重复进行。在每一期,参与人从前一期行动组合的后果获知哪种行动决策导致最高的平均报酬。这里平均报酬指的是某种相应行动决策的"适合性"(fitness)。给定关于后果函数的信息的有限性,给定关于其他人一般都遵从前一期行动决策的静态预期,参与人做出有限理性的行动决策,并通过模仿最适合的行动决策(可能有一定的惰性)实现其眼前收益(即 $\delta = 0$)的最大化。这样,如公式(5.1)所描述的决策规则,代表了参与人适应性行为,而不是通过演绎推理得出未来行动计划。任何超出这个有限理性规则的行动决策都将被认为是随机事件——即变异、错误或试验。由此我们得出进化博弈的一般性结构,如图7.3所示。

	参数性数据 (博弈的外生规则)	内生性变量
内生于参与人 (微观)	(A) 行动的固定集合	(S) 惰性模仿和变异
外生性约束 (宏观)	(CO) 从观察中获得的关于策略适合性的知识	(E) 来自有限记忆的推断 (静态预期)

图 7.3 代表进化博弈的科斯盒子

① 关于进化博弈论的教科书,维布尔(Weibull, 1995)和基廷(Gintis, 2000)的书值得一读。有关进化博弈论在制度方面的运用,请参见扬(Young, 1998),鲍里斯(Bowles, 2000)。松井(Matsui, 1996)提供了一个进化博弈论关于制度的各种讨论的概览。

对于类似于第5章的进化博弈模型，我们可以对转型函数重新描述如下。假定所有参与人都是对称的，大家的行动集 A 和报酬函数均相同。令 $\hat{a}(t): A \to [0,1]$ 代表以时期 t 的决策表示的参与人在整个行动集合上的分布。转型过程于是可以重新表述为：

$$\text{对于所有 } t,\ \hat{a}(t+1) = F(\hat{a}(t)) = \hat{a}(t) + f(\hat{a}(t))$$

为了确保参与人的数目永远不为负数，他们之和必须等于1①。如果下述条件总是成立，我们就说转型过程和进化过程是相容的：即对于任何两种行动决策，其中在上一期被观察产生较高（较低）平均报酬的行动决策被大多数参与人在本期采用（抛弃），使得对应的 f 部分取值较高（较低）。可正式表述为，

$$f_j(\hat{a}(t)) > f_k(\hat{a}(t))\text{，当且仅当}$$

$$u(\phi(a_j(t-1),\ \hat{a}(t-1))) > u(\phi(a_k(t-1),\ \hat{a}(t-1)))$$

其中 $u(\phi(a_i(t-1),\ \hat{a}(t-1)))$，$i = j, k$，代表时期 $t-1$ 参与人分布为 $\hat{a}(t-1)$ 的情况下参与人选择行动 a_i 的报酬。这相当于说具有较高（较低）适应性的物种繁殖（衰亡）得较快。

在上述进化转型过程中有两个重要的均衡概念。其中最简单的一个是渐进稳定动态均衡（asymptotically stable dynamic equilibrium）$\hat{a}^E$，即对于邻近 $\hat{a}^E$ 的任何初始位置 $\hat{a}(0)$，都有 $\lim_{t\to\infty} \hat{a}(t) = \hat{a}^E$。该均衡也被称为"进化均衡"（evolutionary equilibrium）（D. Friedman, 1991）。如果参与人的初始分布邻近该均衡的话，进化均衡是参与人的分布随时间而最终收敛的行动。这种均衡一旦确立就很难摧毁，其中的原因，打个比方，就像是它比周围邻近状态处于更高的坡峰。进化均衡总是纳什均衡②。在进化均衡下，决策规则对应的是一个特定的行动决策（或混合策略决策），而不像在子博弈精炼均衡下，它代表一个依情况而定的全部行动计划。正是担心可能施加在他们身

① F 必须满足两个性质：(1) 对于所有 $\hat{a} \in A$，$\sum_j F_j(\hat{a}) = 1$；(2) $\hat{a}_j = 0$ 意味着 $F_j(\hat{a}) = 0$，其中下标 j 指的是决策集第 j 项决策。这两个条件保证了参与人的频率分布不可能为负，且它们之和等于1。

② 关于进化博弈中的各种均衡概念，参见 Van Damme (1987)，Friedman 和 Kandori (1991)。

上的成本驱使着参与人遵从均衡行动，其中的逻辑和第 5 章所讨论的一样。而且，第 5 章所讨论的组织博弈的动态过程与进化选择是相容的。在那个模型中的九个均衡中，P、H、F、L 均衡都是进化均衡。

只需对上述进化均衡的定义当中有限历史记忆部分做一些适当修改，第 2 章的动态过程和进化选择也是相容的。不过，给定初始的历史起点，100 只野兔在两人间的任何分配都可能是一个极限点，其动态过程可以叫做准稳定的（参见第 196 页注①的严格定义），但不存在上述意义上的进化均衡。在该模型中我们已经看到，引入决策的一些随机因素会导致另一种类型的均衡演化。假定与进化选择相容的行动组合中，任何个人行动决策都可能以一个非常小的概率 ε 发生扰动，在每一期结束时转变成任何其他的决策。于是时期 t 的博弈状态可以由定义在 A 上的参与人的概率分布 $\hat{a}(\tau:\varepsilon)$ 来描述。假定不论过去的历史是怎样的，当扰动比率变得很小时，在长期内该概率分布总是收敛于特定的概率分布 $\hat{a}^S$。正式地，对于任意的 $\hat{a}(0)$，$\lim_{\varepsilon\to 0}\lim_{t\to\infty}\hat{a}(t:\varepsilon)=\hat{a}^S$。这时我们把极限分布称为随机稳定的（stochastically stable）（Foster 和 Young，1990）。当有变异的进化动态系统经历无限长的时间，我们可望看到的就是这种分布本身。如果我们将第 5 章的动态过程重新表述，在小概率变异和参与人有限的条件下使之和进化选择相兼容，我们不难预期，惟有以组织多样性为特征的最优均衡 P 是随机稳定的进化均衡①。

传统的观点认为，在长期内，最有效的策略将居于主导地位，而其他策略最终会被竞争淘汰（Alchian，1950；Friedman，1953）。按照这种观点，上述进化博弈论所传递的理论寓意看起来就多少有些讽刺

① 从第 5 章选择四个准稳态均衡点 P、H、F 和 L，然后考虑它们之间所有可能的“树状”关系。树状关系在状态集合上是一种半序关系，使得（1）除了有一个元素例外，每个元素都只有一个直接跟随元素；（2）在该集合中，惟有一个元素是所有其他元素的（直接或间接）跟随元素。该元素被称为树根。对于每一种树状关系，我们分别计算正文所定义的转型总成本，然后从所有以 H 为根的树状关系中找出总成本最小的树状关系。我们称这个最小总成本为“向 H 的转型成本”。最后，比较所有四个准稳态的转型成本。在我们的模型中，P 在四个状态中是最小成本的树根。根据扬（1993）的结果，最小成本的树根确实是随机动态进化过程中惟一的长期均衡，在动态进化过程中，有限人数的参与人在间断的时间段上以小概率发生变异。参见神取、麦拉什和罗勃（Kandori、Mailath 和 Rob，1993）。

意味。这是因为，正是随机因素——如错误或无法解释的变异，在某时间点积累到临界值，而不是纯粹的竞争本身，确保了有效结果的长期稳定性①。其中的原因是多重进化均衡的存在，尤其是一些非效率均衡的存在。以我个人之见，我们不能机械地看待这个结果，视其为现实世界的近似物，而应该把它当作是一个理论参照点，以此来识别阻碍或促进经济从非效率状态向效率状态转变的因素（如我们在第5.3.2节所做的那样）。我们认为，就专门研究制度而言，当均衡数目已经减少到只剩几个“合理的”均衡时，均衡的多重性不一定就构成模型的一个缺点，因为制度安排的多样性毋庸置疑是历史和现实世界的一个重要特征。和萨格登（Sugden，1986）一样，我将均衡多重性视为制度定义的基本组成部分。

7.1.4 古典和进化博弈论的互补性

粗略一看，古典博弈论和进化博弈论在世界观方面似乎完全对立。古典观点假定，参与人在信息收集、预期形成、后果推断和决策制定方面是超理性的。至于共同预期是如何形成的，古典观点却未置一词。另一方面，从进化博弈论来看，参与人的理性是非常有限的，他们的行动被惰性和简单模仿所驱使，受制于关于他人行动的基于经验的信念，而且，收敛于效率结果还依赖于无法解释的随机事件。尽管有这些不同之处和局限性，但这两种观点并不相互排斥。

古典理性观点的均衡概念（例如子博弈精炼）大致上可以理解为是学习的产物，虽然沿这种推理路线的观点还未能确立牢固的理论基础。在学习过程中，随机事件的出现如错误和试验是不可避免的。其实，已经有人提出类似于不可能性定理的结论，指出没有随机因素

① 关于随机因素（变异）的作用，福登伯格和马斯金（1993）提供了一个有趣的例子。他们建构了一个动态过程，其中两人从人数众多的参与人中间随机抽取配对，在记忆有限和以一定正概率犯错误的情况下进行对称性博弈。而且，在不连续的时间段上，该人群受到一些选取不同策略的变异者的侵入，同时也有人从原来人群里离开。福登伯格和马斯金受梅纳德－史密斯进化稳态策略的静态概念的启发，提出了一个对变异者具有免疫力的进化稳态策略概念。他们证明了，在一定条件下，典型的进化稳态策略将以高概率生存下来，它作为流行策略一旦确立起来了，便会近似于有效率的结果。在这种情况下，正是一些低效率的参与人犯错误使得更多有效率的变异者得以生存。

介入，有限理性的学习无法导致可观察的状态或关于其他人行动决策的推断的收敛(Foster 和 Young，1990)①。为了消除从“坏”的经验得到的信息，帮助参与人不至于陷入困境或永远摇摆于周期之中，随机因素是必要的。另一方面，进化博弈论试图概括的是惰性、模仿、不完备推断以及随机因素都是人类行为的特征。当然，经济参与人在解释历史和将业已建立的推断原则运用到决策时，总是尽可能理性地进行推断。举例来说，达到临界值的变异——它在决定进化动态过程发挥非凡作用——可以看做是富有远见卓识、善于向别的地方学习的企业家精心设计的试验(参见第 5.3.4 节)。

因此，这两种观点侧重于人类推断不同的但又不可分开的两个方面——一个是模仿性、归纳性和有限理性，一个是精心计算、演绎推理和完全理性。一般地说，进化博弈论更适合于分析以惯例和习俗形式体现的制度的自我实施性。在这一类制度中，遵从隐含规则的基础是由参与人的“天然”特性提供的，他们的特性(如价值观、偏好和才能)经长期演化，最终与这些制度相适合而形成的②。制度和个人特性的共同演化可以更好地用进化论模型进行研究，因为进化论模型建立在设定相对较少的域特征的基础上。第 2 章讨论的习俗性产权在只具备有限信息加工能力的参与人中间演化出来的，而第 5 章组织惯例的演化则发生在参与人的技能类型未加设定的组织领域。

---

① 假定参与人的报酬函数是私人信息，这时关于他人决策的预期无法得自演绎推理，而只能从过去可观察的事实推断出来。问题于是变成，是否存在这样的推断规则，它使得所有参与人的预期和决策，不论初始点如何，都能在极限状态趋于收敛和相互一致。然而，理论上所知道的推理规则中很少有保证这种稳定性的规则。例如，如果我们假定参与人具有完备的记忆力，每个参与人的预期都是其他人截止时间 $t-1$ 所采取行动的频率分布。这种学习过程被称为虚构博弈(fictitious play)。但对于很多博弈来说，虚构博弈并不存在信念或策略的收敛。福斯特和扬(Foster 和 Young，1998)实际上已经证明了某种意义上的不可能定理：在不存在随机因素的情况下，除非参与人的初始信念非常接近一个纯策略纳什均衡，而且关于其他人策略的初始不确定性能够在有限时间内加以克服，否则，任何合理的学习过程都不会导致预期或行动的收敛。一般来说，为了使该过程达到准稳态，有必要将随机因素引入到行动决策(错误)或预期形成(如福斯特和扬引进的“模糊性”)。同时也请注意，米尔格罗姆和罗伯茨(Milgrom 和 Roberts，1990b)的贡献。他们证明了：对于被称为超模博弈(super modular game)的特定博弈来说，如果参与人在适应性修改的预期下选择最佳反应，惟有纳什均衡策略能够生存。超模博弈准备在下一章介绍，比较制度分析中许多有趣的博弈都可以概括为这类博弈。

② 斯科特(Scott，1995：第 3 章)。

另一方面，古典博弈模型更适合于分析诸如规范、合同和治理结构之类的制度的可自我实施性。这些制度需要界定明确的实施机制，包括强制性的惩罚和规范性预期。遵从这些制度规则的基础更多来自自利的参与人对违规行为的可能后果的理性信念。古典重复性博弈模型建立在设定相对明确的域特征的基础上，因而可以更好地考察参与人的理性信念。例如，第 2 章的社区规范在以社区成员均一性为特征的域上是可持续的。第 3 章研究的各种交易治理机制多少只适合于特定的交易结构。第 6 章讨论的不同国家形态首先假定了政府的存在，然后又设定了约束私人参与人特征的特定社会结构。在这些设定相对明确的域中，参与人有可能发展出推断别人的策略规则的能力。

进化博弈论和古典博弈论在相关域也是相互补充的；在一些情况下，两者甚至在同一域导致相同的模型解（即制度）。虽然在进化博弈论中，关于非实际路径行动后果的预期不构成策略的一部分，但进化均衡一旦确立，要想把它和子博弈精炼均衡的内在状态区分开来将是非常困难的。有一些重要的理论结果确实表明了这一点①。例如，让人惊讶的是，扬推出的习俗性产权博弈的一般性稳定均衡和谈判博弈的子博弈精炼均衡是完全一致的。在谈判博弈中，两个理性参与人依次出价，商定物品（兔子）的分配，直到达成一致为止，其中物品的价值在达成一致以前按一定速率贬值（如兔子跑了）（Rubinstein, 1982）。后一种观点假定，两个参与人都各自知道对方的报酬函数（效用函数）。可是，他们这种知识的获得应该来自过去的经验和观察。两种观点的一致性表明它们所侧重的人类行为的方面是不可分和共存的。

因此，在博弈论发展尚不完善的阶段，进化论和古典论可以看作是相互补充的，它们侧重于人类推断不同但又不可分开的两个方面——演绎推理和观察为基础的归纳推理，侧重于制度的不同起源——设计和演化。我个人的观点是，这两种观点作为制度分析的工具共同面临着一个更为严重的局限，那就是它们都假设参与人的

① 有关各种理性解概念如何可以由均衡过程加以解释的文献概览，参见 M. 神取(1997)，特别是第 254 – 258 页。

决策集合是固定的，这一点在第 5 章结束时我们已经指出过。参与人如何能够知道所有这些行动的可能性呢？在遇上前所未有的情况时，参与人难道不会探究新的行动的可能性吗？当我们明确讨论制度变迁问题时，上述假定的局限性就显得特别突出。目前我们暂时继续假定参与人得自过去经验的行动集合是固定的。在大致协调了古典和进化两种观点之后，现在让我们接着在纳什均衡的一般基础上进一步阐释制度的特征。

7.2 作为博弈均衡路径概要表征的制度

如上所述，我们认为对于制度的诠释必须包含五个相关方面。首先，制度是在一定域内生地产生的，而不是外在给定的。第二，参与人在做决策的过程中，不可能也不必要预期别人所做决定的每一个细节。参与人的决策在很大程度上受到既定制度的指导和约束，这表明制度是浓缩信息的载体，这些信息涉及参与人在一些重要场合行动决策的基本特征。换言之，我们把制度的一个重要作用归结为扼要代表了经济内在运行的一些基本特征，因而降低了有关他人决策的不确定性。第三，和通常理解的“制度”相关的一个性质是它的耐久性和稳定性，它能够经受住环境的连续变化，但当环境变化超过某个临界值或者当域内动态过程(积累)的后果导致了危机或困局时，该性质将要面临考验。因此，一种制度不能简单地等同于某个特定时刻上亚经济的特定(均衡)状态。它应该看作是环境和内部变化在一定边界内相对不变的东西。而且，对制度的诠释还应该强调制度对参与人微小偏离行动决策的隐含规则的承受力。第四，在经济特定域里，参与人关于影响其行动决策的经济状态必须有一些共同理解或共享认知，虽然他们对这些经济状态的含义的解释可能因人而异。如果某种人为设置在一些人看来是相关的，从而影响他们的行动决策，而另一些人则认为与他们无关，置之不理，那么，这种人为设置就不应该看作是一种制度(虽然前一些人把它们视为相关的制度安排)。第五，制度是人为的秩序。制度本身不是惟一由经济域的技术和生态环境决定的自然秩序。在同一技术和生态环境之下可以建立多种制度方式。因此，我们试图寻求一种从均衡概念(即内生性)的角度对制度的诠释，它同时还必须具备其他四个特征：概要表征(summary representation)(信息浓缩)、耐久性、共享性(共享认知)和多重性。

首先，假定一个恒常环境下存在均衡策略组合 $s^* = (s_1^*, s_2^*, \cdots, s_i^*, \cdots, s_n^*) \in S = \times_i S_i$，其中 S_i 代表参与人 $i(i \in \mathbf{N})$的行动决策集合。对于每个 $i \in \mathbf{N}$，假定都存在一个相关函数$\sum_i^*(\cdot)$，从 A 映射到最少维度的空间，使得对于 $s \in \times_i S_i$，只要$\sum_i^*(s) = \sum_i^*(s^*)$，就有

$$s_i^*(\phi(s)) = s_i^*(\phi(s^*))。$$

函数$\sum_i^*(\cdot)$定义了一个策略组合集合的分割(partition)：即存在一个包含 s_{-1}^*在内的 S_{-i}的子集$S_{-i}(s^*)$，如果 $s_{-i} \in S_{-i}(s^*)$，则 $s_i = s_i^*$。这意味着$\sum_i^*(s^*)$充分概括了参与人 i 在作相应决策 s_i^* 时所需的关于均衡组合 s^* 的信息。也就是说，如果参与人在其他(非均衡)状态得到相同的扼要性信息，他将做出和 s_i^* 完全相同的决策，而不管这些状态的进一步的细节如何。我们把 $S_{-i}(s^*)$称为参与人 i 在s^*的信息集，把$\sum_i^*(s^*)$称为它的概要表征。

我们不妨将发挥信息中介作用的价格机制与均衡的概要表征做一类比，虽然两者的相似性不能贯彻制度定义的始终。在原始交易域，参与人之间相互讨价还价，同时处理特定交易伙伴出价和接受(拒绝)出价的信息。当交易范围不断扩大，交易域逐渐演化成一个更具匿名性和竞争性的市场交换域，统一的交换率作为均衡策略组合的结果就将可能产生，参与人于是开始借助浓缩消息进行交易决策①。这时，参与人就不用费神去考虑谁以一定技术提供合意的商品，还有哪些人想买同一种商品等等问题。竞争性价格作为市场上其他参与人在变动环境下策略决策的浓缩消息，节省了参与人信息加工的费用，同时又通过界定与他们资源禀赋相对应的预算约束决

① 参见第6章的第160页注①，盖尔(Gale, 1986)的一个重要贡献是证明了瓦尔拉斯价格是交易博弈的一个均衡结果。

策集合，限制了他们的决策①。然而，价格会随环境（技术和偏好）的变化而变化，它不满足我们的耐久性要求。所以，价格本身不构成我们要定义的制度。

为了捕捉个人信息集的耐久性特征，我们现在需要明确引入环境变动性这个概念。令 $E=\{e\}$ 为环境参数集合，$\hat{E}$为它的相连子集，在此子集上存在一个连续的均衡映射 $s^*(e)$。大致地说，该连续性假定意味着，只要环境在$\hat{E}$的范围内只发生微小的变化，均衡的"定性"特征将维持不变。尽管不太严密，我们姑且认为在$\hat{E}$上的 $\sum_i^*(s^*(e))$存在共同特征 $\sum_i^*$，那么，$\sum_i^*$ 就为 $\sum_i^*(s^*(e))$所涵盖，其中 $e\in\hat{E}$。

也就是说，$\sum_i^*$ 是参与人 i 在环境$\hat{E}$下所感知的域内在状态的扼要表征。如果我们继续用市场交换域作为例子，$\sum_i^*$ 可以认为是代表了参与人的下述一般信念，如"如果我保持良好的信用记录，我就能用信用卡在任何地方买东西，甚至通过互联网购物"，"公共设施的价格是由政府规制的，或者，他们的批发价是由拍卖决定的"等等，而价格水平和管制时间的具体数目则没有规定。但为了做出具体决策，参与人必须弄清楚市场上通行的实际价格。而且，促使参与人进入市场所需的信息，如"依靠黑社会实施合同"或"商品只能通过与有长期关系的特定商业伙伴的易货贸易获得"也必须有效。

最后，假定我们可以在域内所有参与人的个人概要表征中找到一个共同元素 $\sum^*$，那么对于所有的 $e\in\hat{E}$ 和所有的 i，$\sum^*$ 都被

---

① 我们关于充分概要表征函数$\sum(\cdot)$的定义和统计推断理论中的充分统计量的概念是类似的。后者定义成为了使统计推断具备某些性质（如无偏性）所需的最少的扼要数据。在我们的框架里，充分概要表征函数指的是对参与人在均衡附近决策的概述性信息。一些对完全竞争价格机制的效率性质感兴趣的新古典经济学家，如库普曼斯（Koopmans，1957）和赫尔维茨（Hurwicz，1960），关心价格是否是达到帕累托最优的充分统计量，从而在价格和统计变量概念间作了一个正确的划分。市场不可能是完备的。现存市场在没有昂贵的治理机制的情况下不可能存续下去。我们并不试图从一个设计者的观点出发，认为经济制度为了实现某个目标，在给定参与人对物品效用的认知的条件下，可以自由设计和安排。相反，我们认为，经济制度和经济参与人认知经济运行及其后果的方式是同步演化的（Bowles，1999）。因此，说价格对于实现帕累托最优均衡是"充分"的是不精确的，虽然人们承认在竞争性市场上，价格机制可能是相对更有信息效率的。

$(s_i^*(e),\ \Sigma_i^*)$涵盖了。其中$(s_i^*(e),\ \Sigma_i^*)$是参与人的实际选择与其均衡路径的概要表征。Σ^*概括了当环境在$\hat{E}$的范围内变动时域内所有参与人关于博弈实际进行的共同认知。

现在容易看出,函数Σ^*满足内生性、概要表征、耐久性和共同认知四个条件。最后,在相同的环境子集下,假定存在均衡组合的不同路径 $s^{**}(e)$, $s^{***}(e)$, …,从中得出相应的均衡的概要表征,如Σ^{**}, Σ^{***}, …,等等。如果它们彼此不同,就正好满足均衡多重性的要求。于是,我们可以将这些均衡的概要表征称为制度(见图7.4)。如果上面引用的三个陈述无论哪个被均衡路径上的参与人普遍持有,那么,"以信用为基础的市场制度","规制性的(或竞争性的)市场制度",或"关系型的易货贸易制度"就分别具有建构性。

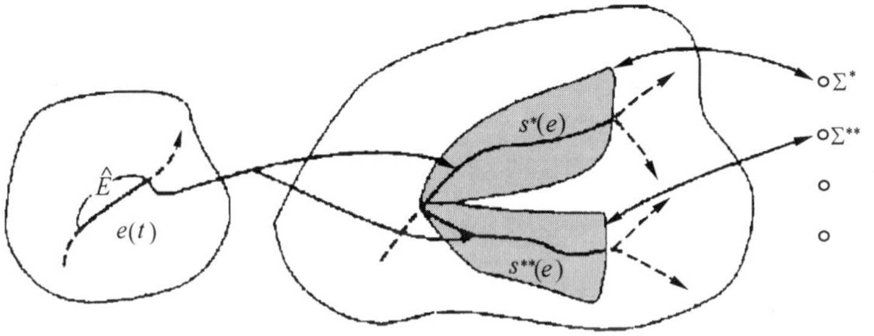

图 7.4　作为均衡路径的概要表征的制度

从左到右表述了环境组合 E,战略组合 S,以及制度组合。环境决定的均衡路径 $s^*(e)$与 $s^{**}(e)$在环境处在$\hat{E}$的情况下分别为Σ^*和Σ^{**}概要地表征出来了。

给定环境参数的变动在$\hat{E}$的范围之内,每个参与人把Σ^*(或Σ^{**}, Σ^{***}, …)所代表的共同的浓缩信息视为既定。参与人的信念部分受到该浓缩信息的协调。如上所述,参与人面对环境状态 e,为了做出均衡行动决策,还需要加工不包括在Σ^*但对参与人相关的剩余私人信息(residual private information),即

$I_i^*(s^*(e)) = \Sigma_i^*(s^*(e)) \sim \Sigma^*$。这样,均衡路径$\{s^*(e)\}$将持续产生,并反过来证实信息浓缩$\Sigma^*$,使制度不断再生产。所以,制度在$\hat{E}$上是自我维持的。虽然制度以社会建构的方式成为一种均

衡现象，但它在域对于参与人来说是客观化的，看上去好像独立于个体参与人的控制范围。

制度是均衡路径的显著和固定特征的浓缩表征，制度的这一特征有助于解决第 1.2 节和本章所涉及的一些理论难题：个体参与人如何能够在均衡确立之前，即获知别人的均衡策略之前，发现和选择某种均衡策略？个体参与人不需要知道别人均衡策略的细节，所需知道的只是均衡的概要表征和少量的私人信息。注意概要表征 $\sum^*$ 协调着参与人的预期，帮助他们发现对应的均衡策略组合 $\{s^*(e)\}$，但概要表征并不必然要求从均衡路径中获得，原因在于前者包含着比实际演化的均衡更粗略的信息。这说明，概要表征可能在博弈最终实现具体的均衡之前就存在，它先于均衡，指导人们去发现均衡。例如，在第 3.2 节格雷夫的关于马格里布商人的模型中，商人有可能在一开始并不知道，也不可能知道均衡效率工资水平的确切信息。可是，马格里布文化关于骗子必被驱逐出商人社区的信念，也许已经足够指导商人在整个整体背景下去收集更具体的局部信息，最终发现均衡的合同形式。我们在第 9 章将进一步讨论其中的逻辑内涵。

我们将前面章节所涉及的一些关于 $\sum^*(\cdot)$ 函数的例子列举如下。其中有一些采取“如果……，就……”的形式（在子博弈精炼均衡的情况下尤其如此），代表可能的实施机制；而有些例子则规定了特定类别的参与人的预期角色以及对违反者的可能处罚（在进化均衡的情况下尤其如此）。

- 习俗性产权规则：“你不可以在别人的土地上随意捕捉野兔。”（第 2 章）
- 社区规范：“如果任何农户在维护和适用灌溉系统时有渎职行为，该农户在社会交换中将受到驱逐。”（第 2 章）
- 雇佣合同：“如果工人在工作中偷懒，他们将被雇主开除，并很难在同等工资下找到另一份工作”，或“工人只要勤奋工作就可望终生被雇佣”。（第 3 章）
- 货币：“货币购买物品，物品交换货币；但物品并不购买物品。”（第 3 章）

- 组织规范:“工头的作用在于促进团队工作”或者“工头的作用在于发布命令,协调下属的任务”。(第5章)
- 国家:“如果国王在未获议会同意的情况下提高税率,其王位将受到威胁”,或“如果政府补贴的企业每年的出口不能扩大,它的补贴就有可能被取消”。(第6章)

浓缩信息为了固化为一种制度,就必须被特定域的所有参与人所了解和共享。当然,这不意味着它对于所有的参与人都必须具有相同的含义。让我们以上述雇佣合同制度为例加以说明。雇主也许认为惩罚“懒惰”和“不值得信赖”的工人是“合法”之举,而工人则认为这是贪婪的资本家“合谋”驱使他们拼命劳动的结果。不同参与人因扮演的角色各不同,赋予一项既定制度以各种各样的解释,这些解释可以看作是所谓的意识形态。虽然对于制度的解释存有差异,制度的实质却对每个参与人的决策都发生影响。

7.3 制度化的反馈路径

上一节我们将制度理解为对域状态的基本特征的共享的认知,它产生于参与人互动(移动)均衡,并由此得以强化。相应地,我们将均衡演化所产生的预期趋同过程称为制度化。本节试图通过考察在域内部和不同域之间制度化过程中不同的反馈机制,理解制度化的意义。

制度通常采取自发秩序的形式(用哈耶克的术语来说即 cosmos),如习俗、惯例、文化信念或来自自发秩序的规则(nomos),如规范、自我实施合同和道德律。我们可以称这种类型的制度化为自主性制度化,因为制度化是自主发生的,制度在博弈的外生规则下进行着自组织。作为另外一种可能性,制度化也可能是精心设计的改变博弈形式的产物。增加一个拥有独特行动决策集合(如法律惩罚手段)和偏好序的参与者(组织),或改变立法者的法律(哈耶克称为 thesis(制定的法律)),就是改变博弈形式的例子。在前者,博弈的策略参与人集合被扩大了,而在后者,后果函数被加进了立法更改的信息(比如我走私毒品,被抓获了,如果执法者依法惩处,那我就得进监狱)。我们把因博弈形式人为改变而引发的制度化称为诱导性制度化。在交易会上通过商法仲裁者传播信息而实施的诚实交易就是其中的一个例子(第3.3节)。但是正如经常提到的那样,仅仅撰写一部法律不足以实现一种理想的内在状态。执法者和其他参与人的策略决策是重要的。即使一部禁止毒品走私的法律颁布了,如果执法人员时常接受贩毒者的贿赂的话,那么一种腐败体制就会诱发产生。这里的一个重要区分是,制度必须是作为博弈的均衡结果来维持的,而"制定的"法律(thesis)只规定了诱发均衡的博弈外在规则(后果函数)的一个参数①,不论这种诱发是有意的还是无意的。

我们引入自主性和诱发性制度化这个区分的目的只是为了强调颁布一项"制订的"法律本身不能看作是制度化②。其实,在实际过程中,自主性和诱发性制度的区分并不那么一目了然。也许根本就不存在一种纯粹的自主性制度,因为很难想像一种博弈情形,其中所有的规则对于域的参与人来说都是技术性的和外生的(Field,1979、1981)。即使惯例和规范的演化也主要发生在业已存在既定法律的域。反过来,为了使内生的非正式规则(习惯法)的含义确切无疑地被人们理解,甚至改进其实施效果,非正式规则就有必要成文化和精确化。政治家或立法者设立的政策如果成为人们信念收敛的聚焦点,也往往得益于以前流行的实践。例如,我们看到,社团主义国家形态在德国的正式形成来自德国长期的社团主义传统,甚至来自纳粹时期的特定实践。

博弈内生性的规则一旦确立起来,不论是自主性的还是诱致性的,在和既定法律和新环境的互动作用下,都将成为进一步制度化的

---

① 该区分大致对应着格雷夫(Greif, 1999:第2章)所做的关于"社会建构"和"制度约束"的区分。在他看来,"社会建构"是指组织和协调机制,而"制度约束"则被认为是"内生的,因为它们是社会成员互动的产物,但对个体成员来说又是外生的,因为它们从个人的观点看,构成社会外生和显著的特征"(第14页)。

② 从制度分析的博弈规则观点出发,诺斯对"非正式规则"(规范、习俗)和"正式规则"(合同、产权、宪法)作了区分。他的"非正式规则"可以认为对应着我们意义上的自主性制度化的建构。但我们不把法律的正式化视为制度化。为了成为制度化的一部分,法律必须由包括执法者在内的参与人的策略互动来实施才行。

基础。这个过程可以螺旋式无限进行下去[①]。我们在第 9 章会讨论整个螺旋式过程。作为理解制度化这样一个累积性和长期性过程的初步准备,让我们再次运用科斯盒子,以阐明盒子四个方格所代表的各个博弈元素对于制度化的意义(反馈作用)。

首先要注意到,博弈的均衡过程意味着博弈的内生变量,即策略决策组合和参与人预期,相互强化和同步稳定的过程。因此,制度化意味着参与人策略决策(S)的程式化和关于其他参与人决策的不确定性的减少(E)将以一种相互支持的方式同时产生。制度化对个人的行动决策具有双重意义。一方面,它帮助个体参与人节省决策所需的信息加工成本。另一方面,它又对个人的行动决策施加“人为约束”(诺思),这体现在参与人的决策过程被制度引向某种特定方向,而放弃了许多理论上等可能的其他方向。这正是图 7.5 从 E 格到 S 格制度化机制的“宏观—微观线路”的双重性质,即促进性和控制性。反过来,还有从 S 格到 E 格的“微观—宏观线路”。参与人在与制度所隐含的博弈内生性规则的相互作用中,共同再生和印证着制度。

和微观—宏观双向线路相平行,还有其他类型的反馈线路:从内生均衡过程到外生参数(从上述科斯盒子的右列到左列)以及反过来的过程。当制度化在经济域发生时,它控制着域内的博弈分配结果。例如,第 2 章所讨论的习俗性产权规则的建立赋予具有较强信息加工能力和冒险精神的参与人较多的野兔捕获量。第 6 章所讨论的各种国家形态也有分配性功能。例如,社团主义和官僚多元主义国家以社会协商或官僚中介的谈判方式会导致更高的社会福利水平,而在自由民主型国家,参与人因能力差异而呈现较大的收入不平等。我们可以把原初科斯盒子的 A 格所表示的参与人的行动集合看作是参与人能力的表征。这样,制度化的分配后果隐含了按能力赋值的程式化。“不同的制度规则为意会的知识带来不同的激励”(North, 1990:第 81 页)。制度化将强化这种按能力赋值的实践,并鼓励某种能力类型的发展,导致其他能力类型的价值的降低。在捕获野兔的例子中参与人会产生积累信息加工能力的激励。另一方

① 这种螺旋式发展过程的另一面是制度的源泉无限回归到遥远的历史之中(第 1.3 节)。制度化的双重方面在格雷夫(1999)那里有详细阐述。

面，如普拉特奥（Platteau）和速水（1998）在一篇富有启发性的论文中所指出的那样，一定的社会规范也可能会阻碍技能发展。他们观察到，在非洲撒哈拉地区，如果某家人连续几年喜获丰收，其他农户就会视之为魔法显灵，于是便通过一种神圣的宗教仪式剥夺这家人的剩余。他们把这种"有福同享"的社会规范解释为当地恶劣的生态环境的产物。假如任何辛勤劳作和努力创新的成果都将被其他人剥夺，那将没有人愿意发展增进生产效率和创新水平的技能。

<table>
<tr><td rowspan="2"></td><td colspan="4">制度……</td></tr>
<tr><td colspan="2">通过对数据的反馈</td><td colspan="2">通过内在的反馈线路</td></tr>
<tr><td rowspan="2">在微观（个体）层面</td><td rowspan="2">（A）为参与人积累的能力赋值，因而定义了参与人发展其潜力的激励</td><td rowspan="4">⇐
⇒</td><td colspan="2">（S）使参与人能够节约信息加工成本，同时又制约参与人策略决策</td></tr>
<tr><td rowspan="2">⇓
微观－
宏观线路
⇓</td><td rowspan="2">⇑
宏观－
微观线路
⇑</td></tr>
<tr><td rowspan="2">在宏观（集体）层面</td><td rowspan="2">（CO）对技术和制度环境的影响</td></tr>
<tr><td colspan="2">（E）通过以浓缩形式创造和再生制度重要特征的概要表征协调参与人的信念</td></tr>
</table>

图 7.5　制度化和反馈机制的科斯盒子

如果我们考察从制度化到能力和潜能发展这种反馈线路，那么很清楚，继续像我们前面那样将参与人的行动集合视为外生和固定的就不再合适了。但就目前而言，我们不妨做出如下折衷：假定参与人的"真正的"行动集合包括无限多（所有可以想像的）的行动。由于认知、评估和计算能力有限，参与人通常只是从这个无穷维度的完备集合里启用由有限维度的行动决策组成的一个很小的子集，以此作为每一时点上策略决策的计划，必要时每次只是增加一个新维度。围绕特定技能类型的制度化保证了这种有限注意力不会出什么问题。但是，在长期内，在某些外部冲击下，或作为能力发展的累积性结果，参与人可能被驱使着去寻求新的行动可能性，这些可能性平时在特定方向上处于未启用状态。假如寻求的结果显著地改变了主观的博弈形式,那么,旧制度的存续就成问题了。这是科斯盒子从左列到右列不稳定反馈的一个例子。我们将在第 9 章讨论这种动态过程。

制度化的最后的反馈线路与反映域环境条件的科斯盒子 C 格有关。如前所述,在环境参数中,我们包括了诸如技术、生态、其他域的制度安排和国际因素在内的参数,有关最后两个参数的深入考察有待在后面章节进行。域内在状态的演化仅仅是由制度诱导的集体选择,它对环境将产生影响。第 2 章讨论的习俗性产权规则的演化有助于限制对自然资源的过度使用,而将热带雨林的产权分配给“惯常使用者”(customary users)也许会诱发不利于环境保护的活动,如职业伐木者对森林的持续砍伐(Binswanger, 1991)。一定形式的组织规范可能会促进创新技术的发展,但与此同时,它也会倾向于摧毁传统的手工技艺,而另一种组织规范则可能导致技术进步迟缓。另外,制度化的结果构成了经济其他域的制度环境,进而影响后果函数的参数环境,反之亦然。下一章我们要讨论经济不同域的制度间的相互依存性。来自技术和其他环境因素的不稳定的反馈作用有可能催化制度变迁过程,这也在下一章讨论。

第8章　制度化关联的共时结构

在一人以上的任何人类组织中，合作总是不仅取决于人为组织，而且还取决于自发秩序……这两种秩序通常共存于任何复杂程度的社会，但这一点并不意味着我们可以随心所欲地组合它们。事实上我们从所有自由社会所发现的是，虽然人们为了实现某些特定目标而加入组织，但所有这些组织活动的协调，乃至于所有这些个人行动的协调，无一不是生成自发秩序的力量所致。家庭、农场、工厂、企业、公司、各式各样的协会，以及包括政府在内的所有的公共组织都是依次整合为更广泛的自发秩序的组织。

——弗里德里希·A. 冯·哈耶克：
《法律、立法与自由》，1973年 *

除了第2.2节，我们迄今为止仅研究了经济在某段时间上单个域的情况，如共用资源、交易、组织或政体域。经济其他域所发生的一切，连同作为环境因素的技术和生态在以往的分析中均被忽略，除了偶尔一些非正式的讨论（如第6章）以外，域之间的相互

* Friedrich A. von Hayek, *Law*, *Legislation*, *and Liberty* (1973 p46).

关联也从未明确地加以考虑。现在有必要专门研究博弈在不同域共时关联和历时关联的方式。前一章将制度概括为一种关于均衡策略组合的共享的、稳定的和扼要的表征，它制约着人们在经济特定域的相互作用。这种关于制度的均衡观的一个重要优势在于，它使得研究内生于多个域的制度甚至制度之间的多重关联在分析上成为可能。举例来说，在第 2.2 节，社区规范的出现被解释为联结社会交换域和共用资源域的一个内生的结果，而不是外生性文化观念的产物。另外，正像第 6 章在讨论市场制度类型和国家类型的关系时所暗示的那样，制度之间的耦合可以理解为在经济不同域个人策略之间所产生的类似一般均衡的反馈作用。这样，经济作为一个整体可以看作是相互依赖的制度之间稳固而连贯的整体性安排。

本章将区分博弈关联的两种类型，并讨论其相应的制度含义。第一种博弈关联的情形是，人们在不同域协调其策略（如第 2.2 节的模型所示），结果产生的制度是人们单独在不同的域分别做决策所不能导致的。这种关联可以创造一定的外在性，使所有或部分参与人从中获得租金，从而促进这种关联的延续。参与创造这种关联的参与人可以是一个社区，一个内生形成的俱乐部，单个参与人，第三方实施者，市场参与人或者他们的某个组合，由此产生的制度虽然在逻辑上是一致的，但在形态上却各具特色（见第 8.1 节和第 8.2 节）。第二种制度化关联的情形是，人们因决策空间或认知程度有限，或其他原因，无法在不同域协调其策略决策，但其决策在参数上受到其他域流行的决策规则（制度）的影响。其结果，制度之间跨域的相互依存关系即所谓的制度互补性有可能随之出现（第 8.3 节）。

有一点值得一开始就指出。把制度化关联和制度互补理解为均衡现象并不意味着它们必然是有效率的。比如，某种制度化关联的出现为一些参与人创造了租金机会，但同时也使其他人处境变坏。在这种情况下，制度化关联所带来的制度创新不一定是一种帕累托改进。而且，现存制度化关联下的租金可能成为既得利益者抵制那些因技术创新和知识进步从而威胁其租金机会的新的关联方式。我们将说明，即使一直存在要求改进的渐进努力，帕累托次优的整体性制度安排因各制度元素的互补性仍将呈现耐久性和稳固性。第10章我们将考察制度化关联和互补对于理解制度演化机制的意义。制度化关联和互补关系为整体性制度安排抵御来自域内外的变化提供了一定的耐久性，使之成为经济发展的障碍。同时，它们也影响着制度沿特定方向的演化。为了理解这些，我们必须首先把握共时性制度化关联的内在逻辑。这是我们本章的任务。

8.1 社会嵌入

在本节和下一节，我们考虑参与人能够在不同域协调其策略的情况。由于有了跨域协调策略的可能性，参与人的决策空间随之扩大，以前因缺乏这种关联而不可能产生的新制度现在则有可能出现。我们将这种促使制度产生并反过来由制度维系的不同域的关联概括为制度化关联(institutionalized linkage)。本节我们考察制度化关联的一种特定类型——社会嵌入，即社会交换域"嵌入"到其他域，使得某些在关联发生前不可能的策略组合成为可能。下一节我们讨论其他关联类型。这里关联类型的区分与其说是着眼于联结博弈的结构，不如说是更着眼于它们的(社会)经济含义。

在第2.2节我们已经看到，在共用资源博弈如灌溉系统或公路修建博弈中，由于排除搭便车者的技术困难，合作性规范不可能自我产生；但同样的参与人如果同时参加一个能够产生足够规模的社会资本的社会交换博弈，合作性规范就可能出现。这里的社会资本是指未来收益现值的总和，其中包括在社会交换博弈中与社区合作相处所产生的社会地位，社会认可和归宿感①。因为惧怕被其他社区成员拒绝接近社会资本，每个成员都有充分的激励遵守合作性规范，而每个成员对共用资源博弈中不合作行为的严重后果的关注，又使得人人都愿意在社会交换域惩罚犯规者。这里所考察的是共用资源域和社会交换域之间的联结。但同样的思路可以拓展到另外一些域

① 如第2章所述，"社会资本"概念源自科尔曼(Coleman, 1990)。

如交易、组织甚至政体与社会交换域的联结①。社会学家格拉诺维特(Granovetter)在一篇题为“嵌入性问题”(1985)的开创性论文中所探讨的正是这种情况,虽然他没有明确地运用博弈论的语言进行概括。因此,我们称这种关联为社会嵌入(social embeddedness)。

实例 A1:社会资本的差异分配　第 2.2 节的关联博弈——灌溉博弈和社会交换博弈的域特征对参与人来说均假定是对称的。尤其是每个人从遵守社区规范中获得的社会资本量被假定是均一的。通常认为,社区成员的相对均一性一般是社区规范行之有效地实施同伴监督,提供均一化决策标准的激励,以及使外部机会价值均等化的基本前提②。然而在有些情况下,参与人在供应共用资源的能力和其他禀赋方面存在着差异。这时,制度安排可能会贯彻“人人各尽所能,资源分配平等”之类的原则。可是,如何使这种规范自我实施呢?

普拉特奥和关(Platteau 和 Seki,2000)对日本渔民社区的比较调研为此提供了一个有趣的分析。他们发现渔民群体之间特征各异:生产效率最高的群体盛行各式各样的合作性规范和实践,如积极分享技能和有关最佳捕捞位置的即时信息,建立完善的渔业资源的集体控制,集体打捞丢失的渔网并进行维修,以及协调捕捞和歇业时间。该渔民群体甚至还实施内部各渔业单位均等的净收入分配。而另一些渔民群体则很少有协调行动和信息分享,收入和投入成本的均等化也根本没有或非常有限。普拉特奥和关收集的证据表明,前

---

① 正式地,假定存在社会交换域 D_s,另一种类型的交换域 D_t,和均质参与人集合 N。用 S_s 和 S_t 分别代表每一个域博弈中参与人行动决策规则集合的乘积——简称决策组合。假定环境是静态的,S_t^* 代表当博弈单独进行时 D_t 均衡决策组合的集合。假设 D_1 和 D_t“同时”进行,参与人能够协调不同博弈中的策略决策。令 $S^*(s \cup t)$ 为联结博弈均衡决策组合的集合,而 $S_t^*(s \cup t)$ 是 $S^*(s \cup t)$ 在 D_t 博弈决策组合集合的投射。假定存在决策组合 $\{s_t^*\}$ 使得 $\{s_t^*\} \cap S_t^* = \phi$,但是 $\{s_t^*\} \cap S_t^*(s \cup t) \neq \phi$. 这意味着,虽然 $\{s_t^*\}$在 D_t 单独进行时不是自我可实施的,但当 D_t 嵌入 D_1 时却是自我可实施的,而且能够制度化。举例来说,在灌溉博弈 D_i,每个村户拥有决策集合{工作/偷懒},在社会交换博弈 D₁,决策集合为{参加/逃避社会物品生产,交往/驱逐}。如果 D_i 单独进行,惟一的均衡是 $\{s_t^*\}$ = {偷懒,偷懒,偷懒,……}。现假定两个博弈联结在一起。这时一个可能的均衡就是 $\{s^*(s \cup t)\}$ = {工作,参加社会活动并驱逐违规者;工作,参加社会活动并驱逐违规者;工作,参加社会活动并驱逐违规者……}。因此 $\{s^*(s \cup i:e)\}$ 对 D_i 策略空间的投射就是{工作,工作,工作,……}。

② 参见 Ostrom(1990、1992),Ostrom 和 Walker(1994),Bardhan(1993)。

一类群体试图并且确实通过减少拥挤成本和渔网损坏的风险提高了整体利润水平，更好地利用了专业化分工和寡头控制鱼类销售价格的益处。但是，有关人力费用和信息的分享以及收入和物质投入成本的均等化也意味着，较有才能的渔民所得到的物质报酬与其他非合作性群体相比要少。为什么较有才能的渔民会服从这种安排，而不是像其他群体在早些年所做的那样彻底解散合作组织呢？

两位作者提供的访谈资料支持下述观点，即对集体收入贡献较大的渔民在合作性群体中享有较高的社会地位和社会尊重。用我们的术语来说，能力较强的渔民参与合作的机会成本通过分配给他们的超量社会资本进行补偿（我们下面将会看到日本车间具有一个同构性但更形式化和制度化的结构）①。这两位作者的研究说明，给定共用资源博弈（渔业博弈）参与人的异质性，均衡可能是多重的：一种均衡是以收入分享为基础的社会嵌入型合作捕鱼方式，另一种是以个人技能为基础的竞争性捕鱼方式②。

实例 A2：两种车间规范　第 5 章我们讨论了两种能够演化为惯例的组织形式：一种以个人型专业化技能为基础，另一种以信息分享的背景取向型技能为基础。人们通常认为，计件工资制是一种适合第一种技能类型的有效激励机制，因为这样工人可以分配定义明确的单项任务③，而较为平等主义的分配制度因不鼓励以自我为中心的竞争则更适合第二种技能。可是，计件制引发工人之间永无止境的激烈竞争（Akerlof，1976），造成一种囚犯困境的局面。另一方面，运用于第二类组织的平等主义报酬制度倾向于打击能人的积极性，使整个工作团队容易陷入一种低效率均衡。但在无论在哪种情况下，积累一定的社会资本并根据车间习惯决定它在工人之间的特定分配，在一定程度上可以解决这些问题。

迈克尔·布拉沃依基于自身工作经历所进行的详尽的人类学描述

---

① 关于社会资本不平等分配在规范本身的起源和强化方面的作用（而不是我们现在考虑的支持另一个域的行为规范的作用），参见 Akerlof（1976）。

② 人们也许会认为，个人竞争对资源保护有潜在不利的影响，但访谈对象除某些例外情况外，不承认有这种情况发生；这种捕鱼群体也不比合作性集体更有竞争力。

③ 霍姆斯特朗和米尔格罗姆（Holmstrom 和 Milgrom，1991）说明了多项任务分配要求较少依赖计件制作为一种激励机制。

提供了一个有趣的例子，说明工作团队规范如何能够克服对工人自己不利的竞争效应(Burawoy, 1979)。在芝加哥附近的一家机械厂里，布拉沃依考察了工人们在计件制激励方案引导下发展和维护各种规则的方式。在这家工厂，工作是由工人自主管理的机器来界定，操作工人的报酬根据"个人的"计件方案得出。该方案规定，工人首先被支付基本工资，然后再加上生产率高于100%的超额部分，其中生产率根据每个工人的具体情况，如工种、机器性能、经验等等而定。工人力争实现——用他们自己的俚语来说就是"凑足"——一定的目标率。有些工人满足于125%，有些人则满足更高的目标。但人人都知道有一个封顶值(比如说140%)设在那里。若有人试图想超过封顶值，他将可能被大家驱逐(当然有人也许不在意被驱逐)。若有人生产率不足100%，则会遭到责备，那时"惟有资历最浅的工人愿意屈尊找他谈话"(第64页)。布拉沃依认为，"凑足"不能仅仅从实现更高的目标的角度理解；它的报酬还包括减轻压力，建立社会关系和获得心理回报，同时也有助于限制过度竞争。"凑足"文化是由工人自己塑造出来的，但当它一旦确立，就作为一系列外部强加的关系而实施着。布拉沃依从马克思主义的观点出发将这种情况解释成，工人们按规则博弈，并由此表现出对资本主义剥削剩余价值的"赞同"。

相比之下，在典型的日本车间，非正式的集体合作是一种规范，从老工人自愿教导年轻工人，传授从工作手册里找不到的窍门，到解决诸如机器故障、次品和工具修理之类问题时大家之间的相互合作。值得注意的是，工人积极投身于这类活动实际上会产生巨大的外在性。虽然其间有互惠的因素，但在同一工作团队，不同人提供的不同程度的外在性是不可避免的。这种差异是否通过工资的差异得到充分补偿了呢？在日本工厂，工人的报酬传统上根据级别支付，和工种划分无关，工资级别的差异相当有限。而且，级别等级的晋升不属于锦标赛性质，即只有赢者获得与最高级别相对应的所有奖金。人们通常的预期是，每人迟早会在一生的某个时间晋升到最高级别(这正是"年功序列工资"的核心所在)，只是时间有先后。工人非常关心级别晋升的速度，比如35岁以前是否能提升到十级里的四级①。因为

① 关于日本级别制度的运行情况，参见青木(1988：第3章)以及伊藤(1994)。

级别之间的工资差异非常有限，提拔速度一般也只是渐进的，能力较强和富有协助精神的工人相对较快的晋升速度所带来的终生收入的差异，是否足够补偿他们所带来的外在性的全部价值，是非常值得怀疑的。但十分明显的是，能力强的工人提拔速度快，他们从这本身所显示的象征意义、别人的高度尊重，甚至别人的嫉妒中可以获得许多非货币的满足感。个人对集体生产率和其他目标的贡献在车间工作团队里通常都是有目共睹的，因此留给经理人员随意提拔的余地极其有限。

在布拉沃依研究的工厂，业已形成的规范有助于降低工人之间的竞争，但与此同时，它也阻碍了工人参与工艺改进的合作与参与激励。另一方面，日本车间的规范鼓励工人之间的合作，促进效率，但同时又过多地介入到工人的个人生活。寻求两者的平衡似乎是较为理想的结果。可是，从直观上说，上面讨论的两种规范是由各自对应的车间组织信息结构生成并反过来又支持它们所依赖的组织结构：即基于工种分解的功能层级或基于信息和经验分享的水平层级制。很难想象，如果离开了传统组织结构的根本性变革，两者规范的理想结合如何能够实现。

8.2 关联博弈和制度化关联

在社会嵌入状态，参与人同时属于社会交换域和另一个被联结的域。参与人可以是灌溉社区或渔业社区的成员，也可以是现代工厂的工人团队。本节我们讨论另外一些类型的制度化关联方式：(1) 在同一批参与人中间以合同联结的博弈（关联合同）；(2) 由所有关联的域所共有的单个参与人将相同类型的域捆绑在一起（整合性捆绑）；(3) 由不属于任何初始域的第三方进行的域捆绑；(4) 由市场参与人进行的（同一）域的捆绑。博弈之间的关联会改变博弈的信息和激励结构，使某些在关联之前不可信的策略决策变得可信。

8.2.1 合同性关联（Contractual Linkage）

我们首先考虑不止一种博弈被某参与人通过合同设计加以联结

的情形。这种联结方式通过创造租金机会改变了合同方的激励结构。下面的例子在发展经济学中被广泛讨论过。

实例 B1：乡村发展背景下的关联交易(Bardhan，Braverman 和 Stiglitz) 设想一个发展中国家的乡村，参与人由富裕地主、无地贫民和外部借贷者构成。假定贫民按照惯例或合同在分成制下提供劳力。如果贫民进入单独的劳动交换域的分成安排，他将选择边际合同收入和劳动边际负效用相等点，使效用剩余最大化，其结果肯定是努力不足①。而且，因地主监督能力有限，贫民偷窃种子和稻谷的情况也有可能发生。贫民在耕种之前如果缺乏足够的经济来源支持他度过春天，他就必须向地主或者放贷者按市场价借贷。我们还假定，地主向他提供消费贷款，贷款可由秋天收获的谷子偿还，这样，信用交换域和劳动交换域被联结在一起。

设想地主采取如下策略：按低于外部放贷者的利率向贫民贷款；如果贫民因为秋收收入在扣除基本消费水平之后不足于还债，违反了合同，那么地主就要求他提供极端艰苦的超额劳动。我们假定该约定的劳动服务条款在法律上是可实施的。贫民的策略将是在春天借一定量的钱，然后在耕种期间拼命干活，以避免违约。两个域的联结引致了贫民更高的努力水平。正是这种外在性，使得地主能够驱使贫民在低于市场利率的条件下借更多的钱。巴旦和鲁德拉(Bardhan 和 Rudra，1978)发现，西孟加拉的地主确实提供这种类型的贷款，有时甚至是不收利息的消费贷款。其结果，不论分成制的市场环境是竞争性的、垄断性的，还是双边垄断，效用可能性边界都得以向外扩展(Braverman 和 Stiglitz，1982)。但收入分配的结果取决于市场结构。地主和贫民的福利状况均可得到改善，或者地主获取了所有外在性的收益(如在竞争性或垄断性市场环境下)。地主通过占有土地和可贷资产将劳动交换域和信用交换域封闭起来，使之有效联结。

有大量的文献研究在发展环境下不同交换域的联结方式，如以劳动供应、未来稻谷供应和发包合同为一方，以信贷、土地租佃、消费

---

① 回忆第 4.3.2 节关于在分成合同下努力不足的问题和相应的解决方案，即在业绩不佳的情况下施以严厉的惩罚。下述合同关联的基本想法是通过合同方式使这种惩罚内在化。

品的供应为另一方的联结,不一而足[①]。一般说来,交换域的联结可以促进效率,并不一定是对特定制度环境(如地主权力或对高利贷的法律限制)的一种非效率的反应。上述对博弈关联的分析是在分成制假设下进行的,但其结果的效率性质不以分成制为转移,它可以在比如分段线性的工资合同(即一定收获量对应一个低的基本工资,在此之上对应着竞争性工资)下同样得到保留[②]。但联结状态下收入分配的后果是不确定的。它可以是地主和贫民均受益,也可以是地主获得全部效率收益,具体取决于各种社会政治和环境因素。

8.2.2 整合性捆绑(Integrative Bundling)

这类联结发生在如下情况:来自域内部的某参与人将同一类型的域捆绑起来,然后协调其策略,使单个域无法实施的结果成为可实施的[③]。

实例 B2:作为捆绑就业合同的工厂(穆尔多克) 假定在一个雇主和一个工人之间重复进行的就业博弈,是一次性的囚犯困境,就像第 3.2 节格雷夫的商人与其代理人之间的博弈一样的模型。在那个模型里,商人可以为了控制代理人的不尽责行为而采纳效率工资的办法。因为商人替换代理人不会产生成本,所以商人解雇不尽责代理人的威胁是可信的。现在我们来考虑一下这种情形,设想雇主采取一种最大化的惩罚策略,如终止就业合同,阻止工人怠工,从而引导工人的合作。但雇主采取该策略的成本也许十分高昂,因为这

---

① 有关这个专题的调查和论文集,参见 Bardhan(1980),第 12 章;Binswanger 和 Rosenzweig(1984);Bell(1988)。

② 为了解释西孟加拉村庄贷款合同,信贷 - 劳动关联模型不需假设分成制或强迫劳务条款(Bardhan, 1984、1989)。农民在缺钱的时候向地主借钱消费,地主以市场价筹集这部分消费贷款,然后在下一个时期,农民以低于市场价的工资为地主干活,如此循环不已。以这种方式,缺钱的农民按照对他来说较低的价格得到贷款,地主按照对他来说较低的价格得到劳务。

③ 正式地,假定存在两个博弈 G_1 和 G_2,它们定义在同一类域上,各拥有参与人集合 N_1 和 N_2,其中 $N_1 \cap N_2 \neq \phi$。为简化起见,我们假定环境是恒常不变的。令 S_1^* 和 S_2^* 分别为 G_1 和 G_2 单独进行时的均衡决策组合。假定 G_1 和 G_2“同时”进行时,$S_i^*(1 \cup 2)$ 代表联结博弈的均衡决策组合集合在第 i 个博弈($i = 1,2$)的决策组合集合的投射。假设存在两个决策组合 s_1^* 和 s_2^* 使得 $s_1^* \cap S_1^* = \phi$, $s_2^* \cap S_2^* = \phi$, 但是 $(s_1^*, s_2^*) \cap \{(S_1(1 \cup 2), S_2(1 \cup 2)\} \neq \phi$。也就是说,在 G_1 和 G_2 单独进行时,s_1^* 和 s_2^* 不是可实施的,但如果两个博弈捆绑在一起,它们就成为可实施和可制度化的。

样做的交易费用，比如说替换工人的成本 T，可能大于合作的延续价值 V_{coop}（效率工资、工作努力）和非合作性静态纳什均衡的延续价值 V_{Nash}（低投资、高攫取）之差。这时雇主实施最大化惩罚策略的威胁就不可信了，博弈的均衡结果仍将是静态纳什均衡。

现假设同一个雇主将两个博弈捆绑在一起，但两个工人不能协调其策略。于是雇主可采取如下策略：他在两个博弈中均选择最优水平的合作性投资；如果没有一个工人怠工，他将继续以效率工资水平雇佣这两个工人；如果有一个工人怠工，雇主就采取最大化惩罚策略，并由另外一个工人取代他；如果两个工人都同时怠工，那么雇主就在未来所有时期采取静态纳什策略（继续雇佣、低工资）。现在让我们看看雇主偏离上述策略是否有利可图。假定有一个工人怠工。雇主采取最大化惩罚策略可得收益 $2V_{coop}-T$，这是因为新替换上来的工人和留下来的工人在未来都与雇主合作。如果不采取惩罚策略，两位工人未来都将怠工，雇主所得为 $2V_{Nash}$。因此，只要 $V_{coop}-V_{Nash}>\frac{1}{2}T$，采取最大化惩罚策略的威胁虽然在单个博弈中不可信，但在捆绑博弈中就是可信的。不难证明策略组合的余下部分是子博弈精炼的[①]（Murdock，1996）。

因此，尽管每个博弈单独进行存在着雇主不会可信地实施最大化惩罚策略的问题，但捆绑使得合作性结果成为可能，虽然非合作性静态纳什均衡仍可成为均衡结果。从中引出的启示是，古典工厂制度限制工人之间沟通的“分而治之”的政策和独立雇佣或发包制度相比，能够更有效地实施效率工资原则。当然，不可否认，这里描述的特征只是工厂制度诸多方面的一个方面，工厂制度还有其他方面也很重要，如协调工人的生产性活动。而且，毋庸置疑的是，雇主“分而治之”的政策在工人形成工会、协调其谈判策略之后就变得无效了[②]。

实例 B3：发包制下的多头卖主　在 B1 例子的模型中，我们将雇主换成核心制造商，工人换成供应商。由此引出的含义是，正像在

① 博弈的解与 6.2 节市场增进发展论所得的解相同。

② 该例子的逻辑结构类似于第 5.2.3 节所讨论的发展型国家中政府和企业的关系。在发展型国家模型中，如果政府和垄断企业的勾结关系是固定的，那么，政府终止补贴的威胁就不足信。但如果政府同时补贴多个企业，这时，政府威胁说不补贴业绩差的企业就是可信的，企业的发展努力将随之提高。

日本汽车行业所看到的系列发包关系那样,多头卖主制可以理解成一种控制制造商和供应商之间的要挟问题的机制设置,这一类的要挟问题在克莱因、克劳福德和阿尔钦(Klein, Crawford 和 Alchian, 1978)被广泛引用的文章中曾详细讨论过。他们对该问题给出的答案是以一体化的方式实现层级控制,但这只是许多可能的制度反应中的一种(而且,如第 4.1 节所讨论的那样,在一定的激励条件下,一体化相对于汽车行业的发包制度而言在信息上更缺乏效率)。事实上,据近来弗里兰(Freeland, 1997)对公司档案的一项历史研究,即使在一体化之后,要挟问题也没有解决好。费舍兄弟(兼并前费舍车身厂的所有者)在让渡所有权之后仍然以撤出专家(人力资产)要挟通用汽车公司总部。即使在一体化之后,费舍兄弟仍以退出通用汽车公司相威胁,从通用汽车公司获得一项非常可观的股票期权计划。日本制造商通过保持重复交易中的多头供应关系,似乎成功地控制了供应商以终止合同相要挟的不利后果。

直观地说,上述逻辑可以同样适用于解释其他形式的商业活动的捆绑,如所谓的多单位制(M 型)的组织结构,大型混合企业和多角化的商业集团。我们将在下面的实例 D2 进一步讨论这个问题。

8.2.3 中介性捆绑(Intermediated Bundling)

上一种类型的捆绑是由属于博弈当中的初始参与人将同类博弈进行整合性捆绑,目前要讨论的捆绑是由初始博弈之外的第三方作中介进行的。第三方联结不同博弈的激励来自捆绑所带来的租金,租金来源可以是新的信息(实例 C1 和 C2),也可以是初始参与人激励结构的改变(实例 C3)①。

---

① 正式地,假定在静态环境中存在 m 个相同但独立进行的博弈 $G_1,\cdots,G_i,\cdots,G_m(i=1,\cdots,m)$。每个博弈域的参与人数目、策略决策集合、后果函数都是一样的,但参与人集合不重叠。令这些单个博弈的均衡策略集合由 $S_i^*(i=1,\cdots,m)$代表。假定单个参与人 v 连同他自己的决策集合 S_v 分别加入到所有这些博弈中,形成附加博弈 $G_i^{+v}(i=1,\cdots,m)$。假定该附加参与人能够在所有附加博弈中协调其策略,并形成联结博弈 $\bigcup_i G_i^{+v}$。令联结博弈的均衡策略组合为 S^{+v*},它在原始博弈 I 的参与人决策集合中的投射为 S_i^{+v*}。假定联结博弈存在均衡决策组合 $\{\Pi_i(s_i^{+v*}, s_v^*)\}\in S_i^{+v*}$,使得 $\{s_i^{+v*}\}\cap S_i^*=\phi$。也就是说,决策 $s_i^{+v*}(i=1,\cdots,m)$ 在原始单个博弈中无法自我实施,但在附加第三方参与人的捆绑情况下就成为自我实施的和可制度化的了。

实例 C1：商法仲裁者（米尔格罗姆、诺斯和温加斯特） 第 3.3 节提供了一个典型的中介联结的例子。当多个匿名博弈由作为中介第三方的商法仲裁者捆绑起来时，匿名博弈的诚实交易成了可实施的。在这种情况下，商法仲裁者通过传递有关参与人未履行裁决的信息改变了参与人的信息结构。

实例 C2：作为信息中介的商人（车嘉华） 假定有一批农民和一批消费者。每个农民生产一单位的稻谷。稻谷的质量是不确定的。农民生产高质量的稻谷的概率为 q，生产低质量的稻谷的概率为 $(1-q)$。每个消费者只能拜访一位农民。在购买之前，消费者无法准确判断产品的质量。产品的真实质量越高，消费者的估价就越高。在商定购买价时，消费者没有任何谈判能力，他们只能当价格不合适时拒绝购买。很明显，消费者对产品质量的事后估计值越高，他们愿意出的价格也就越高。让我们称农民和消费者的交易博弈为直接交易博弈，其中农民的决策集合包括某段区域内的销售价格，消费者的决策集合为{购买，不购买}。

现假定商人（中间商）出现在农民和消费者之间。商人出价从农民那里收购，然后卖给消费者。他们能够识别产品的质量。如果发现某农民的产品质量低下，商人可以转向其他农民，花费一定的个人成本搜寻到高质量的产品，如果他们愿意这样做的话。假定这些搜寻活动对社会有利（即消费者剩余减去商人的搜寻成本之后仍为正），但对于商人来说，如果消费者的信念保持不变，搜寻活动不一定有利可图。另外，不存在任何先验的理由让消费者相信，商人不会将他们的专业技能用于只为自己谋利的用途上。

假定每一个商人能够在两个直接交易博弈中做中介，并在其中协调自己的策略。商人有两个策略决策需要决定：第一，当发现农民产品的质量低下，是否需要找别的农民，在一定成本下搜寻高质量的产品；第二，当发现他们开始接触的两个农民的产品均质量低下，是否需要再找别的农民；如果需要的话，需要搜寻多少单位的高质量产品，一个还是两个。如果搜寻两单位的产品，搜寻成本将加倍。不管哪种情况，商人将有两单位的产品，或好或坏，等待销售。假定每个消费者随机选择商人的某单位产品，他或她有权在考察了两个单位的产品之后拒绝商人的出价。

车嘉华(1997、1999)证明了在高质量的概率 q 足够高的情况下,下述策略组合是惟一稳定的均衡:当且仅当商人初始接触的农民中只有一个农民的产品质量低下,商人才愿意花费搜寻一单位高质量的额外成本;当且仅当消费者受到商人出售的两单位产品均是高质量的信号时,他们才愿意支付比在直接交易博弈更高的价格。给定商人的策略,商人出售的两单位产品,要么都是高质量,要么都是低质量。售给消费者的产品为高质量的概率是 $2q-q^2$,比 q 高(两单位产品初始为高质量的概率为 q^2,初始有一单位产品是高质量,有一单位产品是低质量的概率是 $2q(1-q)$,在后一种情况,商人将肯定会搜寻高质量的产品)。虽然购买前的转悠只给消费者不完备的质量信号,但这有助于改进对质量的事后估计。监督能力有限的消费者因此变得更具有判断力。中介性捆绑创造了外在性。那些储备了高质量产品的商人可以索取比消费者直接向农民出的价格更高的价格,而且这种较高的价格有被消费者接受的可能性。换句话说,商人获得了外在性价值。因此,即便要支付搜寻成本,商人仍可能获利。那些储备低质量产品的商人则不得不低价销售。但低质量产品在市场上销售出去的概率现在从$(1-q)$降到$(1-q)^2$,消费者从低质量产品所获得效用剩余也因价格降低而提高了。

在上一个例子的模型中,将农民改为企业家,消费者改为投资者,商人改为金融中介。这样,金融中介的作用之一就可解释为:通过他们出色的监督能力降低投资者对企业家提出的投资项目的不确定性。在车嘉华的原始模型(1997)中,他将中国乡镇政府的作用解释为事实上的公司总部,将乡镇企业投资项目的质量系统一致地进行排序,从而降低了外部购买者和投资者的不确定性。

实例 C3:创业投资者对研究开发融资的捆绑(第 4.3.3 节) 假定一个缺乏监督研究开发活动能力的投资者向单个企业家的开发项目融资。两人的合同规定,开发项目成功之后其价值的一定比例归企业家。因为企业家只获得开发努力所实现价值的一部分,他没有努力工作的充分激励。现在假设创业投资者从投资者那里筹集两倍的资金,投资两家开发同一项目的企业,即把两个开发项目捆绑在一起。创业投资者让这两个企业家之间展开竞赛,答应谁赢就给谁一个相当于单独融资情况下的分配份额,谁输了就一无所得。第 4.3

节表明,如果成功项目的收益足够高,虽然每个企业家获胜的概率只有50%,两人的开发努力都将提高,从而增加成功项目的市场价值。在一定条件下,这种捆绑的外在效应将足够补偿创业投资者的重复投资部分,使他从中得到租金(参见第13.2节)。

8.2.4 以市场为中介的关联

在上述实例C1,商法仲裁者的中介作用是通过改变信息结构间接影响交易者的激励。但商法仲裁者本身没有惩罚欺骗者的权力。在这方面,法庭的第三方正式的实施手段可以进一步强化交易者诚实交易的激励。借助法庭实施能力而日益扩展的市场使得各种域(如组织域)的关联不断加强。企业的经理(和工人)在市场竞争的鞭策下不得不采取有效的行动。下面的实例D1运用类似的逻辑,理解由政府和国有企业组成的政治经济域联结的效果。实例D2讨论在市场关联不发达条件下商业集团(多个企业的捆绑)的作用。

实例D1:市场联结的联邦主义结构(钱颖一和Roland) 假定政府和其代表的国有企业(SOE)在单一的政治经济域重复进行博弈。在该域内还有一个私人部门,其投资收益取决于政府投资于社会基础设施的水平。政府和国有企业策略互动的结构可由图8.1的结果(不是报酬)矩阵代表。在该矩阵中,行代表国有企业经理人员和工人的策略决策,列代表政府的策略决策。每个空格的第一个数代表国有企业经理人员和工人的无法证实的(即无法征税的)私人净收益(减去努力成本),第二个数代表可证实的收益,完全被政府作为税收征走。我们假定$\Gamma > \gamma$,并且$\gamma + \pi > \Gamma - \beta > 0$。只有当国有企业付出努力时,政府才能征得$\pi$的正税收收益。但是,国有企业的策略决策是不可证实的,因而无法写入合同。

政府 / SOE	撒手不管	出面救助
付出努力	γ, π	
偷　　懒	0,0	Γ, $-\beta$

图8.1 政治经济域的结果表

假定国有企业先做决策，政府随后应对。如果国有企业选择偷懒，将带来 β 的账面损失。在此情况下，政府面临的选择是，要么从本来用于投资基础设施的财政资金中抽出 β 救助困境中的国有企业，要么是撒手不管。我们假定政府的总预算资金是固定的。如果政府出面救助，国有企业所得的私人收益包括努力成本的节省达到最高值 Γ。但如果政府不管，企业破产，国有企业得到零收益。假定政府是仁慈的，或者出于政治目的，认为国有企业经理人员和工人因企业破产而失业，遭受 $-\Gamma$ 的损失，是一种社会成本，或相当于失去政治支持的成本。于是，给定挽救的收益 Γ 大于私人部门因社会基础设施投资减少而下降的生产率 β，政府决定救助困境中的国有企业。国有企业事先知道这一点，便选择偷懒，享受生活（享受较大收益 Γ）。这样，策略组合{偷懒，救助}成为一种均衡，导致低的总收益 $\Gamma-\beta$，我们不妨称之为软约束均衡。

现假定多重政治经济博弈的域由第三方——联邦政府进行捆绑。联邦政府的目标是使所有域的社会收益最大化。假定联邦政府放弃对私人投资的管制，使得私人投资能够在各域自由流动。现在每个域的政府需要竞争私人投资的流入，以使本管辖地的收益最大化。为吸引投资，地方政府可以投资于能够改进私人边际生产率的互补性基础设施（如，公路、机场等等）。虽然整个经济的私人投资的总量是固定的，但地方政府的额外公共投资仍然可以从另外的域吸收更多的外部资源。投资于基础设施而不是用于救助国有企业的地方边际收益除了因增加基础设施提高的边际生产率 β 之外，还包括吸引更多外部投资带来的边际收益 ρ。政府救助国有企业的机会成本成了增加基础设施的边际收益 $\beta+\rho$。如果该机会成本超过了救助收益 Γ，那么，地方政府将会把财政资金 β 投资于基础设施，而不是救助国有企业。政府硬化国有企业的预算约束的承诺因此变得可信了，国有企业的经理人员和工人不得不付出努力。于是，策略组合{付出努力，撒手不管}成为一种均衡，它导致更高的总收益 $\gamma+\pi$，我们称之为硬约束均衡。

上述政治经济域的捆绑是第 6.2 节（A）所讨论的市场维护型联

邦制的一个简单例子[①]。市场维护型联邦制作为一种协调机制，可以在国有企业经理人员和工人的努力无法证实的情况下实现高水平的均衡。在联结博弈中的地方政府的竞争硬化了国企的预算约束，约束了经理人员和工人。从预算硬化所得到的社会收益是来自约束国企的效率收益 $\gamma + \pi - \Gamma$ 加上增加基础设施投资带来的私人生产率的改进 β。

在上述例子中，地方政府投资于社会基础设施的资金除了可用于救助企业之外，其总量是固定的。但是，在联邦制捆绑之后，地方政府将竞相投资基础设施。因此，联邦制捆绑虽然会抑制软约束倾向，但同时也导致基础设施的过度投资。

实例 D2：多角化的实业集团（哈纳、帕尔普和里夫金） 在相对不发达的市场经济（有时不很严格地称为新兴市场（emerging market）），我们经常看到跨越多个产品市场的实业集团。日本二战前的财阀（zaibatsu）、韩国的企业集团（chaebol）、拉丁美洲的产业集团（grupos）和印度的商社就是著名的例子。实业集团的形成，可以围绕着一个封闭持股公司（如二战前的日本财阀），或实业持股公司（如韩国的企业集团），或者一个相互持股的核心企业（如印度和智利的情形）。它们内部的企业通常是通过成员企业的所有者、董事长和经理的家庭关系或其他社会关系联结在一起。

这些多角化的实业集团的功能是什么呢？以信息和交易费用经济学为基础的一种主流观点认为，实业集团是资本市场的替代物[②]。当专门从事市场监督和信息传播的金融中介机构处于欠发达状态时，投资者和借贷者之间的信息不对称问题将非常突出，亟待一种有效的组织反应。于是，持股公司出现了，创立和融资成员企业，对管理人员进行监督，替换不合格的经理。在发达的金融市场，这些功能是由各种专业化组织分担的，如投资银行、商业银行、创业资本基金、

---

① 在这个简单的例子中，联邦政府作为策略参与人的特征没有明确地加以考虑。与此同时，初始政治经济域的政府总预算是固定的，因此，硬预算和软预算只是相对国有企业而言。可是，预算可以通过货币发行以通货膨胀为代价而变软。一种有趣的博弈情形可以是原始博弈的政府和控制货币数量以及铸币收益的联邦政府之间的博弈。如果考虑每个地方政府能够通过向中央银行借贷的方式接近货币融资，那博弈情况将变得更加复杂。关于这方面的模型，参见钱颖一和 Roland（1998）。

② 这种观点的早期倡导者是莱弗（Leff, 1976、1978）。

市场咨询、会计企业、基金经理、破产法庭、企业重组专家、企业兼并以及金融媒体(青木,1995)。在缺乏竞争性外部市场和商学院之类的人才鉴定机构的情况下,多角化的商业集团不仅替代资本市场,而且还有助于内在化经理人员市场。二战前日本的财阀和韩国的企业集团就实施经理招聘和任命的集中化管理(Okazaki, 2000)。

如果不存在发达的第三方实施机制,要扩大市场范围,就必须发展出替代性的交易治理机制。这些机制可以是成员企业之间自我实施的俱乐部规范,其中相互持股就相当于初始的礼物交换或会员费(第3.1.2节);也可以是持股公司对多个企业的集中捆绑,以此作为一种可信的融资约束(实例B2),或者由交易的一方内化第三方合同实施功能(第3.5节);或者上述方式的某个组合。如果实业集团确实是市场治理机制的替代物,那么,不难想象,越是多样化的企业集团,其利润越高,一直到技术和其他规模不经济的因素限制其扩展为止。正是从这个角度出发,哈纳和帕尔普(Khanna 和 Palepu, 1997、1998a)主张,对于新兴市场来说,强调集中化经营和拆散商业集团不一定是恰当的政策建议。

另一种解释新兴市场的实业集团存在理由的经济理论强调实业集团的垄断权力,它们通常与政府勾结、攫取政策诱导的租金。这一类解释运用到发展中国家有两种略为不同的理论主张。一种认为,租金产生于实业集团试图勾结政府的非生产性寻租行为(Kruger, 1973; Bhagwati, 1982)。这大致对应着我们在第6.3节讨论的"退化的发展型国家"类型。"促进市场的发展型国家"模型则是另一种可能性,其逻辑结构和上面的实例B1类似。如果政府提供的政策诱导性租金以实业集团的业绩为条件(如出口数量),给定政府在实业集团业绩不佳的情况下将补贴转向其他实业集团的威胁是可信的,那么,政府诱致的垄断安排不一定对经济发展不利。这样,政府与企业勾结的普遍现象和主张实业集团是市场治理机制的替代物的观点就不矛盾了。

关于实业集团,还有一种社会学的解释,强调实业集团的社会关系方面,如企业所有者和经理之间的家庭、校友或同学关系以及族群联系(Granovetter, 1994; Hamilton, 1995; Khanna 和 Rivkin, 1996b)。这些社会关系嵌入到实业集团内部经济交换的方式如果与第2.2节的模型和上一节实例 A1 相类似，就可以成为有效的合同实施机制。另外，实业集团的家族"姓名"在产品市场和吸收外国技术方面如同"声誉的贮存器"(Tadelis, 2000)。因此，社会学强调家族关系和其他社会联系作为实业集团的决定性特征，与经济学强调实业集团对市场治理机制的替代并不必然是冲突的。以交叉持股和控股为基础的经济联系，和以相互持有社会资本为基础的社会联系在维系实业集团方面可以是相互补充，而不是相互冲突的①。

至于上述何种观点能够更好地解释实业集团在欠发达市场经济中的作用，是积极作用还是消极作用，这是一个经验问题。各种实证研究表明，"关于实业集团的规范性争论最后不可能简单地支持'模范论'，即认为实业集团是对市场不完备性的一种反应；也不可能简单地支持'寄生论'，即认为实业集团主要是寻租行为的结果"(Ghemawat 和 Khanna, 1998)。哈纳和里夫金(Khanna 和 Rivkin, 1999b)以美国为基准，对 13 个发展中国家的实业集团进行跨国比较性经验分析。他们在集团利润业绩和几种与政府相关的经济扭曲的测度变量之间未能发现相关性，从而对实业集团的寻租理论提出了怀疑。诚如他们所总结的那样，实业集团的存在有多种理由，也发挥不同作用，具体取决于广泛的制度背景。如我们上面提及的那样，政府和实业集团关系的影响可能取决于政治域的性质，社会嵌入既可能维系高效率的均衡，也可能维系低效率的均衡(参见第 10.1 节)。

哈纳和帕尔普(1999b, 2000a、b)基于更好的数据对印度和智利的实业集团做了深入研究。他们发现，实业集团只有在经营范围超过某个临界点之后才可能是盈利的。所以，如果非生产性寻租行为不是利润的主要来源(跨国问卷调查的结果表明智利的腐败程度非常低)，那么，实业集团的范围经济(economies of scope)可能来自各种促进效率的交易治理功能。哈纳和帕尔普还构造了有关智利和印度实业集团作为劳动力市场和资本市场中介的指数，结果显示，实业集团在市场管制放松和其他自由化政策颁布之后，作用有扩大的趋势。

---

① 哈纳和里夫金(Khanna and Rivkin, 1999b)对智利实业集团的研究表明，实业集团成员的收益即使在剔除掉交叉持股所带来的协方差之后仍一同变化，说明了社会联系对经济业绩的影响。

随着市场的扩大，实业集团作为中介性治理机制的能力也在不断积累。这时，在信息中介和合同实施方面，直接用更开放的外部机制替代内在的私人机制也许成本高昂，而转型到企业间更松散的捆绑方式则可能更有助于市场的进一步发展。至于这种转型究竟如何实现尚不十分清楚，但战后日本经济改革中，出于政治因素而解散财阀的实践却提供了一个很好的转型例子。战后初期的改革中宣布集权的持股公司非法。那些前财阀成员企业只好开始以交叉持股方式重新组建实业集团①。然而，实业集团作为交易治理机制的作用随着时间而逐渐下降(其标志是交易公司在成员企业的交易中的作用下降)。纯粹持股公司的治理功能被另一种机制替代，即主银行在成员企业面临金融困境时对其公司治理结构进行干预，即所谓的相机治理机制(参见第 11.3 节和第 12.2.2 节)。在接下来的两章里，我们将看到，政治冲击本身对于制度变迁来说既不充分也不必要。

8.3 制度互补性

现在让我们转向另一种情况，即参与人无法在不同的域协调其策略决策，但他们的决定在参数上受到另外的域现行决策的影响。迄今为止，我们一直把博弈规则，尤其是域的结果函数，视为由技术决定，或可能由历史上先前存在的社会制度如法律制度决定(第 7.3 节)。现在，我们明确地考虑这样的可能性，即均衡决策组合以及相应的参与人的报酬，可能受到其他域流行的制度的影响，反之亦然。很显然，如果参与人不能同时参与到不同的域，他们就无法在这些域协调其策略决策。但即便他们能够这样做，他们在某个域作个人决策时，因认知和决策的有限理性，也会把其他域的流行制度视为外生参数。

在某个域流行的制度从其他域的参与人的角度看，只要他们把它们看作参数，超出了自己的控制范围，它们就构成一种制度环境。然而，正像在瓦尔拉斯经济那样，参与人面对价格参数主观作出决

① 有迹象表明，东南亚金融危机之后，韩国的企业集团在应付所谓 IMF 休克方案的过程中，用成员企业交叉持股的方式代替传统的家族式实业集团的集中控制。

策，实际上对价格形成会产生反馈作用。同样，某个域的参与人面对另外域的制度参数作出的策略决策实际上也会对另外域的参与人的决策和制度产生反馈作用，反之亦然。因此，制度间共时性相互依赖可能会作为每个博弈域的均衡结果而出现。特别地，我们准备探讨这样的可能性，即当另外的域存在一种合适的制度时，本域只有一种制度富有生命力，反之亦然。我们将这种相互依赖称为制度互补性。互补性的存在意味着富有活力的制度安排——在结合不同域的制度的意义上——构成一种连贯的整体，任何单个制度在孤立情况下都不会轻易被改变或设计。另外，我们不久将看到，它还意味着，富有活力的制度安排不一定必然是帕累托最优的，但它能够经受住那些试图克服单个域非效率的孤立试验的干扰。

为了理解这一点和制度互补性其他重要的含义，我们有必要给它下一个与我们的均衡制度观相一致的严格定义。我们试图通过建立一个简单模型来做到这一点，该模型建立在托皮科斯（Topiks，1978、1998），米尔格罗姆和罗伯茨（1990）发展的超模博弈论（theory of super-modular game）的基础上①。假定存在两个域D和G（如政体域和

---

① 在博弈G，如果每个参与人 $i \in N$ 满足下列条件，那么就称为超模博弈：

·（A1）每个参与人的决策集 S_i 在下述意义上是完备性网络（lattice）：它在序关系 $\geqslant$ 满足传递性、自反性和反对称性的条件下是局部有序集；对于其中的任意两个元素 x 和 y，最低上限，用 $x \vee y$ 表示，和最高下限，用 $x \wedge y$ 表示，均存在并包含在该集合里。由 t_i－欧基里得空间（$a_{i1}, \cdots, a_{ij}, \cdots, a_{ik}, \cdots, a_{it_i}$）的常规立方项所代表的集合，或者由有序对 $\{a_{i_1}, a_{i_2}\}$ 代表的集合就是完备性网络的例子。

·（A2）对于固定的 $a_{-i} \in \times_{p \in N-\{i\}} S_p$，报酬函数 u_i：$\times_{p \in N} S_p \rightarrow \mathscr{R}$ 沿任何 S_i 的有序子集收敛，对于固定的 $a_i \in S_i$，则沿 $\times_{p \in N-\{i\}} S_p$ 的任何子集收敛；该报酬函数的上限是有限的。如果决策集是常规立方项，该条件则意味着 $u_i(a_i, a_{-i})$ 对 a_i 和 a_{-i} 二阶可导。

·（A3）对于固定的 $a_{-i} \in \times_{p \in N-\{i\}} S_p$，报酬函数 $u_i(a_i, a_{-i})$ 在 $a_i \in S_i$ 上是超模的：也就是说，对于 S_i 的 a_i，a'_i，$u(a_i \wedge a'_i, a_{-i}) - u(a'_i, a_{-i}) \geqslant u(a_i, a_{-i}) - u(a_i \vee a'_i, a_{-i})$。如果报酬函数二阶可导，该条件意味着，对于所有 $1 \leqslant j \leqslant k \leqslant t_i$，$\partial^2 f_i / \partial a_{ij} \partial a_{lk} \geqslant 0$。

·（A4）报酬函数 $u_i(a_i, a_{-i})$ 对 a_i 和 a_{-i} 的距离是递增的：也就是说，对于所有 S_i 的 $a_i \geqslant a'_i$，距离 $u(a_i, a_{-i}) - u(a'_i, a_{-i})$ 对 a_{-i} 是非递减的。如果报酬函数二阶可导，该条件意味着，对于所有 $i \neq l$，$1 \leqslant j \leqslant t_i$，$1 \leqslant k \leqslant t_i$，$\partial^2 u_i / \partial a_{ij} \partial a_{lk} \geqslant 0$。

（A3）意味着参与人行动的每个元素都相互补充，即决策变量 j 对于决策变量 k 来说是非递减的。（A4）意味着当参与人 i 增加（减少）其决策变量值的时候，参与人 i 增加（减少）其变量值是有利可图的。这就是策略互补性假设。如果（A1）到（A4）的条件都满足，那么将存在最大和最小的纳什均衡，其中每个元素最大或最小（当然，如果均衡是惟一的，两个解就合而为一了）。（转下页）

市场交换域)，参与人集合分别为 M 和 N，这两个域相互不是联结的，但某个域实行的制度通过改变其他域的制度参数而影响着其他域参与人的决策。假设域 D 的参与人面临的决策规则是 $\sum^*$ 或 $\sum^{**}$，而域 G 的参与人面临的决策规则是 Λ^* 或 Λ^{**}。每个域的所有参与人具有完全相同的报酬函数 $u_i = u(i \in M)$ 和 $v_j = v(j \in N)$，它们分别定义在参与人自己二元决策集合 $\{\sum^*; \sum^{**}\}$ 或 $\{\Lambda^*; \Lambda^{**}\}$ 上，其中每个域的参与人视另一个域的决策集合为参数。当一种(内生性)"规则"在相关域被选择为均衡决策时，我们说它在该域是制度化了的。

假定对于所有的 i 和 j，下述条件成立：

$$u(\textstyle\sum^*;\Lambda^*) - u(\sum^{**};\Lambda^*) \geqslant u(\sum^*;\Lambda^{**}) - u(\sum^{**};\Lambda^{**})$$

$$v(\Lambda^{**};\textstyle\sum^{**}) - v(\Lambda^*;\sum^{**}) \geqslant v(\Lambda^{**};\sum^*) - v(\Lambda^*;\sum^*)$$

它们就是所谓的超模(互补性)条件。第一个不等式意味着，当域 D 的参与人面临的制度环境是 Λ^* 而不是 Λ^{**} 时，他们选择 $\sum^*$ 而非 $\sum^{**}$ 的"边际"收益有所增加；第二个不等式意味着，域 G 的参与人在制度环境是 $\sum^{**}$ 而不是 $\sum^*$ 的条件下选择 Λ^{**} 而非 Λ^* 的"边际"收益会有所增加。注意，这些条件是在参数值变化的意义上涉及"边际"报酬的性质。它们不排除这样的可能性，即对于单个或两个域的参与人来说，一种决策规则的报酬严格高于另一种决策的报酬，而不论其他域的决策规则如何。在这种情况下，被偏好的规则将会自动在相关的域实施，而其他域的参与人则以该制度环境为参数选择使报酬最大化的决策规则。这样，包含 D 和 G 的系统的均衡——因而在这些域的制度安排——将惟一地由偏好(技术)决定。

(接上页)

另外，假定所有报酬函数 u_i 均有一参数 τ 在某局部有序集 T 中，并满足以下条件：

* (A5) 报酬函数 u_i 对 a_i 和 τ 距离递增；也就是说，对于所有 S_i 的 $a_i \geqslant a'_i$，距离 $u(a_i, \tau) - u(a'_i, \tau)$ 对 τ 是非递减的。对于可导的报酬函数，这意味着对于所有的 i 和 j，$\partial^2 u_i / \partial a_{ij} \partial \tau \geqslant 0$。

于是我们有下述托皮科斯定理，下一编会有大量的运用：

引理 8.1(单调比较静态性质)　超模博弈的最大和最小纳什均衡是 τ 的非递减函数。换言之，最大和最小纳什均衡的所有元素面对 τ 的变化将沿同一方向同时变化。

对于不确定性的超模分析，参见 Athey(2001a、b)

但是，如果在任何一个博弈中不存在一种规则绝对支配另一种规则，那么，两博弈中的参与人就必须考虑在其他域究竟哪种规则是制度化的。因此，在超模条件下，包含 D 和 G 的系统将存在两种纳什均衡，即 $(\sum^*, \Lambda^*)$ 和 $(\sum^{**}, \Lambda^{**})$①。当这种多重均衡成为可能时，我们就说域 D 和 G 是制度互补的，$\sum^*$ 和 Λ^* 以及 $\sum^{**}$ 和 Λ^{**} 在制度上互相补充。

如果制度互补是存在的，那么，整体制度安排有可能不是帕累托相互兼容的，或者说，一种也许比另一种帕累托效率低②。假定 $(\sum^{**}, \Lambda^{**})$ 是一种帕累托有效的制度安排，其中 $u(\sum^*; \Lambda^{**}) > u(\sum^*; \Lambda^*)$，$v(\Lambda^{**}; \sum^{**}) > v(\Lambda^*; \sum^*)$。但如果由于某些历史原因，$\sum^*$ 或 Λ^* 在对应的域被选择成了另一个域的制度环境，在这种情况下，另一个域的参与人就会相应选择 Λ^* 或 $\sum^*$。一种帕累托低劣(Pareto-inferior)的制度安排就随之形成。这是在不可分的条件下协调失败的一个例子。上述不等式也表明，有可能出现

$u(\sum^{**}; \Lambda^{**}) > u(\sum^*; \Lambda^*)$，但 $v(\Lambda^*; \sum^*) > v(\Lambda^{**}; \sum^{**})$。这种情况说明两种有活力的制度安排无法进行帕累托排序。

我们所讨论的只是一种简单情形，单一域的参与人只面临一种策略决策，而且只有两个域，每个域的参与人完全均一。但其中的逻辑可以拓展到更一般的情形。例如，假定域 D 包含三个参与人 $i = 1,2,3$，其中每人有一个决策集 $\{\sigma_i^*, \sigma_i^{**}\}$ 和报酬函数 $u_i(\sigma_i : \sigma_j, \sigma_k, \Lambda)$，$j, k \neq i$。如果对于所有的 $i = 1,2,3$，$\sigma_i = \sigma_i^*$（或 $\sigma_i = \sigma_i^{**}$），那么制度 $\sum^*$（或 $\sum^{**}$）将自我维系。参与人对于现存的制度安排可能有不同的偏好，有些参与人在 $(\sum^*, \Lambda^*)$ 之下处境变好，而另一些

① 见上一个注释。

② 为了理解这一点，假定 $u(\sum^*; \Lambda^{**}) > u(\sum^*; \Lambda^*)$，也就是说，给定 $\sum^*$ 在域 D 制度化，该域的参与人的福利状态将因为制度环境 G 是 Λ^{**} 而非 Λ^* 得到改善。涉及边际报酬的超模条件不排除这种可能性。但是从 $(\sum^*; \Lambda^*)$ 变为 $(\sum^*; \Lambda^{**})$ 并不说明纳什均衡要求 $v(\Lambda^*; \sum^*) > v(\Lambda^{**}; \sum^*)$。另一方面，$(\sum^{**}; \Lambda^{**})$ 的纳什均衡条件表明 $u(\sum^{**}; \Lambda^{**}) > u(\sum^*, \Lambda^{**})$ 如果该条件成立，加上超模条件，我们便有 $u(\sum^{**}; \Lambda^{**}) > u(\sum^*; \Lambda^{**})$。因此 $u(\sum^{**}; \Lambda^{**}) > u(\sum^*; \Lambda^*)$ 成立。同样，如果 $v(\Lambda^*; \sum^{**}) > v(\Lambda^*; \sum^*)$，那么，$v(\Lambda^{**}; \sum^{**}) > v(\Lambda^*; \sum^*)$。所以，如果两个假定条件同时成立，那么，$(\sum^*; \Lambda^*)$ 就将是一种帕累托更优的制度安排。

则可能正好相反。他们的决策偏好受到域其他参与人决策的影响，也同时受到其他域通行制度的制约。特别地，如果他们的报酬函数均为超模函数，即如果 σ_j, σ_k 和 Λ 中的任何一个变量从 $\sigma_j^{**}, \sigma_k^{**}$，$\Lambda^{**}$ 变成 $\sigma_j^*, \sigma_k^*, \Lambda^*$，那么，对于所有的 i 和 $j, k \neq i$，报酬函数的差异 $u_i(\sigma_i^* : \sigma_j, \sigma_k, \Lambda) - u_i(\sigma_i^{**} : \sigma_j, \sigma_k, \Lambda)$ 将增大。也就是说，策略从 σ_i^{**} 到 σ_i^* 的转变所带来的边际收益（可能是负数）将会增进，如果该策略变化正好伴随另外一个域上从 Λ^{**} 到 Λ^* 的变化。这样，即便有些人在其他域的处境会更好，但域 D 将建立对应的制度 $\sum^*$ 或 $\sum^{**}$，具体视域 G 上 Λ 的取值（等于 Λ^* 或 Λ^{**}）。

我们上面所假定的是，两个域由两类不同的参与人组成。我们可以把上述结果运用到两个域由同一类参与人组成，其报酬函数为 $u + v$ 的情况。如果每个参与人相对整个人口而言微乎其微，个人决策的影响可以忽略不计，那么，他们不在两个域内协调其决策，而是在每个域作出决策，视另一个域的制度为既定和不可改变的。因此，我们有

命题 8.1　当不同域存在制度互补性时，帕累托低劣的整体制度安排有可能出现和延续。也有可能存在无法进行帕累托排序的多重制度安排。

我们在第 6 章已经暗示，在政治域的国家形态与市场交换域或组织域的制度形式之间可能存在相互依赖关系。例如，我们曾经猜想竞争性和匿名性市场的发展和政府的自由民主型结构有一种相互强化的关系，而政府的社会契约的民主型结构在工人能够以集体方式强有力控制劳动力供给的时候可能会作为一种均衡出现。另一方面，以背景取向型人力资产为基础的组织惯例的演化会促进官僚多元化国家的演化，后者通过发展相互排他性的归口管制阻止跨组织的竞争性劳动力市场的发育，又强化了组织惯例的存续。这些制度之间的联系看上去非常直观明了，但我们发展的制度互补性概念却是十分严格的。有时为了证明或引出制度联系的微妙含义，我们需要这种严格的形式化的分析。在第 3 编我们将运用制度互补的概念

分析企业的内部组织、公司治理结构、金融和劳动力市场和国家的制度安排的多样性。

*　　　　*　　　　*

我们已经看到，在存在制度互补性的条件下，跨域的均衡制度安排可能是次优的，这具体取决于嵌入的社会资本的分配和出面捆绑域的集成性参与人（内部的或第三方）的组织能力。这表明整体性制度安排的共时性结构可以是纷繁复杂的。为了改变一项帕累托低劣的制度安排，需要同时改变互补性制度（大爆炸观点），或者需要改变某一域的制度，然后通过互补性关系引发其他制度的连锁反应（渐进观点）。其他制度化的关联，如社会嵌入性、封闭关联和捆绑，也会为跨越联结域的现存制度增加耐久性和惰性。虽然新型关联形式的出现可能意味着更合适的决策和制度创新，但它的建立最终也许会阻碍另一种潜在关联的出现，因为后者的出现需要对业已建立的制度化关联"松绑"。如果松绑失败，经济可能陷入停滞甚至衰落的境地。我们现在转向分析制度变迁或者说制度化关联的历时性结构。

第9章　主观博弈模型和制度演进机制

> 人们进行“愚蠢”的博弈是因为他们不像我们的分析通常假定的那样聪明。所有的博弈规则……都类似于均衡预期：它们是由有限理性和善于反思的个人组成的社会长期经验的产物。我们所看到的制度惰性反映了我们在人们均衡预期和寻求更有效的制度方式中所看到的惰性——如制度的渐进演化、制度对环境突然发生巨变的适应、对旧均衡模式有意识地和有目的地打破，并因此（可能）陷入的失衡，以及介于这些之间的各种情况——这都反映了向均衡预期收敛过程中所发生的类似变化。
>
> ——大卫·M.克里普斯：《博弈理论与经济模型》，1990年 *

本章和下一章的主题是制度演进的动态机制。这涉及到两个问题，一个相对比较容易，另一个则极其困难。第一个问题是，有些次优的制度为什么能够经受环境的变化而表现出耐久性？回答该问题的基本要素已经在前两章讨论过了，我们在本章一开始将简述其要

* David M. Kreps, *Game Theory and Economic Modelling* (1990: pp.182—183).

点(第 9.1 节)。在经济学文献中,技术性规模经济和网络外在性通常被认为是制度耐久性的主要源泉(如 David 1985,Romer 1986,Arthur 1989)。我们强调制度作为共有信念(shared beliefs)的内在特征。第二个问题是,为什么制度会演化以及究竟如何演化?不仅仅经济学而且还有其他社会科学对该问题的解答都不令人满意,我们的分析也只能是初步的和尝试性的。根据我们对制度的定义,制度变迁可界定为这样一种情况,即参与人行动决策规则的策略选择,连同相关的共有信念,同时发生一种基本的变化。制度变迁应该和参与人根据固定的规则对环境的微小变化作出的边际反应区分开来。因此,在第 9.2 节讨论第二个问题时,我们侧重于参与人的策略决策、认知和学习方面发生系统变化的机制。这涉及到制度变迁机制的认知(主观)方面。下一章我们将讨论制度演进机制的客观方面:即制度间的历时关联机制如何影响到演进的性质和过程。

正统的博弈论,不论是古典的还是进化的,都在其分析框架里把参与人的决策集假定是事先固定的。对这两种观点来说,多重均衡都是可能的。于是,被视为均衡结果的制度演进可理解为是从一种均衡向另一种均衡的移动。这种移动是如何发生的呢?如果假定参与人所有可能的行动集合客观上众所周知而且固定不变,那在纳什均衡下,任何理性的参与人都不会愿意单方面改变其策略。但是,某些参与人通过归纳推理或从其他地方学习最优经验,也许能够意识到一个"更好"的均衡的可能性,并从事于使该项选择成为聚焦点的活动。通常人们希望政府扮演这个理性的角色。但政府本身也是博弈参与人,它有自己的动机,其推理、说服别人和控制自己行动后果的能力也都有限。政府是否能够或者愿意出面协调从一种均衡到另一种均衡的移动是不清楚的①。而且,制度变迁的机制通常涉及到参与人的策略所赖以建立的行动集合的改变和创新。

在本章,我们试图发展一种概念性框架,理解参与人在面临内部危机、外部冲击或两者兼而有之的情况下寻求新的博弈方式的机制,以及参与人互动使得新制度变为自我实施的机制。这样,我们抛弃了博弈论关于参与人拥有博弈客观结构的完备知识的假设。相反,

① 关于在多重均衡条件下信息加工的困难,参见松山(Matsuyama, 1996)。

我们认为，参与人对他们进行的博弈拥有一种主观认识，我们将这种认知方式称为主观博弈模型。特别地，我们认为在特定时间，参与人只是主观地启用行动集合的一部分子集或子集的某种结合作为行动的备选“剧目”（repertories）（Dosi 和 Marengo，1994）。然后，我们考察参与人自觉或不自觉地重新评价和大幅度修改行动决策的“主观”集合与决策规则的方式。这一切均不是随机和相互独立地发生，而是以相互协调的方式进行的，最终将导致新的共有信念系统——即新制度。是什么机制使制度变迁过程摆脱随机重建、最终走向内在一致的结果呢？在下面讨论该问题时，我们能够看到均衡的概要表征制度观的重要意义以及两种观察制度的角度——历时性和共时性角度的综合。

9.1 为什么整体性制度安排是耐久的？

为什么制度能够经受得住正常的环境变化？迄今为止我们形成的解答可归纳如下[①]：

第一，如果制度只形同一部法律的话，那它就应该很容易通过立法或政府指令加以改变。然而，我们把制度概括为参与人关于博弈重复进行的方式的共有信念系统，它作为共有信念面对环境的微小而连续的变化是稳固和耐久的。一项法律的变更除非同时系统地改变了参与人关于策略互动模式的认知，并且相应地引起他们实际策略决策的变化超出临界规模，否则它无法引致制度变迁。一般来说，由于个体参与人的匿名性和大数定理的作用，制度化一旦实现，个人认知以及相关策略决策的边际和随机变化对参与人总体的预期只会发生一些微乎其微的影响。而且，如第 7 章所述，制度不仅仅是向参与人传递信息，它还是以特定浓缩的形式传递信息。换言之，制度有它自己的“沟通代码”（Arrow，1974）。特定市场治理制度、组织惯例和社区规范所隐含的规则可以明确或意会的方式被域的参与人充分理解。个体参与人也可能尝试一些试验性或创新性的决策，但这些

① 参见诺斯（North，1990），大卫（David，1994），特伦（Thelen，1999）。

决策也许不被大多数参与人知道,即使知道了,也不太容易被正确理解,因而对大多数参与人的预期和决策规则不发生影响。

第二,第7.3节所讨论的制度化和参与人能力发展的之间的反馈机制将强化制度的耐久性。我们知道,制度以特定的方式根据参与人的物质和人力资产的情况而赋予他们不同的内在价值。作为反应,参与人沿着增加其价值的方向积累资产和发展潜能,反过来又支持了制度的扩大再生产。例如,竞争性劳动力市场制度给予那些具有市场通用技能的参与人一定的报酬。参与人努力发展市场看好的技能将促进那些以该技能为基础的组织惯例的扩张。回顾第8章,布罗瓦依(Buroway)解释说,他所观察的车间工人通过发展适合于车间“凑足”文化的个人技能而表现出对资本家剥削剩余价值的“认同”。在自由民主型国家,有关产权和合同纠纷更多的是通过诉讼解决,因而对培养法律专家的需求就很高。居中从事捆绑不同经济活动的第三方可以从捆绑所产生的外在性中获取租金,然后用这些租金使特定捆绑方式永久化(第8.2.2节)。总的说来,参与人围绕着制度所需技能的竞争有助于积累对制度耐久性意义重大的资源。

第三,制度也同时按照维持现状的方式根据参与人的政治权力和技能赋值。从现存制度获益较多的参与人赋有维持现状的资源和能力,而在另一种制度下可能获益的参与人也许缺乏实现这种潜在利益的资源。例如,在官僚多元主义国家,官僚部门在行政过程预期充当管辖范围利益的精英主义保护人,它们也力图追求这一点。在择优录取和官僚竞争的条件下,排他性的官僚文化将不断再生产出来。在勾结型国家,政府官员可以通过贿赂积极寻求合谋集团的支持,而相应受损的阶级却缺乏必要的政治和经济资源进行有效抵制。有些参与人可能不满于自己在当前政治和社会秩序下属于劣势集团的事实,可是苦于支付不起创立新制度所需的各种成本,如在政治域组织政治运动、培育新生制度力量的成本、在私人域组织新型捆绑的成本以及转型过程中各种失衡成本。

第四,前一章涉及的各种制度关联将使得制度很难以渐进方式发生变化。现存有关制度的文献往往强调,制度一旦确立,规模递增或网络外在性将使得制度变得稳固。可是,这些制度现象不能仅仅视为一种技术现象,它们实际上是由整体性制度安排的内在性质决定的。第 8 章讨论的各种博弈关联方式可以由它们自身创造的外在性所维系。社会交换域的博弈形式由于变化缓慢，它将非常稳固地和其他域嵌合在一起。贸易域的封闭关联使得市场进入不太容易。例如，拥有可贷资金的地主可以通过联结廉价贷款和分成合同的方式防止其他金融来源的进入和竞争(第 8.2.1 节)。新型中介性捆绑只有在旧的整合性捆绑松绑的情况下才能变得可能(下面我们将提供一个这方面的例子)。然而，对后者有既得利益的参与人会尽力抵制和阻挠制度在熊彼特意义上的“重新组合”。最后一点，互补性制度即使是帕累托次优安排也仍是相互支持的(第 8.3 节)。制度互补性是非凸性(non-convexity，即规模经济)的一种情形，不同域的制度关联结构多种多样，但它们的凸组合未必是可维持的。这就有点类似于拼板游戏：你很难替换其中一块而不影响整个图面布局。但这一点丝毫不表示系统只要存在就稳固不变。我们下面将看到，制度互补性也对制度发生系统变化的方式具有显著的意义。如果某主要经济域发生变化，并通过互补关系引发相关域的连锁反应，一种新制度化的动能就可能创造出来。另外，不同系统的制度关联模式不尽相同，其中一些比另一些的联系更紧密。在面临相同的环境冲击(不论技术性还是国际性的)情况下，这些不同之处都将对经济的整体制度安排的适应性产生不同影响。

9.2 主观博弈模型和一般认知均衡

尽管有上述各种各样的因素导致制度的耐久性，但制度变迁总是要发生的。制度变迁的机制究竟是什么呢？根据内生性博弈规则制度论的观点，制度变迁可以理解为从一种均衡(序列)到另一种均衡(序列)的移动过程，其中伴随着参与人行动决策规则和他们对于制度共同认知表征(信念)的系统性变化。大概有两种实现均衡变化的方式：第一种是参与人从既定行动集合中以分散化方式尝试新策略自发产生均衡变化。第二种是以集体方式设计法规或引入某种拥有全新的行动决策集合的新型参与人引发均衡变化。

然而，我们曾经反复重申，引入法规本身以及相关的管制机构仅仅是参与人所认知的博弈形式的数据——即博弈的外生规则的变化。我们将要讨论法规和政策变动如何通过为参与人变换策略提供聚焦点或直接影响参与人决策后果，从而对制度变迁过程施加作用。但为了理解人为变化的影响，我们不仅需要向前看，也要向后考察其过程。如法规是怎样发生变化的？参与人如何共同认识到新的管制组织的必要性？另一方面，新法规和组织又是如何影响到参与人的预期并相应通过改变博弈形式影响其策略决策的？新法规和组织实现了它们预期的效果吗？

沿着上述思路思考这些问题，我们会逐步认识到，虽然自发性和诱导性制度变迁存在明显的区别，但它们在变化过程中必须满足一个共同条件：在初始政治域，必须有超过临界规模的参与人修改对于域内部结构和外部环境的认知，并以分散化或相互协调的方式联合采取新策略，这样才能导致新均衡序列的出现。如果从这方面去理解，两种制度变迁机制之间的区分就会变得模糊不清。即使参与人集体选择了新法规，并引入了新参与人(如监管机构)来实施它，在此之前，也必须要有分散化的私人试验的积累，或在政治域参与人必须达成高度一致的政治决策。另一方面，博弈形式的变化(如政策变化)，不论有意无意，通过促成参与人在相关域实现预期收敛而有助于一种新均衡的出现。

可是，参与人如何才能认识到改变策略的新机会来临了呢？是不是新机会只会偶然出现？如果是的话，人们怎么又能寄希望这种机会突然大规模出现？换一种方式想一想，个体参与人采取新策略能否看作是在既定行动集下对环境变化所做的理性反应？如果是，那么，制度变迁是惟一和固定地由环境变化来塑造吗？为了建立一个理解制度变迁的概念框架，我们现在有必要在一个重要方面修改古典和进化博弈论，引入主观博弈论的概念。

回忆一下，在图7.1的科斯盒子所描述的基本(客观)博弈结构中，方格(A)是参与人技术上可行的行动集合，方格(CO)在给定的各种环境条件下概括了技术可行的行动组合与技术可行的后果之间的关系。然后，我们考察了博弈结果被其他域的均衡策略组合影响的可能性(第8.3节)。在任何情况下，我们曾经做的假定是，给定博弈的外生规则，给定关于其他参与人决策的预期，如方格(E)所代表的，参与人选择最佳的策略决策。作为决策组合均衡化的一个结果，参与人决策组合的主要部分逐步凝固为制度形式。

现在，我们准备修改上述设定，假定个体参与人不可能具备关于由技术决定的博弈规则的完备知识，也不可能对其他人的策略决策和环境状态做出完备的推断。相反，我们假定，关于博弈结构每个参与人只拥有有限的主观认知，这些认知来自过去的经验，只有在环境发生重大变化或认知出现内部危机时才被修改。我们把每个参与人对博弈结构的主观认知称为主观博弈模型①，我们根据修改的科斯盒子对它做如下表述(为了不依赖特定的均衡概念，在一般意义上定义主观博弈模型，我们不从参与人的行动集合、而是直接从参与人的策略决策集合出发来定义)。域的环境(如技术、外部制度和成文法)假设在一定时期是稳定的(它可以在一定幅度内变动，但为了简化起见，我们假定它由单一向量 e 代表)。给定这个条件，主观博弈模型必须满足下述四个条件。

- ❐ (A) 参与人 i 的"技术可行"策略决策的客观集合 $A_i(i \in N)$ 可以由一个无限维度的空间代表，但在任何时点上，只有一个有限维度的子集处于启用状态。一个子集被选择之后将维持 S_i 个时期。我们将该子集称为行动的启用集合(在技术上，它是技术可行的策略决策的整个集合的一个超平面)。
- ❐ (E) 关于博弈的内生性规则，参与人共享一个公共信念系统 $\sum^*$，即制度。除此之外，当博弈的实际路径(策略组合)是 $s \in \times_i S_i$，对于域的内在状态，参与人还形成私人剩余信息 $I_i(s)$ (根据第7.2节的术语，即 $I_i(s) = \sum_i^*(s) - \sum^*(s)$)。
- ❐ (CO) 给定被认知的制度 $\sum^*$，每个参与人拥有一个主观后果函

① 金子和松井(Kaneko 和 Mastui, 1999)在他们的"归纳博弈"模型中提出了一种相关但不完全相同的观点。但泽和诺斯(1993)虽然没有运用博弈论框架，但他们的开创性论文是我们下面提出的理论模型的先驱。我们之间的主要区别参见第240页注②。多思、马仁郭和法纪罗(Dosi, Marengo 和 Fagiolo, 2000)提出了一个类似的理论框架，研究"开放的进化动态学"，不仅涉及到适应问题，而且还研究新奇性的出现。这三位作者还在论文中对相关文献进行概览，并对未解决的理论问题做了富有启发意义的讨论。

数 $\phi_i(.,\ I_i(.):\ \sum^*, e)$，根据这个函数，每一项决策 $s_i \in \varphi_i$ 都被分配一个定义在后果空间 Ω 上的物质结果 $\phi_i(s_i, I_i(s):\ \sum^*, e)$，具体取决于参与人的私人剩余信息 $I_i(s)$①。隐含在该函数形式的还包括参与人对域环境 e 的解释。我们把该函数形式称为参与人的主观推断规则。

❒ (S) 参与人根据其策略的启用集合选择策略，给定制度现象，私人剩余信息和关于环境的主观推断，该策略预计使其效用（报酬）最大化。也就是说，参与人选择在 S_i 选择 s_i^*，使得 $u_i(\phi_i(s_i, I_i(s):\ \sum^*, e)$ 最大化，其中 $u(.)$ 是参与人报酬的预测函数。我们将由此得出的策略选择称为最佳反应决策规则。

上面的表述概括在下述代表个体参与人主观博弈模型的科斯盒子中。原科斯盒子的方格 E 反映参与人对别人决策的主观预期，现在部分地被所有参与人共同面临的制度代替，它被单个参与人视为客观化的现实。这种认知信念被溶入到参与人对行动后果的推断过程。相应地，方格 I 虽然属于域内生的和被证实的部分，但扩展到了博弈的外生规则区域。

	参数性数据（博弈的外生规则）	内生变量
内生于参与人（微观）	(A)启用的决策子集	(S)最佳反应决策规则
外生于参与人（宏观）	(CO) 推断规则	(E) 私人信念
	(I) 制度（共有信念）	

图 9.1　个体参与人的主观博弈模型

如果参与人反复运用同样的规则推断环境、预测报酬和选择行动决策，同时对制度现象的认知也总是一样，这时，我们就说参与人

① 更一般地，可以假定每个参与人对于策略决策和私人信息的每项组合赋予一个定义在后果空间 $\Omega(T)$ 上的概率分布。

的主观博弈是再生的(即处于认知均衡)①。注意该意义上的主观博弈模型大致对应着霍兰德等人归纳理论中的“心智模型”(mental models)。他们把心智模型想像为建构认知系统的问题空间模型,它“在心智上‘操作’和产生对环境的预期”(Holland 等人,1986:第 12 页)。但我们的理论框架遵从但泽与诺斯(Denzau 和 North, 1994) 开创的思路,强调个体参与人主观博弈模型与其他参与人的主观博弈模型之间的互动,因此,它是所有参与人以类似方式建构和认知的制度的一个组成部分②。

在第 7 章,制度$\sum^*$被视为客观博弈的参与人策略决策总和的产物,不断再生和自我实施。我们可以把这个概念拓展到参与人同时进行主观博弈的情形。假设下述不动点性质在域层次上成立,即对于所有的 $i \in N$,

$$s_i^* = \arg\max_{s_i \in S_i} u_i(\phi_i(s_i, I_i(s_i, s_{-i}^*): \sum^*, e))$$

这实际上就是纳什均衡条件。它所描述的情况是,所有的参与人把制度现象看作是相关的约束,并相应地采取行动,其结果是,制度被不断确认和再生。如果上述条件满足,我们就说参与人的主观博弈模型处于一般认知均衡,制度$\sum^*$是可再生的③。制度的再生性不要求参与人的主观博弈模型必须完全重复地再生产。参与人可以在边际上或参数上改变个人认知、报酬预测和行动决策或随机试验的规则集合,但即便这样,上述一般均衡条件对于给定的制度$\sum^*$来说仍然成立。

---

① 更一般和更现实的情况可能是,参与人在整个时间过程拥有多个推断和预测规则,它们在有些方面是竞争性的,在另一些方面是互补的。这样,参与人面临一种连续变化的制度,可能会尝试其中的每一种,然后从中选择他认为在当前条件下最适合的规则。参与人将发展出一种类似于综合规则之类的东西,决定在哪种情况下选择哪种规则。但是,当多种规则的固定集合一直被参与人作为通常的决策工具而使用时,我们仍然可以说其主观博弈模型是不断再生的。

② 但泽和诺斯(1994)把制度看作是“人们创造的用于理解和改造环境的外生机制”(1994:第 4 页)。在我们的框架中,制度是共有信念系统,虽然它们一旦确立,就可能被个体参与人视为客观化的事物,但它们仍然是主观博弈模型的内生因素。

③ 金子和松井(1999)的一个重要的贡献是研究我们所讨论的主观博弈模型是否能够被缺乏客观博弈结构知识的参与人以归纳的方式建构,并使之与特定博弈背景下的历史经验相一致。他们证明了,对均衡策略组合的特定形式的信息浓缩——如种族特征,是保证支持该均衡的最优反应规则存在的充要条件。

9.3 制度变迁机制的认知方面

当现行的决策规则相对人们所希望的来说并不能产生令人满意的结果时，参与人将会较大幅度地修改或重设规则系统，尤其是开始搜寻和试验涉及到扩大策略启用集合维度的新决策规则。可是，理想与现实的差距即所谓的“认知危机”在什么时候达到临界规模呢？一种可能的答案是，这可能在环境发生巨大变化、连同客观博弈结构的内部均衡结果的影响积累到一定阶段的时候。关于诱发性环境变化，我们能想到下面的一些例子：

- 新技术创新发生了，使得新的行动成为可能(策略集未启用维度可以被启用)；
- 以前封闭的经济交换域开始与外界扩展的市场交换域接触；
- 外部冲击，如战争时期，人们普遍意识到本国在生产率和创新方面与外国竞争者存在明显差距，或者长期衰退，迫使参与人感觉到有必要提高生产率或其他绩效指标①；
- 在具有强大制度互补性的邻近域(包括国际域)出现大规模制度变迁；
- 后果函数的政策参数发生了巨大变化。

关于相关域内部累积性影响，我们可以列举下面两个例子：

- 在一定的外生和内生规则下重复博弈的累积性后果已经导致了资产、权力和社会角色分配的不平等，这些规则的合法性在域内受到普遍质疑，并超过了临界规模；
- 对于现存制度安排属于中性或略为缺乏效率的变异者数目以及

① 诸如战争之类的外部冲击经常被政治学家强调为制度变迁的主要原因。战争肯定是对经济域的一种外部冲击。但如果我们考察经济的整体性制度安排，战争也包含一定的内生因素。例如20世纪30年代德国和日本极权统治的出现，是对国内经济域市场关系和传统社会结构的制度冲突的一种政治“解决”(Streeck, 2000)。第二次世界大战正是这种政治解决的内生结果，虽然不一定是必然的结果。

变异者的能力在域内部已经积累到显著程度①。

外部冲击本身也许不足以引发制度变迁过程。在缺乏上面所列的变化因素的内生性累积的情况下，相关域的参与人为了对外部冲击作出反应，可能只是在边际上更新其主观博弈模型，而毋需改变行动决策规则的基本特征。在最差的情况下即没有任何变异机会的协助、当经济面临严重的外部冲击时，经济无法产生有效的策略应对，导致普遍的制度危机（我们在第 10.1.1（i）将提供一个这方面的例子）。另一方面，如第 5 章所述，如果相关域的经济绩效令人满意，参与人未感觉到理想与现实之间的明显差距，创新性变异的影响则会非常有限（命题 5.4）。正是上述外部和内部因素的结合导致参与人的主观博弈模型出现普遍认知的严重失衡，引发参与人开始重新定位主观博弈模型。原来在稳定的外部环境和内部状态下无利可图的变异（偏离性）决策现在可能变得有利可图，或者预期将会有利可图，这里我们假定在同一域参与人采取类似的决策。这时，参与人开始重新审视过去决策启用集合的有效性，力图“发现”新的决策机会，如迄今为止不被人所知的新行动，或者是试图对不同域现存行动集合的重新捆绑，扩大原有的决策启用集合。变异决策和新决策如果被证明是成功的，其他参与人就会去竞相模仿。搜寻和模仿在解决问题的激励下受到鼓舞，其结果又对搜寻和模仿过程有反馈作用。诱发性条件和反馈机制有助于消除搜寻和模仿的随机性。

一旦许多参与人开始同时修改其决策启用集，系统实施新决策，那么，现存制度在新出现的决策组合下不再是有效的概要表征，因而不再有助于降低参与人预期的不确定性，也就不再成为个人决策的有用指导和约束了，我们把这种情况称之为制度危机。旧制度所隐含的一些“视为当然”的假定现在就变成可怀疑的了。参与人现在需要处理的信息量比在旧制度下要大得多。他们尤其需要认识其他参与人新的决策模式，并对此形成预期，该认识正确与否直接影响到参与人自己的报酬。与此相关联，参与人还不得不修改自己关于推断、

① 根据进化生物学，在稳定的环境下，分子水平上的变异对于进化选择来说通常是中性的或略为次优的。参见吉姆拉（Kimura，1983）。

预测和决策的各种规则。总之,参与人需要重建包含更多维度的主观博弈模型。

在制度危机下寻求新出路的过程中,参与人可以利用各种预示未来博弈规则的信息。比如他们可以模仿在其他域已经成功的做法,从国外经济域的先进经验中触类旁通,吸取经验。在政治域,不同的政治方案为争夺对新政策的影响而激励竞争。在这个过程中,丑闻曝光也许对参与人判断未来的政治走向具有决定性影响,虽然公布这一类丑闻在正常时期没有什么新闻价值。政治家还可以采取一些象征性的行动来示意未来的变化(如邓小平南巡深圳特区,以此表明中国经济进一步的市场化)。如果某种新试验与现存制度之间存在耦合(互补性),那么,新试验决策就会更富有成效(下一节有更多的讨论)。由于这些和其他一些原因,至多只有几个主要的预测性和规范性信念系统有可能逐渐演化出来,相互竞争①。这些信念系统的竞争是制度转型过程的主要特征。究竟哪一种信念系统最终成为预期收敛的聚焦点,进而成为一种新制度,主要取决于学习、模仿、适应和惰性如何在相关域之间相互作用,最终趋于稳定。下一章我们将讨论一些决定制度变迁方向的基本互动机制,并提供一些具体的实例。

新的主观博弈模型要达到认知均衡,必须满足三个条件:(1)指导主要参与人学习的预测性和规范性信念系统被认为与相关域的内在状态是相互一致的;(2)在运用新的推理规则预测行动结果时不会出现令几乎所有的参与人惊奇的结果;(3)新决策启用集所做的决定产生了令人满意的报酬。随着参与人反复修改的主观博弈模型同时实现均衡,相互一致,制度转型过程就将趋于完成。在接下来的时期里,一种概括新均衡决策组合的主要特征的新制度方式也将演化和形成。伴随着新制度的确立,制度演进的转型过程开始告一段落,迎来了另一个在一定时间里相对稳定的阶段。图9.2以科斯盒子图的方式概括了制度演进的机制。最左边是在"旧"的主观博弈模型中对内生变量的选择,然后是环境变化对旧主观博弈模型的反馈

① 相互竞争的预测性和规范性信念系统可以看作近似于但泽和诺斯(1994)所定义的"意识形态",即"解释环境和改造环境的个人心智模型的共享框架"(同上)。

和重新定义,最右边是新制度的演进和新的主观博弈模型的出现。

一个重要问题是,制度转型过程需要多长时间。目前我们仍然在共时性框架内讨论,只涉及逻辑时间,不涉及任何历史时间,所以,我们不可能简单地以长或短回答。而且,假定在转型期和制度稳定期之间存在一目了然的界限也是不现实的。制度只在普遍性的制度危机之后才会逐渐演化和趋于稳定,直到下一轮冲击的来临。如果我们从单个域的制度变迁转向经济整体性制度安排的变迁,问题将变得更加复杂。某些域的制度变迁速度相对快一些,而另一些域的制度变迁则可能相对缓慢(第 10.1 节)。因此,制度转型过程的长短和激进程度取决于我们考察的相关域的范围。

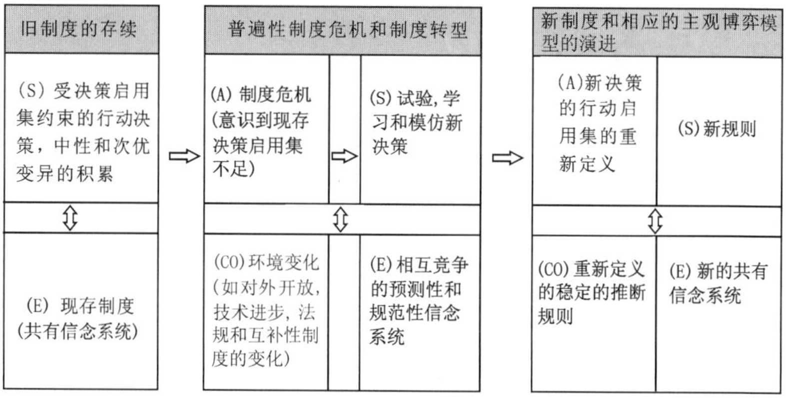

图 9.2 制度变迁机制的认知方面

转型期通常被进一步划分为两个阶段:一个是相对短而混乱的制度危机阶段,其中急速的环境变化(或内部危机)引发了超过临界规模的参与人的认知危机,各种变异性决策以一定规模进行着试验;另一个是各种决策均在“进化选择压力”的作用下接受进化考验的阶段。随着某些决策在进化过程中逐渐上升为主导地位,后一时期最终和制度稳定阶段汇合在一起。

如果我们的注意力集中在前一阶段,我们会发现,制度演进过程是一个间或地被一些转折点所穿刻的过程。另一方面,如果我们的视野伸展到进化选择的第二阶段,制度变迁过程似乎又是渐进的。但如果我们研究许多制度变迁的案例,我们不难发现,制度变迁的实际过程更类似于生物进化过程,生物学家古尔德和艾德里奇(Gould

和 Eldredge, 1977)把后者概括为“刻点均衡”(punctuated equilibria),以区别于稳定和渐进的达尔文进化过程①。刻点均衡的进化过程是指这样一种情况,即长时间的静态均衡偶尔被短时期(以地质时间计)迅速的物种形成所打破。虽然用生物过程作类比不完全准确,但这些概念在一定程度上是非常有启发意义的。特定的决策或选择系统一旦确立,它就倾向于自我维系。系统的变化与其说是连续和渐进的,不如说它更可能在外部冲击催发内部变化的情况下发生,外部冲击可能是累积的,也可能是突然出现的。

在关键性转折点上选择的决策规则的基本特征会对未来的机会施加一定的约束(路径依赖)。但另一方面,从初始的失衡状态转移到新制度的路径是否惟一,这是不确定的。主观博弈模型最终变成一般认知均衡取决于环境(如技术)、跨域互补性决策、个体参与人的主观设计、学习、模仿和试验之间的复杂互动②。因此,制度演进的特征可以概括为路径依赖和创新,也可以概括为间段和进化选择均衡③。

---

① 如第 5 章所述,但泽和诺斯(1994)也提到这一类比。据我所知,在社会科学文献中引用整个类比的最早的学者之一是斯蒂芬·克拉斯内(Stephen Krasner, 1988)。也请参见霍奇森(Hodgson, 1991)和芒奇(Mokyr, 1990)。

② 即使对于第 5.2 节简单的进化博弈模型来说,在远离均衡态时,分叉出多重均衡是可能的,具体取决于参与人的信念(命题 5.5)。

③ 关于刻点理论和均衡理论的互补性的精彩分析,参见藤本(1999)。特伦(Thelen, 1999)对比较政治学中的历史制度主义做了出色的文献概览,他试图综合间段理论与路径依赖和政策反馈理论两方面的贡献。进化心理学家平克(Pinker)也认为自然选择和发展约束都是重要的,它们实现不同的功能。他指出:“自然选择预设复制单位(replicator)会以某种方式出现,而复杂性理论则有助于解释这个‘某种方式’。”(1997:第 161 页)我们在本章和后面章节试图在修正的博弈论框架下解释这个“某种方式”。

第 10 章　制度的历时关联

人类社会可以看作是一个由具有一定时空属性和受制于一定联系的个体构成的系统。流行于大众的推理(推导方式)、理论和信念作为大众(心理)状态的具体表现,应该连同其他社会事实一起作为研究的对象。我们探求其间的规律性,试图发现它们的起源。但我们无意树立一种推导方式去反对另一种推导方式,树立一种信仰去反对另一种信仰。我们真正想做的只是力图发现大众的推理和信念在时空上如何相互联系,同时又是如何和其他社会事实相互联系的。

——维夫雷多·帕累托:
《思想与社会》,1916 年 *

本章的主题是制度的历时关联。在上一章,我们从参与人对博弈规则的主观看法及其相互作用的角度探讨了制度演进的机制。我们认为,在制度转型时期(即均衡"刻点"时期),参与人为了应对外部冲击和内部危机,竞相进行各种决策试验,以寻求一种有活力的新策

* Vilfredo Pareto, *The Mind and Society* (1916/1935: p1919)。其中"推导方式"(derivations)一词是帕累托独有的用法,它是指"解释人类本能的智力活动"(1916/1935:第 501 页),它有助于决定社会秩序的形成。

略，替代旧策略。但是，有活力的新决策以及新制度并不是完全以随机的方式进行选择，而是受到不同域参与人策略的动态互动的影响。也就是说，与制度的共时（横切面）关联相平行，还存在着制度的历时（时间上的）关联。在这一章，我们转向制度演进机制的客观方面，界定三种历时性制度演进机制，这三种机制对实现策略创新，引致新制度产生，或者反过来，对于防止导致系统危机或绩效停滞的制度变迁都将发挥显著的影响。不难看出，它们当中每一种机制都是第 8 章讨论的共时关联机制的动态对应物。

第一种历时性制度演进机制是重叠嵌入（overlapping embeddedness）。在第 8 章我们看到，制度的产生可以通过将社会交换域嵌入到其他私人域，或者将不同的私人域联结起来的方式来实现。其中域的参数特征（由科斯盒子的左列代表），如政策和法律参数、制度专用性技能的积累水平等等都将随着时间而变化。可是，其变化速度取决于域的类型。社会交换域的特征变化一般要缓慢一些，而新的私人交换域则更经常涌现新的组织形式，使得旧的私人交换域因技术、人口和其他原因逐渐衰落，最终趋于消失。因此，重叠嵌入的模式随着时间推移而不断变化。在有些情况下，一种与社会嵌入相似的结构可能会不断重现，每次只是形式略有不同，而在另一些情况下，社会嵌入对制度演进的影响是单一化的——要么是促进性的，要么是阻碍性的。域之间的重叠嵌入说明，制度变迁具有高度的路径依赖的性质。惟有在特定的历史背景下才有可能令人满意地探讨制度变迁的机制问题。

第二种历时性制度演进机制是对博弈关联方式的重新组合或重新捆绑。该机制又分两种类型。第一种类型是，随着经济活动在空间上的展开，过去在地理上相互分隔的交易域得以融合，参与人开始跨域选择策略。以前各个域流行的旧制度在参与人策略互动的新条件下可能消失，也可能继续存在，或者新组织取而代之，居中协调着域的新型捆绑方式。第二种类型是，制度变迁在中介性组织的协助下作为域的新型捆绑方式出现，相应地，旧的捆绑方式必须拆散。另一方面，制度停滞可以理解为陈旧过时的捆绑方式的持续阻碍了新型捆绑方式的出现。诚如熊彼特所指出的那样，创新是对经济因素的重新组合，创新是通过对旧组合的创造性毁灭而实现的。

还有第三种重要的历时性制度演进机制。新启用的决策集形成的决策或某种变异性决策，单独看来不合算，但如果另外的域已经有了一种互补性制度，或是参数发生了变化，两种域的相互支持会使得新决策获得强大的推动力。通过这种互补性机制，发生在域内的博弈形式的参数变化，比如说系统性政策改革，其效果会被放大和强化，有时可能导致一种全新的整体制度安排。为了不至于陷入制度变迁的政策决定论，我们必须审慎分析这种可能性。正如下面的一个例子将要说明的那样，历时互补性的后果并非必然都是政策设计者所预料的。

在本章剩下的部分，我们将对上述每一种机制进行形式化分析，从中引出理论推理，更重要的是提供一些阐示性例子，其中有些例子在第 3 编将得到更深入的研究。这些历时性机制可能同时在一起，也可能以先后顺序发生作用，其性质和效果有时难于区分。但作为理解制度演进的复杂过程的第一步，它们值得分别加以研究。

10.1 重叠的社会嵌入

在第 8.1 节和第 8.2 节，我们研究了参与人跨域协调其策略的情况下域之间的共时关联，并探讨了它的制度含义。我们看到，以前在两个域分开的情况下不可能出现的制度安排可以在一定条件下成为可能。我们尤其侧重考察了社会嵌入机制，在此机制下，社会交换域的社会资本制止了在共用资源域、交易域和组织域的非合作行为。如前所述，社会交换域的均衡决策规则的基本性质随着时间的推移而呈现相对稳固性，这大致对应着通常所说的文化模式（注意，我们并不把它看作外生给定和固定的）。与此相对照，经济交换域的博弈形式则变化较快①。参与人的技能、潜力和其他资产通过学习和人口变动逐步积累和折旧。与经济交换和参与人活动范围相关的信息结构会随着通讯和交通技术的进步而重新界定和扩张。在经济交换

① 与此相对照，鲍尔斯（Bowles, 1996）侧重讨论市场机制对文化变迁的影响，他把文化定义为“习得的行为”，“长久影响个人行为的信念、价值观和其他习得或模仿的行为”。

域，后果函数的参数如生产技术、法律规则等等也时常改变。因此，除了内生性的制度以外，正式表述为博弈形式的经济交换域的参数特征也会发生转型、衰变、甚至重新构造。接下来的问题是，这些经济交换域和社会交换域联结之后究竟会带来什么后果？现存的社会嵌入结构对制度转型可能产生促进或阻碍作用，甚至有可能被新型的嵌入方式所取代。让我们现在就来结合一些例子讨论这些问题。

10.1.1 重叠嵌入类型及其路径依赖

(1) 对社区适应环境变化起阻碍作用的社会嵌入　假设一个封闭社区的社会交换域 D_s 和经济交换域 D_t 相嵌在一起，社区规范协调着参与人的经济交换行为。经济交换域突然面临一次新技术进步或外部市场的机会。然而，社区嵌入结构有可能会阻碍社区向一种有效利用新的环境机会的制度安排过渡。例如，在非洲乡村地区，年轻人在经济上供养老人，作为交换，老人给年轻人传授长期积累的农业技术。在这些地区，社会保障体系嵌入在社会结构之中，使得老人享有社会尊重。可是，在引进机械化技术时，老人担心自己长期积累的经验会迅速贬值，因而极力阻挠（Baker，1998）。相似的例子不胜枚举。尽管如此，下面的例子仍然值得仔细研究，因为它提供了一个极端情形的一般倾向：即一个不允许任何创新活动的高度封闭的社区嵌入结构在面临严重的外部冲击时将显得非常脆弱，不堪一击。

实例 A1："剧院国家"（Theater State）的自我毁灭（吉尔茨，Geertz）　第 8.1.1 节讨论的分层的社会嵌入的两个例子在说明社会交换博弈对于社区成员的作用方面是同构的。以获得社会地位、声望或自我满足为特征的社会资本的差额分配有助于释放潜在的社会和心理压力，这些压力产生于人们在经济交换域辛勤合作，以及能力各异的工人在水平协调过程中收益和（努力）成本不可避免的不平等分配。如果由地位差异支持的合作规范能够无所不在，治理着整个国家的经济交换域，那么，将地位分层机制的一般性结构大规模投射和符号化可能会加强这种治理机制的有效性。换言之，以象征的方式进行宏大的社会交换博弈有助于塑造参与人的内心的道德生活，只要其博弈方式同构于平行的微观社会交换博弈的均衡结果，这些结果就可以在参与人的下意识里再生产出来。这反过来又会加强经济交换域均衡结果的再生产。吉尔茨(1980)关于19世纪巴厘(Bali)政治制度及其神化过程的著名人类学研究可以从这个角度进行解释①。

巴厘的政治社会制度基本上由两部分构成:一是 *negara*,意即“国家”、“城镇”或“宫殿”;二是 *desa*,意即“村庄”和“世界”。前者是以国王为权力顶点的贵族议院联盟,贵族的社会地位按门第等级排列,但同时又通过裙带关系和协议错综复杂地交织在一起。*negara* 不直接参与公共产品的分配,也不直接实施产权。对于稻谷生产至关重要的用水权的分配,掌握在按灌溉系统组织起来的灌溉社区的手中,其他一些公共产品的供应,如民事纠纷处理和地方治安,则属于乡村社区的管辖范围。“市民团体”任命乡村和灌溉社区的头目,这些头目与其说是统治者,不如说更像代理人。“市民团体”是所有村庄事务的最高权力机构,对该权威进行任何顽固抵制的人,不管事情看上去如何不足挂齿,均以驱逐论处。巴厘人现在仍然认为,离开 *krama*(即“成员资格”之意)无异于去死,这是毫不奇怪的(同上:第49页)。这说明,这些类似于第2.2节讨论的社区规范在共用资源域和社会交换域发挥着重要作用②。

贵族议院除了将零星分布的土地租给农民,收取地租以外,并不直接参与村庄的经济和社会事务。但贵族议院动员社区的人力物力,让社区成员在舞台上表演精心设计的祭奠仪式,以展示政治秩序的崇高地位。国王在代表广大宇宙秩序的地位阶层结构中象征性地占据着中心位置。僧侣主持舞台的仪式表演,村民做观众和参与者。吉尔茨发现,这些仪式作为一组系统的符号象征与巴厘的社会制度有着同构关系。在仪式及其所表现的制度形式中,国王均是一个示范性的聚焦点和等级秩序的中心。因此,吉尔茨将巴厘的政体概括为“剧院国家”(theater state),其意思是,仪式主义“不仅是政治秩序的形式,而且也是它的内容”(Greertz, 1980:第32页)。国家象征性

---

① 感谢克拉斯纳向我指出吉尔茨(1980)关于巴厘的政治理论对于本节的相关性。参见 Krasne(1984)。

② 吉尔茨对巴厘灌溉系统生态和社会环境的描述和日本德川时期的情况有着惊人的相似之处(参见第2章)。但两者之间有一个重要区别,德川时期的村庄在社区规范的作用下与外部市场发生一定的贸易关系,虽然社区规范最后逐渐趋于瓦解。

地代表 *negara* 和 *desa* 社区内部以及两者关系的一般性组织原则，这些关系体现为参与人之间不同阶层的联盟关系，而不是支配—服从关系。通过这种方式，国家代表了普遍的规范秩序，从而促进了在微观层次上既自主又相互联结的乡村和灌溉社区共用资源博弈在社会秩序上的整合。吉尔茨将这些融合性结构的本质作了如下表述："正像村庄创造了国家一样，国家也创造了乡村。"（Geertz，1980：第46页）

只要巴厘一直免受外部冲击的干扰，国家和村庄的相互支持为巴厘岛民的制度生活带来了牢不可破的稳固性。但当它被迫面临严重的外部冲击，这种稳定性就基本上趋于瓦解了。面对荷兰人的入侵，巴厘最后一个君王及朝廷上演了"剧院国家"最后悲壮的一幕。他们排着队，手无寸铁地"走向荷兰军队，荷兰士兵目瞪口呆地看着他们，不知所措，最后还是开了枪"（Geertz，1980：第11页）。巴厘岛这样一个封闭国家，只向精神世界开放，当西方帝国主义列强入侵时，却毫无应对残酷事实的手段。

（2）促进社区适应新机会的社会嵌入结构　与上述情形相对照，联结社区和封闭的经济交换域的社会嵌入结构也可能会促进经济交换域对环境变化的适应，环境变化包括与外部市场和新技术的接触，另一个互补域的制度变化等等。在一定条件下，社会嵌入结构最终可能导致新制度诞生于扩展的经济域，或者使经济域从社区规范的嵌入状态下摆脱出来。例如，令 D_s 代表社会交换域，D_t^0 和 D_t^1 分别代表两种具有不同博弈形式特征的经济交换域，它们部分与 D_s 在时间上重叠。假定在开始的时候，D_s 嵌入在 D_t^0 中。随后 D_t^0 不断扩展，成长为 D_t^1，或者 D_t^1 完全是新出现的。于是 D_s 可能以同构的方式嵌入在 D_t^1 中，或者说 D_s 部分和 D_t^1 联结（即 D_s 的参与人部分与 D_t^1 的参与人重叠）。但是，D_t^1 逐步从 D_s 中解放出来，产生一种新制度，治理本域的交易（参见图10.1）。这种制度和域 D_t^1 一直独立所产生的制度不太一样，它和域 D_t^1 一开始联结不同于 D_s 的博弈所产生的制度也不一样。在下面的例子中，D_s 嵌入 D_t^1 是作为转型过程出现的，但是这种转型作用对于一种自主性制度最终在 D_t^1 演化可能是必不可少的。因此，制度关联的历史路径即使在关联结构已经改变之后也会在后续的制度特征上留下印记。

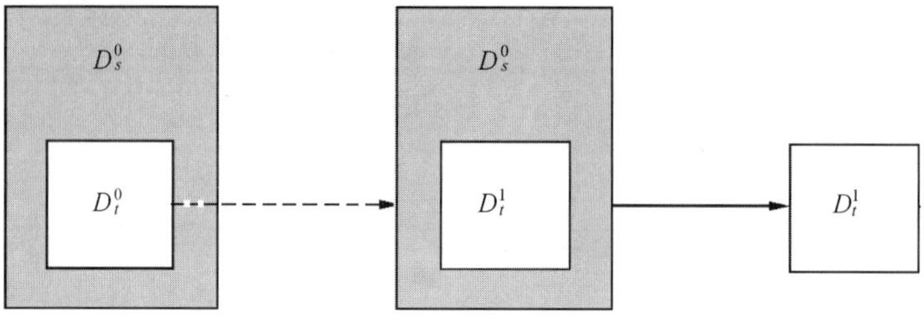

图 10.1　过渡性的嵌入

D_s 表示社会交换域，D_t 表示经济交换域。上标表示从 0 到 1 的时间序列。

实例 A2：社区诱导的向市场关系的转型　在第 2.2 节我们看到，社区规范能够协调社区内对共用资源的使用，限制搭便车。阻止搭便车的制度约束是社区成员关于犯规者将被拒绝接近社会资本的共同预期。该机制预先假设了社区农户的相对均质性，而农户相对均质性又要求他们所生产的产品的相对均质性。在这种情形下，社区内部互惠互利的交易机会是非常有限的。随着农业作物生产率因本地技术的改进而逐渐提高，超出生存水平和纳税义务的剩余产品和工作时间也将不断增加。为了利用这种潜力扩充带来的收益，相对均质的乡村社区必须与外部开展交易。可是，限制犯规行为的社区规范的存在会不会阻碍市场交换所必需的个人自主性的发展呢？下面的寓言作为第 2.2 章讨论的情形的继续表明了社区规范不一定是阻碍市场发展的因素。

假定有一群商人居住在远离乡村的城镇(城堡)。他们内部已经发展出交易者社会规范，协调其商业关系。他们很有兴趣将其商业活动扩展到乡村地区，但担心他们的声誉不会自动传播到那些乡村地区。如果某个城市商人跑到一个村庄，想跟村里的农户做生意是不太容易的。农户不愿意单独与村外人接触，担心会上当受骗。从商人的观点看，在一开始，所有的村民从表面上看都没什么区别，要从头开始与这些疑心重重的村民建立个人信任关系将费时又费力。但精明的商人很快摸清了门道，找到村长家，登门送礼，表示愿意与本村发展交易关系。于是双方达成协议。商人答应定期回访，带来诸如新型化肥(比如说熏干的沙丁鱼)和布匹之类的商品。作为回报，他想要一些农作物（如稻米、油菜籽或棉花）或手工艺品（如纱线）。村长答应做全体村民的代表，负责收集村里能提供的一切商品。他保证商品或作物的质量达到高标准①。

这种协议对于开通外部商人和村民之间的交易关系可能是有效的。由于村民提供的是大致相同和相互替代的商品，他们之中谁都可以成为商人的交易伙伴。因此，假如商人能够单独与村民接触，他反而可能先敲诈一些农户然后再转向另一些农户，以此获利。可现在，他被迫相信，如果他要这样做的话，他会彻底地被整个村庄拒之门外，而且还要损失掉送礼的成本。商人的这种信念的基础是村民有能力惩罚任何不加入抵制奸商活动的农户。另一方面，这位商人也可以威胁说，如果村民耍滑头的话，他将终止交易，并且回去将此事通告他所有的商人朋友。如果交易关系的未来价值被村民估价为大于无交易结果的价值，即使个人有动机欺骗商人，同村邻里的压力也会迫使他们不敢冒此风险，损失未来的交易机会。例如，如果有人将劣质商品送到村长的后院，此人很容易被别的村民发现，受到类似社区规范的谴责②。这样，赋予村民一定的社会资本为开通对外交易和实施双边协议奠定了基础，并使之成为均衡结果。

随着经济作物和手工艺品生产率差距的扩大以及产品日益专业化，村民的社区凝聚力将注定要受到侵蚀。对于那些富有创新精神的村民来说，外部机会的价值会逐渐上升，而在社区内从事社会交换博弈的社会松弛量则会不断下降。那时，外部商人对村民的特征和

---

① 从德川时期的后半期开始，村长代表全村农户向外部商人出售经济作物成为屡见不鲜的事情（新保和长谷川，1998：第257页）。这些村长后来成了本地的早期商人。但他们作为农民，一开始只是村里的代表而不是统治者，他们的行为受到全村的集体控制。

② 对产品质量的集体控制有助于加强农户与外部商人的谈判力，因而符合双方的利益。在产品质量的逆向选择问题非常严重的情况下，精明的商人可能会利用这一点，为了敲诈无辜的农户，故意声称农户卖给他们的产品质量低劣，虽然实际情况根本不是如此。为了防止商人采用这种机会主义策略，农户有必要能够对出售产品的质量进行明确的控制和验证。在德川时期，农民的纳税义务先是缴纳稻米，后来变成加工的糙米，但一直未选择谷穗。其目的就在于尽量减少农民交粮时以次充好的可能性（如不除去未成熟的谷穗、稻秆或人为增加水分含量）。这样做的一个意想不到的后果就是农民积累了对农产品质量的控制能力（古贺，1982、1997）。如果稻米交易像大多数亚洲亚热带经济那样按谷穗计算，刚才谈到的机会主义策略就有可能被商人采用。村民还通过集体对设备的所有权和信息交流，改善收割后加工技术的合作，以此增强他们集体的谈判能力。

能力也有了更好的了解。这样，这些村民和外部商人之间的个人合同尤其是有关纺纱和织品等手工艺品的供应合同就有可能达成。不仅如此，那些有创新精神的成功农户可能开始与那些相对缺乏创新精神的农户建立发包关系(参见下一节实例 A1)。通过这种方式，首先由社区规范诱导的交易关系便开始侵蚀社区规范的社会基础。基于社会交换博弈中社区成员惩罚犯规者的对称能力的社区规范现在被个人信任和交易者社会规范所取代，后者只基于参与人在交易域识别和惩罚犯规者的能力。但维持后者所需的信息网络也许在转型前的社区内就已经部分地准备就绪了①。

(3) 社会资本在不同交易域的转移　假定一开始 D_s 镶嵌在 D_t^0 中。随后在 D_s 和 D_t^0 之外 D_t^1 出现了，而且一部分参与人从 D_t^0 迁移到 D_t^1。再假设经设计，有一种自主性治理机制在 D_t^1 进行试验，但从未实现制度化，或者说自试验以来该制度一直不能良好运行。与此同时，D_t^1 的参与人因长期参与，发展了一种新的社会交换域 D_s^1。为了应付外部冲击和内部危机，在 D_t^1 域出现了一种同构于 D_s 和 D_t^0 镶嵌方式的协调机制(参见图 10.2)。D_s 和 D_s^1 的参与人集合虽有重叠之处，但并不完全一致，因此最终演化出来的新机制不是旧社区规范的完全复制。然而，两种域的部分重叠使得同构性嵌入方式成为自然的聚焦点。下面两个实例将阐示这一点。

实例 A3：意大利工业区的小企业聚集　第 4.2 节讨论的意大利工业区聚集了服装行业大量的小企业。20 世纪 60 年代的高工资和频繁的劳资纠纷使许多大型服装企业难以为继，1970年通过的旨在

---

① 我在这里所强调的是乡村社区的本地中间商的出现及其对促进对外交易的意义(如乡村企业家向同一村的其他农户发包)。注意，这不同于具有相同身份和规范并相互交易的中间商，如第 5 章所讨论的“同种族的商人集团”(Landa, 1995)，也不同于居中协调充满敌意的不同部落交易的“文化中间商”(Landa 1995：第 201 页)。本小节讨论的理论寓言虽然是第 2.2.1 节的继续，旨在反映德川后期的一些历史事实，但其中的逻辑可以运用于其他社区。例如速水和川越(Kawagoe)(1993)对吉尔茨(1963)的下述命题提出质疑，即现代化的非农商业活动不可能从乡村内部产生。他们考察了印度尼西亚蔬菜市场的形成，其中来自村里的商人充当中间人，将农产品销往城镇。为了使这种市场关系运转，双方的信用必须建立起来；而信用关系容易引致道德风险问题。正是社区规范(不是法律系统)实施合同和抑制农民欺骗的动机。而且，因为全村人对市场价格的信息是对称的，商人向农民索取的价格还必须是公平的。因此，市场和社区规范共同抑制了不诚实的交易行为。

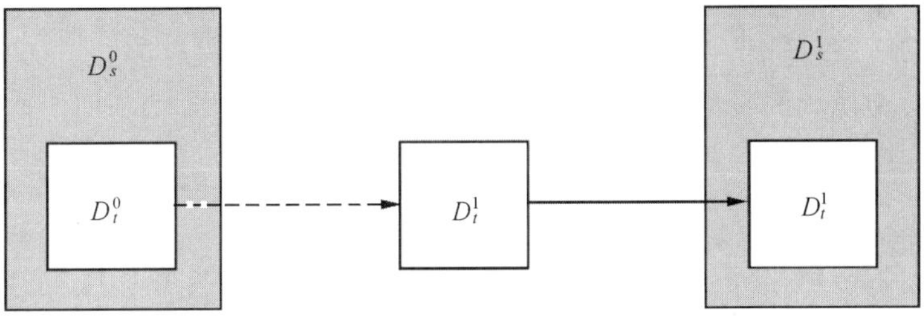

图 10.2 移植嵌入

D_s 表示社会交换域，D_t 表示经济交换域。上标表示从 0 到 1 的时间序列。

保护工人利益的工人法，更是对大型服装企业致命的一击，正是在这种背景下，小型服装企业在意大利大量涌现。从大公司出来的技术工人纷纷建立自己的小公司，设备主要购自倒闭的大公司。小企业之间很快发展出各种交易和协调模式，如相互发包和共享生产技艺，如果这些小企业缺乏相互信任，这一切都是不可想像的。它们之间的相互信任得益于交易域和原初的社会交换域的联结。目前的小企业老板当年在与大公司资方斗争时结成紧密的合作关系，形成了当前的社会交换域。

有意思的是，普特南(Putnam, 1993)也强调社会资本在意大利市民社会的民主管理中的重要性。但他的社会资本概念与本书的社会资本概念有很大的不同(也请参见 Coleman, 1990)。普特南的社会资本不是通过个体或集体有意识行动的结果，而是从过去神秘地"继承"来的。在他看来，社会资本的现有存量不能被个人"占有"，但可以集体"浇灌"的方式"培植"它。社会资本可能带来收益，但只是作为它的一个副产品。我们的观点却不同。我们认为社会资本可以由个人投资和占有。个人为了从中获益，必须通过社会交换对此投资和维护。

实例 A4：在工业背景下社区规范的准复制 通常认为，日本企业内部组织或车间所观察到的集体规范是对前市场经济社区规范的复制[①]，但移植机制尚有待解释。如我们所看到的那样，社区规范在生产域控制搭便车行为的能力来自被嵌入的社会交换域，它潜在地

① 速水(1998)。

为两个域的参与人提供大量的社会资本。在从前现代经济向工业经济的转型过程中,要维持这种条件是相当困难的。更可能的情况是,社会交换域的凝聚力逐步随乡村人口向城市工业中心迁移而不断被侵蚀和瓦解。一种发挥同等功能的替代性社会交换域如何能够在现代工厂的背景下重构似乎也是不清楚的①。

大约在20世纪初期,新兴的重工业依赖承包商从乡村招募工人。这种作法反映了来自乡村发包制度的竞争,并且表明农民持有的社会资本剩余限制着他们大规模流动到城市工业部门。熟练的产业工人一直非常紧缺,他们从招募工人的竞争中获得额外的工资收益。工厂车间尚没有形成足够的社会资本,让工人对驱逐感到恐惧。在一战期间,政府经营的技术先进的军工厂和船坞开始实施年功序列工资和奖金制度,以此作为留住那些经过培训的工人的一种办法。一开始这种试验只限于这些政府经营的企业。需要指出的是,在20年代末期,京浜(Keihin)工业区私人工厂军事工人提出的主要要求是希望把他们和白领工人一视同仁,看作是"公司平等的一员",而没有像同时代的欧洲工人那样争取其阶级利益(Gordon, 1985)。和工人保持相当距离的管理人员通常不得不依靠警察出面压制工人的不满。

20世纪30年代,乡村经济经历了长期萧条,政府开始全面干预经济,加速重工业化。通过供给推动和需求拉动,乡村劳动力向现代工业部门的转移速度开始加快。40年代随着战时经济状况的不断恶化,如何大规模动员劳动力进入工业部门并给予适当的激励是摆在政府面前重要的政策议题。而且,车间随时出现的问题,如机器故障、原材料和劳动力短缺、工人的普遍旷工等等,都需要在现场通过针对性的集体协商加以处理。由于熟练工人的紧缺,虽然对新招聘工人的工资有严格控制,他们的流动性仍然很高②。

为了解决这一系列问题,战时政府鼓励在企业成立产业爱国者

---

① 在明治时代初期,政府曾试图移植西式纺织厂,雇佣城市前武士的女儿作劳动力。但是,因管理失败,工厂很快以低价卖给私人资本家。新建的私人工厂从同一乡村地区成批招聘女性工人,让她们集体住在宿舍里。一些仁慈的资本家甚至在宿舍里为她们提供中学教育的机会,开设养花和缝纫课,努力营造一个类似社区的环境。

② 这方面很好的英文概览见U.S. Strategic Bombing Survey(1946)。

协会的分支，试图动员“社会压力”约束工人。该组织既包括白领工人，也包括蓝领工人，旨在减少他们之间长期以来社会地位的差异。产业爱国者协会的企业分支逐渐部分地演变成一种互助组织，对那些被应征入伍的工人的家属和其他有困难的工人提供帮助。随着政府对工人流动的监督和控制的加强，工人想自愿退出战时工厂已变得越来越困难。生产中的“非合作者”被禁止享受互助好处（如发一些食品和布匹之类的配给物品），或者在道义上和肉体上受到折磨和惩罚（如被宣布为“不爱国者”，或勒令参加军事训练以示惩罚，等等）。这让我们想起德川时期村庄里的社会驱逐。但有一点不同，战时工人惩罚“非合作者”是被强迫参加的，害怕自己被工厂的军代表指责为不服从而受惩罚。它更接近于所谓的“政府操纵的准社区控制”，它通过将生产域和掠夺性国家而不是自主性社区联结起来发生作用。

战争时期规模空前的劳动力动员虽然采取了军事强制手段，却意想不到地开创了一个新时代。在车间自发演生出来的集体解决问题的惯例部分源于准社区控制，部分源于传统上对技艺的高度尊重。车间工头行使权力如果不凭借其知识和技能是根本行不通的，技艺高超的工人因在解决问题时起带头作用而在车间享受很高的道德权威。战时经济崩溃之后，车间的社会结构发生了根本性的变化。战后掠夺性政府的垮台使得政府操纵的准社区控制不可能再维持下去了。在二战结束后的头两年，工人在工厂一级的全面工会化发展迅猛，工会运动的组织领导人就是那些在战时号召组织车间控制的领头人。在有些情况下，他们乘混乱之际从管理人员那里夺取控制权以保护自己。

回想起来，30 年代和 40 年代可以看作是一个转型时期，是向车间生活成为工人社会交换的主要领域过渡的时期。这段过渡期的社会动荡平息之后，J 企业（1950—1990 年这一时期典型日本企业的缩略词）的管理人员——他们是在基本上不存在股东控制的情况下从雇员等级序列一步步提拔上来的——逐渐意识到寻求车间工人“准社区”合作的必要性。但是，从整体组织的角度看，车间准社区社会交换域的形成本身并不必然是效率增进的。工人也许利用上班时间开展社交活动，耽误生产效率。它也可能发展出一种阻止管理人员干预车间活动的集体规范。举例来说,50 年代初期,丰田试图向车间引进多台机器操作法,但遭到具有技艺优势的工人的集体反对,他们担心新方法会使其掌握的技艺失去价值。车间的集体规范(如互助和同伴相互监督各自的工作进度)只有与有效的组织治理机制相配合,才能真正成为整体性组织安排的有机部分,高效率地协调水平层级的活动(参见第 11 章和第 12 章)。否则,车间可能会陷入一种低效率的勾结型均衡,造成普遍而严重的组织后果。

10.1.2 社会资本的误置和重建

前面第 10.1 节(2)讨论了社会资本在促进传统经济域适应新环境方面所发挥的中介的作用。当然这不是它的惟一的作用。实例 A2 表明,社区的封闭性是现存社会资本发挥中介作用的关键性条件。如果环境变化涉及到社区成员流动的新机会(如外部劳动力市场的开放),这将导致社区成员的外流。在这种情况下,旧的社会资本将随之消失。为了使一种新制度得以出现,必须重建新的社会资本。这种可能性所导致的制度演进轨迹将不同于实例 A2 所研究的制度演进轨迹。

实例 B1:17—18 世纪英国和日本的制度分叉(阿伦(Allen)) 在第 10.1 节和本节实例 A2 我们注意到,德川时期村庄主要成员是大致均一和拥有准所有者地位的“本百姓”(hon - hyakusyo,即真正的农民)。正是他们,一方面集体管理着共用资源,带来了整个德川时期农业生产率的提高,另一方面,他们只要有可能,就积极改进农业种植方式和参加其他创新活动。在这些方面,日本的本百姓有些类似于英国圈地运动之前在敞开地耕种的自耕农。敞开地是由分散和交错分布的小片土地组成,许多人同时占有这些敞开地,其使用(如轮耕、放牧等等)通常受到管制:这种安排有点像德川乡村的情况,分散的稻田被集体使用的灌溉系统整合在一起。英国自耕农也显著提高了农业生产率。但这两者之间有一个区别值得注意,它对后续制度和组织分叉发展具有潜在重要的影响。在日本,幕藩政府出于税收的目的,通过行政方式保障了本百姓的准土地所有权。与此相对照,英国自耕农与住在庄园并占有庄园领地的庄园主之间属于正式的合同关系[①]敞开地经营加固了自耕农之间的联系,但他们的社会资本主要用于协同对付庄园主,保护自己的利益。

圈地运动对于领主来说主要是集中分散的敞开地及其使用权,然后再以短期租佃的方式租给雇佣劳动力和大规模经营的农民[②]。关于18世纪出现第二次圈地浪潮的原因,一种占统治地位的传统解释认为,敞开和公有地安排缺乏效率,一是因为通常所说的“公有地悲剧”(tragedy of the commons)问题(如过度放牧、对维护诸如排水之类的集体产品积极性不高)。二是因为集体决策问题,最缺乏企业家精神的农民会阻碍可能的创新。近来的研究,无论是微观的、宏观的还是比较的,都表明,17世纪当自耕农仍然占据着土地的时候,亩产量或劳动生产率已经实现了大部分的增长,而18世纪敞开地和公有地生产率的差异却很小,如果不是完全没有的话(Allen, 1992、1999)。关于公有地悲剧问题,也没有什么具体证据。许多村庄已经意识到公有地问题,对放牧设定了限制[③]。

在英国和日本,持有土地的农民成功地实现了生产率的提高,克服了共用资源的治理问题,为什么圈地运动偏偏出现在英国而不是日本(或其他地方,如发达的欧洲大陆国家)? 传统的解释认为,发达的工业化、城市化以及随之而来的市场发展是导致英国自耕农和他们所在社区衰落的重要因素。但尽管如此,有一个细微的问题仍然可以提出来:环境的变化是通过什么途径对农业的制度结构产生了决定性的影响呢? 一个可能的解释是技术和生态因素。也就是说,

---

① 最通常的合同方式是享有使用权的租佃合同或登录不动产保有权合同。“两种合同都是长期协议,自耕农一开始先支付一笔可观的数目,以后的支付便只是名义上的。农民由此获得了合同有效期内生产率改进的全部额外收益。农民也必须积攒足够的钱以便在合同到期时能够延续合同。这种胡萝卜加大棒的结合有助于解释17世纪敞开地农民生产率的增长。”(Allen,2000)

② 与此相对照,德川时期对可税土地准所有权的转让被幕藩政府明令禁止。到了德川末期,日益卷入到货币经济中的农民以土地为抵押,与外部商人或村内富裕家庭签订贷款合同。当农民不能还债时,合同条款将被执行,但破产的农民通常以佃农的身份继续在同一块土地上耕种。因此,类似英国发生的耕种的集中化管理倾向并没有出现。

③ 惟一的例外是R.阿伦对南方中部详尽的微观研究。他发现,重要耕作区安装凹形排水渠是在圈地运动之后发生的。该耕作区敞开地以前通常靠犁沟排水,但效果不甚理想。“(该地区)的圈地通常给予了地主维护主要排水渠的能力,并通过向贫民区所有的财产所有者征税来支付维护成本。”(Allen, 1992:第121页)这种改进对生产率的提高有一定作用。

在 18 世纪的英国，迅速的城市化使得农作物如小麦的市场价值随之上升，而它们以大规模管理的方式种植效率更高。与此相对照，水稻需要密集的人力投入，它只适合于自主的家庭经营，这里我们撇开德川时期日本落后的工业发展不谈。另一种解释是阿伦(2000)提出的制度原因：英国地主相对强大的立法权力可能在瓦解自耕农社区内部社会粘合力方面发挥了决定性的作用。

如果土地收益像 17 世纪那样稳定增长，处于长期合同地位的自耕农一定能够得到他们持续创新的企业家租金。如果生产率增长开始滑坡，企业家租金也将下降。城市化和工业革命导致对农产品需求上升，推动着农产品价格上涨，属于地主的那部分李嘉图地租也会随之增加。但只要自耕农能够维持他们准所有者的地位，他们就能得到属于自己的那一部分地租。地主与其整个终止合同关系，为什么不与自耕农谈判，改为短期租佃合同，只要有可能，就将土地租佃给那些愿意雇佣无地劳动力的大规模农户？使用劳动力的规模经济可能是一个原因。不过，有证据表明，18 世纪中叶当英国赶上甚至有点超过以小农经营为主的荷兰和比利时之后，其人均产量就已停止增长了(阿伦，1998)。

另一种可能的猜测是，自耕农社区内部的凝聚力使地主想在短期基础上续签合同变得比较困难。敞开地的兼并最初是通过私人签约方式实现的，比如在自耕农死去之后或者合同到期时不再续签。公有地圈地最早要求圈地所涉及的所有小农的一致同意。在这种情况下，任何小农都有抬杠以索取额外支付的动机。或者，相对均一的小农发现维护他们的社会资本和李嘉图地租的所得份额符合他们一致的利益。因此，拥有传统的封建权力和对地方议会的政治影响力的领主开始向议会求助，希望解决这个协调性问题。因为议会通过圈地议案仍然需要得到小农的大多数的投票，在小农社区的凝聚力比较强大的地方，向大规模农业经营的转型仍然是一个艰难的过程①。

---

① 1700—1850 年地方议会通过了 5 000 多个法案，允许地主圈地。不同地区圈地进程的差异不能仅仅归结为技术和市场发展条件的差异。例如，叶林发现，在中部地区分散的土地占有是普遍情况，即使该地区从市场条件来说应该面临和其他地区相同的圈地压力，可是敞开和公有地的形式到了 18 世纪后半期仍然成功地被保持着。鉴于这一点，他写道："广泛的圈地运动的组织是一个困难的政治步骤，它尖锐地提出了一个个人利益的问题，大地主和小地主的利益冲突尤其需要强调，正是小地主集团对圈地的抵制解释了原制度的存续。"(Yelling，1982：第 414 页)

圈地运动取得成功之后，地主把土地以短期租佃合同的方式租给农民。不过，在大多数情况下，合同得到续签。地租上涨之前要经过一种官僚程序，如雇佣一个调查员对地产做出重新估价。阿伦认为，这种方式赋予佃农改进生产技术的积极性，他们倾向于把自己的财富多少与土地联系在一起，而不再与其邻里乡亲联系在一起。地主也因为佃农愿意长期与土地联系在一起而获益。阿伦指出，"租佃期限，行为规范和关于正当待遇的预期构成社会资本的具体形式"(Allen, 2000)。

市场发展侵蚀了自耕农社区流行的社会规范，促进了地主和农民形成一种替代性的社会交换方式。整个转型过程没有导致政治和经济的不稳定，这可能得益于城市市场和政治制度的发展，吸收了从乡村部门转移出来的劳动力，使得城市劳动阶级之间的社会资本得以重建，顺利进入自由民主型国家的政治结构，实现其政治利益(参见第 6.2 节)。上述解释和长期富有影响的马克思主义的解释形成鲜明对比，后者认为，圈地运动通过创造失业后备军，为资本主义发展扫清了道路。

10.2 制度性关联和捆绑的重构

本节我们考察除社会交换域之外的域相联结的情况下制度变迁的机制。我们首先考虑两种特征各异的域整合之后对制度安排的影响。接下来我们讨论新捆绑方式取代旧捆绑方式的可能性。

10.2.1 经济一体化的制度影响

首先设想两个域实现了一体化。这可能是交易和组织活动在地理上扩张的结果。在这种情况下，由于历史路径、管制政策、参与人积累的技能类型和水平和交易性质等等的差异，不同域博弈形式的基本特征(参与人集合、决策集和后果函数)也会呈现显著差异。假定域 D_1 和 D_2 类型相同，但博弈形式的特征各异，分别产生制度 Σ^* 和 Σ^{**}。假设这两个域开始相互作用，也就是说，一个域的参与人开始在另一个域活动。于是，一种可能的结果是，在参与人新策略的支持下，联结

后的域 $D_1 \cup D_2$ 产生了一种新制度 Λ^*，参与人的新策略单独在域 D_1 或 D_2 中不可能被选择。给定制度的多重性，新制度 Λ^* 的性质不是惟一地由联结域的技术结构决定。有可能是旧制度 Σ^* 或 Σ^{**} 的存在或两者共同导致制度 Λ^* 从多种可能性中脱颖而出。下面的历史实例 C1 和 C2 将说明这种情况。另一个例子是第 5.2 节的命题 5.2：组织场在一体化之后出现了组织惯例的多样性。

另一种可能性是在不同特征的域实现一体化之后，旧制度 Σ^* 或 Σ^{**} 或两者仍然持续存在。它们的初始演化在一定程度上被它们各自域的博弈形式特征(如规制政策)所制约。在联结两个域之后，联结域的博弈形式特征随之发生了巨大的变化(如一些监管措施不再有效，不同技能的工人开始跨域流动)。但旧制度的持续存在也有可能是因为域联结后的博弈形式特征没有能从域联结之前就发生作用，影响旧制度的存续基础。因此，制度关联的历史路径即使在博弈结构已经改变之后也会在后续的制度中留下印记。这正是路径依赖的全部含义。下面的实例 C3 将提供了这方面的一个佐证，深入的分析要留待第 12 章进行。另一个很好的例子是第 5 章的命题 5.2：在组织结构中流行着不同惯例的组织领域一体化以后，出现了组织的多样性。

实例 C1：联结城乡的中介性制度——发包合同和乡村工业(谷本，Tanimoto) 日本德川时期的乡村在 18 世纪末期已经积累了足够的生产能力，提供商业化的非农产品。另一方面，在乡村商业网络之外出现了以江户(东京)和大阪为中心的商人行会。当乡村和全国性交易域联结的时候，交易的商品还仅限于标准产品，如煤油、稻米、加工食品和棉纱，这时，扮演中介人角色的主要是地方性城市的专业批发商和乡村社区的经纪人。到了 19 世纪末期，这两种域的联结在织布业导致了一种新的中介性制度——发包合同的出现。尽管有工厂制度的平行发展，发包制直到 20 世纪 20 年代中期一直是日本纺织业的主要特征①。大型工厂制度更集中于生产纺纱和标准布匹，而小型工厂和个体生产者则在发包制下专门从事多样化的布匹生

① 1902—1911 年间，纺织业的产量是日本整个工业产出的四分之一，出口量的一半以上。据 M. 谷本(1998)最近的一项估计，在 1905 年，发包制度下雇佣的纺织工人的数目是整个行业人数的 70% 以上，而对应的工厂制所雇佣的人数只有 10% 多一点。

产。发包制的组织者是住在生产布匹的村庄附近的本地商人。他们当中的许多商人开始是具有创新精神的农民，开始通过做经纪人积累了不少商业经验。承包方主要是以务农为主的农民。小农集农业和家庭手工业于一身是日本发包制的主要特征，它区别于 18 世纪在弗兰德斯（Flanders）观察到的“原始工业化”，在那里，作物生产和乡村工业分化为两种相互独立的管理活动（Mendels，1972）。

根据大卫·兰德斯（Landes，1969）的观点，西方发包制被工厂制所取代是由于收集地理上高度分散的承包产品的交易费用太高，尤其是承包方偷窃原材料——即所谓的“发包制的内在矛盾”导致的。可是，谷本最近的一项研究表明，在产品市场需求和农民的理性选择之间，本地商人发挥了独有的协调作用。一方面，本地商人与那些在德川时期旧行会制度之外发展起来的城市新兴的批发商关系密切，有效地利用了日益扩大的国内市场。从这个关系网络，他们获得了有关季节需求和用户对产品差异的特定要求。在供给方面，他们直接面对农民，农民作为决策单位在农业和非农活动之间进行有效配置。由于季节性和临时性需求的因素，农民配置给承包任务的时间和精力无法在全年均匀分配，或者说很难和产品的季节性需求恰好一致。发包合同的设计必须使得两边的要求得到统一的协调。在地理上接近生产者也使得本地商人能够密切监督工作的进程和实施合同。本地商人的协调作用创造了现代工厂制度所没有的独特的经济租金①。

20 世纪 20 年代发包制度的衰落一般归结为一个技术原因：现代工厂制引入了高效率的机器，如动力织机。但理论分析显示，农业

---

① 但是，在缺乏有效的第三方实施机制的情况下，为了实施互惠合同，他们之间必须发展相互信任关系（声誉），以维持关系合同。要做到这一点，在理论上必须具有两个条件：第一，在对方违约的情况下终止合同的威胁是有效的；第二，有关整个交易域违约的信息传播是有效的。有证据显示，在同一个地方，有多个本地商人在经营发包业务，因此，农民在必要时可以更换合同方。另一方面，有足够多的农民作为储备，可用来对付波动性需求，必要时替换关系承包方。这似乎表明，第一个条件是满足的。事实上，偷窃原材料的问题对于经验丰富的本地商人来说是可以控制的，他们将核心承包农民的合同期延长到好多年（谷本，1998）。由于本地商人根植于本地，有关任何一方违约的信息都相当容易在他们和村民之间传开。因此，用来支持以前社区规范的村内信息结构也成为实现第二个条件的基础。不过，这种合同自实施的方式与传统社区规范实施的方式差别很大：现在犯规的预期惩罚不是从传统社会交换的网络里驱逐出去，而是被排除在合同关系之外。

收益不确定性的增加(由单位时间农业收益的方差衡量)也是导致发包制相对于工厂工资制比较优势下降的一个原因①。确实,20年代正是农民的经济状况相对于前几十年发包制盛行的时候变得非常不确定的年代。在发包制衰落之后,乡村建了许多小型工厂,雇佣农村剩余劳动力,这是20世纪60年代高速增长时期之前日本工业经济的一个重要特征。发包制虽然注定要失去相对于工厂制的比较优势,但它利用农民的剩余时间,同时又没有将他们完全从农业领域转移出来,变成在竞争性劳动力市场流动的产业工人,这对日本产业制度的演化的路径具有重要影响②。

实例C2:以一体化前的制度为基础的转型制度——社区责任制(格雷夫,Greif) 假定几个商人社区已经在它们各自的域发展出社区内的合同实施机制,界定和惩罚不诚实的商人。我们进一步假定,来自这些社区的商人逐渐超出自己的域,相互往来,在别的社区建立交易机构。在缺乏正式的跨社区合同实施机制的情况下,来自不同社区的商人之间的交易和信用如何能够扩展呢?格雷夫(2000)指出,在欧洲中世纪商业革命的晚期(11—12世纪),为了应付这种挑战,一种所谓的"社区责任制"逐步形成。格雷夫还分析了其影响。这是一种在跨社区交易域依靠社区内实施机制控制不诚实行为的制度设置。这些设置有正式和非正式的,让我们称之为"法庭"。

假设一位来自A社区的商人在其交易伙伴的地域内——比如说B社区——欺骗了后者。如果法庭证实了这件事,它将扣押A社区商人所有在B社区范围内的财产,以此作为抵押品。然后,B社区法庭向A社区法庭要求补偿。如果A社区法庭证实确有其事,那就如数支付补偿,补偿的钱要么让肇事者出——如果能够找到此人的话,要么采取其他方式筹集。结果是A社区的法庭向原告进行补偿。这样,整个社区为自己商人在其他社区的行为负责。格雷夫证明了,如果每个社区法庭的目标是最大化它的商人从跨社区交易中所得的总收益,那么,上述程序构成一种均衡结果。如果该程序被人

---

① 霍姆斯特朗和米尔格罗姆(Holmstrom 和 Milgrom, 1994)关于现代特许制度和一体化企业的比较分析结果,可以用来解释发包制度和工厂制度的区别。

② 关于乡村纺织机器工业对后来丰田制度的形成的影响,参见藤本(Fujimoto, 1999)。

们普遍预期的话,每个社区建立这样的法庭(或任何复制上述程序的机制)是符合自身利益的。

可是,社区责任制也为自己的毁灭埋下了种子。当商人能够确信一个非人格化的外国机构将会赔偿自己受骗的损失的时候,他们事前适当监督合同可信度的努力(必要的谨慎)必然随之减少。在社区责任制下,随着交易扩展,商人社区的规模扩大,界定真正的合同违约者并惩罚他们将变得日益困难。该系统的运行成本因它导致的内在发展而上升。格雷夫论证说,其内在发展确实是13世纪末期社区责任制最终消亡的推动力,从而导致了替代性的合同实施机制的产生,尤其是以民族国家为基础的法律制度的产生。因此,社区责任制在捆绑不同商人域的过程中充当了过渡性的治理机制。这种机制的运行只需要商人所附属的社区信息,其准非人格化的性质是通向一个广泛的法律机制的演化之路的重要途径,该法律机制调节着日益整合化但内部又千差万别的交易域之间的非人格化交易。

实例C3:旧制度的存续——全球金融市场下的关系融资 关系融资作为一种融资方式指的是融资方事先做出在出现了合同规定之外的意外情况下,如借方资金困难,保证提供额外资金的可信承诺(我们将在第12章进行更充分的讨论)。这种承诺只有在融资方相信遵守这种策略有利可图的情况下才是可信的。比如借方愿意支付更多的利息以换取信贷的持续性。但是,如果非关系融资的成本和关系融资提供的保险收益相比足够低,借方也许不会和融资方(如银行)发展这种关系。因此,这里有一个比较成本和收益的问题。在金融交易域,如果借方通过证券市场竞争性融资的能力因为政府管制而非常有限,那么,关系融资就更容易出现。假定情况就是如此,但随着该域最终和全球性资本市场相连结,政府管制政策就没有什么效果了。业已建立的关系融资制度是不是就不再适应呢?答案并不那么直截了当。我们将在第12章分析这个问题,考察在何种条件下关系融资仍然能够保持活力。

10.2.2 松绑和重新捆绑的熊彼特过程

我们已经讨论了两种域(交易和社区)通过市场交换联结之后制度演进的类型,看到在参与人的交易关系中新制度产生和旧制度延续的各种例子。现在我们转向另一种相关但不同的关联博弈类型——以组织或第三方为中介的域的捆绑。如第 8.2 节所示,不同域的捆绑发生在捆绑主体能够获得租金的场合,租金的来源可能是他创造的新信息或外在性。然而,在一种动态环境下,旧的捆绑方式因内部危机而消亡,或因为它的租金基础被新的捆绑方式所侵蚀,这一切都将引致新捆绑方式的出现。但是,新捆绑方式的制度化不一定是一帆风顺的,它需要熊彼特式的企业家精神的强力推动,引发"旧组合的创造性毁灭过程"才可能成功。

实例 D1:创新活动的事后演化式捆绑(收购与开发) 从我们现在关心的角度看,从原公司分离出来的创新型小企业在硅谷的聚集具有一个重要特征,即硅谷现象的出现是这些小企业从传统大公司的业务活动中松绑之后进行松散的再捆绑的结果①。在传统大公司里,公司业务活动的各种功能如制造、营销、研究与开发等等都捆绑在公司总部的统一指挥之下②。研究与开发活动按照层级结构加以组织,先从上层关于集成性产品系统的创意开始,然后是更分权化的分析性设计和制造样品,最后是最基层的产品改进。相比之下,在硅谷,从传统大公司分离出来的企业主要从事研究与开发,也可能从事试验产品的生产。至于其他活动,如大规模制造和营销都在其经营范围之外。融资功能则交给了创业投资者。

如前所述(第 4.2 节(8)),这些创新企业在特定的市场上围绕着产品的最新设计而相互竞争。每个市场的赢家很可能被经营范围更广的大公司——如思科、朗迅科技、英特尔和微软——收购,以形成独创的产品系统。从产品系统形成的角度看,一种集成性技术的出现是通过演化的方式事后选择和捆绑那些由创新企业发展的模块产品,这区别于单个大公司内集中设计和开发新产品系统(如 IBM 360)。显然,前一种捆绑方式——或称 A&D(收购与开发,acquisition

---

① 事实上,小型创新企业的兴起在很大程度上是由从巨型公司 IBM 跳槽或被裁员的大批工程师和经理人员推动的。这些被裁减的人员有的自己创办企业,有的加入小型企业谋生或力求实现未了的梦想。鲍德温和克拉克(Baldwin 和 Clark, 2000)对这一动态过程提供了精彩的描述和分析。

② 正像钱德勒(Chandler, 1977)和威廉姆森(Williamson, 1985)所记录和分析的那样,在美国 20 世纪早期所谓 M 型企业(多单元的公司结构)的兴起是新型捆绑——即通过内在化资本市场而进行的捆绑——导致的组织创新的经典案例。

and development),以区别于传统的 R&D(研究与开发,research and development)——的优点是保留各种可能性,直到开发的不确定性显著降低,但这种熊彼特式的创新过程所独有的成本是多个创新企业开发努力的重复。我们随后(第 14 章)将分析在何种技术和制度环境下熊彼特过程的收益能够超过其社会成本以及创业投资者在其中所发挥的独特作用。

实例 D2: J 企业在数字时代的困境 促成硅谷模式成功的关键性因素是信息和通讯技术的发展以及在个体创新企业层次上以信息包裹方式开发模块产品的技能积累。然而,正是这些因素对日本形成于 20 世纪 70 和 80 年代的典型企业模式——即 J 企业——的相对比较优势造成了严重的不利影响,J 企业一直按照水平层级制下各任务单元之间密集的信息分享和信息同化的原则运行(第 4.2 节)。任务单元之间的紧密捆绑得益于日本企业集中化的人事管理,其中雇员的录用、分配和轮换工作以及职位晋升完全置于全公司的统筹安排之下。这种人事管理方法不仅促进了背景导向型信息分享,而且还为建立在终身雇员内部职位等差基础上的团队工作提供了激励(参见第 8.1 节实例 A2)。水平层级制和集中化的人事管理在制度上相互补充,使日本企业成为内在一致的组织整体①。

随着信息技术的发展,背景导向型信息分享所赖以建立的比较优势和那些网络集成型信息分享相比已经大大削弱了(第 4.1 节)。而且,当组织所接受的信息在数量上趋于巨大,在内容上趋于多样化的时候,以组织参与人之间对意会知识的解释性协同为基础的组织协调变得在信息上越来越缺乏效率(命题 4.4)。这种组织协调与上面涉及的熊彼特过程相比也缺乏产品设计应有的灵活性。

由于日本工人和管理人员已经大量投资于背景导向型人力资产,他们使用的母语流通范围有限,要提高日本企业的比较优势不可能简单地靠模仿英美企业在全球发展出来的大规模网络集成型功能层级制。上面讨论的制度互补性还表明,除非传统的人事管理制度方式同时发生变化,否则 J 企业的组织结构不可能一夜之间实现巨

① 关于水平层级制(背景导向型信息分享)和集中化人事管理的制度互补性,请参见青木(1988:第 3 章;1990、1994a)。

变。问题的解决必须以路径依赖的方式进行。对J企业来说真正的挑战在于能否解决如下问题，即J企业能否演化出一种更松散的捆绑任务单元的结构，而每个任务单元内部在必要时仍然保留背景导向型信息包裹和信息同化①。

10.3 历时性制度互补

本节将考察互补性域之间的动态互动关系。我们尤其感兴趣于互补域博弈形式中参数变化的影响，参数变化包括政策改革、新法案的通过、某种能力类型的积累、组织设计的变化和技术创新等等，它们可能会作为中介促成和引发新制度的产生，或者导致整体制度安排的变化。

10.3.1 动能定理(The Momentum Theorem)

像第8.3节一样，我们假定有两个域 D 和 G，其中每个参与人的报酬预测规则(即效用函数)完全一样，分别为 u 和 v，参与人只有两项关于制度的选择，分别由($\sum^*$；$\sum^{**}$)和(Λ^*，Λ^{**})代表②。我们假设，超模条件(第227页注①)成立，即 $\sum^*$ 和 Λ^*、$\sum^{**}$ 和 Λ^{**} 是制度互补的。另外，我们还假定，参数 θ 和 η 刻画了在域 D 和 G 的参与人(主观)博弈形式的特征，对参与人的报酬预测产生影响。比如，它们可以是代表参与人对技术环境、人力资产的类型和水平、法律、政府管制和政策导向等等一系列影响博弈结果的因素的认知。这些参数在下述意义上是制度相关的：即它们沿实数轴 R 是可排序的，

---

① 要实现背景导向型信息分享的包裹离不开人事制度的分权化改革。一种可行的办法是把一体化的公司结构转变为纯粹的持股公司形式，通过这种转变，人事管理和信息加工下放给附属的子公司，而持股公司只集中发挥治理功能。这种方式可以渐进地实现组织信息结构和雇佣合同的多样性。而且，如第11.3节将要讨论的那样，采取纯粹的持股公司可以在一定程度上解决银行治理能力弱化所带来的公司治理问题。我在其他场合曾详细讨论了纯粹持股公司的影响(青木，1995/2000：第8章)。自日本战后民主改革以来，纯粹持股公司一直被法律禁止，这项管制直到1998年才被解禁。解禁对J企业的公司治理的影响在目前看来尚不明晰，部分原因是与之相伴随的公司合并税法迟迟未实施。公司合并税法不通过，在持股公司之下的公司分离出去一些业务单元意味着公司税的增加，即使分离出去的单元公司收入为负也是如此。

② 我们可以将下述分析拓展到每个域的参与人拥有不同的偏好的情形，如第8.2.3节所做的那样。

或者说只取两项值，比如说 0 或 1（这种排序只为了区分两种类型，如个人型和场景导向型，并没有任何排序比大小的含义）；每个报酬预测规则对自身变量和相关参数是距离递增的，即

距离 $u(\sum^{*}:\Lambda,\theta)-u(\sum^{**}:\Lambda,\theta)$给定任意固定值 Λ，对 θ 是递增的；距离 $v(\Lambda^{*}:\sum,\eta)-v(\Lambda^{**}:\sum,\eta)$给定任意固定值$\sum$，对 η 是递增的。

上述设定意味着 θ 和 η 的排序使得较高的 θ 值代表它们对$\sum^{*}$的适合性相对$\sum^{**}$更高，较高的 η 值代表它们对 Λ^{*} 的适合性相对 Λ^{**} 更高。因此，我们把 θ 或 η 值的增加（下降）称之为互补于$\sum^{*}$或 Λ^{*}（$\sum^{**}$或 Λ^{**}）的参数变化。最后我们假定，在每期，属于 D 和 G 的$\sum$和 Λ 将被选择恰当的数值使得各自的报酬 u 或 v 最大化。

下面，我们将时间 t 的变量和参数值用下标（t）表示。参数值从初始点开始不断移动的动态过程为：

$$\theta(t+1)=F(\theta(t),\eta(t),\sum(t),\Lambda(t));$$

$$\eta(t+1)=G(\theta(t),\eta(t),\sum(t),\Lambda(t))$$

其中 F 和 G 是非递减函数，对于自己的参数严格递增。对于自己的参数严格递增这个条件意味着参数值不会自然折旧（如不存在政策倒退，或能力的自然折旧）。关于内生变量的非递增假定大致表明，参数值不会得到来自内生变量的负反馈，但可能得到正反馈（如，不会采取不利于现行制度的政策，适合于现行制度的人力资产水平通过边干边学而上升）。

有了上述设定，现在让我们来考察制度互补性对制度演进机制可能产生的影响。首先，让我们考虑如下情形：在 $t=0$ 时，制度 Λ^{*} 存在于域 G，而在域 D，$u(\sum^{*}:\Lambda^{*},\theta(0))<u(\sum^{**}:\Lambda^{*},\theta(0))$。也就是说，尽管制度 Λ^{*} 存在于域 G，但因为 θ 值太低，互补性制度$\sum^{*}$未能确立（比如，支持$\sum^{*}$的能力积累不充分，或管制环境不理想）。与此同时，我们还假定 $\theta(1)>\theta(0)$ 和 $\eta(1)>\eta(0)$，即互补于制度$\sum^{*}$和 Λ^{*} 的制度相关参数随时间而不断改进。不断运用 G 和F 的递增性，我们可推出，对于所有 $t>1$，$\theta(t+1)>\theta(t)$，$\eta(t+1)>\eta(t)$。这样，$\sum^{*}$相对于$\sum^{**}$的比较劣势随着报酬函数 u 对于θ 的距离不断增加而持续下降。如果更强的互补性条件成

立，使得不仅距离 $u(\sum^{*}:\Lambda^{*},\theta(t))-u(\sum^{**}:\Lambda^{*},\theta(t))$ 随时间而递增，而且对于充分大的 $\theta(t)$ 值，它严格为正数，那么 $\sum^{*}$ 将最终在 D 出现，虽然一开始如果制度 Λ^{*} 不存在于域 G，这种情况是不可能发生的。因此我们有下述米尔格罗姆，钱颖一和罗伯茨(1992)动能定理的一个变种：

命题 10.1　即使制度相关参数的初始值太低，不能使制度 $\sum^{*}$ 在单一域出现，但互补性制度 Λ^{*} 的存在和互补于该制度的制度相关参数值的改进，将放大互补于制度 $\sum^{*}$ 的制度相关参数变化的影响。当累积性互补效果足够大的时候，最终将引致 $\sum^{*}$ 的制度化。

下面，我们考察制度 $\sum^{**}$ 和 Λ^{**} 已经存在一段时间，延续到 $t=S$。但在 $t=S$ 的时候，一次外部技术冲击或政策变动发生了，使得互补于制度 $\sum^{*}$ 和 Λ^{*} 的参数值必然增加。由 F 和 G 的递增性假定，我们于是有，对于所有 $t>S+1$，$\theta(t+1)\geqslant\theta(t)$，$\eta(t+1)\geqslant\eta(t)$。假定在动态过程中 $\eta(t)$ 增长到足够大，我们得到距离递增的强条件 $v(\Lambda^{*}:\sum^{**},\eta(t))-v(\Lambda^{**}:\sum^{**},\eta(t))>0$。然后在 $T>S+1$ 的某个时间里，将会有制度从 Λ^{**} 向 Λ^{*} 的转换。按我们用来证明命题 10.1 同样的逻辑，也可能出现从 $\sum^{**}$ 向 $\sum^{*}$ 的转换。总结这个结果，我们有下述动能定理的一个变种。

命题 10.2　假定在某个时点以前，制度 $\sum^{**}$ 和 Λ^{**} 一直占主导，每个域都出现了与制度 $\sum^{*}$ 和 Λ^{*} 互补的政策变化或某种能力的初始积累。这时，每个域不一定立即发生制度变迁。但是，当初始变化的累积性和互补性影响变得足够强时，一种新的互补性制度 $(\sum^{*},\Lambda^{*})$ 有可能最终出现。

这样，我们看到，互补性制度的初始存在，或制度相关参数的联合变化会引发新制度在新域的出现，甚至引发跨域的整体性制度安排的变化。不过，这些因素的影响不会自动发生，它取决于制度相关参数和对应的内生变量之间以及不同域的内生变量之间互补性的强度。这个过程的微妙之处在于，一种制度的出现，或者整体性制度安排的变化作为对制度相关参数的反应，在开始阶段只是隐蔽的，然后当相互强化的累积性结果足够大时才最终发生。

10.3.2 制度变迁中的政策作用

(1) *作为政府组织设计和政策变化意料之外的制度后果* 从动能定理我们可以引出一些有关政府政策和组织设计在制度变迁中的作用的结论。首先，设想某项政策变动的主要目的是改变参与人决策的方向，但政策变化通过互补性域参与人决策之间相互强化作用最终可能导致意想不到的整体性制度变迁。我们将在第13章讨论这样一个例子，涉及20世纪50年代日本主银行制度和其他相关制度安排的演化。日本主银行制度的出现最初是太平洋战争前后日本军政府实施一些特定政策和组织措施（如通过银行对信贷的控制和限制股东在公司治理中作用等等）的结果。这些政策的初衷本来是强化政府对战时经济的控制力，结果未能奏效。日本主银行制的最终形成可以归结为战后民主改革以及后续时期一些制度相关参数（如解散财阀过程中废除了资本家对公司治理的控制权），更重要地，新出现的组织实践（如水平层级制）和关系融资及相关公司治理结构之间的强互补性。但主银行制的出现绝非战时军政府的本来意图。为了理解这一点，我们需要更深入分析在政府政策决定的外生性规则下参与人跨域均衡策略的互补关系。

(2) *因缺乏相关人力资产类型的政策失败* 虽然政府政策会有助于某些域新制度的演化，但如果不具备与新制度互补的人力资产类型，新制度仍然不可能出现。俄国发展市场导向的公司治理结构的失败很好地说明了这一点。请看实例E1的例子。

(3) *制度相关参数的相互冲突和政府的作用* 动能定理所讨论的是制度相关参数以互补方式发生变化的情形。但在整体性制度安排的宏观层次上，制度相关参数变动的方向并不必然是互补的关系。制度相关参数的相互冲突的可能性是间断式制度演进的主要特征，对未来制度演进的轨迹会产生显著的影响。设想自发出现了熊彼特式的重新捆绑经济活动的方式，它所需的技能在特定的私人交换域开始积累。但这种新的捆绑方式也许会对私人交换域的旧捆绑方式形成威胁。比如一种新的组织结构需要一种新的融资方式，可能对乡村现存的社区规范不利。假定经济环境的变化使得旧捆绑方式（如旧的金融制度和乡村社区）在新捆绑方式发展过程中不可能维持原有的租金来源。这将诱使旧捆绑方式的既得利益集团从事寻租活动。如果在政治域的政府不是自由民主型，它也许会对旧利益集团的压力作出反应，利用其手中的规制和立法权力为后者服务。其结果，新捆绑方式的有效发展以及新技能的积累都将受到阻碍。

作为另外一种可能性，如果政府不与既得利益集团合谋，而是推行削弱旧制度的政策，那么，缓慢的转型过程就可能发生。乡村发展主义就是这方面的一个例子(第6.2.3节)。虽然政府政策本身不足以导致私人域出现意想的制度安排，从旧制度到新制度的转型的方向和速度将部分取决于国家形态的性质。而且，如前一章所述，意识形态导向、不同信念系统的竞争，以及职业顾问的影响都会对该过程产生影响。反过来，随着私人域和政治域的互动，政治域的国家形态也会相应地发生改变。

实例 E1：俄罗斯内部人控制经济的演化（加迪和埃克斯，Gaddy and Ickes，OECD） 前苏联经济的一个基本特征是中央计划当局对经济组织的等级安排。国有企业被划归相关的工业部委管理，工业部委的数目在勃列日涅夫统治后期达到最高峰，接近100个，工业部委受国家计划委员会统一领导①。共产党官员在统一的内部劳动力市场流动，进入工业部委和国营企业。统一的内部劳动力市场成为共产党官员和工人结成联盟、禁止私人产权的国家形态的基石，其中国营企业的厂长、经理在该联盟中占据举足轻重的位置。他们必须处理企业所面临的各种不确定性，如原材料的

① 钱颖一和许成钢(1993)运用M型结构和U型结构的区分解释前苏联和中国在向市场经济转型前国家经济计划制度的差异。在前苏联，产业活动（工厂）是根据行业的功能组织起来，统一被置于全国性的行业部门的控制之下的。中国的产业是根据地方区域内行业的功能性质加以组织的。以地域为基础的产业布局逐级在更大的地域范围进行再布局，直至到全国水平。中国政府所采取的组织策略使全国生产活动更不容易受到外部冲击（尤其是核打击）的干扰。在理论上，U型结构和M型结构的相对效率取决于对经济活动的冲击更多的是行业相关还是地域相关（参见Maskin、钱颖一和许成钢，2000）。克莱默（Cremer，1980）在更一般的背景下对此问题做过分析。转型之前苏联和中国计划体制的组织结构差异对这两个国家后来的转轨路径产生了重要影响。参见钱颖一(1999)。

长期短缺。他们还是工人集体的代表，与工人发生着千丝万缕的正式和非正式的关系。国营企业领导通过强调工人的利益可以在计划当局争取更多的原材料或社会福利①。在前苏联解体之前，国有企业的厂长、经理已经和工人及其他官僚形成联盟，并享有相当的自主性。

前苏联计划经济中经济组织的等级安排随着苏联的解体而趋于瓦解。除了能源部门之外，国营企业在1993年开始实行认股权证私有化，经理和工人优先获得大多数的企业股份②。主持私有化的俄罗斯当局和来自国际金融机构及学术界的外国顾问希望私有化将最终导致公司控制市场的形成，但实际结果却出人意料。在私有化方案实施不久的1994年，我就曾经指出：

> 我们不能忽略转轨过程的路径依赖性。社会主义体制后期国有企业经理人员自主权的扩大，或者像波兰工人那样强大的政治力量，都将对后来转轨经济的私有化进程和公司治理结构的演化性质施加严重的约束。在许多转轨经济中，内部人控制现象正在变得明显起来。所谓内部人控制现象，我们指的是经理人员通常与工人合谋，在事实上掌握了（前国营企业的）控制权，他们的利益在公司战略决策方面得到了强有力的表现。外部人没有解雇低效率企业经理所需的决策权。（青木，1995b：第12页）③

后社会主义改革将国家所有制变成私人所有制，改变了组织域规定法律所有权的参数值。至少在俄罗斯，内部人控制现象在“私人”部门的出现更像是这种联盟的延续。一些权势显赫的前社会主义工业官僚日后成了公司治理结构中具有影响力的利益相关者，这

---

① 这一点我得益于同J. 托弗特（Touffut）的讨论。

② 布拉古因斯基和雅夫林斯基（Braguinsky和Yavlinsky，2000：第45页）论证说，前苏联的工业部委和所属的国营企业形成了强大的压力集团。

③ 到1993年11月，91%的私有化企业采取的都是所谓第II类的私有化方案，即职工和经理可以购买最高至通货膨胀前账面价值51%的股份。见青木（1995b），Akamatsu（1995）关于此方案法律方面问题的论述。

通常是以牺牲工人利益换来的①。不管怎样，这个问题表明，单独引入公司法和法律所有权不足以建立一个市场导向型的公司治理结构。为了使公司控制市场制度化，必须在如下领域具备或在金融交易域培育足够的互补性技能：投资银行、证券分析和评级、基金管理和市场套利、公司重组、市场规制，以及合同和私有产权的司法实施等。俄罗斯在转型之初显然不具备这些条件。

在这种情况下，将组织域和政治域进行“松绑”（de - bundling）可能会阻碍私人企业之间市场关系的发育和政治域一个不干预的自由民主型国家形态的出现。事实上，这些域的历时关联导致了一种被称为“虚拟经济”（virtual economy）的产生②。在俄罗斯，工业中非货币化的易货非常普遍，企业拖欠支付和使用货币代用品（如商品）的现象日益严重，使得企业结算、债务清偿和税收支付均采取实物冲销的方式，有些大企业甚至发行各式各样的交换券（bills of exchange）③。

这种非货币化发展的一个动因来自俄罗斯事实上的联邦主义结构，在这种结构下，地区和更低一级政府正式的预算支出大部分受到联邦法规和管制政策的约束，但地方政府总是试图通过非正式途径绕开联邦法规和规制政策（OECD，2000；Litwack，2001）。其结果，地方政府和其所属企业的合谋与非效率企业的重组失败成为相互支持

---

① 布拉古因斯基和雅夫林斯基（Braguinsky 和 Yavlinsky，2000：第 121—122 页）提出一个区分内部人和外部人的新标准。根据他们的观点，内部人是那些以违纪和寻租手段从前国营企业获取收入的人，因此，他们可以是企业之外的人、主要供应商或银行的代表、地方政府的官员以及黑社会成员，而饱受工资拖欠之苦的工人则是“外部人”。他们的观点在本质上和我的论点并无大的区别，但从博弈论的观点看，他们所认为的内部人可以解释为与经理合谋的参与人，而受工资拖欠之苦的工人仍然属于内部人，因为他们和经理的关系具有延续价值（continuation value）。加迪和埃克斯（Gaddy 和 Ickes，1999）也指出：“工人和经理的共生关系是值得注意的。工人需要经理维持亏损企业的生存。经理为了利用（与其他企业经理发展的关系）资本也离不开企业。”

② “虚拟经济”一词在 1997 年 12 月发表的所谓的卡尔波夫委员会的报告中被提及。该报告的结论是，易货交易，通过使用“非市场或‘虚拟’价格，创造了虚幻的或‘虚拟’收益，反过来又带来未支付的‘虚拟’财政义务”。Gaddy 和 Ickes（1998，1999）、Ericson 和 Ickes（1999）把虚拟经济视为一种均衡现象加以分析。OECD（2000：第 2 编和第 3 编）提供了货币代用品和财政联邦主义之间所存在的互补关系的大量经验证据和理论分析。另外，布拉古因斯基和雅夫林斯基的分析（2000：第 2 编）虽然未明确使用博弈论观点，但是和我们现在讨论的内容也有一定联系。

③ OECD（2000）估计，俄国 1998 年企业之间交易的 70% 和税收支付的 40% 是采取非货币化的形 式。在 1997 年，联邦和地区统一税收收益中非现金部分占了近 50%。

的均衡状态。假设在组织域私有化之后的企业面临两种选择:重组企业或成为“虚拟的”(Gaddy 和 Ickes, 1999),即不对企业进行重组,依靠与地方政府官员和其他企业发展的“关系资本”继续实行内部人控制。企业重组将促进企业间市场关系的发育,虽然企业重组同时会裁减冗员,关闭亏损企业,带来一定的私人和社会成本,但社会的整体效率水平将因此提高。

假定地方政府也有两种策略:自由化(即除了依法实施合同和征税以外不干预私人经济)或与企业合谋。如第 8.2 节实例 D1 所讨论的市场联结的联邦主义结构那样,地方政府从管辖地区的就业稳定中获取正的报酬。但它们也尽可能想使税收收益最大化。为了避免税收不被联邦收税机关或法庭拿走,地方政府会同意企业以实物方式支付税收,使税收不走银行账户。这样做虽然会大大提高交易费用,但可以使得地方政府以税收低为借口相应降低联邦法定的预算支出。税收实物化促使财政收入从联邦预算向地方预算转移。不仅如此,非重组企业以高估的实物或其他货币代用品价值向自然资源和电力的垄断供应商支付报酬①。这相对于收入从自然资源垄断商向非重组企业的转移,但前者的资产负债表并没有受到什么不利影响,因为地方政府为了补偿它们的损失,向它们发放利润丰厚的进口许可证,提供交通设施、政治影响力和用股权去支持这些企业的经理,等等(Gaddy 和 Ickes,1998)。作为交易中介的商品通常经过专业化的职业中介机构流通到最终消费者手中(OECD, 2000:第 86 页和第 103 页)。这些中介机构的存在使得偷税漏税和合法的工资及其他拖欠变得更加频繁②。

给定上述环境,任何企业包括有效率和无效率的企业都更倾向于不采取重组企业的策略(Ericson 和 Ickes, 1999)。因此,易货交易和经济的非货币化就不仅仅是因计划当局被取消之后产品供应链条的“组织失调”(disorganization)所造成的结果(Blanchard 和 Kremer, 1999),而是对社会主义遗产(如市场治理不力、内部人控制和中央政

① 在 20 世纪 90 年代后期,能源部门几乎占俄国工业产值的一半。

② OECD 的报告(2000:第 155 页)显示,被调查的企业经理普遍估计易货交易引起的交易费用占交易额的 20%。我不清楚是否有文献涉及这些中介的历史渊源,但很明显,它们的作用和前苏联时期国有企业雇佣的专门在黑市上采购原材料和中间品的商人一样。

府权力被削弱)和转型后制度相关参数变化(如私有化、财政联邦主义结构和对自然垄断的管制)的一种制度反应(即均衡反应)。否则,我们很难解释为什么非货币化是在1995年之后而非在计划当局被取消之后出现的。

因此,组织域的内部人控制,商品和劳务交易域的非货币化①和政治域的勾结型的联邦主义国家形态(地方政府和能源垄断商的长期合谋以及和非重组企业的新近勾结)相互支持,构成了一种相当牢固的制度安排,而非只是向自由市场经济转型的过渡形态(Gaddy和Ickes, 1999;Ericson和Ickes, 1999)。一种可能性是各种成本高昂和非正式的货币代用品逐渐被产品多样化的实业集团和集团专用的交易中介公司取代(参见第8.2节实例D2)。但即使这样,如果该过程是由能源垄断商和它们的政治后台携手主导的话,其效率仍然是值得怀疑的。

① 伴随非货币化的是广泛的工资和税收拖欠。参见Earle(2000), Earle和Sabirianova(2000)。

第 3 编

制度多样性分析

在第2编，我们建构了一个一般性理论框架分析制度关联与变迁，其中结合了历史和当代经济、发展中国家、转型经济和发达国家的实例加以阐述。在本编，我们主要运用我们的理论框架集中讨论发达国家的组织域。我们试图理解这些国家公司治理结构演生和维持的方式和原因，它们与邻近制度环境——如政治域和金融交易域——相互作用的方式及其对经济绩效的影响，还有全球市场一体化和通信技术革命对公司治理结构的影响，并试图探讨制度多样性是否会逐渐消失这一重大问题。在最后一章以回答最后一个问题来结束本书。

制度演进的基本原因是个体参与人的有限理性。在信息不对称和不完备的约束下，制度以浓缩的形式为参与人提供了有用信息。但这里的微妙之处在于，不论制度如何发挥信息传递作用，信息都不可能以明确的方式完全透明和完全可传递。事实上有些经济上有价值的信息并不都是成文的，使得一些制度得以出现，以更好地利用这类信息。这种情况不像经常被误解的那样只出现在发展中经济，其实也存在于大多数发达的市场经济。这是制度多样性将继续演化的最重要的原因。希望本编所研究的硅谷模式能够廓清这一点。

第11章　公司治理结构比较

在利润分析中产生了极大混乱的雇佣经理之谜源于人们忽略了如下基本事实：组织活动的关键性决策是选定做决策的人，剩下的决策或判断都可以简化为常规性任务。这是由大型组织的性质决定的，因为构成组织控制基础的关于事物的知识被关于人的知识所取代。

——弗兰克·奈特：
《风险、不确定性和利润》，1921/1971 年 *

本章讨论公司治理结构。什么是公司治理结构？它的功能是什么？它是如何运作的？对于这些问题，传统上有两种对立的观点：股东价值观（shareholder-value perspective）和利益相关者社会观（stakeholder-society perspective）。前一种观点源自新古典利润最大化的企业观，最近施莱弗和维什尼对这种观点做了最大胆和最直接的表述："公司治理结构是公司融资者确保投资收益的诸种方式。"（Shleifer 和 Vishny，1998：第 737 页）融资者确保投资收益的方式包括：设计合理的工资合同激励经理为股东利益服务，以法律手段给予股东恰当的权利，赋予董事会监管经理的信托责任。股东

* Frank Knight, *Risk, Uncertainty and Profit* (1921/1971: p297).

价值观通常从下述理念寻找合理化根据:公司企业是股东的财产,其他要素如人力资本和中间品的提供者可以从合同获得法律保障的收益。

*利益相关者社会观*早期强有力的倡导者是多德(Dodd,1932),他在反驳伯利(Berle,1932)坚持的股东价值观时提出,公司的董事长不仅仅是股东的信托人,同时还应是公司其他成员的信托人,他们包括公司雇员、消费者,尤其是整个社会①。公司企业之所以出现就是因为它和社会成员的互动能够创造纯粹的市场交易无法带来的收益——准租金。组织准租金的分配必须遵循一定的治理规则。而且,公司投资者和经理的决策对公司的其他利益相关者会产生外在效应。从这种观点出发,让·梯若(Jean Tirole)把公司治理结构定义为:"诱使或迫使经理人员内在化利益相关者的福利的制度设计。"(Tirole,1999:第4页)②

人们通常认为,这两种观点在实际中区别并不太大。如果企业亏损伤害了股东的利益,使得企业难以生存,利益相关者的利益也将受到伤害。因此有人主张,这两种观点事实上将导致相同的监管经理行动的法律和合同措施。但也有经济学家因为找不到为利益相关者利益服务的清晰可寻的经理行动规则而感到困惑。例如,梯若(1999)就指出,从利益相关者社会观出发,很难设计出一种激励经理的支付合同和统一的控制结构,虽然这并不表明股东—价值观就是正确的。有些经济学家从股东价值观的立场出发指出,利益相关者社会观事实上是隐含地为经理不顾投资者利益的行为辩护。

下面我们讨论公司治理结构的角度在至少三个方面区别于上述两种规范性的观点。

第一,我们的观点在理论和经验上是比较性的,而非规范性的(即以制度设计为导向的)。也就是说,我们不试图去设计最优的公

---

① 后来伯利接受了多德的观点,承认现代公司的董事在名义和事实上都是社会的管理者,但他对于这种趋势是否正确一直保持审慎的态度(Berle,1959:第7页)。

② 相关地,齐加列斯(Zingales,1988)承袭哈特-穆尔的传统,把公司治理结构定义为"决定治理关系所产生的准租金的事后谈判结果的一系列复杂条件的集合体"。关于最近对股东社会观的处理,见 Berglöf 和 von Thadaen(1999)以及 Blair(1995),早期我从谈判博弈的角度对比较公司治理结构的处理。见青木(1984a)。

司控制结构和经理激励合同，而是试图理解公司治理结构多样性存在的原因，虽然我们承认在长期看来，缺乏效率的公司治理结构在产品市场的竞争之下会最终被淘汰。

第二，在界定公司治理结构时，我们采取博弈论观点。具体地说，我们认为，公司组织域（联结组织和金融交易两者的相关域）由三类策略互动的参与人组成（也许还有其他附属的参与人，视环境而定）：提供金融资产的投资者、投资组织专用性资产的工人和在无法签约事态下被授权使用金融和人力资本的经理，经理只关心自己的利益（如收入、职位晋升、在职消费和生存）。这种情况有点类似于第6章讨论的由政府和个人组成的政治域，其中经理是博弈的聚焦参与人（focal player）。在融资者做出融资的决策之后，经理和工人的行动在一段时期内导致一定的组织结果（准租金）。准租金根据合同、法规、习俗和经理的自由处置权等因素在参与人之间分配。给定这些分配性结果，工人和投资者策略性地修改其后续的行动决策，在必要时甚至包括处罚经理。根据第2编提出的基本理论框架，我们把公司治理结构界定为治理参与人策略互动的自我实施机制。换言之，公司治理结构是在公司组织域控制利益相关者（投资者、工人和经理）相机行动决策的自我实施规则（包括正式和非正式规则）。特别地，这种机制的核心是经理关于在经营业绩不佳的情况下——如未能实现满意的组织准租金——其他参与人可能的策略反应的预期，这些预期在事前对经理本身的行为构成约束。如同政治域的多重均衡状态一样，公司治理结构也可能是多重的。

再次，在讨论公司治理机制的自我实施时，我们特别注意组织和金融交易域的制度关联以及来自其他互补性域（如劳动交易和政治域）的制度约束（即制度互补性）。如第4.3节所表明的那样，不同的组织结构面临各自独特的治理问题，必须与金融交易域形成特定的联结才可能解决。公司治理结构的明文规则，如各种参与人（尤其是股东和雇员）被授予的法律权利及其法律程序，定义了公司组织域博弈的外生规则，对参与人的信念和激励以及公司绩效产生影响（La Portaetal, de Silanes, Shleifer和Vishny,1998）。但是，法律规则若与互补性域的均衡不相一致，就不会导致立法者所预想的结果。例如，日本商业法赋予小股东在股东大会极为重要的权利①。但是,日本的公司治理结构通常被认为不是股东控制的。另一方面,我们也将看到,公司治理的某些法律规则可以认为是特定制度环境的均衡治理安排的成文法(如德国的共同决定体制)。

本章的讨论是第4.3节的继续。在那里我们界定了组织信息结构所引起的治理问题,但没有明确考虑金融域的情况。本章和接下来的章节将研究组织和金融域的某些制度化关联如何解决这些治理问题的方式。我们从功能层级制在经理受资金约束的情况下面临的治理结构开始。第11.1节探讨当经理依靠债务或股票融资时哈特-穆尔意义上的层级组织治理方式的变化。第11.2节分析共同决定体制(投资者和工人分享控制权的体制)作为互补性治理机制的演化,以及在劳动交易域内盛行社团主义工资控制的条件下,功能层级制向参与型层级制的转变。第3节转向依赖背景导向型人力资本的水平层级制的治理结构。我们首先推导出治理这种组织类型的次优结构——关系型相机治理,然后探讨这种治理结构运用于不完备合同时可能引起的道德风险问题。

11.1 层级分解模式的治理结构

在第4.3.1节我们分析了在组织域的层级分解模式。在本节和下一节,我们探讨组织域和金融域的关联,把治理结构界定为这种关联在不同条件下的均衡结果,这些条件包括企业家的股票融资水平和制度环境政治域的状况等等。为此,我们将拓展梯若(Tirole, 1999)的模型,将工人作为策略参与人纳入我们考虑的博弈结构之中。

组织域是由风险中立的经理和代表性工人组成的,经理既与金融域的投资者、也与工人进行博弈。经理的身份既可以是企业家,也

① 例如,任何拥有公司至少1%的股票或300股股份的小股东可以在股东大会上建议董事会名单和要求替换一名董事,不需陈述理由。但这项法律只为经理制定应对措施以保护自身利益的激励:经理甚至暗中合谋在每一年的同一天举行股东大会,暗中或公开贿赂那些专门收集小股份的职业制造麻烦的人。

可以是雇员，相应地，投资者既可以是融资者，也可以是股东，具体取决于下面要进一步说明的金融域的签约状况。经理在一开始有一个单期的项目，需要注入资金量 I。他可能自己有足够的资金，也可能没有。如果没有的话，他必须在项目开始前(融资阶段)从金融域以借贷方式或者以放弃控制权换得投资的方式筹集足够的资本。现暂时假定他自己拥有足够的资金启动项目。如第 4.3.1 节所做的那样，生产时期被分成两个阶段，我们从此就称它们为两个道德风险阶段。原因下面说明：在第一个道德风险阶段，经理和工人各投资专用性人力资本，在第二个道德风险阶段，他们利用物质资产和各自的人力资本实施项目的生产过程。

项目在时期结束(结果阶段)时产生一定量可证实的收益。如果项目成功，收益 $R > 0$，如果项目失败，收益 $R = 0$。项目成功的概率取决于经理和工人的努力水平。为简化起见，我们假定经理和工人的努力水平只取高或低两种水平。项目成功的概率为 $P(e_m, e_w)$，其中在任一阶段，如果经理的努力水平高，则 $e_m = H_m$，否则，$e_m = L_m$；同理，如果工人努力水平高，$e_w = H_w$，否则，$e_w = L_w$。假设下列条件是满足的：

$$p(H_m, H_w) > p(H_m, L_w) > p(L_m, H_w) = p(L_m, L_w)$$

也就是说，在整个生产时期，两人的合作将使得项目成功的概率最大。上述最后的等式表明了经理在层级分解制中的基本作用。或者说，在两个道德风险阶段，如果没有经理的高努力水平，工人的高努力水平不可能改进项目成功的概率。

当经理和工人付出高努力水平时，他们每个道德风险阶段的私人成本分别为 $\frac{1}{2}c_m$ 和 $\frac{1}{2}c_w$。两人的时间贴现率为零。假定 $p(H_m, H_w)R - c_m - c_w - I > 0$，但是 $p(L_m, L_w)R - I < 0$，即当两人都努力工作时组织的预期准租金为正，但如果两人不努力工作，组织的预期准租金为负。我们把公司治理机制区分为如下三种类型：债务合同约束下的所有者控制；股东治理和公司控制市场；以及共同决定机制。区分的标准是组织域联结金融或政治域的方式和经理被控制的方式。

11.1.1 在债务合同约束下的所有者控制(哈特-穆尔型企业)

作为一种基准情形,我们先假定经理拥有足够的资金实施项目,或者说他占有项目实施中所有的物质资产。这是典型的哈特-穆尔企业,经理是企业家(所有者兼经理)。相应地,工人不拥有任何物质资产,他的外部机会价值是固定的,假设为零。与第 4.3.1 节的讨论相联系,让我们假设企业家在道德风险第一阶段末根据工人在该阶段的表现决定是否给工人续约。如果发现工人在投资专用性资产时努力不足,企业家就终止合同,不支付任何报酬,然后再雇佣一个新的工人,这时,项目成功的概率为 $p(L_m, L_w)$。否则,就与工人续约。为了使工人富有生产效率,企业家必须给予层级指导,工人必须使用企业家占有的物质资产,而为了使项目尽可能成功,企业家离不开工人的合作。所以,给定双方均相信对方会在第二阶段努力工作,那么,在第一阶段两人付出高努力和延续雇佣合同符合双方的利益①。

假定合同规定,经理在结果阶段支付工人的工资(准租金的一部分)为 ω,使得 $p(H_m, H_w)R - c_m - I > \omega \geq c_w$②。该工资合同可以看作是固定工资合同,也可以看做是双方之间的隐含合同,隐含规定工资取决于工人第一阶段的表现。如果工人在第二个阶段继续录用,他将付出高努力水平,而企业家将恪守合同规定的支付诺言,不管诺言是正式的还是隐含的。虽然这里我们不明确使用重复博弈框架,但不妨从这个角度理解本博弈的结构,其中工人受到效率工资的约束,企业家的支付承诺是自我实施的,如第 3.2.2 节所讨论的那样。不管怎样,在第二阶段,企业家作为惟一的剩余索取者,他有充分的激励去努力工作。如果项目成功,他的净收益为 $R - \omega$,如果项目失败,净收益为 $-\omega$(我们假定他的初始资本为 $I + \omega$)。这为后面的分析提供了一个基准。

现在假定哈特 - 穆尔企业的企业家在项目开始前受到资金约束,试图从金融域的融资者那里筹集资金 $B = I + \omega - A$,其中 A 是

---

① 如在第 4.3.1 节那样,第二阶段的道德风险问题被哈特 - 穆尔假定不存在。

② 哈特和穆尔假定,组织的准租金是按照纳什-沙普利(Shapley)谈判解平等分配,与此相对照,我们在本节不对准租金的分配规则做出设定。

企业家持有的股票价值。假设企业家和工人在道德风险第一阶段末的努力水平是一种无噪音信号(比如说短期利润),投资者与企业家续约的充要条件是收到好的信号(即高努力水平)。否则就清算企业,获得资产的清算价值 $L < B$[①]。清算的威胁使得企业家和工人在第一阶段有充分的激励去努力工作。

可是,到了结果阶段,成功的一部分收益将归投资者所有,这样,在第二阶段企业家的努力工作的激励将受到削弱。为了确保投资者愿意继续融资,他们的预期收益不能低于其投资额 B。如果项目成功,企业家的净收入假定是 $M-\omega$,如果项目失败,净收入为 $-\omega$,那么,企业家在第二阶段付出高努力水平的条件是

$$[p(H_m,H_w)-p(L_m,L_w)]M \geqslant \frac{1}{2}c_m,$$

或等价地,

$$M \geqslant \frac{1}{2}c_m/[p(H_m,H_w)-p(L_m,L_w)]。$$

这样,投资者在项目成功时得到 $R-M$,项目失败时得到零收益。所以,当且仅当

$$p(H_m,H_w)\left[R-\frac{(1/2)c_m}{p(H_m,H_w)-p(L_m,L_w)}\right] \geqslant B,$$

投资者愿意与企业家续签债务合同(Tirole,1999)。在技术既定的情况下,只要 B 足够低,上述不等式就可以满足。换言之,如果企业家拥有较多的初始资金,他需要借贷的金额 B 就较小,被融资的可能性也就较大。假设金融域的竞争足够充分,使得投资者在均衡状态盈亏平衡,上述条件变成等式,企业家的预期收入是 $p(H_m,H_w)[R-B]-\omega$。

如果不存在带有清算威胁的短期债务合同,投资者只有与企业家签订长期的两阶段债务合同,根据同样的逻辑,在充分竞争的信贷市场上,投资者愿意借贷给企业家的金额将等于

① 为了实施这种安排,一种可能性是,企业家发行短期债券,其金额大于第一阶段的低利润(低努力所致)但小于第一阶段的高利润。

$$B^* = p(H_m, H_w)\left[R - \frac{c_m}{p(H_m, H_w) - p(L_m, L_w)}\right],$$

其中 $B^* < B$。因此,在金融域,当企业家置身于破产清算约束之下,可以借贷更多的资金。

融资阶段	第一个道德风险阶段	中间合同重续阶段	第二个道德风险阶段	结果阶段
项目需要资金 I,企业家初始资本不足,向投资者借贷	企业家和工人决定人力资本投资水平	如果第一阶段的利润低,就清算企业,否则雇佣和债务合同均被重续	企业家和工人选择努力水平(即项目成功的概率)	可证实的收益实现的概率为 p。根据中间合同的规定分配 R

图 11.1　在债务合同约束下企业家控制型企业的博弈时间表

11.1.2　股东治理与公司控制市场

假定上述投资者愿意借贷的不等式不成立。这对应着企业家的初始资金不足,投资者认为债务合同风险太大。在这种情况下,企业家需要将企业的控制权让渡给投资者,以换取所需的资金实施项目。投资者成了企业的股东,而原来的企业家成了被雇佣的经理。为简化起见,我们假定经理不拥有任何股份,所以整个项目的融资完全由投资者解决。我们暂时假定 $p(L_m, L_w)R - I < 0$。投资者为确保其投资有利可图,必须保证经理和工人付出高努力水平。假设投资者愿意做满两期股东,金融市场上的短缺面是供给方,经理和劳动力市场的短缺面是需求方。于是,股东只需让经理在均衡时盈亏平衡,并支付工人 c_m,补偿其高水平的努力(瓦尔拉斯约束)。经理与股东签订与经理业绩挂钩的激励合同,规定经理在项目成功时可以获得报酬 M,如果项目失败,报酬为零。为了使经理有充分的激励付出高努力,M 必须满足等式 $[p(H_m, H_w) - p(L_m, L_w)]M = c_m$。给定该合同,经理也有充分的激励鼓励工人付出高努力。他可以规定工人每阶段的报酬为 $(1/2)c_w$。在项目成功之后,股东获得所有的剩余收益,因此,在第一阶段结束之前,股票价值为

$$V = p(H_m, H_w)\left[R - \frac{c_m}{p(H_m, H_w) - p(L_m, L_w)}\right] - c_w。$$

接下来我们设想在第一阶段中间出现了一次意外行动。不论经理和工人的努力水平如何，这次意外行动将项目成功的概率统一提高了 $\tau > 0$，但同时在第二阶段给工人带来私人成本 $\gamma > 0$(Tirole,1999)，如工人因企业重组可能被裁减。这时如果工人得不到额外补偿，他将不会与经理在第二阶段合作。工人只能得到零工资。我们假定，虽然工人不合作，但 $[p(H_m, L_w) + \tau]R - I - \frac{1}{2}c_w > 0$，使得整个项目的净现值仍然为正。给定工人的预期反应，经理的激励相容条件变成 $[p(H_m, L_w) + \tau - p(L_m, L_w) - \tau]M^* = c_m$，其中 M^* 是与业绩挂钩的经理的报酬。如果 $p(H_m, H_w) > p(H_m, L_w)$，这意味着 $M^* > M$。也就是说，由于工人不合作，经理必须被赋予更多的报酬以激励高努力水平。在这种情况下，股东预期的股票价值为

$$V^* = [p(H_m, L_w) + \tau]\left[R - \frac{c_m}{p(H_m, L_w) - p(L_m, L_w)}\right]。$$

给定意外行动的影响，股东在结果阶段的收益等于成功概率提高所引起的新增净收益和第二阶段所节省的工资。如果这项收益大于付给经理的报酬和因工人不合作的损失，那么，我们有 $V^* > V$。请注意到该结果即使在 $\gamma > \tau R$ 的情况下也成立，使得增加收益的行动仍可能降低包含工人利益在内的总福利水平(Tirole,2001)。

给定 $V^* > V$，我们可以考虑以下治理结构的可能性。初始的股东按照由 M 刻画的激励合同雇佣经理，经理反过来向工人承诺支付 c_w。工人在第一阶段投资关系专用性资产。金融域的股票价格为 V。在第一阶段中间，另一个投资者集团预测企业会有一次增加收益的意外行动(如企业重组)。他们于是按照市场价格 V 从原始股东手里买下所有的股票，获得控制权，并向新聘的经理提供由 M^* 表述的激励合同。新聘经理对企业实施重组计划，使工人在第二阶段蒙受损失 γ。针对企业的"失信"(breach of trust)(Shleifer 和 Summers,1988)，工人以低努力进行报复。虽然总的福利水平下降了，但是股东的股票价值却上升了。如果 $\gamma < \tau R$，企业重组就将增进总体福利水平，这时，股东也许会同意补偿工人的私人损失，激励他在第二阶段努力工作。在这种

情况下,公司控制市场将是一种增进效率的治理机制。

融资阶段	第一阶段	企业兼并和重组	第二阶段	结果阶段
项目需要资金 I,初始股东投资 I	经理与工人各投资专用性人力资本	新股东聘用新经理,新经理实施重组计划	新经理选择努力水平。工人合作或不合作	以概率 $p+\tau$ 获得收益 R,然后根据合同分配 R

图 11.2 股东控制的博弈时间表

11.2 参与型层级制下的共同决定体制

上一节表明,在层级分解的组织中,工人在投资于人力资本之后可以获得一项工资合同,其中规定工人的工资高于他的外部机会的市场价值。这样,工人在第二阶段将受到瓦尔拉斯(或效率工资)机制的约束。在这种劳动市场上,由所有者占有和控制企业或它的扩展形式——公司控制市场(market for corporate control)将可能是均衡的制度形式。现在,我们设想层级分解型的企业处于社会契约型社团主义制度环境之中,其中标准化职业的工资水平由整个社会范围内谈判决定(第 6.2.1 节)。这时,企业雇主利用与企业业绩挂钩的工资合同鼓励工人努力工作的能力受到严重限制。相应地,工人也很难以辞职相威胁要求更高的报酬。在这种情况下,工人努力工作的积极性如何才能被调动起来呢?

我们先考虑一种如第 4.3.1 节所描述的情况,即雇主不受任何资金限制,是企业的所有者兼经理。至于外部市场域的状况目前暂时不加说明。博弈在雇主和工人之间重复进行。假定在道德风险阶段开始之前,雇主每期都面临两种策略的选择,一种是回报策略(reciprocating strategy) Σ^*,另一种是哈特-穆尔交换策略 Σ^{**},选择做出之后,雇主将在后续的道德风险阶段一直恪守。工人也面临类似的情况,在回报策略 Λ^* 和哈特-穆尔交换策略 Λ^{**} 当中选择一种策略,然后一直恪守。

- 选择策略$\sum^*$意味着如果工人在过去一直采取合作态度，雇主就允许工人分享"剩余控制权"；否则雇主就一人独享剩余控制权，只支付工人市场水平的工资。策略$\sum^{**}$表明雇主不允许工人分享剩余控制权，但许诺根据工人的努力水平决定是否支付工人工资c_w。
- 策略Λ^*意味着如果雇主在过去一直愿意分享剩余控制权，工人就采取合作态度，否则就偷懒。策略Λ^{**}工人根据雇主提供的工资合同决定是否努力工作。

让我们假定工人能够通过分享剩余控制权降低努力成本，比如因为工作条件的改善，工人对工作设计的参与和更自主的控制等等。这说明工人分享剩余控制权将组织结构内在地从功能层级制转变为水平层级制。但部分让渡剩余控制权会降低雇主的效用水平，如他不能实施他最喜欢的工作计划等。双方策略的误配($\sum^*$, Λ^{**})或($\sum^{**}$, Λ^*)肯定导致工人偷懒和雇主不愿意分享控制权。但是，上述博弈存在其他两个纳什均衡：一个是回报均衡($\sum^*$, Λ^*)，另一个是哈特-穆尔交换均衡($\sum^{**}$, Λ^{**})。由于部分让渡控制权使雇主的效用水平降低，我们难以对这两种均衡做出帕累托排序。

迄今为止，工人基本工资的决定过程一直未加以说明。我们不妨考虑两种情况：一种情况是工资完全由外部市场竞争决定，另一种情况是工资由社团主义的全国性谈判决定(参见第6.2.2节)。在前一种情况，雇主自由选择工资水平，而在后一种情况，雇主无权决定工资水平。很明显，当劳动交换域的工资决定采取社团主义社会谈判方式时，回报策略相对于哈特-穆尔交换策略的优势将更为明显；如果劳动交换域盛行纯市场力量决定工资，哈特-穆尔交换策略的优势将更为明显。因此，社团主义国家在制度上互补于参与型层级制，而不鼓励政府干预市场的自由民主型国家则对于哈特-穆尔企业(功能层级制)是互补的①。

现在，我们假定企业的所有者面临资金约束，必须从外部金融市场筹集资金。企业所有者将确定无疑地选择债券融资方式，这是因

---

① 参见第8章引理8.1。

为除非企业破产,否则他不必把控制权让渡给投资者。工人也偏好债务融资,相对于股东而言,工人的利益更容易和债权人取得一致,因为工人的非工资收益相对于企业收益来说比较固定,债务合同的收益曲线是凹性的(即债务收益在低企业收入区域是递增的,但当企业收入超过借贷额后就变成一条直线)①。所以,在避免企业的过度冒险方面,工人和债权人具有一致的利益。因为这一点,债权人也可以依赖工人分享企业控制和监督企业的冒险行为,比在单纯的哈特-穆尔企业下更愿意与企业签定长期合同。

命题 11.1　政治-劳动市场域的公司主义的工资管制在制度上互补于参与型层级制,在后者,对不可签约事态的剩余控制权在雇主和工人之间分享。当工人参与控制权的分享时,外部融资将更多地采取长期合同的形式。

当企业初始所有者的资金远远不足以启动项目时,所有者兼经理的企业就难以维持了。在这种情况下的治理结构肯定不会和股东治理的情形一样,这时工人已经参与分享企业的剩余控制权。假定工人和投资者(股东和债权人)都可以单方面否决经理的行动计划或经理的留用。也就是说,工人和投资者可以对经理实施单独的控制行动。我们把这种治理结构称为"共同决定体制"(co-determination)②。这样,像前面讨论的企业重组之类的有损工人利益的单方面行动肯定将遭到工人的否决,经理出于未来职业的考虑也会反对。另外,我们还假定,虽然投资者提供全部融资,但他们几乎不懂企业经营,在制定商业计划时无法介入。在初始融资之后,企业重组的可能性惟有第一阶段投资于专用性人力资本的经理能意识到。但即便这样,投资者可以在中间阶段以撤除资金相要挟,工人也可以威胁

① 感谢塔登(Elu von Thadden)向我指出这一点。如果考虑工作保障、工作条件、培训机会等等隐含价值,工人的收益曲线是严格凹性的。

② 德国的共同决定法规定,任何一个雇员超过 2 000 人的公司必须设置监事会,监事会对公司的主要决策和经理录用有投票权。监事会一半的席位由雇员代表拥有,另一半是股东代表。如果两方票数相同,从股东代表选出的监事会主席可以投下关键的一票。但在实际中,这种情况很少发生,监事会的决定一般是一致通过或多数通过。这可以理解为两方通常尽可能寻求一致,任何一方全票反对都会破坏决策的有效性,表明两方都有否决权。

说，如果经理采纳重组计划，他们将在第二阶段采取不合作态度。

这里涉及到三方博弈的情况。为简化起见，我们假定，没有第三方同意，任何两方形成的合作或单方面都不可能产生正的净租金，即除非 $e_m = H_m, e_w = H_w$ 和 $B > 0$，否则 $p(e_m, e_w) = 0$，其中 B 是投资者融资总量。因此，当且仅当一项行动使每一方都受益，三方才可能同意实施它，其中工人的收益将是工资之外的好处（对应着 $\gamma < 0$）。某些增加股票价值的举措如果损害到工人或经理的利益将不可能被实施。下述命题是对以上讨论的一个总结：

命题 11.2　一项增股融资但同时有损工人福利的经理行动计划有可能在股东治理结构下获得实施，但不可能在共同决定体制下被通过，因为这项计划会遭致工人不合作的报复。股东治理和共同决定机制各有利弊，无法按照帕累托准则进行一般性排序。

融资阶段	第一阶段	共同决定阶段	第二阶段	结果阶段
项目需要资金 I，初始股东投资 I	经理与工人各投资专用性人力资本	经理实施三方一致同意的新行动计划	经理和工人做出合作性决策	以概率 $p+\tau$ 获得收益 R，然后根据社会合同和管制分配 R

图 11.3　共同决定机制的博弈时间表

11.3　水平层级制下的关系型相机治理结构

前两节我们分别探讨了功能层级制和参与型层级制的治理机制问题。本节我们转向信息同化的组织结构的治理问题。相对于前面两种组织结构来说，公司治理理论对信息同化的组织结构的理解尚不深入，因此下面将用更多的篇幅对此进行讨论。梯若(1999)曾审慎地指出，由于在理论上为经理设计一种多项任务激励合同或利益相关者之间控制权的分配方案非常困难，利益相关者社会观迄今尚未提供一个良好的理论基础。本节所涉及的治理机制不是关于控制权的最优分配问题，而是控制权在利益相关者之间——更确切地说是在企业内部人（经理和工人）和投资者的共同代理人之间——转移的问题，控制权转移取决于重复博弈的阶段博弈的具体结果。所以，我们称这种治理为关系型相机治理机制（relational—contingent governance）。我们首先在理论上推导出该机制是解决信息同化组织搭便车问题的次优解。然后，我们在不完备合同条件下讨论该机制的各种制度化形态。

11.3.1 水平层级的关系型相机治理结构

在第4.3.2节，我们曾说明信息同化模式内生的搭便车问题无法通过事前配置物质资产的所有权解决。我们认为，它有可能通过外部威胁惩罚不良业绩的方式实现次优结果。现在我们就来发展这一想法。首先我们从组织域和金融域的简单联结开始入手。

(1) 组织域在整体上视为一个H型(水平层级)企业 由 N 个被称为内部人的均质成员组成。在时间序列的每一期，生产借助于固定的金融资产额进行。H型企业的产出价值 V 由内部人努力水平 $e=(e_1,\cdots,e_i,\cdots,e_N)$ 及外部环境因素联合决定。每一个内部人的努力水平无法被观察到。但 V 的观察值假定是内部人联合产出 V 的一个良好指标，即成员的高努力有助于降低低产出的概率，提高高产出的概率①。

(2) 每一个内部成员都有如下相同的效用函数 $u^W(w,e_i)=w-c(e_i)$，其中 $w\geqslant w_{\min}$，w 是现期收入，$w_{\min}$ 代表内部人生存的最低收入。企业拥有专用性的集体人力资本，如果企业解散或倒闭，这些集体资产将随之化为乌有（即内部成员的人力资本是背景导向型的）。所以，在H型企业倒闭的情况下，每个内部成员预期在未来每一期遭受 J 数额的收入减少。

---

① 我们把生产技术严格表述如下。令 $F(V:e)$ 为每期团队产出 V 的概率分布函数，V 定义在闭的有限定义域 $[V_{\min},V_{\max}]$ 上，取决于 N 个内部人的努力向量 e。F 在所有时期都是独立和均一分布，对于 e 是对称和可导的。F 的概率密度函数可以表示为 $f(V:e)$。我们假定团队产出是可观察的，但每个成员的产出只能被成员自己所观察。我们假定概率密度函数满足单调似然比例性质（monotone likelihood ratio property，简称MLRP），即对于每一个 e，$f_i(V:e)/f(V:e)$ 是 V 的单调递增函数，其中 $f_i(V:e)$ 是 f 对于 e_i 的偏导数。

(3) H 型企业有两类外部人　一类是纯粹的投资者，他们提供固定数量的金融资产，由此每期可获得预期收入 R^I。他们无法事后观察到 H 型企业的总产出，只能观察到企业是否倒闭了。他们把金融合同的实施委托给特定的关系型监督者(relational monitor)(简称 R 监督者)，后者可以在每一期结束时观察到 H 型企业的总产出，然后根据合同行使控制权。R 监督者从自己的服务中每期获得收入 M，M 从 H 型企业的现期产出中扣除。

上述(1)所表述的 H 型企业的特征是对信息同化模式的企业组织的一个概括，其中经理和工人的区分是模糊的(关于其中的原因，参见第 4.3.2 节)。由于 H 型企业的产出能够被 R 监督者和 H 型企业观察到，R 监督者的支付计划 $s^{RM}(V)$可以与 H 型企业的产出价值 V 挂钩。R 监督者的预期收入 M 取决于他与企业内部人谈判的结果，双方的谈判能力由模型的参数给定。特别地，R 监督者的事后收入在 V 特别低的时候不排除小于零的可能性。对于纯粹的投资者，他们的回报计划 $s^I(V)$只能与他们所能观察的事件——即每期结束时企业是否倒闭了——挂钩，其预期回报在事前必须满足外生给定的收益 R^I。每个内部成员的报酬计划 $w(V)$必须与外部人的回报计划相一致。由于内部人面临财富约束，他们的最低收入要求 $w_{\min}$不论 V 的实现值为多少都必须保证。这样我们有如下一组合同的总预算约束条件：对于所有的 V，

$$(BC)\quad y = s^I(V) + s^{RM}(V) + Nw(V),\ w(V) \geq w_{\min}$$

假定每期分成三个阶段：每期开始的合同阶段，中间的道德风险阶段，其中生产过程开始，每个成员都想搭便车，最后是结果阶段，H 型企业的产出被 R 监督者和内部人观察到。由于内部人的努力水平在中间阶段不可能被观察到，合同也因此不可能相应地得到修改，前面几节所讨论的两个道德风险阶段在这里就变成了一个阶段，合同只能在该阶段的开始签订。这三个阶段的特征分别概括如下：

合同阶段：在本阶段，内部人、投资者和 R 监督者之间达成一组协议，投资者向 H 型企业提供融资。我们把具有以下特征的一组合同称为 H 合同，它们满足上述总预算约束。

H 合同：H 型企业可能的产出值按照由高到低的顺序被划分为

四个区域，根据产出所在的区域，内部人或 R 监督者在结果阶段掌握控制权（参见图 11.4）。

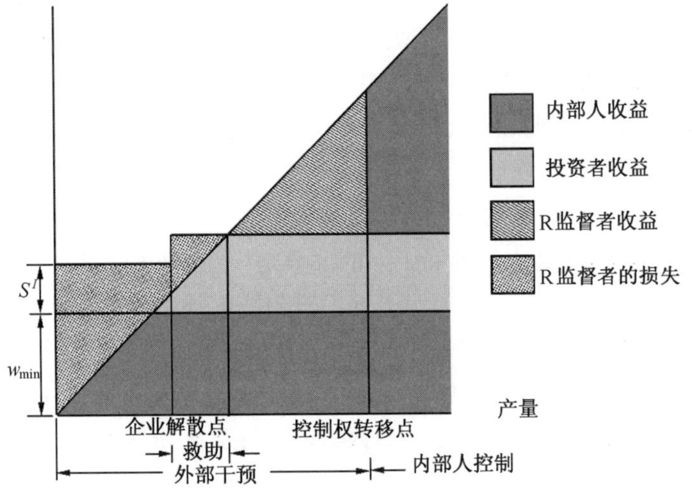

图 11.4　相机治理结构

- 内部人控制区域：当产出水平高于特定值 $\bar{b}$（我们称为控制权转移点），投资者获得比其预期收入还高的固定收益（即 $s^I(V)=\bar{s}^I>R^I$）。R 监督者如果也提供了资金，就以投资者的身份获得收益，否则就没有收入。产出的剩余部分在内部人中间平均分配。H 型企业在下一期继续生产。
- R 监督者控制区域：一旦产出值低于控制权转移点，控制权就转移给 R 监督者。R 监督者向投资者支付与内部人控制区域下相同的收益，向内部人支付最低收入，自己获得非负的剩余收入。H 型企业下一期继续生产。
- 救助区域：各种报酬计划和上一区域相同，惟一的不同在于，因产出水平太低，R 监督者的剩余收入成为负数。但 H 型企业仍然获准继续生产。这种情况对应着 R 监督者“救助”H 型企业。
- 企业解散区域：当产出低于临界值 $\underline{b}$（我们称之为企业解散点），对于企业的控制权转移到 R 监督者。R 监督者在支付内部人最低收入和投资者低于预期收入的固定报酬（即 $s^I(V)=\underline{s}^I<R^I$）之后解散企业。R 监督者承担一切因解散企业造成的损失。

道德风险阶段：在这一阶段，内部成员从事生产过程。他们选择其努力水平使得现期加未来预期效用的现值最大。在选择努力水平的时候，他们必须考虑如果大家努力不足将导致企业解散的可能性。最优的努力水平将定在额外努力的边际收益等于边际成本这一点。如第 4.3.2 节所示，增加努力的边际收益由两个因素组成：预期收入的边际增加和未来解散企业可能性的降低引起的惩罚的边际减少。简言之，增加努力会降低企业解散的概率①。

结果阶段：内部人努力的结果和环境状态均被内部人和 R 监督者观察到。相应地，H 合同被执行。不过，这里存在一个潜在的合同实施问题。设想 H 型企业的总产出低于临界值 $\underline{b}$。解散 H 型企业给内部人施加了纯福利损失 $\frac{\delta}{1-\delta}NJ$（$\delta$ 是时间贴现因子），它代表内部人背景导向型人力资本的丧失，外部人也不能从中获得任何东西，这有可能引起内部人和 R 监督者之间重新协商，以避免企业解散。由于投资者人数众多，不易组织起来作为统一的协商人，我们假定重新协商过程中不包含投资者。只要支付数额不大于他们遭受的纯福利损失，内部人愿意贿赂 R 监督者，让他不执行企业解散方案。因此，必须要有某种机制使得 R 监督者能够恪尽职守，不受内部人贿赂的引诱。这可以通过设计一种分段支付投资者的计划来实现，支付计划具体取决于总产出是否落在企业解散区域。假如有一种法律上可实施的合同规定，如果总产出低于临界点，R 监督者支付投资者更低的收益，其差额只好等于 H 型企业的纯福利损失。这样，R 监

① 如果企业环境是恒常不变的，每个内部成员每期的最优努力水平将是相同的。这样，一直得以在 H 型企业就业的内部成员的效用流量将是一个常数，用 U 代表。给定合同工资计划 $w(V)$ 和 $\underline{b}$ 及 $\bar{b}$，内部成员每期选择最优努力水平 e_i 的问题可以表述为：

$$U=\max_{e_i}\{(1-\delta)[E[w(V)]-c(e_i)]+\delta[(1-F(\underline{b}:e))U+F(\underline{b}:e)(U-J)]\},\ i=$$

1，…，N 其中 δ 是时间贴现因子。在本期，内部成员得到收入 $w(V)$，付出 $c(e_i)$。如果 H 型企业延续到下一期——其概率为 $1-F(\underline{b}:e)$，那么，内部人可以在未来每期获得 U。如果 H 企业的产出低于 $\underline{b}$——其概率为 $F(\underline{b}:e)$，内部人在未来每期得到 $U-J$。方程中的 $1-\delta$ 和 δ 分别是现期和未来的权重。目前的加权形式表达的是 U 的流量形式，方程两边各除以 $1-\delta$ 可以把内部人的效用表示为存量形式。上述问题的解构成内部人的激励相容条件：

$$(\text{IIC})\quad \int w(V)f_i(V:e)\mathrm{d}V-\frac{\delta}{1-\delta}J[\partial F_i(\underline{b}:e)/\partial e_i]=c'(e_i)。$$

督者接受内部人的贿赂就不合算了,解散企业成了可信的威胁。但这种解决办法也带来另外一个道德风险的问题,即 R 监督者这时不是不愿解散企业,而是希望企业解散,以获得额外的报酬。我将在后面讨论该问题如何在具体的制度环境下获得解决。

H 合同定义了治理关于分配 H 型企业总产出和解决企业存续问题的一种基本机制。由于控制权依 H 型企业的总产出而在内部人和 R 监督者之间进行转移,我们称这种机制为关系型相机治理结构。在内部人控制区域,内部人是剩余索取者,如内部人控制的企业一样。如果内部人控制扩展到产出的整个区间,H 型企业内在的搭便车问题就不可避免。而且,如果产出足够低,内部人的最低收入将得不到保证。因为这两个原因,当总产出落入控制权转移点,剩余索取权应该转移给 R 监督者(Aghion 和 Bolton,1992)。当产出低于临界点时,H 型企业被解散,其内部成员被迫接受价值更低的外部机会。这种类似于效率工资的约束机制有利于驱使内部人努力工作。所以,在 H 合同经过精心设计和实施的企业,我们应该不容易看到企业解散这类事件发生。另外,在任何产出水平上,内部人被确保了最低收入水平。

可以证明,存在 $\underline{b}$ 和 $\overline{b}$($\underline{b} < \overline{b}$),使得上述 H 合同在下述意义上成为 H 型企业次优的治理结构:即给定内部人的激励相容条件和总预算约束条件,组织总产出减去内部人的努力成本,预期惩罚和支付给投资者和 R 监督者的收入之后的准租金最大①。

---

① 考虑下列组织准租金最大化问题: $\max S = E[V(e)] - Nc(e) - \gamma F(\underline{b}, e) - R^I - M$,约束条件包括 R 监督者参与条件 [RMPC : $B = E[s^{RM}(V)] - M = 0$],投资者参与条件 [IPC : $F(\underline{b} : e)\overline{s}^I + F(\underline{b} : e)\underline{s}^I = R^I$],H 型企业的总预算约束[BC],内部人激励相容条件[IIC]和防止重新协商条件 [RNP : $s^{RM}(V) - s^{RM}(\underline{b}) \geqslant \gamma$],其中 $\gamma = \frac{\delta}{1-\delta}NJ$。建立拉格朗日函数,约束条件[RMPC],[IPC],[BC]和[IIC]的拉格朗日系数分别为 $\lambda, \mu, \zeta(V)$和 η。显然我们有 $\mu = \lambda = 1$ 和 $\zeta(V) = -f(V : e)$。对拉格朗日函数求 $w(V)$的导数,得 $\eta f_i(V : e) - Nf(V : e)$。根据密度函数 f 的单调似然比例性质(MLRP), $\eta f_i(V : e) - Nf(V : e)$ 在 $V \in [V_{\min}, \overline{b}]$ 上为负,在 $V \in [\overline{b}, V\max]$ 为正,其中 $\overline{b}$ 满足 $\eta f_i(\overline{b} : e)/f(\overline{b} : e) = N$。给定相应的约束条件,$w$ 需要在前一个定义域最小化,在后一个定义域最大化,即对于 $V \in [V_{\min}, \overline{b}]$,$w(V) = w_{\min}$;对于 $V \in [\overline{b}, V_{\max}]$,$w(v) = \max_{\overline{s}^I, \underline{s}^I}[V - s^I(V) - s^{RM}(V)]$。后一个式子的最大化可以通过下述方式求解: 首先当 $V \leqslant \underline{b}$ 时,令 $s^I(V) = \underline{s}^I = R^I - \gamma[1 - F(\underline{b} : e)]$;当 $V > \underline{b}$ 时,令 $s^I(V) = \overline{s}^I = \underline{s}^I + \gamma$,使得约束条件[RNP]被满足。然后再选择 $\overline{b}$(表示为 η 和 e)使得 $E_\gamma \leqslant \overline{b}[V - s^I(V) - Nw_{\min}] = M$。对拉格朗日函数求 $\underline{b}$ 的导数,设该导数为零,求出 $\underline{b}$(表示为 η 和 e)。根据 MLRP, $\underline{b} < \overline{b}$。用 η 表示的 $e_i(i = 1, \cdots, N)$ 由[IIC]决定。

引理 11.1 在 H 合同下存在控制权转移点和企业解散点，它们为 H 型企业提供次优的公司治理结构。

事后打破 H 型企业的预算平衡的想法是从霍姆斯特朗(Holmstrom,1982)那里借鉴而来的。但我们设计的两种机制之间存在着一些重要差异，对机制的实施具有不同的影响。霍姆斯特朗治理结构的机制可以近似最优结果，而我们的关系型相机治理只能获得次优结果(即在满足激励相容条件的合同中最优)。但霍姆斯特朗机制是在团队产出低于某个临界值时通过惩罚内部人、将大量罚金转移给第三方发生作用的。在我们的模型中，R 监督者在救助区域和企业解散区域打破预算平衡，但一直保证内部人的最低收入。在我们的机制中，有助于减缓收入保险的负面影响的惩罚是一种因企业解散引起的纯福利损失，表现为集体性人力资本的丧失，R 监督者无法从中获利。因此，R 监督者不可能事先与某些内部人合谋从企业失败中增加收益。内部人努力不足只会增加产出落入救助区域或企业解散区域的可能性，最后使 R 监督者受损。而且，在面临企业解散的威胁时，虽然集体性人力资本的丧失是纯粹福利损失，内部人也无法有效地与 R 监督者进行重新谈判，挽回损失。

当企业解散点 $\underline{b}$ 上升(下降)时，我们就说 R 监督者硬化(软化)了内部人的事后的预算约束，因为这意味着救助区域缩小(扩大)了。关系型相机治理机制具有以下比较静态性质①。

---

① 上面我们运用常规的有约束的最优化方法推导出关系型相机治理是一个次优解。我们也可以用博弈论的方法，把它构造为博弈均衡，使之更接近我们对制度的博弈论诠释。这种博弈可以构造为 H 型企业的虚构治理者与内部人之间的超模博弈(参见第 8.3 节)。为简化起见，我们不考虑投资者(即 H 型企业不需要任何外部融资)，假设博弈是在其代表性内部人和其治理者之间进行，R 监督者形同虚设。

代表性内部人选择努力水平 e_i 使预期的总效用 $U = \int_{\gamma \geqslant \overline{b}} (V/N) f(V : e) \mathrm{d}V + w_{\min} F(\overline{b} : e) - \gamma F(\underline{b} : e) - c(e)$ 最大。治理者根据对内部人策略选择的猜测 $\hat{e}$，选择企业解散点 $\underline{b}$，使得 H 型企业的准租金 $S = E[V(\hat{e})] - \gamma NF(\underline{b} : \hat{e}) - Nc(\hat{e}) - M$ 最大。R 监督者作为治理者的机器人基于 $\hat{e}$，调节控制权转移点 $\overline{b}$，使它满足 $B = E[s^{RM}(V)] - M = 0$。代表性内部人和治理者的报酬函数和预算剩余函数可以证明是对于 $(e_i, \underline{b}, -\overline{b})$ 的超模函数：给定 $[\overline{b}, \underline{b}]$，代表性内部人选择 e 使其满足 $\partial U/\partial e = 0$，以实现效用最大化。容易得到 $\partial^2 U/\partial e \partial \overline{b} = [(\overline{b}/N) - w_{\min}] f_i(\overline{b} : e) < 0$ 和 $\partial^2 U/\partial e \partial \underline{b} = -\gamma f_i(\underline{b} : e) \geqslant 0$。(转下页)

引理 11.2　内部人外部机会价值的降低促使 R 监督者事后预算约束硬化。这将强化水平层级下关系型相机治理机制的有效性，驱使内部人更加努力工作，从而缓解水平层级制内在的搭便车问题。

外部机会价值可以被 H 型企业的内部人视为参数，但它的降低也可以视为水平层级组织惯例变化的一般均衡结果。也就是说，如果所有的 H 型企业都依赖内部成员的背景导向型技能，使得单个成员的技能不得不和特定企业联系在一起，那么，他们将无法在企业之间自由流动，否则必须以专用性人力资本的损失为代价①。关系型相机治理机制的有效性在水平层级制成为组织惯例的域将进一步加强。引理 11.1 则表明，当关系型相机治理机制制度化（即以企业业绩为基准的控制权转移模式成为人们的普遍预期），水平层级制更为有效。因此，这两者是相互促进的。

（接上页）
因此，函数 U 是对于$(e_i, -\overline{b}, \underline{b})$的超模函数。由于第二个式子表明 $\underline{b}$ 和 e 之间存在互补性，我们假定治理者对内部人的决策形成理性预期，使得 $\partial\hat{e}/\partial\underline{b} \geqslant 0$，它的二阶导数可以忽略不计。于是，我们可以证明治理者的目标函数也是超模的。R 监督者的预算约束独立于 e 和$\underline{b}$，自然是超模的。

因为上述博弈是超模博弈，所以存在纯策略纳什均衡（参见第 227 页注①），满足下列条件：(1) 给定 R 监督者和治理者的策略$(\overline{b}^*, \underline{b}^*)$，内部人的策略 e_i^* 是最优的；(2) 给定治理者对于 e 的猜测和 R 监督者的决策$(\dot{e}, \overline{b}^*)$，治理者的决策$\underline{b}^*$是最优的；(3) 给定 R 监督者者对于 e 的猜测和治理者的的决策$(\hat{e}, \underline{b}^*)$，R 监督者的决策 $\overline{b}^*$ 是最优的；(4) R 监督者和治理者的猜测是正确的，即 $\dot{e} = \hat{e} = e^*$。该均衡等价于关系型相机治理。

上述方法的一大优点在于简化了对一个非常复杂模型的比较静态分析。超模博弈意味着内生变量的最高均衡值将与参数一同变化，这些参数可以是任何与 U、S 和 B 呈递增距离的参数（参见第 8.3 节推理 8.1）。假定对于任何 $\hat{e}$，$NF_i(\underline{b}:\hat{e})\hat{e}_{\underline{b}} + f(\underline{b}:\hat{e}) < 0$，即假定内部人对$\underline{b}$ 的提高足够敏感，使得治理者猜测更高的$\underline{b}$ 会降低企业解散实际发生的概率。那么，我们有 $\partial^2 U/\partial e\partial\gamma = -F_i(\underline{b}:\hat{e}) > 0$，$\partial^2 B/\partial\overline{b}\partial\gamma = 0$ 和 $\partial^2 S/\partial\underline{b}\partial\gamma = -NF_i(\underline{b}:\hat{e})\hat{e}_{\underline{b}} - f(\underline{b}:\hat{e}) > 0$。可见 U，S 和 B 对$(e, \underline{b}, -\overline{b})$和 J 是距离递增的。因此根据第 8 章注释中的引理 8.1（见第 228 页），正文的推论成立。类似地，我们可以证明$(e, -\overline{b}, \underline{b})$与$(-M, \delta, -w_{\min})$同方向变化。

① 不仅如此，如果 H 型企业内部的密切交流以内部成员的社会交换为条件，他们离开企业还将丧失在原企业形成的社会资本，加重了企业解散对其成员的惩罚。参见第 8.1 节。

命题 11.3　组织场的水平层级惯例和组织域的关系型相机治理机制在制度上是互补的。

如前所述，劳动力流动的不完善性反而有助于增进水平层级制和关系型相机治理机制的效率。反过来，当水平层级制演化为一种组织惯例，劳动力流动将变得更困难。这两者也是相互促进的。

推论 11.1　不完善的劳动力市场和水平层级制在制度上是互补的。

11.3.2 关系型监督者的双重承诺问题

什么东西能够保证关系型监督者恰当地履行职责，尤其是在救助区域愿意采取成本高昂的救助行动，在企业业绩表现很差时愿意毫不留情地解散企业？在关系型相机治理机制下，如果关系型监督者的合同责任是法庭可证实的，那么法庭本身就可以监督他的职责履行情况。关系型监督者与投资者的合同可与企业的解散（清算）联系在一起，通过法庭实施。然而，企业的业绩是在临界点之上还是在它之下，或者说对陷入资金困难的企业是救助还是解散，一个中立的第三方（法庭）有时不容易做出判断和加以证实。给定内部人决策的复杂性和环境状态的不可预见性，事先将企业解散点写进合同都是困难的。虽然准确实施次优合同有一定的实际困难，但如果人们普遍预期，企业业绩很差将导致解散和清偿，企业业绩相对较差时会被关系型监督者出面救助，我们把这种状态称为关系型相机治理机制的制度化。

我们曾经表明，在企业解散的临界状态，降低关系型监督者对投资者的支付会减缓他与内部人重新协商和软化预算约束的动机。但同时我们也指出，这种安排会强化关系型监督者以不恰当手段解散企业的动机。为了抑制这种扭曲的动机，关系型监督者和内部人之间必须存在某种内在价值——租金，使得前者在必要时愿意承诺救助企业。关于这种租金的内容和性质目前暂时不讨论，我们现在想界定关系型相机治理机制面临的一个内在悖论：

即由写明和执行次优的 H 合同的难度引起的双重承诺问题。一方面，如果租金不够高，关系型监督者可能在应该救助企业时决定解散企业。换言之，当企业因不可控的环境因素而出现一定的经营困难时，企业被人为解散，使富有价值的组织专用性资产因此化为乌有。监督者这种不愿救助企业的倾向可以称为预算约束过度硬化现象。另一方面，如果出面救助的租金太高，监督者将愿意在不该救助时采取解困行动。这种预期的盛行会导致关系型相机治理机制的失败，使内部人集体偷懒。监督者这种不愿严惩业绩差的企业的倾向被经济学家称为软预算约束现象（Kornai，1980、1992；Dewatripont 和 Maskin，1995）。如果借用统计推断术语，预算约束过度硬化现象可以称为第一类统计误差（type I error），即犯了去真的错误，而软预算约束现象则可以称为第二类统计误差（type II error），即犯了存伪的错误。

在关系型相机治理机制制度化的经济中，究竟哪一种错误占主导，取决于监督者面临的成本和租金的大小。如我们所强调的那样，由于合同环境的复杂性，将关系型相机治理机制明确写入合同是非常困难的。而且，租金不是单独产生于单个组织域，而可能产生于它所相嵌的制度环境。因此，我们不能一般性地假定每个组织域监督者面临的成本和租金恰好使得次优的治理安排能够实施。上述两种现象都可能发生。不过，在监督者面临的成本和租金相对稳定的环境下，监督者的行为容易被人们预期到，采用信息同化模式的企业根据通行的预期约束自己的行为，稳定地积累组织专用性资产。当环境发生急速变化，救助的成本和租金参数随之变动，监督者的行为变得难于预测，这时，关系型相机治理机制的有效性将值得怀疑。

11.3.3 关系型相机治理机制的制度形式

迄今为止我们的讨论一直停留在较为抽象的水平上，尤其没有对关系型监督者的类型和它们救助财务困难的企业的动机做出说明。相机治理关系可以发生在：(1) 企业和银行之间；(2) 附属公司和它们的持股或管理公司之间；(3) 创新企业和风险资本基金之间；(4) 国营企业和政府之间；(5) 银行和政府管制机构之间。下面我们依次简要地加以说明。

在第一种关系,资金状况好的企业可以依靠内部资金或债券市场作为融资来源。如果它们经营状态良好,但资金紧张,其声誉不足以到债券市场上筹资,它们就必须向银行筹借,让渡一部分租金给银行。作为交换,它们可以在遇到适度的资金问题或紧急情况的时候得到银行的额外支持,当然,银行的控制力也会因此增强。如果企业经营状态进一步恶化,银行有可能拒绝提供融资,引发法庭主导的破产程序。维持以银行为基础的关系型相机治理机制的租金有很多种类:信息租金、垄断租金、声誉租金和政策诱导性租金。下一章我们将讨论这些租金的性质,考察在何种条件下这些租金有助于促进关系型相机治理机制的制度化①。

值得指出的是,股东控制型治理结构只能适用于公众持股的股份公司,而银行导向的关系型相机治理机制则至少在理论上可以与各种不同的企业所有权结构相兼容,如工人控制型企业、工人合作制企业、封闭型有限责任公司和合伙制企业。除非这些企业资金非常充裕,否则它们就必须从银行借贷。无力还款将自动触发银行的干预。银行如何解决双重承诺问题目前还不是十分清楚。但我们已经提供了一种理论上的可能性,使得以银行为基础的关系型相机治理机制成为任何企业所有权结构的有效治理机制,前提是企业成员的人力资本是背景导向型的。

日本的银行制度,即著名的主银行制度,在 20 世纪 50—70 年代中期的全盛期可以认为是制度化的关系型相机治理机制。日本的非金融企业的内部组织高度依赖于其终身雇员的背景导向型人力资本,它们担心业绩不佳会引致银行干预而努力经营,同时也预期在企业出现一定的财务困难时,银行会出面救助(青木,Patrick 和 Shear,1994;星武雄,Kashyap 和 Sharfstein,1990,Sheard,1994)。这些企业绝大部分的融资来源是多家银行的贷款,其中每一家企业受到某家特定的关系银行即主银行的监督。企业普遍预期,在企业财务困难时,主银行的一切救助行动的成本自己承担。只要企业经营状况良好,其他银行的贷款将如期归还,这里的其他银行就类似于 H 合同模型

① 关于主银行的系统论述,参见青木、帕特里克和希尔德(1994)和青木(1994)。

中的“外部投资者”。换句话说，监督企业的任务被授权给主银行执行[①]。日本主银行制度在60年代和70年代特定的制度环境下作为一种治理机制曾经发挥过重要作用，到了80年代，由于制度、技术和国际环境的变化，它开始出现一些不适应的征兆，到90年代终于酿成一场严重的金融危机和公司治理结构的真空。我们在后面(第13章)将看到，“政府会出面解决银行坏账问题”的软预算综合症的共有信念是如何恶化这一体系的，使很多本应重组或清算的企业仍能运行下去。

在附属公司及其母公司(持股或管理公司)的关系中，后者给予前者较大的独立性，为公司经理提供股票期权和其他相关的福利。母公司对其分支公司的资金运转情况可以进行密切监督。如果任何分支公司经营状况不好，母公司很快能察觉出来，并迅速采取应对措施。迈克尔·杰森(Michael Jensen，1989)把这种安排称之为“企业清算的私有化”[②]。在这种情况下，母公司救助的租金应该还包括企业重组后的股票升值，或因避免预算约束过度硬化而节省的清算成本。我们把这种类型的关系型相机治理机制概括为以组织为基础的治理机制。

第三种可能性是风险资本融资的治理机制。风险资本融资是一种分阶段融资方式，它从给创新项目提供种子资金开始，以企业的IPO(首次公开上市)或被大公司收购结束。在整个过程中，创业投资

① 扮演关系型监督者的银行不必一定是商业或长期信贷银行，它们也可以是投资银行。例如法兰克斯、梅耶和鲁尼布(Franks、Mayer 和 Runeboog，1998)发现，在英国，对经营不佳的企业管理层的替换时常是通过投资银行发行新股票、更换董事会成员的办法实现的，而不是以敌意兼并或内部大股东出面的方式实现。这可以解释为知情的投资银行可以扮演关系型监督者的身份，虽然我们不甚清楚本例中的英国企业在多大程度上依赖背景导向型技能。

② 杰森用这个词来描述LBO(杠杆收购，leveraged buy out，简称LBO)合伙企业。他评论说：“LBO合伙企业非常像日本企业集团系列中的主银行(即真正的权力中心)。……富有讽刺意义的是，当美国公司越来越像日本公司的时候，日本的上市公司也开始越来越像15年前的美国公司。……简言之，日本公司的经理日益不受约束和监督。”(Jensen，1989：第73页)关于LBO如何创造价值的讨论，见Baker 和 Smith(1998)。Khanna 和 Palepu(2000b)提出了一个有意思的观点，认为印度的工商业集团既有LBO联合组织的一面，也有大型综合体的一面，因为他们纳入了一些市场治理中缺失的制度，如合同实施机制，还纳入了各种市场中介组织。从这个角度看，他们认为集中战略对于新兴市场来说，可能是错误的，他们认为重组大型综合体的正确方法是改革它们的公司治理结构而不是拆解它们(Khanna 和 Palepu，1997、1999a)。

者和创新企业家之间形成密切的关系,其中剩余索取权、表决权、董事代表的权利和清算权可以组合成不同方式,具体视创新企业的创新和开发阶段而定。卡普兰和斯特罗伯格(Kaplan 和 Stromberg,2000)在分析了 200 个风险资本融资的样本之后做了如下结论:"企业权力的配置结果是,如果公司经营不佳,创业投资者将获得全部控制权。随着公司业绩的改进,企业家逐步得到一些控制权。如果公司业绩非常好,创业投资者就只保留剩余索取权,剩下的大部分控制权甚至清算权统统交给企业家。"(2000:第 6 页)这一观察完全符合关系型相机治理机制的理论描述,这里的创业投资者对应着我们的关系型监督者。如果我们注意到创新企业通常具有团队的性质,这就不足为怪了:新技术的开发和商业化高度依赖于创新企业内部成员的集体努力,其中个人的贡献很难与别人的贡献严格区分开来。在第 14 章,我们将详细探讨风险资本的治理结构,尤其是创业投资者拥有特定的解散企业的权利的特殊意义①。

第四种可能性的最典型的例子是混合经济和社会主义经济中政府(或政府控制的银行)与国营企业的关系。在这种情况下,政府救助陷入经营困境的国营企业的租金可以认为是政治租金,表现为工人的工作保障带来的社会稳定和政治支持(Kornai,1980;Shleifer 和 Vishny,1994)。近来车嘉华(2000)提出了与这种观点类似的一个有趣的理论模型。他论证说,预算软约束,就救助财务困难的企业这个意义而言,通过创造足够的劳动力需求也许有助于宏观经济的稳定。假设人力资本的提供者只有在足够的劳动力需求下才会有动力提高其素质,而某些亏损企业只有当它们预期能够雇佣到高素质的人力资本时才愿意进行企业重组。这时,创造足够的对人力资本的需求可以创造一定的外在性。由政府控制的集中的金融体系通过支付企业债务能够将这种外在性内在化,而债务支付得益于宏观经济的稳定。但在分散的金融体系中,小银行无力实现外在性的内在化,导致预算约束过硬现象。一个有趣的问题是,为什么政府不直接补偿人力资本的持有人,而是直接补偿亏损企业呢?一个可能的原因是,企

① 在后面要发展的模型中,对创新企业的解散发生在创业投资者认定该企业的产品开发落后于其竞争对手时,创新企业家将失去所有的权利。

业比政府能够更好地观察人力资本的质量。于是,企业在这里扮演一个中间人的身份,从其独特的监督和筛选能力中获利①。

最后,虽然银行在以银行为基础的关系型相机治理机制中充当关系型监督者,但它们本身也是需要被治理的企业(Deewatripont 和 Tirole,1995)。当银行拥有大量专用于它的客户的信息资产时,这些信息资产不可能分解到每个银行雇员,它们所面临的激励问题与信息同化模式类似。例如,银行职员可以免费搭银行声誉之车,对借贷者不认真实行监督,使银行蒙受过多的风险。另一方面,银行的倒闭和不可转让的无形信息资产的丧失容易引发金融恐慌,导致外在不经济②。因此,政府不得不扮演类似于关系型监督者的角色,向陷入困境的银行注资,协调其他银行加入救助行动。可是,实施这种救助计划,尤其是动用公共资金在政治上往往不受欢迎,使得政府经常在需要采取行动时犹豫不决。另一方面,如果人们普遍预期政府不可能撒手不管,尤其是大银行,不可能让它自行破产,又会产生银行方面的道德风险问题。在这种情况下,关系型相机治理中的双重承诺问题就无法回避。特别地,如果银行的软预算综合症没有得到系统的解决,那么累积的坏账会导致问题在银行危机中全部爆发出来。

* * *

有关公司治理的文献一直集中研究如何使经理的行为与投资者的利益相一致,如运用法规、激励合同等等。这种思路预先假定了一个完善的金融市场,或者隐含地认为向完善的金融市场的发展是最符合效率准则的。本章的主要目标之一是将投资者的治理角色置于一种比较的视野之下。为了便于阐示,我们在第 4.3 节做了一些理论铺垫。在那里,我们未考虑金融域的情况,而是集中讨论组织域中各种组织结构特有的治理问题及其可能的解决途径。

本章我们介绍了组织域和金融甚至政治、劳动力交易域的联结,

① 车嘉华(2000)论证说,从集中融资向分散融资的转型因会导致预算约束过硬而带来消极影响。但从集中融资转型到“金融双轨结构”则可能是促进效率的。在这种双轨制下,集中融资部门贷款的企业的预算约束仍然是软的,但有助于宏观稳定。宏观稳定所带来的投入品质量的改进,促使分散的融资部门企业的预算是硬约束的。这种观点旨在强调中国国有部门的预算软约束和非国有部门的生产率提高具有一定的互补关系。

② 参见伯纳克(Bernake,1983),Slovin、Sushka 和 Polonchek(1993)及彼德森和拉热(Petersen和 Rajan,1994)。

考察参与人在这些域协调其策略决策的方式。我们把公司治理明确地界定为联结博弈的均衡结果。如我们在第 2 编所表明的那样，整体性均衡模式一旦确立，就可能被参与人视为一系列外生的约束条件，并自我实施。因此，我们把公司治理结构定义为施加于组织域参与人如投资者、经理和工人的一系列自我实施的约束。

从我们采取的比较性观点出发，一种公司治理结构不是由金融市场的力量单独塑造而成的。我们运用组织域和其他域关联博弈的均衡分析阐明了这一点，与一些经济学家主张的公司利益相关者社会观相区别。我们也表明了在一定条件下，股东控制结构不是一种有效的公司治理结构，如在背景导向型技能占主导的企业，股东控制有时会实施一些降低社会总福利的行动。

公司治理结构的制度化会受到政治域的内在状态的影响（制度互补性）。在第 6 章我们看到，自由民主型国家形态的基本特征是工人阶级的经济需求完全受制于市场约束。这种国家形态显然和所有者控制和股东治理结构是互补的，后者依赖瓦尔拉斯或效率工资约束机制限制工人在层级制下可能的要挟问题。反过来，劳动力市场的充分自主的竞争进一步强化了自由民主型国家形态（命题 6.1）。在本章第 2 节，我们看到，劳动力市场的社会合作型规制与工人和雇主分析控制权是互补的。在下一章，我们将讨论关系型相机治理的一种具体制度化形式——主银行制如何依赖于银行履行政策义务所产生的银行租金。日本政府规制机构在官僚多元主义框架下对银行利益的保护是银行租金的一个来源，也是主银行制最终衰落的原因。

第12章　关系型融资和意会知识

现代科学宣称要建立严格冷静和客观的知识。任何低于这个理想目标的东西都只能被认为是暂时的缺陷，是我们最终需要克服的。可是，如果意会知识是构成全部知识不可分割的一部分，那么，企图消除知识中带有个人色彩的部分，实际上就是致力于消灭知识本身。精确科学的理念将被证明在根本上是误入歧途的，是许多灾难性谬误的源泉。

——迈克尔·波拉尼：
《意会知识维》，1966年 *

在前一章我们指出，水平层级的关系型相机性治理结构适合于那些由场景导向型和组织专用性人力资产构成的组织类型，它可以制度化，使银行成为关系监督者(relational monitors)。然而，日本20世纪90年代的银行危机和近年来东南亚(韩国、泰国、印尼和马来西亚)的金融危机被普遍认为是对关系型融资的一种否定，关系型融资

* Michael Polanyi, *The Tacit Dimension* (1966: p20).

关于"tacit"一词，同样经过多次讨论，译者翻译成默契，但是有学者认为默契更多的是两人之间的，而tacit却是指个人的知识，在与其他人交流时可以达成的隐含的知识。——编者注

在日益全球化和竞争性的金融市场条件下的适应性和有效性受到了严重的怀疑。例如,拉热和齐加列斯(Rajan 和 Zingales,1998)在分析东南亚危机的成因和性质时指出,以关系为基础的制度(relation-based system)只能在合同实施不力和资本缺乏的地方才能运转良好。以关系为基础的制度通过赋予融资者对于借贷企业的一定程度的控制权来确保投资收益,但这种制度抑制价格机制,导致资本的配置失当。因此,这两位经济学家论证说,陷于危机之中的东南亚经济重新回到以关系为基础的制度虽然会带来一定的短期收益,但在长期内,除非它们转型到保持距离型体制(arm's-length system)——一种透明度高、合同实施有力和富有竞争性的制度,否则,未来危机仍然不可避免。

本章的主要目的是想说明,一方面我同意他们提出的关于加强以法治为基础的对银行的严格规制,但另一方面,认为关系型融资完全是一种劣于保持距离型融资,应该被后者替代,则过于草率。我们下面将提出一种关于关系型融资的新理论,然后考察各种关系型融资的知识基础和租金来源,以及对经济绩效的影响。第 3 章和第 4 章论证了组织和交易域的治理机制取决于其信息结构的性质。本章将贯彻同样的逻辑,说明金融域的治理方式也将取决于融资者有关外部融资信息不对称和不完备的知识类型。

我们理论的一个重要前提是,对于尝试新东西(投资、创新等等)所需的经济信息通常是意会的知识(tacit knowledge),而非数码式的。所谓数码式(成文化)(codified knowledge)信息,我们是指那些可以表示为计算数字、书面或口头报告的信息,以及通过分析这些信息的内容所得到的信息。有关公司业绩和金融状况的这类信息对于日益全球化的市场来说越来越容易获得。会计方法的标准化,全球各地公司数据的披露,无疑促进了一体化全球经济的信息效率。但是,能够数码化并且能够在全球网络或公司信息网络传播的信息不是无限的。基于公共可得的数码式信息的套利机会随着时间的流逝也会变得有限。与此同时,尽管数码式信息的流动性在不断加强,各种意会信息仍然是有价值的。意会信息在这里定义为:无法通过简单加总的数码式信息获得的、只能在有限的局部域通过关系合同或特定经历得到的信息(Polanyi,1966: 第 17 页);因此,它们不可能在公开市场上轻易获得①。

上述定义不免有些令人费解，让我们举一些例子加以说明。第一个例子取自金融域最发达的形式——创业资本，以表明我们的讨论不是仅限于某些发展阶段所特有的东西。创业投资者之所以愿意和创新企业聚集在硅谷这种特定的区域，是因为这样做有助于他们在阶段融资过程中获得选择成功项目所需的信息。这些信息是高度意会的和不易明文化的。硅谷模式的独特性不只在于创业投资者提供创业资本的能力，而是更多地在于他们能够以演进的而不是事前设计的方式，选择那些最终成为创新性产品系统的模块产品的项目，同时能够在早期阶段拒绝向那些失败的项目再融资。来自经验的知识和判断，加上高度专业化的技能是创业资本融资和治理结构必备的条件。创业投资者的信息加工职能表现在将初始属于意会的知识(不确定的创新机会)最终转化为明文形式(如收购合同或股票上市文件)。1996 年，大约一半的创业资本基金来自互助基金、银行和保险公司。由于这些金融企业主要依赖数码式信息运作，缺乏必要的经验和技能，它们把监督和治理创新企业的任务授权给创业投资者(参见 14 章)。

第二个例子，在发展中国家和转轨经济中，向新老企业融资的风险都很大，商业判断需要利用一些不易标准化和量化的信息，如企业家和经理的素质、品格和可靠程度，以及技能的积累水平等等。在缺乏发达的第三方实施机制的条件下，合同执行不得不求助于以企业家历史的专门信息为基础的声誉机制(个人信任)。在东南亚危机之前，国际金融机构向这些国家的本地银行发放短期贷款的主要原因恰恰就在于前者缺乏局部信息，因而必须保证自己撤出资金的灵活性。确实，所谓的金融瘟疫(financial contagion)就是因为外国金融机构针对一些不完全的数码式信息(信号)作出反应，纷纷撤出短期资金造成的。事后只站在借贷国一边谴责这些国家缺乏信息透明度似乎不是一种富有建设性的态度。

---

① 本书对意会知识的定义与波拉尼的原始定义是一致的，他提出意会知识的概念，试图从现象学和认知论的角度理解“我们知道的比能表达的多”这个事实(Polanyi，1966：第 4 页)。也请参见波拉尼(Polanyi，1958)。

最后一个例子，彼德森和拉热（Petersen 和 Rajan，1994）以及甘德等人（Gande、Puri、Saunders 和 Walter，1997）的经验研究发现，银行和中小企业的关系型融资在后者未进入证券市场之前是有不少益处的，这在美国也是如此。依靠和有限数目的银行保持关系型融资会给银行创造垄断性信息租金，同时又确保这些企业在意外情况（如暂时的财务困难）下得到所需的再融资。通过这种方式，这些企业凭借数码式信息筹资的阶段，比那些没有关系型融资的企业更快地进入证券市场。这类似于创业资本融资的情形。这说明，虽然这些企业的信息最终在市场上是数码式和轻易可得的，但在此之前关系银行却垄断了有关这些企业的默认知识（Yasuda，2001）。

显然，我们不能把不同场合下不同类型的关系型融资都混在一起，然后为一般性的关系型融资辩护。我们需要审慎地鉴别在何种条件下一些类型的关系型融资比另一些能更好地利用意会信息，并探讨其相应的机制是什么。为了朝这个方向努力，本章做如下安排：第 12.1 节是理论部分，先为关系型融资提供一个新的概念框架，并对融资者应用的不同类型的知识进行了区分。第 12.2 节讨论作为关系型融资者激励的不同类型的经济租金。考察了关系型融资中信息结构方面的关系。这一节还考察了金融市场问题，尤其是国际债券市场发展中日益激烈的竞争是怎样影响了关系型融资的租金，从而影响了它们的有效性的。

12.1 关系型融资的一般定义及其类型

我们对关系型融资的定义如下：

> 关系型融资（relational financing）是一种初始融资者被预期在一系列法庭无法证实的事件状态下提供额外融资，而初始融资者预期到未来租金也愿意提供额外资金的融资方式（青木和 Dinc，2000）。

那些不属于关系型融资的形式就是保持距离型融资（arm's-length

financing)。在该定义中,“预期”在双重层次上扮演了重要角色:首先在初始融资阶段借贷者对未来相机融资的预期,然后是融资者在再融资时对未来租金的预期。如果第一重预期成立,企业家或小业主便能够启动开发项目或扩大投资,而这些在他们自己的资金范围或在保持距离型融资下是不可想像的。由于预期到在资金紧张时有再获得融资的可能性,企业也许愿意从事企业专用性资产(人力和非人力)的投资。但是,这些预期必须要有坚实的基础。这涉及一个银行承诺问题,最初是由梅耶(Meyer,1988)和赫尔维格(Hellwig,1991)提出,我们在前一章涉及关系型相机治理制度时也特别提到这个问题。导致融资者履行承诺的因素有声誉效应、信息优势和它未来对企业融资时的垄断能力,以及政府对不履行承诺的惩罚和对履行承诺的政治及经济奖赏。如果这些因素中任何一种被预期到,那么,根据后向推理原则(backward induction),借贷者便可以寄希望于相机性再融资的发生。因此,为了预测关系型融资制度的演化和有效性,理解在特定的意外事件下融资者履行再融资的激励是如何维持的,将是非常关键的一环。当融资者和借贷者的预期使得关系型融资在金融域成为自我实施的,我们就说关系型融资在该域是制度化的。

根据上述意会知识和关系型融资的定义,融资者需要使用一定的意会知识。如果金融交易可以完全建立在关于借贷者的数码信息上,那么,合同条款就可以事前清晰无误地写明,事后由法庭实施。这些合同可以在市场上转让。因此,以数码信息为基础的金融合同属于保持距离型。如果金融合同的签订预期涉及到融资者一定量的意会信息,那么,这种融资就多少带有一点关系型融资的性质。但是,使用意会信息的方式多种多样,其影响也不相同。事实上,关系型融资的类型取决于各个融资阶段融资者所掌握知识的类型。为了给出一个清晰的分类,我们有必要区分三个监督阶段和相应的知识类型。这里指的监督是融资者有关借贷者计划、经济活动和金融状态的信息加工活动。

我们将初始融资阶段融资者的知识运用称为事前监督。事前监督主要对付逆向选择问题,即融资者和借贷者关于项目风险、借贷者技能等等信息不对称的问题。如果这类监督主要基于数码信息,它就对应于实际中所谓的尽职努力(due diligence)。事前监督的范围不一定限于逆向选择问题，在有些情况下，项目的价值对于借贷者来说更不确定。例如，某项目的市场价值取决于另一个平行项目的运行状况。这时，具备融资该平行项目能力的融资者就处于比借贷者更有利的位置，虽然他的知识由于不存在评估这两个互补项目综合价值的市场而不可能完全数码化。

对应于上述关系型融资定义，我们将集中研究融资者如何运用他所掌握的知识判断再融资的时机及相应的对策。显然，这需要动用意会知识，否则再融资将采取保持距离型融资的形式。我们把这一阶段融资者的信息加工活动称为事后监督。而处于事前和事后监督之间的信息加工活动则属于事中监督，它有助于融资者积累借贷者项目进行中的信息。关系型融资也可以看做是三个监督阶段的集成式捆绑和相应知识的综合使用。如果我们在保持距离型融资框架中，把事后监督视为根据借贷者金融状况具体实施合同的条款，那么，保持距离型融资也可以概括为这样一种融资方式，即三个监督阶段根据数码信息被分解给三个不同的参与人承担（如事前监督由承销债券发行的投资银行执行，事中监督由评估证券等级的证券专家执行，事后监督则由破产法庭和企业重组专家执行）。

接下来，我们对金融域融资者使用的知识进行分类。为此，我们准备了图 12.1。图中垂直方向代表知识能否以数码方式表达，如数字、法庭可实施的合同、投资报告或借贷者的信用记录。图中水平方向表示知识被表述的明确程度。有些知识在原则上可数码化，但要明确数码化却成本高昂，这时知识可能被保持隐约状态（latent）。这里的分类借自柯万、大卫和福雷（Cowan、David 和 Foray，2000），但我们在使用意会一词时更接近波拉尼的原义，而且对意会知识和可数码化但未数码化的知识做了区分①。

① Cowen、David 和 Foray 2000 年对研究与开发所涉及的知识和生产技术做了分类，并考察了分类对研究与开发的公共政策的含义。由于我们对两者的分析目的不同，我们需要对他们的分析框架做一些修改。我们之间主要的区别在于对“意会”的定义。我们更接近波拉尼的定义，他们把“非数码式”知识称为“意会知识”。这样，图 12.1 的东北方格就被并到他们的西南方格，而他们的东北方格（即可数码化但保持隐约的知识）代表了一种以高度发达的数码化程度为基础但因为集团内部成员的共同理解而不需要数码手册的知识。它构成了规范性科学所研究的范围。我们认为，这一类知识在金融域不太重要，但在可数码化的知识类型中区分实际数码化的和未数码化的知识却有着重要意义，下面我们将看到这一点。

	明确表达的知识	保持隐约的知识
可数码化的知识	保持距离型融资、股票首次公开发行阶段的创业资本融资	关系型相机性事后监督；事前和事后的“裙带关系”融资
意会知识	事前关系型融资；中间和事后创业资本融资	事前创业资本融资

图 12.1 知识类型和融资方式

现在让我们利用上述分类，对各种关系型融资方式的信息结构特征做一说明。首先考虑创业资本融资。它的事前监督被表述为意会——隐约式，此时融资的项目是一种高度不确定的创新项目。也就是说，在创业投资者开始选择创新企业作为融资对象时，项目的市场价值高度不确定，使得融资者的融资决定必须依赖对企业家个人特征和项目性质的直观判断①。在法庭无法证实的事态下进行再融资是对应着下一个“阶段融资”(Sahlman，1990)，即再融资决策取决于企业家执行开发项目的进展情况。在后续融资阶段，创业投资者的知识逐渐积累并日趋清晰，但大部分仍然是意会式的。只有当成功企业准备上市或被大企业收购时，交易才可以建立在数码知识的基础上，如上市报告书或收购合同。可见，创业资本融资先是从图12.1的东南角向西移动，最后到达北边的位置。

我们再考虑关系型相机融资的情形。银行对暂时处于财务困难、需要再融资的企业进行再融资有时是可以明确数码化的，如常规的银行信贷合同所示。但是，如果关系型相机治理合同采取了隐含的形式，融资者所积累并在事后监督中使用的知识(如救助财务困难企业)虽然原则上可数码化，但实际上是意会的(至少对外部人来说是如此)。关系型融资的一个好处是企业的财务问题能够在早期被发觉和解决，避免了过早陷入成本高昂的破产程序(Sheard，1994；青木等，1994)。为了限制软预算约束过度的倾向，融资者必须被确信

① 当我问阿瑟·洛克(Arthur Rock)：“如果让你说出创业投资者最重要的素质，那它应该是什么？”这位曾经做过英特尔、苹果和科学数据系统等公司的初始创业融资人的资深金融家的回答非常简单：“对人的判断力。”

救助困难企业的一切不利后果将由融资者自己承担，第三方（如政府）不会给予任何补偿。如果这种预期无法维持（即出现裙带资本主义），融资者掌握的意会信息反而容易导致道德风险倾向（如软预算约束现象和对借贷者的事前和事中监督不力）。人们反对关系型融资和要求提高信息透明度的论点似乎就集中在这些情形上（如 Rajan 和 Zingales，同上）。

在有些情况下，知识不可能完全数码化。上面讨论的创业资本融资的早期阶段的情形就是一个例子。如上所述，在经济发展或转型阶段，市场发育尚不成熟，无法充分地以客观知识的形式（如市场分析和项目可行性分析等）提供项目的盈利性和风险估计，而不得不依赖对企业家个人才能和素质的意会知识。即使在发达国家，对尚未进入证券市场融资的小企业的监督也在一定程度上涉及意会知识。这一类知识对于接近借贷者的融资方来说可能是明确的，但对于外部人来说则很难以透明的方式传达清楚。在再融资的需要出现时，初始融资者将处于一种更有利的位置做出适当判断，就像创业投资者那样。在这些场合，意会知识富有很高的经济价值。意会知识能否被适当地加以运用，这取决于关系型融资者面临的经济激励。

12.2 关系型融资的租金类型①

现在让我们来更深入讨论激励融资者的各种经济租金的来源。这些租金在很大程度上与金融域的治理方式有关。它们可以粗略地归为以下四类：(1) 垄断租金，即关系型融资者凭借其优于其他融资者的地位，从再融资企业获得的租金；(2) 政策诱导性租金，即融资者从自己履行隐含政策义务交换来的政府奖赏；(3) 声誉租金，融资者通过建立良好的履行救助承诺的声誉而获得租金；(4) 信息租金，融资者通过介入不为其他人知悉的知识生产而从再融资企业获得的租金。这些租金类型有时不容易相互区分，但对于深入讨论却是大有帮助的。

---

① 本小节和下一小节取自青木和丁克（Dinc，2000）。

12.2.1 市场驾驭力和垄断租金

融资者如果拥有市场驾驭力，他能从融资中赚取正的净收益。这使得他能够在一定时间内分摊融资成本。这反过来又促使他有动力在相对不利的时候进行融资，预期在长期内得到足够的补偿。

但在这一类型中，关系型融资可以采取不同形式，具体取决于经济发展的阶段。最简单的情形是融资者享有企业明确或隐含的所有权。或者银行之间达成合谋协定，互不侵犯对方的领地。这一类合谋因政府限制银行业的新企业进入而得到加强。在提供初始资金之后，关系型融资者通常能够接近其他融资者无法获得的关于企业的意会信息，至于这些意会信息是否会适当地运用于事前和事后监督则不清楚。例如，银行的市场驾驭力有时会导致它救助财务困难的企业，这些企业从事的是事前缺乏效率但事后值得救助的项目——即德沃特里庞和马斯金（Dewatripont 和 Maskin，1995）所讨论的“软预算约束问题”。

当企业拥有自己的银行或持股公司拥有银行和企业时，关系型融资也可能产生。在这种情况下，再融资的租金归占有银行的企业或持股公司。有些经济学家用“关系型融资”（或粗略地称为“裙带资本主义”）专指银行被有政治影响力的工商利益集团控制的融资方式，其中银行只是积聚居民储蓄和政府资金然后转移给这些利益集团的工具。在这种机制下，银行的监督职能将被大大削弱，软预算约束现象不可避免。毋庸置疑，必须严厉限制这种融资方式，防止资金从银行转移给工商利益集团。

即使银行合谋受到限制，政府对银行的管制也很少，银行相对于外部借贷人的信息优势也会内生地赋予它以一定的市场驾驭力。在提供初始资金之后，关系型融资者通常能够接近其他融资者无法获得的关于企业的意会信息。这种信息优势将给予融资者租金机会，在这种情况下，租金的性质很难和第四类的租金区分开来。这些租金机会诱使融资者对企业进行监督，以获取更多的信息（von Thadden，1995），同时也促使他在一些外部融资者不愿意借贷的场合给企业提供融资。

在日本主银行的鼎盛期（20 世纪 50—70 年代），主银行对其客户企业收支账户的准排他性的管理为前者提供了极其重要的信息优势。通过这种方式,主银行能够监视客户企业的财务状况,犹如可以随意查看后者的会计账本一样。因此,主银行能够尽早诊断企业的财务问题,以类似相机性治理的方式干预其内部管理。类似地,据观察,美国银行和小企业的借贷关系有助于缓解企业的资金问题,而且,企业维持借贷关系的银行数目越少,企业在同一家银行得到的金融服务越多,其效果就越明显(参见 Petersen 和 Rajan,1994;Berger 和 Udell,1995)。不过,信息垄断并不总对借贷者有利。融资者攫取项目剩余的能力会对企业投资的激励产生负面影响(Sharpe,1990;Rajan,1992)。

彼德森和拉热(1995)通过假定银行的市场驾驭力随银行数目增加而递减,显示银行的跨期分摊成本(intertemporal smoothing)随着银行数目的增加而变得越来越困难。市场驾驭力递减意味着银行分享项目剩余的份额下降,因此,当银行不得不和越来越多的融资者分享未来的剩余时,它便不愿意采取积极的行动。两位作者援引美国银行向小企业贷款的经验数据支持其理论结果。可是,如果关系银行的主要激励是源于信息优势的租金,竞争程度的加剧不一定必然对关系型融资产生不利影响。拉热(1992)论证了这些租金取决于和企业有借贷关系的内部银行的数目,而不是内部银行面临的外部银行的数目。通过限制在初始融资阶段的银行数目,即使事前银行竞争日益加剧,企业仍然可以维持关系型融资。另一方面,关系型融资者数目的增加有助于降低银行控制企业和攫取更高租金的能力①。

12.2.2 政策诱导性租金和伪租金

如上所述,政府通过限制银行在借贷市场的竞争可以人为创造银行租金。但是,即使在竞争性借贷情况下,政府仍然可以通过干预银行的负债方面创造银行租金。下面我们讨论两种情形:一是银行是经济的一个封闭部门,另一种情形是经济是向国际借贷市场开放的。

---

① 拉热关于在外部竞争加剧条件下信息租金的耐久性的分析不只是适用于商业银行。许多投资银行也具有获得意会信息并据此与企业谈判的能力,这些能力正是拉热称之为"银行"的功能特征。

金融约束和政策诱导性相机租金　　Hellmann、Murdock 和 Stiglitz（1997、1998）在东亚奇迹的启发下提出了政策诱导性相机租金的概念。他们认为，政府可以将存款利率压低在瓦尔拉斯市场利率之下。但应该是在稳定的宏观经济政策下，且实际利率维持在正的水平上。他们把这种政府干预称为“金融约束”（financial restraint），以区别于“金融压抑”（financial repression）。在后者，实际存款利率因高通货膨胀而变成负值，财富从居民户部门转移到政府部门。以这种方式创造的租金将成为利益集团非生产性寻租行为的目标。相比之下，他们认为，金融约束只为银行部门创造了“租金机会”，其实现有待于银行对存款的竞争。打个比喻，这就像专利制度为潜在的发明家创造了“租金机会”，但租金的实现只取决于成功的发明及其商业化。

他们指出，政策诱导性租金的实现为注册银行提供了“特许权价值”，实现的租金可以被用于扩大银行分支机构，吸收更多的存款。如果居民户部门的存款倾向的利率弹性为零，同时针对银行的竞争努力，居民的反应是将更多的资产从非生产性形式（如放在卧室钱柜里的现金、黄金首饰等等）转化为存款形式，那么，金融深化（financial deepening）将随之发生，价格扭曲的福利损失将降到最小。在日本主银行制度的鼎盛期，银行获得政策诱导性租金的条件是对政府政策的服从和配合，货币当局控制了银行分支机构扩张的许可证，以此作为惩罚那些不听话的银行的有效手段（青木等，1994）。政府的偏好非常清楚，希望主银行救助财务困难的企业，减少社会和经济的不稳定性。该政策的一个可能后果是难以承诺不救助那些表现不好的企业——即第二类统计错误。存款管制的另一个影响是资产价格的扭曲。由于存款利率的管制，居民户也许更愿意持有非金融资产，如不动产。

如果我们将存款人和银行换成农业部门和工业部门，上述金融约束和第 6.2.3 节所讨论的市场促进型的发展型国家形态是同构的。两者的相同之处在于，政府根据部门增长绩效将金融资源从一个部门转移到另一个部门，在目前的情形下，政府通过储蓄利率管制实现储蓄动员和对企业的关系型相机治理。存款人从储蓄的安全性方面事后得到部分的补偿。另一方面，由于银行可以获得政策诱导性租金，它们向企业索取的收益率可以比没有金融约束的金融市场

低(政府也会隐含地要求银行这么做)。企业也因此得利,关系型相机治理机制允许它们保留更多的利润①。因此,我们有下述命题:

命题 12.1　发展型国家形态和关系型相机治理结构在制度上互补。

随着金融市场的全球一体化,实施直接或间接控制存款利率的政策日益困难。一旦存款利率的管制不复存在,政策诱导性的相机租金也将随之消失。

非套期的国际借贷和政府信贷保险　国际借贷的机会和隐含的政府信贷保险再加上汇率的扭曲使得银行对租金产生不切实际的预期。1997 年至 1998 年的东南亚金融危机是由该地区经济的私人银行和非金融机构"过度借贷"(McKinnon 和 Pill,1999),尤其是过度借贷以美元计算的短期债务造成的,这是普遍公认的原因②。

设想某国国内存款利率 i 高于同期美元存款利率 i^*。假如不存在国际资金流动的壁垒和对国内存款利率的管制,竞争性市场套利将使得名义利率差等于远期汇率升水 f,因此 $i = i^* + f$。假如该条件成立(否则市场套利将不负任何风险而赚取无限利润),那么,对于任何银行来说,接受美元存款同时在外汇期货市场进行套头交易就相当于以本国货币借债。所以,如果所有银行一律要求将所有的外汇借债在期货市场进行套头交易,银行或其他金融机构从国际金融市场上"过度借贷"的激励就不会存在。

但是,假如银行间普遍存在一种预期,认为银行存款隐含地被政府担保。仅这种预期本身就可能引致银行的道德风险行为,低估破产风险。又假定规制机构不对本国银行施加 100% 套期交易的要

① 参见第 263 页注①,这种情况对应着 M 的下降,对关系型相机治理机制中内部人的努力是互补的。与引理 11.1 相类似,我们有下述引理:

引理 12.1　主银行降低贷款利率会导致企业预算约束硬化,而这两者又会进一步增强主银行关系型相机治理机制的有效性,使得内部人的努力水平提高。

② 韩国对外借债总额从 1993 年的 654 亿美元上升至 1996 年的 1121 亿美元。银行部门的借债在 1996 年占了 60%,短期借债占了大约一半。类似地,泰国的国际债务在 1997 年是 918 亿美元,而在 1993 年,国际债务是 526 亿美元,其中 1997 年的外债中 40% 是短期债务,银行相对于私人非银行的借债比例比韩国要低一些。公众对外借债在这两个国家所占比例都比较低(韩国是 56 亿美元,泰国是 22 亿美元)。

求。这时利率差 $i - i^*$ 于是可以看做是市场参与人对外汇风险估计的风险升水。利率差的存在诱使一些银行对破产和汇率贬值风险不屑一顾。"所以,道德风险导致银行不对外汇借款进行套头交易,银行再把借来的外汇换成本国货币,以高得多的利率转借给本国居民,同时通过存款保险制度无形中把大部分的外汇风险转嫁给政府"(McKinnon 和 Pill,1999)。国际金融组织如国际货币基金组织和外国政府在金融危机时预期的救助行动更进一步加强了对 100% 存款保险的预期。国内信贷市场的竞争压力迫使那些传统上比较谨慎的银行也不得不采取高风险的非套期策略,造成一度的繁荣景象。

投资热潮刺激了对非交易投入品如劳动力的需求,而政府在日益增加的通胀压力下试图保持汇率不变。最后,不利的生产率冲击变得不可避免。一些企业倒闭事件触发了国际金融市场上投资者对经济繁荣基本结束的信念,外国放贷机构于是开始撤回贷款,汇率的向下调整不可阻挡。在这段时间的投机活动会进一步加强汇率调整的幅度。银行不仅因国内借贷者无力还债受损,而且也因为以前的非套头策略而遭受巨额资本损失。银行被迫收紧贷款,信用紧缩使得好项目也被迫中止。

国际金融界在危机之后很快达成一种共识,一致把矛头指向这些国家的汇率管理不当和银行运作的非透明性。他们提出的政策改革建议是采取浮动汇率制度,加强国家对金融市场的监管和透明性,以及严格合同实施。关系银行制度被认为是不透明、低效率和不公正的"裙带资本主义"的主要粘合剂,一些人甚至以胜利者的姿态宣称英美式保持距离型银行制度的优越性。

在任何情况下,转向浮动汇率制都不是一种包治百病的灵丹妙药。对汇率制度的选择应该取决于限制银行过度借贷的能力,一种汇率制度不能置国内银行谨慎的风险管理于不顾①。关键的问题仍

---

① 麦金农和皮尔论证说,撇开俄罗斯和巴西 1997—1998 年间极其糟糕的固定汇率制不谈,鼓励向浮动汇率制转变并不应该视为当然之举。他们建议,一种"良好"的与美元挂钩的固定汇率制——比较可信而且接近购买力平价——可以降低外汇风险。如果完全控制银行的道德风险行为的最优方案并不存在,那么,防止银行非套头外汇借贷策略的短期资本控制,不妨可以作为一种次优的权宜之计。但如果银行和其他企业受到某种限制,无法做到这一点,那浮动汇率制就不可行,政府应该取代市场,进行干预。

然是，在经济自由化改革中如何发展出一种更不容易导致道德风险行为的稳健的金融制度。作为一种一般性原则，对银行施加资本储备金要求之类的规制不应该有什么争议①。但是，改革经济中存在的、独特于转轨过程的意会信息应该仍然是稳健金融制度的一个基本要素——如果不是惟一要素的话。一劳永逸地转型到保持距离型金融制度并非问题的答案。

在改革经济中要求实施充分的套头交易可能比较困难，但采取一些措施控制短期资本流入本国则是必要的，这可以使本国市场免受短期资本无常流动的不利影响，同时又争得时间发展风险管理和成熟转型所需的技能和经验。例如，智利在 1991 年成功地对不增加物质资本的所有外资流入施加了固定期限无息准备金要求的限制，该举措受到广泛的关注和研究。这种资本控制的不足可以通过允许外国银行进入本国市场来弥补，准许外国银行进入不仅有助于技能和银行技术的传播，而且也有助于外国银行更好地利用本地的商业实践规范和意会知识②。

12.2.3 保险金和声誉租金

在重复性金融交易域经常看到的一种实施承诺的激励就是融资者对声誉的关注。如果融资者的未来收益取决于他的良好声誉，这会促使他在法庭无法证实的事件状态下采取一些成本高昂的行动，以维护其声誉（Sharpe，1990；Boot、Geenbaum 和 Thakor，1993；青木，1994；Dinc，2000）。例如，假若银行不履行其救助承诺，其声誉将遭到毁坏，并因此失去未来有利的贷款机会，那银行就会有恪守承诺的

---

① 将资本准备金要求引入到竞争性银行会对银行施加一种类似债务合同的约束，抑制银行从事风险过高的投资（Dewatripont 和 Tirole，1995）。违反最低资本准备金要求自动引发监管机构的干预。这种规则导向型的管制的一个缺点是，当巨大的系统性冲击（如普遍的萧条）发生时，银行对此不负责任，但也可能被迫接受监管。关于相机治理的理论分析表明，为了控制系统性信用危机的外在不经济，保护银行内部长期积累的意会信息资产（而不是高层管理人员），在资本短缺的关键时刻救助银行（如通过暂时的国有化、注入资本金）不应完全排除。［参见 Stiglitz（1999）］

② 银行的数目不宜过多，也不宜过少。如果银行数目太少，银行会索取过度的垄断租金，使它们没有动力去发展监督技能。另一方面，太多银行的竞争又会摧毁所有的租金（特许价值），而这些租金是补偿它们在加工意会信息的基础上进行监督所必须的（参见下面的第 12.2.3 节）。

动机。事实上,未来的融资机会不一定限于同一个借贷者,还可能包括其他借贷人。

我们下面借助丁克(1996)的模型,设想金融交易域的博弈过程,其中参与人由风险中性的企业和银行组成,每个企业拥有一个跨越两期的项目。每个企业的项目需要在第 0 期从银行借贷一单位的资金(我们后面考虑债券融资的可能性),项目在第 2 期产生收益。为了便于集中研究银行的承诺问题,我们不明确考虑企业是否在第 2 期之后存在的问题。在第 1 期,项目有三种可观察的状态:成功、有财务困难和失败,概率分别为 p_S,p_D,和 $1 - p_S - p_D$。如果状态是成功,项目将产生现金流量 Π_S,如果失败,收益为零。在财务困难状态,除非企业被再融资另一个单位的银行资金,否则,其结果和失败的情况是一样的。如果被救助,项目第 2 期的现金收益为 Π_D。另外,项目还产生不可转让的私人收益 N_D,属于企业的内部人占有。假定银行即使能够获得所有的现金收益 Π_D($\Pi_D < 1$),救助行动对它来说也是无利可图的,虽然从社会的角度看救助是有效率的(即 $\Pi_D + N_D > 1$)。假定救助的净成本为 $C_D = 1 - \Pi_D > 0$,从事前(第 0 期)的角度看,项目是有利可图的(即假定 $p_S\Pi_S - p_D C_D > 1$)。

虽然有关项目的状态在第 1 期显现,而且是可观察的,但我们假定它们无法被法庭证实。所以,可实施的贷款合同不可能根据事件的状态来签订。如果博弈只在一个企业和一家银行间进行一次,那么在第 1 期当企业陷入困境时,将不可能存在银行救助企业的任何均衡。现在我们假定银行的寿命是无限的,它和同一企业或不同企业进行重复性借贷关系。考虑银行和企业的下述策略组合。如果银行不救助处于困境中的企业,它将失去其声誉,未来将没有企业愿意向该银行申请带有救助承诺的贷款。如果任何企业以后从该银行借贷,该银行也不会在企业困难时出面救助。缺乏声誉的银行可以从无风险的贷款业务中赚取 ρ。但是,具有良好声誉的银行在救助承诺下向企业贷款,可以在项目成功时获得约定的收益 R^G。暂时假定利率 ρ 是给定的。为了确保声誉良好的企业能够有激励履行承诺,一次性偏离必须是无利可图的。该条件由下式给出:

$$\frac{\delta}{1-\delta}[p_S R^G - p_D C_D] - C_D \geqslant \frac{\delta}{1-\delta}\rho$$

不等式左边代表维持声誉的所有未来净收益(减去救助成本)的现值,右边项代表失去声誉后所有收益的现值。只要不带承诺的竞争性收益 ρ 大于$p_S R^G - p_D N_D$,企业将愿意从有声誉的银行借贷。而那些不遵守承诺的银行没有动力救助困境中的企业,这是因为一旦它们违背诺言,没有企业愿意从它们那里按高于 ρ 的利率借款。因此,当且仅当下列条件成立,上述策略组合构成一个子博弈精炼均衡:

$$\delta \geq \frac{C_D}{(p_S R^G - \rho) + (1 - p_D) C_D}$$

上述不等式的右边定义了促使银行履行救助承诺的最小时间贴现因子,它随声誉租金 $p_S R^G - p_D N_D$ 的增加而递减。

我们将利率 R^G 视为既定。丁克(1995)使之内生化,推导出 R^G 是那些有能力鉴别项目盈利水平的竞争性银行数目的函数,并从中引申出如下重要的启示①。当银行数目低于最低值时,银行只发放不附带承诺的贷款,因为它们能从中攫取高额的垄断利润。另一方面,如果银行数目非常多,上式右边项将接近 1,意味着维持声誉变得越来越困难。因此,给定某个小于 1 的贴现因子,只有当承诺救助的竞争性银行的数目既不太大也不太小,关系型融资机制才能是可行的(也请参见青木,1994)。从企业的观点看,租金 $p_S R^G - p_D N_D$ 可以解释为企业为交换银行在其困难时出面救助而支付的保险金。以收取保险金的方式获得租金的这种可能性预示了解决前一章讨论的关系监督者与融资者之间承诺问题——即预算约束过硬问题——的一种途径。

① 假定众所周知有一定比例的企业——"好企业"具有上面描述的投资机会,而剩下的企业都是坏企业,它们的投资项目注定要失败。假定每家银行在时期开始接受到一个有关企业项目质量的信号,然后根据该信号开出它想要索取的利率 R。企业挑选那些出价最低的银行。这种银行竞争过程基本上是一种密封标的,第一口叫价和共同价值的拍卖(a sealed-bid, first-price, common value auction)(也请参见 Riordan, 1993)。该博弈可能有多重均衡:一是一次性借贷的静态纳什均衡——在这种均衡中,如果信号足够好,银行将开出不承诺救助的利率;如果信号不好,则不提供贷款。每个银行在第 0 期的预期利润为正,但利润随银行数目增加而递减。我们不妨将这种均衡称为疏远型银行制。如果银行数目超过一定值,将存在另一种子博弈精炼均衡,其中银行的均衡策略具有三重层次:它们那些信号超过某个高临界值的企业贷款并承诺救助;它们不给那些信号低于某个低临界值的企业贷款;如果企业介于两者之间,银行同意贷款,但利率比附加承诺时低。

迄今为止,我们一直假定中间阶段(第1期)的信息可观察但无法在法庭上证实。现在让我们设想中间阶段的信息是意会信息,只能被初始的银行观察到。声誉机制的有效性会受到信息不对称的不利影响。例如,假若其他企业无法观察到企业的困难是否只是暂时的,破产清偿是否更好,这时,银行出于对声誉的关注可能导致它救助一些经济上不再有效的企业,导致软预算约束现象。特别是在这样的银行业行为是为政府将外生地通过某些方式保证银行租金的普遍信念所系统地支持时,银行就不能在相机性治理中起到关系监督者的作用。

初看上去,债券市场竞争加强导致声誉租金的降低必然会削弱关系型融资制度的活力。但是,丁克(1997b)却证明了,竞争加强其实反而有可能强化声誉机制相对于保持距离型融资的有效性。这一点可以从上述推导的关于最低贴现因子的不等式中看出来。最低贴现因子使得银行的救助行动可以自我实施,它随声誉租金 $p_S R^G - \rho$ 增加而递减。虽然债券市场的竞争会减少银行从关系型融资所获的收益 R^G,但关系型融资的"外部机会价值"——银行不履行承诺而获得保持距离型融资的收益 ρ——却下降得更多。特别地,相比于关系型融资,债券是更接近保持距离型贷款的替代品,因此,债券市场的竞争对保持距离型贷款所产生的负面激励影响比对关系型融资要大。事实上,存在一种均衡,其中债券市场的温和竞争反而会增加关系型融资的价值。但是,有多种均衡并存的可能性。债券市场的竞争也许会彻底摧毁关系型融资的可行性条件,这具体要看技术参数的大小①。

总结上述讨论,我们有下述命题:

命题12.2(丁克)　　在金融域适度数目的银行的关系型融资

① 假定债券持有人自己无法鉴别企业,因此它们通过观察银行贷款的类型形成对企业类型的信念,其竞争性净利润为零。显然,相比惟一的融资者是银行的情况,债券发行的可能性将改进银行的盈利能力,因为在前一种情况,不论是关系型融资还是保持距离型融资,银行赚取正的利润。假定企业可以发行任意数量的债券,这将降低银行的预期利润。于是,如果债券市场充分发展,能够支持关系型融资的最低贴现因子(不等式的右边)将上升,关系银行制的可行性可能随之消失(Dinç,1996:命题6)。

下，组织域的关系型相机治理机制可以制度化。债券市场的适度竞争不一定削弱关系型融资的有效性。

12.2.4 信息租金

在讨论第一类租金时我们提到，银行提供初始融资之后，通常可以接近其他融资者无法获得的关于企业的意会信息。所以有时很难区分垄断租金和信息租金。但是，融资者在事前监督阶段(即初始融资阶段)所掌握的意会知识有可能创造出经济价值。我们至少可以想像出两种这样的情形。

一种情形是融资者独具慧眼地抓住了新的创新机会[1]。比如，不同的企业家提出了不同的项目建议，其实这些项目在技术上是互补的，潜在地构成一个新的产品系统，但企业家没有意识到这一点。这时，视野开阔和经验丰富的融资者一眼看出了其中的经济价值，但他的项目评价不易完全以成文形式表达出来。例如技术互补性使得多重均衡成为可能，由于不存在完备的远期市场，即使资深的融资者也无法清晰地说出何种均衡会出现。我们已经指出过创业投资者在初始融资阶段所发挥的这种作用。创业资本融资看上去就是风险融资，其实创业投资者在初始阶段可以发挥预见新技术机会的独特作用——其意义不亚于预见新科学发现的方向。如上所述，创业投资者创新活动的价值首先依赖于他的意会知识，其次意会知识最终必须转化为金融市场上的数码式信息，但离开了一开始的意会知识，后续的价值创造是不可能实现的。

另外一种对事前监督阶段富有价值的意会信息，是融资者通过与企业家的密切接触而获得的关于企业家才能和素质的知识。这一类知识高度互补于类似于项目建议书所代表的数码式知识，但它本身不能有效地以成文形式传达。具备这种知识的融资者通过与企业

① 熊彼特对融资者的创新功能做了如下描述："企业家的特征是执行要素的重新组合，在这个意义上，他不必永久地与单个企业联系在一起；许多'融资者'和'倡导者'不直接与企业相连，但在我们的意义上也是企业家。另一方面，我们的定义比传统上对企业家的定义要狭窄一些，我们的定义不包括那些只在企业执行正常功能的经理或工业家。"(Shumpeter，1934：第75页)

家保持密切关系，在必要时提供资金，启动项目，赚取经济租金。

意会知识所产生的经济收益可以采取不同的形式，如初始和后续投资的资本收益，初始证券发行的承销收益和初始融资的外在效应创造的新的贷款机会等等。虽然这些租金来源于融资者的信息资产，它们应该和投资银行、对冲基金之类的机构获取的收益区分开来，后者是在虚拟空间(cyberspace)分析数码式信息所得的收益。在数码革命的时代，这种对数码信息的分析和处理能力对于个人投资管理变得日益重要。除了风险管理所创造的经济价值以外，加工数码信息本身不带来租金。正如效率市场假说(efficient market hypothesis)所隐含的那样，随着信息日益数码化和轻易可得，加工数码信息越来越不可能创造任何租金。人们对“透明度”的崇拜，即希望消灭经济知识中一切带有个人色彩的因素，如波拉尼在论科学知识时所指出的那样，在根本上是误入歧途的。

至此我们讨论了从事关系型融资的融资者可能获得的各种租金来源。关系融资的实际制度并不仅仅依赖于一种单一的租金。换言之，这些租金不是相互排斥的。关系型融资者的租金来源的多样性说明，关系型融资制度会随着环境的变化而以路径依赖的方式改变其性质，调整其租金的组合要素。如果它们做不到这一点，其有效性也将因此丧失。

12.3 关系型融资制度对金融市场全球一体化反应的路径依赖性质

当附带承诺救助的贷款形式占主导地位时，我们将这种状态称为关系银行制度，当相反的情形发生——即银行不信守承诺的静态纳什均衡占主导时，我们称之为保持距离型银行借贷制度。然而，即使参数值满足关系型融资的可行性条件，保持距离型融资和关系型融资作为不同的均衡状态也可能并存。我们尚未讨论均衡选择的问题。为了按照丁克(1996)的观点探讨这个问题，让我们引入两种类型的银行——知情银行(informedbank，简称 I 银行)和不知情银行(uninformedbank，简称 U 银行)，两者的差别在于中间的监督能力。I

银行可以在第1期以一定成本观察项目的真实状态，而U银行无法区分企业的财务困难和失败两种状态。银行的类型属于私人信息，只有银行自己知道，但企业关于它们有一个公共的先验信念，认为U银行的概率为 η_0。在银行类型未显现之前，两类银行均承诺救助，以向企业收取高利率。由于企业无法事前观察出银行的类型，银行能够收取的利率取决于借贷者对其类型的信念。

随着时间推移，U银行因无力监督，企业被清偿的频率更高，而这是能够被公众观察到的。一家银行清偿困难企业的次数越少，它是I类型银行的后验概率就越高。企业将愿意向这家银行借款，虽然收取的利率高一些，考虑到未来在困难时期的救助承诺，这仍然是值得的。当银行为I类型的先验概率超过一定的临界值，那么，银行将愿意建立声誉，参与附有承诺的关系型融资。但I银行向企业索取的利率随债券市场的竞争加剧而递减。正如上面所讨论的那样，一个发达的债券市场也许可能彻底消除关系型融资的可行性。

假定在某经济——我们称为R经济，企业发行债券受到管制，关系型融资占主导；而另一种经济——A经济，债券市场高度发达，保持距离型融资占主导。现假定两种经济的金融市场一夜之间突然实现一体化，使得R经济的企业也能发行债券了。一体化之后，两类经济面临的所有技术条件都完全一样，惟有一点——作为金融制度的历史的一部分的银行声誉不一样。在R经济，一部分I银行已经显露了其类型，而A经济的所有银行的类型均未显示。在一体化冲击之后，原R经济的关系型融资制度将会发生怎样的变化呢？如果技术参数使得承诺救助的借贷在发达的债券市场之下无法生存，那关系型融资必定会很快消失。但是，假如在原A经济关系型融资制度确立不起来的原因是因为在发达债券市场的影响下声誉建设的成本太高，即I银行索取的利率相对救助成本不足够高，那么，情形就会很不一样。这是因为I银行已经在原R经济显示了它们的类型，救助成本已经沉没，故能够在新条件下得以生存。“建立”声誉比“维护”声誉更难。在一体化后，新的融资者也许没有激励建立声誉，但那些已经建立声誉的银行可能有足够的动力继续关系型融资。丁克(Dinç，1996)用数学模型阐述了这一想法，并证明了如下结论：

命题 12.3(Dinç)　假定关系型融资在 R 经济缺乏发达的债券市场的情况下已经出现,而它在有发达债券市场的 A 经济却不存在。在两种经济迅速一体化之后,下面两种情况都是可能的:

情形 1(收敛)　如果在发达的债券市场下关系型融资根本不可行,原 R 经济的关系型融资将在一体化之后消失。

情形 2(路径依赖)　一体化之后,关系型融资在 R 经济继续存在,但借贷者也开始通过发行债券筹集资本;银行的利润下降。两种不同的金融制度仍然可能共存。

上述结果对于金融制度的演化具有重要的启示。它表明,如果两种经济一开始在银行的市场进入和债券发行方面的限制不同,而这些限制存在的时间足够长,那么,不仅每种经济融资的主导类型会从一开始就不一样,而且这种差异将在管制放松之后继续存在。虽然关系型融资在原 R 经济继续保持活力,但企业也可以通过发行债券来筹集资金。其结果,银行的数目和利润减少了,企业的利润增加了。上述第二种情况下的路径依赖表明,债券市场的规制对于关系型融资的产生也许是必要的,但是,关系型融资一旦制度化,规制就可能不再需要了(第 5 章命题 5.2 得出过类似的结果)。这一点并不否认这样的可能性,即有活力的关系型融资者的数目随竞争加剧、企业兼并或退出而减少。这也不否认关系型融资者有可能改变租金来源的可能性。

如上所述,依赖政策诱导性租金或垄断租金在竞争不断增强的情况下将难于维持。但假若关系型融资者拥有关于借贷者和融资项目的独特的意会知识,对未来信息租金的预期会使融资者和企业持续发生利害关系。另一方面,与银行保持关系型融资使得年轻的企业能够更早地进入证券市场。正是这些信息方面的原因,证券市场的竞争并不必然消灭关系型融资。关系型融资所依赖的租金类型如果抵御不了竞争的压力就将难以为继。下一章我们将讨论一项曾经闻名于世的关系型融资制度是如何因无法适应变动的环境而酿成危机的。

第13章　制度互补、共同演化和危机：日本主银行制

官僚多元主义的两难困境可能还将持续一段时间。自民党——官僚部门之间的联盟将继续扮演落后集团和衰落经济部门中既得利益集团的准代理人的角色，同时逐渐限制自己在那些私人创业机会活跃的管辖范围内只发挥不干预主义的决策作用。但是，这样的行动最终也解决不了两难困境。因两难困境引起的紧张和冲突是否会导致停滞和消极的保守主义，对效率、公平、政治稳定和国际间的和谐构成威胁，或者日本政体是否将继续以其著名的灵活性对付政治事变，并最终寻求到某种与多元主义和未来国际环境相一致的解决方式，这都有待于进一步观察。

——青木昌彦：
《日本经济中的信息、激励与谈判》，1988年*

在第2编，我们提出了制度均衡观和分析制度共时和历时关联的理论框架，其中最后两章界定了公司治理和金融域因历时关联而产生的多重制度结果。本章转向案例分析，侧重研究一种特定金融

* Masahiko Aoki, *Information*, *Incentives and Bargaining in the Japanese Economy* (1988: p297).

制度所涉及的互补性的历时制度，考察其兴起、稳固和陷入危机的过程。这项金融制度就是关系融资的重要例证——日本主银行制。

日本主银行制在许多方面是一个制度演变的有趣案例。首先，几乎所有的日本人多少知道主银行为何物，其影响如何。然而，关于该制度的运行和每个参与人的具体职责，从来没有一部法律或一份合同清楚地界定和表述过。在这个意义上，它可以视为制度是自我实施的信念系统这一理论概括的经典例证。第 13.1 节将明确说明该信念系统的具体内容。虽然自 20 世纪 70 年代中期以来日本主银行制作为一种客观的融资机制已开始失去原有的活力，并不断表现出与变动的国际和技术环境不相适应的征兆，但它的危机直到 20 世纪 90 年代才真正来临，关于主银行制的信念系统的最终消亡则是 90 年代末期的事情。

其次，主银行制也提供了制度起源的一个有趣案例。在第 10.3 节，我们指出，如果政府政策所需的技能条件不具备，或者缺乏互补域的支持，政府的政策意图是不可能实现的。我们曾以俄罗斯建立市场导向的公司治理机制的失败为例说明了这一点。俄罗斯私有化导致的却是“虚拟经济”的意外出现。沿着同样的思路，我们可以设想，虽然实施某种政策的初衷是在某一域建立某种特定的制度，但如果在互补域有新的技能(人力资产)类型在逐渐积累，两者的互动可能最终导致意料之外的制度安排自发衍生。日本主银行制是这方面的精彩例子。许多学者认为，日本主银行制源于战时政府的经济政策。但其实政府的直接目的显然是加强经济的集中控制。这种企图随着日本战败而彻底破产了。可是，在战后民主改革之后，日本的主银行制为什么会诞生于战时政府失败的组织废墟之上呢？这里我们需要细心考察金融、政治经济域和私人组织域之间自发产生的错综复杂的互补关系。第 13.2 节将把前些章节的分析结果(第 4、6、10、11 和 12 章)综合在一起，并置于动态的环境下进行研究。

再次，对日本主银行制后期的考察有助于揭示制度安排的耐久性。它具体说明了一项制度安排在成功地促进经济发展的同时如何又为它后来的不适应性埋下种子，在变动的国际和技术环境日益加剧其问题的情况下，它如何因为人们的固有观念(mind-set)而持续存在。在第 9 章我们指出，人们发生重大的认知危机是触发迅速的制度变迁的必要条件。在理解20世纪90年代日本经济持续萧条的原因时,人们普遍地将它归结为政府宏观经济政策的失误、强势官僚的过度管制、政治家的失职等等。本章第3节将提出不同的诊断,认为事情并非如此简单,日本经济的问题显示出在根本上重新调整制度安排的必要性。在世纪转折之时,日本公众似乎开始广泛意识到这种必要性。但变化的方向如何尚不清楚,共识尚未达成。以不同改革方案相互竞争的进化选择为特征的转型过程仍然还在进行之中,我们还不清楚整个过程将需要多长时间,其最终结果将会如何,但可以肯定的是,这个过程将是缓慢和渐进的。

13.1 作为共有信念系统的主银行制

本节我们运用迄今为止所发展的分析框架理解日本主银行制的起源、演化和危机。为了理解整个制度动态演化的过程,我们需要一个逻辑基准。我们建立了一个关于金融域和其他互补性域制度共时关联的模型,它描述了日本主银行制鼎盛期(20世纪50年代中期至70年代中期)一些典型化的基本事实。该模型是对前面章节的一些分析结果的综合,概括了相关域的参与人在特定环境下共同持有的稳定信念以及参与人在该信念下的策略互动。该模型基本上是一种逻辑建构,而不是对现实的忠实记录。有了这样一个关于日本主银行制共时结构的模型,我们便有了一个坚实的参照系,依靠它我们能够回答以下一些重要问题:如日本主银行制的历史起源是什么?政府政策在其中发挥了什么作用?为什么它构成了日本高速增长时期整体性制度安排的一个基本要素?在变动的技术和国际环境下,它又是如何内生地为自己埋下了危机的种子?

日本主银行制度作为一种跨越组织、金融交易和政治多个域的制度安排是由如下三种安排和相应的信念构成的①:

① 关于主银行制对于发展中国家和转型经济的启示的详尽分析和讨论,请参见青木和帕特里克(1994)。

- ❐ 关系型相机治理：主银行制为非金融企业的相机治理提供了互补的制度框架。非金融企业一方面慑于在严重的财务困境下被银行控制而认真经营；另一方面又寄希望在资金不足或中度的财务困难情况下得到其主银行的协助。
- ❐ 金融—系列制捆绑(Financial-keiretsu bundling)：日本主要银行和多个客户企业按照各自的金融系列形成排他性的主银行关系，在金融系列中，银行和企业双方以相互持股的方式紧密联结在一起①。非金融企业除非财务状况非常好，政府允许其发行债券，否则，其融资来源绝大多数由多家银行或其他金融机构提供(贷款关系不是排他性的)，但主银行预期对企业的相机治理负全部责任。这意味着共同融资的银行间相互把监督权授权给与借款企业有着特殊系列关系的主银行。普遍的预期是，任何借款企业的财务困难均由其主银行自行解决。主银行则从系列捆绑中获得声誉和垄断租金(命题 12.2)。
- ❐ 多元官僚主义的银行治理：负责管理银行的行政部门(原大藏省)并不直接干预主银行的贷款决策，但它通过金融约束和对非金融企业债券发行的限制确保主银行的相机租金(命题 12.1)。银行局预期会出面安排一家大银行救助处于困境中的银行，作为回报，救助银行可享受优惠的管制措施，如开设银行分支机构的额外许可。这种银行治理被称为“护航制度”，因为政府承诺的“不让任何一家银行破产”一般认为是可信的。主银行制的多元官僚主义框架的一个重要特征是，证券业和银行业分属大藏省的两个不同部门管辖。银行被禁止从事证券承销业务，而证券商可以免费享受银行的监督之利，赚取丰厚的经纪人佣金。

需要注意的是，除了 1967 年规定的银行业与证券业的金融监管分开和相关的对债券发行的规制之外，以上主银行制的特征没有一项是明文写成法规或合同的。它们基本上成为相关参与人内生形成，并通过策略互动加以维持的集体共有信念。

在主银行制实施初期，借款企业力图根据制造和销售经验的反

---

① 这里的金融系列区别于第 4.1.2 节(4)所讨论的供应商系列。

馈不断改进进口技术，同时也促进企业内学习的跨部门协调。这种偏向水平协调的组织导向要求雇员和特定企业的长期结合，终身雇佣制逐步常规化，甚至扩展到蓝领工人一级。由此出现的劳动力市场的不完备性使得主银行在企业表现不佳时进行选择性干预成为一种非常有效的外部约束机制(参见第 11.3 节)。相互授权监督机制驱使主银行认真监督其客户企业，否则，金融系列中的企业失败会造成巨大损失。另外，被产业利益主导的官僚多元主义政经结构有助于将储蓄转移到工业部门，作为增长资金。由此看来，日本主银行制演化和持续所依赖的银行租金实际上是以下几种要素的混合：即通过金融限制从居民户储蓄转移而来的政策诱导性租金；通过规制银行的市场进入和债券发行以及金融系列制度化产生的垄断租金；客户企业为了交换银行在相机治理中的保险功能而让渡的一部分关系专用性租金，以及来自独具眼光的银行因掌握客户企业的意会信息而获得的信息租金，这些客户企业有的后来成为世界级规模的企业[①]。

13.2 制度起源：意外耦合

我们注意到，水平层级制、关系型相机治理机制、主银行关系融资和官僚多元主义国家形态在主银行制的鼎盛期相互关联和相互支持，构成一个内在一致的制度安排(命题 11.3 和命题 12.1)。那么，主银行制是怎么产生的呢？是不是政府有意设计的结果，旨在有效利用这些互补效应，还是日本经济当时面临的技术和国际环境的产物？或者它是制度演进的自发和内生的产物？外部一些

① 这种制度结构确实导致了企业和银行“过度借贷”的一般倾向。在官僚多元主义保护性框架下，资本不足的企业竞相从银行申请贷款，以扩大所在产业的市场份额，这一切均不会得到非银行股东的干预。这种机制强化了企业对银行的依赖。银行反过来依靠从日本银行(BOJ)借贷，获得增加的货币供应。BOJ 不得不一方面精心控制货币发行，满足经济对货币增长的旺盛需求；另一方面又限制过度借贷的倾向，避免给过热的经济火上加油。日本经济在奇迹阶段区别于其他东亚经济的一点在于，日本中央银行通过所谓的“窗口指导”(即对银行借贷政策的行政指导)一直能够灵活地保持对货币数量的相当严格的控制。另外，在护航制度下，由于原大藏省拥有的众所周知的治理权力，弱小银行的道德风险行为也被控制在合理的范围之内。

偶然事件对主银行制的形成有何影响？应该说，政府政策、环境因素、自发因素和历史偶然事件均对主银行制的起源发生过影响，但不存在任何单一的因素足以促成它的产生。我们认为，制度共时关联的动态过程导致了日本主银行制的产生，这一观点与第10.3节讨论的动能定理的预测是一致的：如果制度相关参数——如规制政策、组织设计和人力资产特定类型的积累——在互补域以内在一致的方式发生变动，制度变迁的动态过程将可能被启动。但制度相关参数必须沿相同方向持续变化，更重要的是，内生变量（参与人策略）的互补性将为制度变迁提供动力，使得新制度安排的最终产生成为可能。

日本银行对1923年关东大地震造成的银行坏账进行过再融资，除此之外，整个20世纪20年代，日本政府对资本市场的总体政策倾向可以概括为自由放任①。在1927年银行法改革以前，任何人只要能够满足非常宽松的最低资本金要求便都可以开银行。这使得银行数目大增，1920年达到2001家，1927年高达1283家。但银行部门的结构却参差不齐。一方面，5家大型财阀银行② 在1925年集中了全国银行存款的24%，一些经营不错的商业银行在所在区域也拥有雄厚的商业基础。另一方面，有些银行依靠高利率吸引存款，并与特定工商企业集团保持紧密联系，经常的情况是同一批董事会成员在银行和企业两边出任董事。正像排他性关系型融资经常发生的情况那样，不少这类银行面临过度的特质性风险。令人不解的是，在20世纪20年代，相对大型的财阀银行在企业融资方面不占显著地位，主要公司企业外部融资的来源是证券市场而非银行贷款③。

---

① 关东大地震所造成的资产损失估计占当年GDP的20%。日本银行通过再贴现受地震影响的公司发行的商业票据对它们进行再融资。

② 它们分别是第一、三井、三菱、住友和安田。

③ 第一级的财阀企业更多依靠内部资金。例如，1930年日本最大的银行之一三井银行向其成员企业——大多数是二级企业——的贷款只占贷款总额的10%，其中三井物产是个例外，它作为一个交易公司，资金需求量非常大（寺西，1990：第325页）。那时主要企业的资金来源不是银行贷款（1920—1925年占0.3%；1926—1930年占13%），而是公司债券（1920—1925年占33.6%；1926—1930年占25.5%）和股票发行（1920—1925年占46.4%；1926—1930年占20.4%）（松本，1986：第101页）。到1928年，公司债券发行量（1205百万日元）比前几年翻了一倍之多（1925年为584百万日元，1926年为627百万日元）。

日本银行的再融资政策、预算软约束和裙带式关系型融资所造成的银行道德风险行为最终酿成1927年的金融危机，42家银行倒闭。这对政策制定者产生了深远的影响。1927年颁布的银行法于是规定了银行的最低资本金要求，禁止单个银行以注资方式满足资本金要求，强迫小银行进行合并。1929年黄金禁运解除，金本位制下的支付结算方式对经济的脆弱部门施加了强大的市场压力。银行法和解除黄金禁运双管齐下，使经济陷入严重的通货紧缩①。经过收购和倒闭，1937年商业银行的数目骤减到625家，造成普遍的信用危机。1932年，大藏大臣高桥（Takahashi）一反过去的政策立场，转而采用类似于后来的凯恩斯主义的经济政策（如扩大财政支出、汇率贬值和通过向中央银行透支的办法实行低利率政策）②。与受大萧条打击的其他工业国家相比，日本的政策转变在阻止经济衰退方面被证明是非常成功的。然而，政府对经济的干预仍然限于刺激需求方面。1934年，公司债券发行量超过了大萧条之前的最高值，大企业之间以及大企业和小企业之间的劳动力流动又恢复了往日的灵活性，出现了熟练劳动力的短缺③。就工业域而言，日本在该阶段所表现的演进路径和美国在大萧条前后的演进路径并无任何显著不同。

但是，日本当时的工业域是嵌入在传统部门之中的，正是这一点，竞争性市场机制的影响力上升所引起的制度不适应日益明显④。1929—1931年的大萧条对日本GDP的增长率的影响不那么严重，但通货紧缩的影响却很不平衡，农产品和传统乡村工业部门受到的冲击最为严重⑤。在知识分子和来自乡村的低级军官中间逐渐增长了一种反市场和反商业的不满情绪。作为对这种认知危机的一种反应，财阀开始改革其实业集团的治理结构的方式，使其更开放和更透明（如出售一些成员企业的股份、对经理阶层实行职业化）。但军方

---

① 1928—1931年间，GDP的增长率略高于零，几乎停滞不变，但价格指数却下降了23%。日本增长率的下降比美国要低，同期美国GDP下降了40%。

② 金德尔伯格（Kindleberger，1986）。

③ 戈登（Gordan，1986）。

④ 寺西（Teranishi，2000）。

⑤ 农产品的物价指数在1928年和1931年间下降了40%。农民的平均债务相当于农场劳力两年的工资收入（冈崎，1997：第98页）。

于1937年秘密发动了军事政变，控制了政府①。军方政府陆续出台了一系列反市场的政策措施，加强对经济的行政控制，为战争全面动员资源。政府专门成立计划局（Planning Agency）指导军备生产和协调军备生产所需的物资供应和资金来源。在计划局和企业之间还成立了产业控制协会（Industrial Control Associations，Sangyo Tosei Kai），负责信息收集和计划下达②。

与主银行制的演进特别相关的政府政策始于20世纪30年代，政府鼓励成立银行财团，代替资本市场提供长期信贷，并于1944年引入指定型银行体制（designated banking system）。主要银行对政府的银行财团计划的反应是改革内部组织结构、成立信用分析的独立部门③。在二战初期，银行仍然有权决定自己的贷款业务。但到了战争后期，每个接受军事订单的公司，政府都指定一家银行向它提供资金。企业必须在指定银行开设存款和贷款账户——这是主银行收支结算账户的原型。在二战前，主要银行尽力避免与特定企业发生过度密切的关系。然而，事后成为不良贷款的战争贷款成了银行和公司之间的"意外联结"。在战争结束时，指定型银行体制涵盖2 240家企业，其中1 582家被指定给五大财阀银行中的一家。经过强制性的兼并和收购，银行数目减少到65家。与此相平行，政府采取一系列措施限制股东在公司治理中的作用。1943年的军火采购公司法规定，每家军火采购公司都必须经政府同意指定一位生产经理，他拥有代表公司和在股东大会控制一切的排他性权力。在1944年，公司的股息分红被严格限制，股票市场也被勒令关闭。

政府政策旨在限制竞争性资本市场对公司治理的控制力以及限制市场配置资源的能力。有些学者如野口（Noguchi，1995、1998）认为，日本现今的制度安排基本上是"40年代体制"下各类政策的产物。如冈崎（Okazaki，1993）所论述和分析的那样，即使撇开战争对生

---

① 军事政变基本上是通过对宪法蓄谋已久的重新解释实现的。激进军官反资本主义的不满情绪加强了军方政府的政治影响力，但激进军官的造反行动却被镇压下去。激进军官大都从乡村招募而来，但军事政变并没有动员地主或农民的支持。

② 关于军事政府时期的政策变动和组织设计，参见冈崎（1993），冈崎和奥野（藤原）（1999）。

③ 关于银行财团，参见寺西（1994）和冈崎（1994）。

产设备的摧毁和能源及其他自然资源的供应减少[①] 不论,集中的战时经济由于缺乏对经理人员的市场激励也注定了其失败的命运。可是,为什么这样的体制能够支持战后的高速增长呢?如果我们把主银行制视为前文列举的共有信念系统,那么,战时政府所推行的政策远不足以维持这些共有信念。那时,所有的参与人包括银行家、生产经理和工人都意识到战时政府的企图是控制战时经济。单个公司企业和银行的密切关系决不是政府的直接目的,两者的激励因经常受到政府的随意干预而大打折扣。

在劳动力市场和组织域方面,有一种微妙而重要的平行发展。从 1938 年开始,军方政府也对劳动力市场进行了干预,陆续实施了一系列措施限制工人和工程师在企业间的流动[②]。为了加强企业内部工人的培训,超过一定规模的企业必须为自己的工人组织一定的培训项目。随着战争接近尾声,由于工人短缺、设备和原材料供应不足,战时计划实施的难度越来越高,工人现场解决问题的能力变得不可缺少。古典层级制集中的管理方式被修正,决策权开始下放给低一级的生产单元:不仅在产业控制协会和企业之间,而且在工厂管理人员和车间现场之间。在第 10.1 节(实例 A4),我们曾说明,车间水平的集体解决问题的方式导致团队工作的自发产生。这种演进成为后来水平层级制的前身。但正如主银行制没有从金融交易域单独演化出来一样,水平层级制也不是从组织域单独演进的结果。

太平洋战争结束之后,在盟军司令部的指挥之下,日本的政策倾向发生了一场哥白尼式的转变,即从极权控制迅速过渡到民主管理。有趣的一点是,在许多重要域,尤其是那些与经济制度形成相关的域,有效的政策参数基本上保持了相同的变动方向(参看图 13.1)。财阀被解散,持股公司因不利于股权民主化而被宣布非法,但其效果是彻底解除了财阀对公司治理的控制力,而这正是战时日本军方政府试图做到的。在 1945 年至 1949 年这段期间,股票市场仍然是关闭的,部分由于解散财阀的原因,财阀家族、持股公司和主要成员企业放弃的大量股票转移给了政府。截至 1947 年,政府掌握了全国总

① 在太平洋战争之前,日本从美国进口其原油的 70%。
② 参见森口(Mooriguchi,1998)。

股票价值的40%，政府手中的股票后来逐渐出售给了个人。购买政府股票的优先权首先属于工人，然后是工厂所在地的居民①。当股票市场在1949年重新开放时，几乎70%的股票被掌握在个人手中。股权民主化的目标似乎是实现了，但对公司治理结构来说却是沉重的一击。新经理人员取代了被处理的战时经理人员，逐步成为公司组织域举足轻重的人物②。他们逐步在有旧财阀联系的企业之间精心发展相互持股关系，这样做不是为了复活财阀控制，而是一种使自己免于兼并威胁的精明安排，最终促成了微观社团主义的形成（第6.2.4节）。

1946年夏天，日本政府取消对军火公司的银行信用担保和政府债务及保险责任，旨在控制日益严重的通货膨胀③。受政府政策影响的银行和企业不得不将资产平衡表分成新旧两个账户。债务和支付资本登入旧账户，新账户的登入项只限于那些企业运转绝对必要的资产项目（如存货和现金）。这些资产登入新账户时列为可支付旧账户的项目。“这种做法的基本想法是在清理旧账的不良贷款（或债务）的同时不影响业务的正常进行”（星武雄，1995：第305页）。新旧账户在企业重组时才合并在一起，而这直到企业和以前的指定银行合作多年之后才完成。星武雄详细记述了这一过程，他认为，双方在整个过程中的紧密合作和信息分享为后来主银行制的形成奠定了基础。

在政府—企业关系的政治经济域，产业控制协会被取消。产业控制协会原先的成员包括政府官员和各主要公司派驻的代表，两者的合作也为战后政府和企业通过产业咨询委员会的合作关系奠定了基础。咨询委员会的首要功能不是政策制定本身，而是关于投资环境的信息同化。战后还成立了各类作为准行政组织的产业协会，它们成为官僚多元主义国家形态形成的催化剂（第

① 任何人从企业购买的股票不许超过该企业股份的1%：相关企业29.3%的工人购买了政府出售的股份的38.5%。参见青木（1988：第124—127页）。

② 巴卡等（Barca，1999）指出，战败之后的“制度冲击”是日本战后公司治理结构演化的决定性因素，它导致日本和意大利公司治理结构沿着不同的路径演化。我们承认制度冲击的重大影响，但也强调战前“制度相关”政策参数是触发关系型相机治理结构和水平层级制两者之间共时互补的重要因素。

③ 1946年，因这些取消政策造成的企业损失高达GDP的20%。

6.2.4 节)。

在这里,我们需要再一次强调定义博弈规则的政策和组织参数与在博弈规则下作为均衡结果出现的制度之间的区别。我们已经看到,战时和战后初期有一系列参数直接与主银行制的起源以及相嵌的官僚多元主义国家形态相关。这些参数对于增进参与人特定策略的相对吸引力意义重大,这些策略结合在一起共同导致了这些制度的出现。但这些参数不直接影响这些策略的绝对优势。如第 10.2.3 节所正式表述的那样,在制度相关参数的初始推动之外,必须存在一种内生的自实施机制引致制度的产生。而这种内生机制正是金融域的关系融资策略和组织场的水平层级制下的策略的历时互补性(参见图 13.1)。

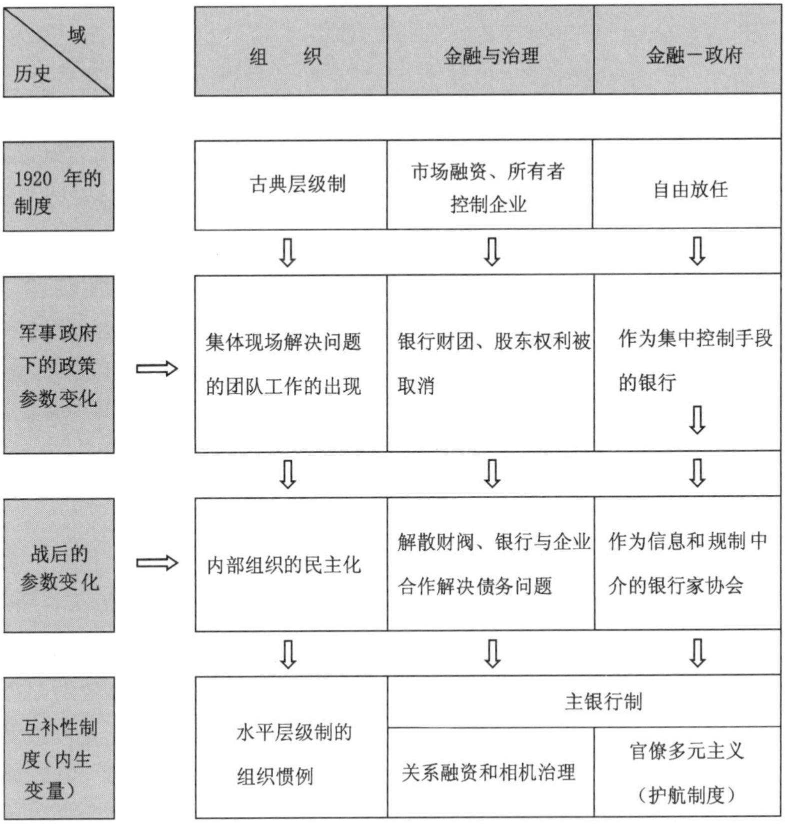

图 13.1 意外耦合的结构

例如,前1章所得到的一个重要理论结果是,如果银行数目太大或太小,关系型融资便无法存续(命题12.2)。我们看到,从1920年至1945年,日本银行数目急剧下降,下降的原因先是政府为了稳定金融系统,后来是为了加强金融控制。可是,银行数目的下降本身不会自动保证它们在关系型相机治理机制中作为关系融资者兼监督者的积极角色。来自企业方面的需求是必不可少的。战后前军火公司和指定银行之间的合作确实有助于双方相互信任关系的建立,但在本质上,水平层级制和关系型相机治理机制的互补性导致了主银行制作为内在一致的制度安排的起源(命题11.3)。

"40年代体制"观点认为,现存制度安排的出现是政府替代市场的产物,因而是一种偏离先前自由放任规范的模式。这种观点所隐含的政策结论是回归到自由放任的体制。与此相对照,我们认为,战时政府在金融、公司治理和政府—企业关系领域推行的组织结构的全面变化旨在替代市场,但其意图最后是失败的。这些政策变化之所以具有长期影响,是因为战后所陆续出台的政策以一种奇妙的方式推动了关系型融资机制与水平层级组织惯例的历时互补机制的形成。由于这种内在一致性,新制度已不可能回归到自由放任体制,或者以渐进方式改变它。随着技术和市场参数的变化,该制度逐渐失去其内在一致性,而制度惰性则最终将酿成危机。下一节我们转向日本主银行制的危机阶段。

13.3 内生惰性、不适应性和认知危机

在20世纪50年代中期至70年代中期的20年间,主银行制以关系型和长期贷款的形式将居民存款转化为产业资本积累,效果显著。主银行还扮演着关系型相机治理的角色。虽然该制度在护航制度下有软预算约束的倾向,但当政府(大藏省和日本中央银行)救助财务困难的企业时,政府会对这些企业的经理层进行改组,换上自己或其他可靠银行派出的经理人员。如果银行试图救助困难企业的话,银行会派出自己的人替换企业的经理层。这种程序使得金融和非金融企业的经理层感到压力和约束,因此,他们总是试图摆脱对银行贷款

的依赖。

然而，主银行制的成功也为其失败埋下了种子。随着经营业绩好的企业自我积累能力加强，主银行与企业的谈判能力的分配悄悄向后者倾斜。最关键性的变化发生在20世纪70年代中期。1974年，日本经济出现了战后第一次紧缩，企业纷纷重组资产结构，减少债务负担。经营业绩好的企业趁机减低它们在主银行的补偿性余额(compensating balance)(企业现期存款规定有一定利息以补偿主银行贷款的高利率)。在同一时间，政府取消了对存款利率的直接控制，减少一项主要的金融约束。这两项变化使得主银行的租金骤减①。

另一方面，从1975年开始，政府为弥补社会保障和其他支出增加而导致的财政赤字，发行了大量的政府债券。大藏省主要依靠财团向市场推销政府债券。这要求大藏省不得不放松对二级国债市场的管制。由于市场力量的作用，政府规制机构发现限制银行介入资本市场越来越困难。1980年，《外汇和交易控制法》经修改允许指定银行可以不受限制地介入外汇经纪业务。经营业绩好的企业于是可以到欧洲金融市场以较低成本发行债券，从而绕开了国内对债券发行的各种管制，减少了对主银行和国内证券所的依附。主银行为维持与这些企业的关系，提出自己国外的证券分支机构可以为后者承销债券和办理有关外汇的业务。国际和国内金融市场边界的取消使得官僚多元主义关于银行和证券业的隔离政策的执行日益困难。

在20世纪80年代早期，大藏省及其咨询委员会曾就取消银行业和证券业的分业经营监管壁垒(即放松银行、金融持股公司和银行附属机构参与证券业的规制)进行过一些讨论。可是，证券业频繁的院外游说和享有既得利益的长期信贷银行的强烈反对，使得本来可以在根本上改变官僚多元主义框架内权力平衡的尝试胎死腹中。最后，大藏省三个部门(银行、证券和国际金融)联合颁布一项协定，不允许银行的海外分支机构成为日本企业债券承销的主要经纪人。这被认为是日本官僚多元主义实际运作的典型例证。这也表明，在官僚多元主义框架下大藏省与金融机构之间的力量对比中，天平是向后者倾斜的，在强大的部门利益面前，大藏省逐渐失去了实施本来有

① 关于详细的统计数据，参见青木(1984)。

助于适应新环境变化的政策措施的能力。我们将看到，官僚多元主义的惰性只会加剧主银行制与全球市场一体化的矛盾。在讨论这一点之前，我们有必要先考察一下主银行制的环境的另一个根本性变化——即通信和信息技术革命的来临。

从全球观点看，通信和信息技术的发展对金融域的制度安排产生了两个影响。一方面，关于公司企业的金融数据的各种数码信息越来越容易得到，这使得反映在投资银行、基金、市场经纪人和证券分析业务中的各种市场导向型的金融技能不断升值。另一方面，同样的因素也使得那些不易数码化的信息的潜在价值上升。作为对这种变化的反应，整个20世纪80年代美国投资银行发展迅速，在盈利性方面超过商业银行，与此同时，创业资本基金以其独特的甄别新技术的能力在金融市场上确立了自己的地位。日本银行和其他金融机构也应该重新组合其融资和监督功能，从传统的以捆绑事前、事中和事后监督为特征的主银行借贷方式中摆脱出来。这意味着银行应该将租金来源转向专门知识和信息加工技能，使其能够维持与好企业的建设性关系。可是，官僚多元主义规制框架和主银行制的制度环境阻碍了银行和其他金融机构（如证券机构）掌握市场导向型的金融技术。以内化信息同化水平层级制为特征的非金融机构不适应从事兼并和收购为主的公司重组（参见第10.2节的实例B2），对投资银行服务的需求至少在国内无法形成。日本监管结构在表面上与美国格拉斯—斯蒂格尔法案（Glass-Steagall Act）规定的证券业和商业银行业分业经营并无不同之处。可是在美国，银行可以诉诸法庭：80年代中期美国最高法院允许银行以金融持股公司的方式绕开政府规制的限制。而日本禁止持股公司的法律使得银行和其他金融机构的经营范围受到严重约束，在新产品开发方面又有监管机构的重重限制。最后一点，银行家协会和其他金融产业协会（证券、信托银行和保险协会）作为官僚多元主义的中介创造了成员企业之间高度的信息同化，造成它们的随众心态，而不是相互竞争。

好企业日益从银行的控制中脱离出去，与证券相关的业务禁止银行介入，日本银行对新技术又缺乏必要的技能准备，最后不得不卷入到高风险和高收益的贷款业务，甚至转向富翁（有些甚至就是赌徒）和小企业这样的新客户（掘内，1994；星武雄和Kashyap，1999；宫屿和有川,2000)。银行不去积极监督企业,而是把赌注押在作为贷款证券的不动产的预期升值上,同时又把风险通过护航制度无形中转嫁给政府。有一种流行的观点认为,20 世纪 80 年代末期的资产价值大膨胀是因为货币当局害怕 1985 年广场协议之后日元升值会导致通货紧缩而过度发行货币所致。但事实是,批发和零售价格在同一时期没有增加,惟有资产价格膨胀,这说明新增的货币发行是为了满足银行投机不动产时的随众行为(herd behavior)所创造的需求。在银行的引诱下,一些非金融企业也参与了不动产投机,但财务上比较健康的企业则更加独立于银行,摆脱了相机治理机制的约束(宫屿和有川,2000)。金融和非金融部门因此变得相互脱节,使相机治理结构出现了真空(Jensen,1989),80 年代后期的泡沫经济可以认为是主银行制与竞争性市场环境不相适应的征兆。

众所周知,20 世纪 90 年代初期泡沫经济的最终破灭宣告日本进入了一个银行坏账问题成堆和资本金不足的时代。危机最早是在金融业的一个部门——房屋融资公司——爆发的,这些公司是非银行金融机构,由银行所有和注资,在资产膨胀时期专门从事于高风险、高收益的贷款业务。它们的债务被迫通过注入政府资金解决,其中最大的受益者是强大的农民院外力量的金融分支,它们向房屋融资公司出借了巨款。但政府注资数额相对于银行部门陆续所需的救助金额来说毕竟是杯水车薪,而且在政治上极不受欢迎。这使得大藏省和政治家们在早期决定介入银行危机的干预时极端谨慎。护航制度已不复存在。人们对于主银行制的信念因大藏省和银行频频曝光的政治丑闻而变得岌岌可危,大藏省和银行像往常那样进行幕后合谋已非常困难。大藏省被迫面临组织的合法性和自己的生存问题。从大藏省分离出规制和监管功能被摆上了政治议事日程[①]。大藏省开始尽量与那些声誉不佳的银行和证券公司保持距离。

1996 年大藏省宣布实施所谓的金融激进改革计划,声称在五年时间内陆续取消传统上对金融业的各种管制,如不同金融业务间的管制壁垒、对银行经营外汇中介业务的限制、金融业进入壁垒、无限

① 银行和证券监管从大藏省分离出来,被并入新成立的金融监管局(1998 年),最终被并入金融局(2000 年)。

存款担保和对经纪费用和保险金的管制①。如果不是因为金融企业的声誉下降和接踵而至的丑闻和管理失效,这样的金融激进改革计划是不可想像的。标志主银行制作为一种共有信念系统寿终正寝的最重要的事件是护航制度的终结:1997 年秋季一家主要的城市银行破产;四家主要证券行中的一家先是被取消营业许可,后是被清算;两家长期信贷银行被宣布资不抵债。因股票市场的冲击和大藏省丧失救助之力,这些事件变得不可避免。其结果引致金融部门出现严重恐慌,并最终触发了一场广泛的信用危机。企业尤其是中小企业受到很大冲击,导致宏观经济不稳定,1996 年本来有复苏迹象的经济被迫逆转。整个社会呼吁采取行动,摆脱银行危机,经过复杂的国际和国内政治过程,日本最终出台了一些暂时对资不抵债银行国有化和向困难银行大量注入政府资金的应对措施②。

上面对主银行制近年来的历史的简要叙述说明,银行危机以及日本经济在 90 年代的持续停滞不仅仅是宏观经济政策失误、官僚部门的管制权力太大或金融业的道德风险倾向和无能所致。总体说来,它们是围绕主银行制的整体性制度安排和变动环境的——尤其是全球金融市场一体化和通信信息技术革命的——不相适应的产物。由于主银行制是一个内在一致的整体,不可能以一种渐进方式加以改变,尤其在 80 年代经济状况不错、私人利益集团和官僚部门的影响力尚非常强大的时候,制度变迁更是困难重重。对于像日本这种各项制度高度互补和紧密相联的经济来说,为激发参与人积极寻找适应新环境的出路,一场普遍的认知危机也许是必要的。只有在认知危机发生时,大藏省和政治家才会尽力和私人利益集团保持距离,并愿意彻底打破官僚多元主义的保护性框架。

---

① 关于从比较制度分析的角度描述和分析日本金融激进改革计划,参见户谷(2000)、星武雄和卡什亚普(2000)预测激进改革计划的后果将是银行部门规模的显著收缩。但他们似乎只把银行部门与传统的商业信贷联系在一起。在放松管制的背景下,银行将在投资银行和证券业方面拓展业务。

② 政治过程可以分成两个阶段:第一阶段(延续到 1998 年中期),自民党的青年激进成员和青年民主党(Young Democrats)中深谙金融的专家主导了这场政策争论,使得政府政策偏向银行暂时国有化方案(即所谓的“重新激活”方案);第二阶段,随着美国的态度偏向政府注资银行方案,自民党的主流派重新获得主动权(无疑的,大藏省幕后介入),劝说某些反对力量接受“重新注资”方案。最后出台的立法措施是兼容两种方案。参见户谷(2000),尤其是第 7 章及神原(Sakakibara,2000)。

在主银行制的危机阶段官僚多元主义国家形态表现出三个隐含的性质：

第一，官僚和利益集团的关系不是由文化习俗或顽固的官僚势力所决定的、一成不变的自然秩序，而是双方精心谋划的勾结性结果(第6.2.4节)。当其中任何一方面临生存和合法性危机时，旧联盟的协议就可能被打破，直到新的策略均衡形成为止。

第二，大藏省取消传统的监管和组织结构的政策是在其声誉降到最低点时意外宣布的。大藏省的行动和政策均在"公众舆论"的严密监督之下，其丑闻曝光所引起的轰动效应就是一种征兆。面对危机，缺乏符合"公众利益"的应对动作对政治家来说要承担巨大的政治成本。户谷(2000)论证说，这种情况表明，随着一党执政时代的结束和联合执政时代的来临，官僚多元主义的利益协调已日益嵌入选举政治之中，公众舆论的作用将日益增强。

第三，官僚多元主义国家形态也日益嵌入到竞争性的全球化的金融市场之中。试图反对这种全球化的环境、一味保护国内利益集团只会加深自身的不适应和危机。大藏省最后无法发挥在护航制度下的传统治理作用，不管是否愿意，在危机面前，它都必须承认市场原则的力量。但目前这种状况对日本国家形态的影响究竟如何似乎还不清楚。一方面，在面对全球性竞争环境的产业(如出口行业)和很难与国际竞争隔绝的产业(如金融业)，对应的官僚部门出于维护自身的合法性的考虑正逐渐适应一种不干预的市场导向型管理方式。但另一方面，也有一些生产率低的产业部门通过推选的政治家的影响力寻求官僚多元主义的保护。不仅如此，政府的官僚多元主义保护所支持的银行部门的长期软预算约束造成的后果——大量积累的坏账——还没有得到解决。这两种趋势是不兼容的，也是不可持续的。因为官僚多元主义管理的成本只能由竞争性部门和后代承担，而这注定会削弱经济的国际竞争力——我把这种现象称之为官僚多元主义的悖论(青木，1988：第7章；1995/2000：第7章)。官僚多元主义的悖论是将导致日本政治经济的长期停滞，还是沿着抑制官僚多元主义对低效率的传统利益集团的保护，消除公共部门和金融部门软预算约束趋势的方向解决？这在很大程度上取决于政治域中投票人与纳税人的集体选择。

第 14 章　硅谷模式：产品开发方面的制度创新

学习机必须根据某些好的标准运行。在游戏机的场合，所有操作步骤均事先随机设定了，玩游戏的目的就是严格遵循输赢规则获胜。有许多活动，我们愿意通过学习过程不断完善，但在学习过程中，成功的标准是由人自己决定的，要想把这些标准简化为正式规则却远不那么容易。

——诺伯特·威纳：
《上帝和机器人》，1964 年 *

本章的主题是研究作为产品系统开发的协调和治理的新机制的硅谷模式。在前面讨论制度及其关联的过程中，我们已经涉及到硅谷模式的各个方面：如信息系统的结构特征（第 4.2 节）和互补性治理结构（第 4.3.3 节）；研究与开发融资的共时捆绑（第 8.2.2 节）和创新活动的熊彼特式的重新捆绑（第 10.2.2 节），以及作为关系型融资的创业投资融资（第 12.1 节）。虽然涉及的方面多种多样，但论证的基本思路是一样的：即为了真正理解硅谷现象的创新性质及其深远意义，而非仅仅把硅谷模式概括为单个企业家与单个创业投资者的

* Norbert Wiener, *God and Golem, Inc* (1964: pp.76—77).

委托代理关系，或概括为非一体化的产权安排①。我们有必要将硅谷现象视为一种新出现的系统，构成该系统的一方面是聚集在一起的创新企业，另一方面是各种中介机构，如创业投资者、相关缝隙市场上的大公司和其他职业服务的提供者。换言之，我们有必要从一种更广泛的观点看待硅谷现象，把它作为分析单位、作为一个内在一致的系统进行研究。惟有如此，我们才能从产品系统开发域的制度创新这个理论高度理解硅谷现象。

正如本章附录将要描述的那样，创业投资者通常对创新企业拥有控制性股权，并行使广泛的治理职能。如果创新企业家在创业之初面临资金约束，他们显然不可能将物质资产的剩余控制权牢牢控制在自己手里。但这丝毫不意味着他们在信息加工过程中处于相对被动的地位。事实上，相对于传统大公司内部的研究与开发部门来说，创新企业家在知识生产过程中所发挥的自主性和创新能力都要大得多。另一方面，如萨克森尼安(Saxenian，1994)所记述的那样，创新企业之间存在大量的信息共享。创新企业聚集在硅谷一类的地区似乎不是偶然的。这些看上去相互矛盾的特征怎么能够共存于像硅谷模型这样内在一致的系统之中呢？创业投资者拥有较强的治理权究竟对企业家会产生怎样的激励后果？硅谷模型所能做到的可不可以在单个企业内或原子式市场里实现？硅谷模型能不能应用于其他地区或高科技产业之外的产业？硅谷模式特有的社会成本和社会收益是什么呢？

为了回答上述问题，本章将综合前面相关章节的分析结果，建立一个我们称之为硅谷模式的统一的理论模型。建立该模型的基础来自附录所描述的硅谷现象的一些典型特征。由于典型化事实也在迅速变化，任何模型都不可能在一个时间点上概括它们的动态轨迹的每一方面；而且，有些变化反映的是新制度的内生演化，有些变化则只是周期性因素。因此，在建模过程中，我们将把注意力集中在那些反映硅谷现象基本特征的方面。

本章的安排是这样的：第 14.1 节讨论硅谷模式的信息结构方面

① 事实上，即使最权威的产权经济学家也会认为，人力资产日益上升的重要性(更准确地说，是不可分割性)和技术日益增强的灵活性将使得企业家拥有物质资产的产权成为最优的安排(Hart，1998：第 53—54 页)。

的特征。硅谷创新企业在产品开发创新方面相互竞争,其创新活动基本上是替代品。因此,它们的信息处理活动有必要彼此之间互相隐蔽,以战胜对手(第 4.1.2 节)。但是,硅谷创新企业以分散化的方式将创新努力集中于特定的缝隙市场,这一点区别于传统的高度一体化的大公司,如以前的 IBM,在大公司,有关新产品系统的理念先是以集中的方式在公司上层形成。在硅谷,新产品系统则是以进化方式事后选择和整合成功企业开发的相互兼容的模块产品而逐步形成的。第 14.1 节将考察硅谷模式的信息结构比传统的公司研发部门更有效创造新产品系统的技术和组织条件,以及相应的社会成本。这里对新产品系统设计的事后灵活性的强调区别于传统文献对收益递增的强调(如 Arthur,1989;Romer,1986),我们由此引出的政策含义也不相同。

第 14.2 节分析创业投资治理结构如何支持硅谷模式独特的信息结构。我们把创业投资治理结构概括为初始得到融资的企业为竞争后续的阶段融资而进行的联赛式博弈(第 4.3.3 节)。在一定条件下,创业投资者以终止对业绩不佳企业的融资相威胁,使创新企业面临比传统的保持距离型融资方式更强大的激励效果。我们将看到,企业家对创业投资者准确判断联赛式优胜者的能力的信心是鼓励企业家努力创新的基本源泉。这表明创业投资者面临适当的激励应该成为硅谷模式的重要组成部分。第 14.3 节将转向这个问题,讨论创业投资者在资本市场的声誉和社会规范。我们还将探讨硅谷模式的某些更广泛的制度内涵,如企业家风险倾向的内生形成、流动性强的工程师市场与创业投资治理的互补性等等。本章最后的附录提供了建模的一些事实背景。那些不甚熟悉创业投资融资和相关事实的读者可以先读附录部分。

14.1 硅谷模式的信息系统特征

14.1.1 研发组织的比较

为了把硅谷现象作为一个系统进行研究,我们先从它的信息结构开始。我们运用第 4.1 节准备的理论框架并把它拓展到产品系统创新域，考察以创业投资者为中介的硅谷模式优越于传统大公司内部研发模式的技术和组织条件。

设想某种创新性技术产品系统可以通过重新组合模块产品（即技术要素）加以实现。例如，笔记本电脑作为技术产品系统由如下模块产品构成：液晶显示器、微型中央处理器、图像处理器、硬盘、操作系统、应用软件、音频和通信装置等等。为了开发出这种产品系统，模块产品之间必须相互兼容，组成性能好、内在一致、有市场竞争力的技术系统。为简化起见，假设一个研究与开发系统由开发管理人员 M 和两个产品设计小组 T_i（$i = a$、b）组成。开发管理人员负责技术产品系统创新的计划和系统设计，决定产品特征、模块构成和研发资金的分配等等。产品设计小组则从事模块产品的设计，其中每个设计构成集成技术系统的一个组成部分。

组织环境的构成如图 14.1 第 1 行所示。具体说来，环境的系统性部分 E_S，如研发资金的可得性和新兴的产业标准，共同决定了的整个技术产品系统的组织收益。我们假定有关环境的系统性部分的信息主要由管理人员负责处理。接下来是子环境部分，决定 T_i 负责的新模块产品的组织收益，如工程环境，它们由三个要素构成：即两个模块产品的共同环境 E_e 和各自独特的环境 E_a 和 E_b。有关共同环境的信息处理对于解决模块产品设计所遇到的工程问题是非常必要的（如解决模块产品界面可能出现的问题或改进两个模块产品协同运行的性能）。关于环境各个特质性部分的信息处理只影响到各自模块产品的设计，因此必须相互包裹和隐蔽。M 和 T_i 对组织环境各个部分的信息处理方式下面将进一步说明。我们不妨把处理与工程技术环境有关的信息活动称为“开发”，把基于开发结果所采取的行动称为“设计”。

我们下面在技术产品系统创新域区分三种信息系统结构类型，它们与第 4.1 节发展的三种信息关联模式的分类是类似的。

（1）瀑布模式和“明星模式”　该模式对应着第 4.2 节（3）所讨论的功能层级制。举例来说，M 是一体化企业的研发经理，T_i 是企业内部的项目小组。两者之间插入一个中层参与人 IM，如项目经理。M 专门从事监测系统环境 E_S 的工作，构思系统开发的基本理念，并将这些理念告知 IM。IM 观测系统工程环境 E_e，在 M 所设定的预算和其他限制的范围内决定设计小组的任务分工。然后项目经理把他的工作结果交给 T_a 和 T_b。项目小组然后着手处理各自独特的工程环境 E_i($i = a, b$)所出现的设计问题。可以认为该组织反映了大型传统层级企业内研发组织的基本特征,有时被称为“瀑布”模式(Waterfall model)(Klein 和 Rosenberg,1986)。

另一种类似的模式是汉南等(Hannan 等,1996)提出的“明星模式”(star model):即他们在硅谷创新企业中间发现的一种内部协调机制,在该机制中,广泛的系统设计任务委托给明星人物。明星人物善于分析高度不确定的系统环境,在他完成设计分析之后,具体的设计可以转化为较为常规的任务。这种模式适合于技术产品系统开发环境高度不确定、需要特殊的个人技能的场合(参见命题 4.3)。这通常对应于类似生物技术的科学研究项目。

(2) *互动型研发组织*　该模式对应着第 4.2 节(4)所介绍的水平层级制(组合型信息同化模式)。在这类模式中,M 是项目经理,T_i 是互动的开发小组。有关系统性环境 E_S 的信息方面,项目经理和开发小组及开发小组之间均有一定的信息分享活动。两个小组一方面单独处理各自工程环境 E_i($i = a, b$)出现的技术和工程问题;另一方面又在受系统工程环境 E_e 影响的研发方面相互合作。因此,每一个项目小组都拥有关于环境的广泛信息,有些是共享的,有些是小组特有的,其决策便建立在这些信息的基础之上。这一类模式对应着 S. 克莱因所概括的关于创新的“连锁关联模式”(chain-linked model),其中反馈机制发生在各个层次和单元之间(Klein 和 Rosenberg,1986;青木和 Rosenberg,1989)。信息同化不仅通过从低层次向高层次的信息反馈达到,而且还通过同一层次不同设计小组的信息共享和联合开发实现。在模块产品技术和特征互补性较强和每个设计单元需要专用性技能时,该模式在信息上是有效率的。

连锁关联模式在协调方面近似于汉南等人所称的“同事和文化控制模式”(peer and cultural control model),“其中雇员对自身的工作有很大的自主权,但无权涉足公司的战略方向和主攻项目的决定”(Hannan,1996:第 512—513 页)。他们发现,有些硅谷创新企业结合了这种模式。我们也发现,在汽车产业,项目开发模式与这种组织模式相似。克拉克和藤本发现,汽车产业最具竞争力的开发团队是由“重量级产品开发经理——即集项目协调和理念创新为一身的杰出人物”领导的开发团队(Clark 和藤本,1991;藤本,1999:第6章)。在这种模式中,产品开发经理领导一个从开发各个功能单元挑选的工作小组组成的开发团队。他在整个产品开发过程中发挥强有力的领导才能,从理念设计到各个实施阶段,如分析性设计,制造工艺设计和从制造、营销过程反馈设计改良的建议。汽车作为技术产品系统,其模块产品无疑体现了高度的特征互补性。例如,生产舒适、噪音小、省油和耐用的小汽车,要求模块产品的设计必须相互嵌合、高度协调,且要求每个任务单元的工人具备解决各种问题的熟练技能。

(3) 硅谷模式　该模式是第4.2节(8)所介绍的 *IA*－*IE* 结合型组织模式的变种。在该模式中,和互动型研发组织一样,M 和 T_i 关于系统环境存在信息共享。该模式有两个重要特征:一是设计单元相互独立,两者环境的统计相关性较弱;也就是说,两项设计任务遇到的设计问题可以相互独立地解决,不需要相互协调;二是每项设计任务均被多个开发小组承担,最后从这些小组选择最佳组合形成技术产品系统。本模式的第一个特征说明,各设计任务以信息包裹方式处理各自的工程环境信息在信息上是有效率的(命题4.5)。第二个特征说明在同一项任务内各开发小组应该以信息包裹的方式处理各自的工程环境信息,因为它们之间是相互竞争的(命题4.1)。但为了使这些模块产品形成一个内在一致的技术产品系统,各设计单元之间必须存在一定量的信息同化。M 的角色就是协调任务单元间的信息同化,并在任务单元付出开发努力之后选择当中最佳的模块产品的组合。

我们认为,上述模式初步概括了硅谷模式中信息结构的特征,其中多个设计任务单元是独立的创新企业。这些创新企业不是开发自成一体、相互竞争的产品系统,而是集中于开发特定的产品设计,这些产品设计有可能成为未来产业架构(industrial frame)的重要模块产品,从而有助于为自己开创缝隙市场,或者增加自己在大公司收购之际的谈判筹码。界面标准化是产业主导企业(如目前是英特尔、思科和微软)和产业标准设定组织(如国际半导体设备和材料协会(SEMI)和互联网工程组织(IETF))联合促成的结果，但同时也是创业投资者协调努力的结果。同样，像拥有 Jini 和 Java 的 Sun 公司这一类的企业，或像 Linux 这样合作性的操作系统，也有可能成为确立新兴市场标准的竞争者。因此，产业标准的形成是以进化方式实现的，是通过大公司与小企业互动不断改进的结果。在产业标准形成的进化过程中，创业投资者发挥着重要的信息协调的作用。

在每个缝隙市场上从众多竞争性产品中选择理想的模块产品可以逐步进行。在创新企业创立之处，创业投资者只承诺整个开发项目的一部分融资，后续融资将依项目进展情况而定，萨尔曼(Sahlman，1990)称之为"阶段性"融资承诺(staged capital commitment)。创新企业中不乏失败的例子。如果创新项目成功了，关系型融资将以企业股票上市(简称 IPO)或大公司的收购告终。收购公司通常是在其缝隙市场上成功创立产业标准的创新企业。它们收购成功的创新小企业，一方面是消除未来竞争的后患，另一方面是为了扩大技术产品系统，加强自己在市场上的有利地位。与上面讨论的第二类研发组织结构相比，通过用所谓的 A&D(收购与开发)的模式代替公司内部研发，可以缩短技术产品系统的开发创新时间。关于硅谷现象更进一步的典型化事实，请参见附录部分。

本模式中 M 的双重职能——设立标准时的信息协调和技术产品系统形成中对模块产品的事中和事后选择，事实上是由不限于创业投资者的多个机构承担的，如产业标准设立协会、非正式的职业社团和缝隙市场的主导公司等等。在下面的模型中我们把这些机构和组织统称为 VC。

上述研发组织的分类及其相对业绩特征总结在图 14.1 中。简言之，瀑布模式或明星模式在组织参与人的开发能力上有差异，或系统性环境的不确定性程度高的时候信息效率最高。但如果模块产品的开发相对独立，硅谷模式预期更有信息效率。互动型研发组织在模块产品的特征互补性高和工程环境的系统性部分和特质性部分同等重要时是更有信息效率的。在下面，我们将进一步界定令硅谷模式更具创新能力的组织和制度条件。

<table>
<tr><th colspan="2">环　境
组　织</th><th rowspan="2">系统性
产业环境
(E_S)</th><th rowspan="2">系统性
工程环境
(E_e)</th><th rowspan="2">任务单元
专用性工
程环境
(E_i)</th><th rowspan="2">适合的工
程环境</th></tr>
<tr><th>模　式</th><th>特　征</th></tr>
<tr><td>瀑布模式(功能层级制)</td><td rowspan="2">层级制下产品系统的事前设计</td><td>项目主任的理念设计</td><td>中层经理的分析性设计</td><td>功能单元的具体设计</td><td rowspan="2">统计相关性强、信息加工能力有差异</td></tr>
<tr><td>明星模式</td><td colspan="2">项目主任的互动设计</td><td>下属的补充设计</td></tr>
<tr><td>互动型研发组织(水平层级制)</td><td>互动式设计改良</td><td>由“重量级”开发经理主导的信息同化</td><td>任务单元间的信息分享</td><td>任务单元的模块产品设计</td><td>特征和技术互补性强</td></tr>
<tr><td>硅谷模式</td><td>进化式产品系统选择</td><td>以 VC 中介的信息同化和对模块产品的事后选择</td><td colspan="2">企业家在缝隙市场之间和内部的信息包裹</td><td>统计相关性弱、互补性弱</td></tr>
</table>

图 14.1　研发组织的信息结构特征比较

14.1.2　信息包裹和产品系统的进化形成

(1) 界面标准化影响　我们已经表明,硅谷模式有两个鲜明的特征:设计任务的工程环境的相对独立和单个模块产品的设计中多个企业的竞争。现在我们考虑第一个特征的影响,关于第二个特征的影响这里暂时忽略,放在下一小点讨论。我们假定,硅谷模式中每个设计任务只有一个创新企业承担——我们称之为准硅谷模式。在该模式中(硅谷模式也一样),模块产品的信息加工采取信息包裹的形式。但是,即使每个模块产品的任务单元(企业)所面临的工程环境在信息上相互独立(如开发软件和硬件需要不同的技能),如果模块产品在组合成产品系统时存在较强的特征互补性,信息包裹模式的信息效率将大为降低。也就是说,即使模块产品的设计本身是可分离的，但它们的界面需要标准化。①

可兼容的界面设计可以由大型层级公司的研发组织以集中和事先（先于研发活动）的方式加以确立，在有些情况下甚至可以由政府设定。但这样一种集中性和事先的做法在开发设计面临大量事前不确定性的情况下并不一定会导致好的结果。此时，开发过程中不断涌现的信息需要得到更好的利用。互动型研发组织相对于层级组织的一个优势在于它的灵活性，能够针对即时出现的信息对界面进行微调。不过，在互动型研发组织中，对新信息的即时调整（即在开发启动之后、设计完成之前的调整）一般不只限于界面设计，通常还涉及个体项目小组设计内容的同步调整。因此，这一类组织的信息负荷可能很高，较为理想的即时调整既费时又费力。

相比之下，在准硅谷模式中，VC 信息同化的职能恰恰是表现在即时传递和协调有关 T_i 模块产品界面标准的新信息，至于界面标准化，可能是标准设立组织和主导企业以互动方式内生产生的，也可能是由它们中的一方设立的。这样，T_i 可以在不改变产品内容的情况下去适应新出现的标准，有时甚至参与事实上的标准形成过程。对硅谷模式非常有利的工程环境因此可能被这种过程内生地创造出来。

引理 14.1　由于创新企业对模块产品的设计是自给自足的，相互间的互补性不高，硅谷模式的创新能力因此得以加强。另一方面，VC 的信息中介作用有助于促成界面标准化过程的内生演进，从而对创新企业独立的开发努力是互补的。

---

① 这里的标准设定可以看做与鲍德温和克拉克（Baldwin 和 Clark，2000）建立的理论框架的“设计规则”相当。本章的草稿完成于 1999 年初，且放在斯坦福大学经济系网上供读者阅读。不过，在 2000 年鲍德温和克拉克的令人激动的作品发表以前我没有注意到他们的工作。他们的著作与本章是高度互补的，且有部分重叠。他们对从 20 世纪 60 年代 IBM360 的设计开始到 70 年代末期硅谷模式的出现的演变过程作了丰富的分析，用他们的话说是“模块簇群”。但是，由于他们研究的直接目的是计算机工业，所以分析没有像我在本章和第 4 章做的那样，对替代性的研发组织（设计规则）进行明晰的比较分析。他们认为，硅谷模式（模块簇群）比 IBM360 时代集权的规则设计具有内在的优势性。我认为，就计算机工业而言这是对的。后来，我理清了硅谷模式达到帕累托最优的一些条件，其他工业如汽车工业不一定具备这些条件。关于硅谷模式中按技术产品系统创新的演进状况（下面有讨论），既是他们分析的重点，也是本书的分析重点。第 357 页注①还提到了这两项工作在分析内容上的互补性。

(2) 硅谷模式中创新过程的演化性质　我们对三种组织的信息效率作了一个比较分析，其中所依赖的假设是，事前已知随机分布的技术和其他环境的参数，且在产品开发、设计和实施阶段一直保持不变(第 4.1 节)。这种假设在复杂的技术环境下就不再有效了。新发现和产品创新的诞生会出乎人们意料地改变技术环境的性质。在这种情况下，即使在随机意义上，参与人也无法事前给出关于世界状态的完备描述，其有限理性将迫使他们抛开贝叶斯规则(Bayesian learning)，修改关于随机事件分布的认知。信息包裹对付这种日益不确定和高度复杂的技术环境有没有什么独到的优势呢?

考虑一个大规模的复杂产品系统的创新过程。假定该过程能以层级方式分解为几个不同的步骤，如基本理念的形成、系统分析、细节设计、样品生产和测试等等。有些步骤如产品设计和样品生产还可以进一步分解为子任务单元。在这种层级分解下，系统性理念一旦以集中的方式确定下来，系统设计也相应地形成了，如果因为在后来的阶段出现了意外变故，需要对系统进行修改，这时想推倒重来几乎是不可能的。因此，产品设计只能在后来阶段做一些局部和特定的修正，有时还不得不牺牲设计内在的连贯性和一致性。如果想设计新一代产品系统，那就必须重复整个过程，花费大量的时间和资源。

互动型研发组织得益于产品不同开发阶段频繁的信息反馈，和同一级从事相关任务小组的密切合作，有可能会更好地处理意外事件。在该类组织中，产品系统可以不断得到改进，在各个开发阶段积累的对付意外事件的经验也可用于新产品系统的设计。不过，在不同开发阶段和任务单元之间的交流渠道确立之后，想要彻底改变基本的组织结构，如替换任务小组，则会非常困难。相应地，产品系统的创新将会倾向于采取渐进的方式。

即使在功能层级制和水平层级制中，大规模复杂产品系统的细节设计都是局部定型的。在前者，模块结构通过集中方式设计，并且一劳永逸地被固定下来。在后者，任务单元之间必须不断交流信息以使得设计的兼容性能够适应新情况，因而模块结构必须在信息上密切相连。因此，模块产品的设计特征高度互补，它们很难和其他组织的产品相容。

但是,如果像硅谷模式那样,每个任务设计都存在一系列相互竞争的设计单元,开发一个大规模复杂产品系统就可能是进化式的,不需要集中设计或者采取固定结构。为了理解这一点,认识到下述事实非常重要:在硅谷模式中,不仅每个创新企业开发其模块产品,而且其信息加工活动(分析、开发和设计)也是模块式的(即采取包裹形式)。这种双重模块化的一个结果就是模块产品的内在过程和信息内容的复杂性能够被隐蔽起来,与系统其他部分发生相对较弱的信息联系。这有两个重要的推论。

首先,信息包裹使每个创新项目免受外部的干扰,使别的创新项目不会受到本模块产品内容变化的影响。因此,每个创新项目的模块产品在不损害现存系统完整性的条件下可以获得独立和连续的改进。其次,由于多个企业从事同一模块产品的设计工作,创新性产品系统不需要事先集中设计而可以自行演化,免去了彻底偏离现存模块组合方式时所产生的压力。由于它能灵活地重新组合各创新项目不断改进的模块产品,从一种相对简单的初始系统到一种复杂系统的演化就可以变得非常迅速。换句话说,产品系统变得更容易塑造了。对此,人们最爱用的一个比喻就是丹麦创造的著名的 Lego 玩具——塑料制成的模块,表面的凸凹的圆柱型能够紧密地相互咬合联结,拼装构造出千变万化的东西,它只受想像力的限制(Pine, 1993)。随着工程环境的事前不确定性增大或工程技术的变化加速,在中介的信息包裹作用下的进化选择将尤其具有创新性质。在这种情况下,层级式研发组织对产品系统事前的集中设计将面临很大的风险,而互动型研发组织的渐进式创新又可能无法实现有重大突破的创新,适应变化迅速的工程环境。当然,中介的信息包裹下的进化选择涉及到一定的交易费用。尤其是这种灵活性的费用——开发努力的重复和支持这些重复劳动的费用。下一节我们要分析硅谷模式的治理结构如何以一种独特的方式实现收益和成本的平衡。

(3) 软件技术的平行发展 上面所提到的组织选择在计算机软件技术的范式发展过程中有一个非常有趣的对应。最初,大规模软件技术的开发遵循所谓的"瀑布"范式,即首先分析计算问题的答案,然后以层级的方式将设计、编码、测试和制造的任务分解为不同的步骤。一项任务完成之后才能过渡到下一步，正像瀑布从高处落下一样。很显然，这种范式和层级研发组织模式是同构的①。

但是，随着计算机硬件技术在计算能力和可得性方面取得巨大发展，开发软件的技术要求开始变得越来越苛刻和复杂。以上游阶段向下游阶段反馈为特征的巡回式编程范式是对这种开发过程的一种自然反应，而且使之速度加快。例如，在编程过程中积累的知识和技能有助于缩短设计改进型程序所需的时间。在维修阶段经常遇到的问题也可能有助于启发新的设计思路，等等。巡回式编程范式有些类似于互动型研发组织模式，不同任务阶段的信息分享发挥着基础性作用。与此同时，开发周期内各阶段的基本结构仍保持不变。一旦编程过程完成了分析阶段，其结构就不能再承受重大的变化了。由于商业、科学和硬件环境的迅速变化，计算任务越来越复杂和变化无常，这时，常规结构就面临巨大的压力。随着对旧程序的改进不断积累，进一步的局部改进对整个程序运作究竟有多大影响，是很难判断清楚的。另外，要对未来不会出现大问题的新程序达成一致意见也颇费时间。

为了满足快速编程的需要，一种较为分散化的开发程序的方式首先在实际操作者中间演化出来，后来逐步发展成为一种新的范式，即所谓的“面向对象”（“object oriented” programming）的编程方法。在该范式中，为复杂计算而设计的编程方法运用各类可重复使用的软件“包”，后者被称为对象。对象包含一组相关的数据要素和对这些要素进行运算的一组程序（方法）。来自不同类别的对象只需通过简单的信号交流，要求接受方执行所指示的方法，并传回执行结果。这样一来，它们能够相互自我保护，不受其他对象的不利影响，同时又对别的对象形成保护，使其不依赖于同一类对象中易变的细节。为满足专门的计算要求的标准程序可以通过组合不同类别的对象、模拟产生该计算问题的现实方式建立起来。这样，新范式一方面以试错的方式持续改进和重新定义组合各类对象而形成的模型，另一方

① 有意思的是，这种软件发展的范式对应着硬件设计方面相似的层级范式：IBM360由一个集权化的OS管理，研究人员只能通过“愚蠢”的终端才能接近计算机资源，这些终端的工作仅仅是接受数据输入和计算结果的输出。请参见池田(Ikeda，1997)。

面又通过增加新近设计的要素来丰富对象的种类。由于对象将实施阶段的细节隐藏在公共信号界面的后面,面向对象型的技术允许新型对象加入进来,增加系统的复杂度,同时又毋需像传统范式那样重新编写程序。

因此,信息包裹外加产品模块化导致的创新过程和新程序的渐进形成有着极大的相似性。但两者存在一个重要的区别。在面向对象的编程过程中,对象种类是一系列无意识的软件包的集合,它们在处理数字化的数据方面比人类大脑要快而且准确。在信息包裹下的创新过程,我们拥有的不是对象,而是人,具有自己"运动规则"(亚当·斯密语)的团队(创新企业)。如何使符合理想绩效标准的模块产品的设计成为激励兼容的行为呢?创业投资者在其中发挥什么样的作用?这涉及到硅谷模式的可实施性问题,是我们下一节要讨论的问题。

14.2 通过联赛式创新的创业资本治理机制

在上一节,我们研究了硅谷模式的信息结构特征。但我们一直没有明确讨论这种信息结构能否得到一定的治理机制的支持。本节试图从博弈论的角度探讨何种治理机制能够维持 VC 和企业家的预期,使得两者所遇到的激励问题得以解决。

14.2.1 VC -联赛式博弈(VC-tournament game)的结构

作为下述模型的一个背景,我们可以设想博弈时间是由无限序列的阶段博弈构成,其中每个阶段博弈由三个时期构成,在创业投资者和企业家之间进行。创业投资者的寿命是无限的,他们之间相互竞争,培育有价值的企业。企业家在阶段博弈的第 1 期开始创办企业,在第 3 期末退出,退出形式或是企业上市,或被其他企业收购,或者项目终止。如果是项目终止,企业家可以过渡到下一个阶段博弈创办新的企业。在本小节,我们暂不考虑重复博弈对创业投资者声誉的影响,或者对潜在企业家风险倾向的内生性影响。我们的注意力主要放在一个创业投资者和多个企业家之间在重复博弈的单个阶段博弈的情况。我们称该阶段博弈为 VC -联赛式博弈。在下一节我们考虑博弈的重复性质和创业投资者之间的竞争可能带来的影响。

我们假定,在第 1 期之前(也就是在模型之外),一个创业投资者(用 VC 代表)已经对受资金约束的企业家提出的开发项目进行了筛选,并选定了其中的一些项目作为创业融资的对象(即事前监督)。为了简化起见,假定只有两类项目,每类项目中 VC 已经选定了两个企业①。创新企业由下标 ij 标明,其中 $i = a, b$ 代表项目,$j = 1,2$ 代表企业。下面我们对“创新企业”和“企业家”不加区分。除了从事的项目类型外,企业家的参数特征在事前是对称的。

让我们对模型做进一步的界定。在第 1 期,每个被 VC 融资的创新企业从事研发,在一定噪音下观察到各自的工程环境 E_i 的参数。创新企业 ij 的努力水平(信息加工的投资)用 e_{ij} 表示,其成本为 $c(e_{ij})$,它满足边际成本递增的常规性质,即 $c'(e_{ij}) > 0$,$c''(e_{ij}) > 0$。创新企业的实际努力水平不可观察,因而无法被法庭证实。企业家 ij 的开发努力产生有关工程环境的带有噪音的单维信息 ξ_{ij}(即研究结果),其精确度为 $\Pi_{ij}(e_{ij})$②。开发努力的水平越高,企业家对环境的事后估计就越准确。每个企业家在付出开发努力之后,作为副产品,不花费额外成本,获得关于系统性环境 E_S 的尝试性估计。在该期,VC 提供给企业家的固定资金只够支付本期信息加工的成本,尚不足以支持产品的进一步开发。

在第 2 期的开始,有关环境的不确定性仍然存在,这时企业家在第 1 期研究结果的基础上,参照可观察的界面特征,尝试性地设计产

---

① 鲍德温和克拉克(2000:第 3 部分)清楚地探讨了新创立的企业(即试验性的)为每类项目进行融资时拥有的事前筛选问题。他们假设每一项发展和设计努力(用他们的话说就是“试验”)的价值产出为正态分布(平均值为 0),他们证明,在单一模块产品的设计中拥有 k 厂商的预期价值利润和发展努力水平的价值产出的标准偏离(即,设计产出的不确定性的水平)与标准正态分布中 k 的最佳轨迹的预期价值之积成正比。因此,不确定性越大,拥有创业型企业家厂商(entrepreneurial firms)越多,就越有利。他们给定的是实验的成本。而我们把每类项目的实验数量看作是给定的,我们分析了个体企业家厂商实验的实际机会成本内生于治理机制的情形,并考察了它对福利的影响。因此,我们的方法与鲍德温和克拉克的方法是互补的。

② 这里继续沿用第 4 章注释的公式和符号。请注意,在硅谷模式中,工程环境的系统性部分 E_e 相对于特质性部分 E_i 来说不甚重要,因此,我们只考虑后者。

品的特征 y_{ij}(属于单维集合 $Y_i(i = a, b)$);我们称产品设计可观察的部分为外部设计内容。除了第 1 时期获得信息之外,每个企业家必须在其个人的设计中考虑产业标准将怎么演化。为了了解别人的决策,企业家以 VC 为中介进行信息交流,其中交流的对象是产品的外部设计内容,产品的内部属性则被隐蔽起来。外部设计所隐含的是企业家对系统性环境的尝试性估计。

VC 汇总企业家的交流信号,然后把它们与自己对新兴的产业架构的估价结合起来,在一定噪音下形成对系统性环境 E_S 的单维参数估计。针对 VC 提供的信息和其他企业外部设计内容,企业家再不断修改其内部和外部的设计特征。信息交流和设计修正一直持续到整个过程最终收敛到均衡值 ξ_{ES}(我们假定它在第 2 个时期内完成)。我们把这个过程看作是企业家和 VC 相互改进和协同他们关于产业系统环境 E_S 的估计的过程。为简化起见,假定他们协同信息的精确度 Π_{VC}是 VC 中介努力 e_{VC}的函数。VC 中介和监督努力的成本由 $k(e_{VC})$表示,它具有边际成本递增的性质。VC 信息的精确度假定能被企业家观察到(但无法在法庭上证实)。在均衡状态,企业家 ij 结合 VC 中介的协同信息 ξ_{ES}和自己的研究结果 ξ_{ij}(权重分别为 $\Pi_{VC}(e_{VC})$和 $\Pi_{ij}(e_{ij})$)决定产品设计的特征 y_{ij}①。

在第 3 期的开始,VC 着手考虑如果企业在本期结束时上市或被产业内主导企业收购,应该如何组合各类产品的设计使得收益最高。基于这种考虑,VC 从每一类项目中挑选一个建议准备实施,每个建议给予一个单位的资金。VC 的决策由向量 $x = (x_{a1}, x_{a2}, x_{b1}, x_{b2})$ 代表,如果产品 ij 得到融资,那么 $x_{ij} = 1$,否则 $x_{ij} = 0$。如果 $x_{ij} = 1$,那么,$x_{ik} = 0$, $k \neq j$。未被 VC 融资的企业将退出该产业。

在第 3 期期末,被融资的项目完工,VC 通过上市把企业所有权卖给公众或直接让渡给收购企业。此时,所有有关环境的不确定性都已消失,项目的市场价值 $V(x_{a1}y_{a1}, x_{a2}y_{a2}, x_{b1}y_{b1}, x_{b2}y_{b2} : E)$ 也可兑现,具体大小取决于当时的环境状态 E。实现的市场价值在 VC 和企业家之间分配。企业 ij 的分配份额由 α_{ij}代表,VC 的分配份额 $\alpha_{VC} = 1 - \sum_{ij}\alpha_{ij}$。于是,每个企业的报酬为 $\alpha_{ij}V - c(e_{ij})(i = a, b;$

① 参见第 104 页注①关于线性假设的合理性基础。

$j = 1,2$)，VC 的报酬为 $\alpha_{VC}V - k(e_{VC})$，假定在 VC-联赛式博弈内的各期不存在时间贴现。每个参与人试图实现其预期报酬的最大化。

总结一下，企业第 1 期的策略是选择研发的努力水平。在第 2 期，企业家依据自己的研究成果和 VC 中介的信息，选择公开的设计特征内容 y。最后一期 VC 选择融资项目 x。VC 在第 2 期和第 3 期为信息中介和资本市场监督付出努力。另外，在 VC-联赛式开始之前，VC 和企业家必须决定在第 3 期结束时双方分配的份额。

VC-联赛式博弈的时间表总结如下：

	博弈开始	第 1 期：开 发	第 2 期：设 计	第 3 期：再融资决策	博弈结束
企业家	签订合同	开发努力	设计	退出或实施项目	价值实现和收益分配
创业投资者		创业融资	信息协调	选择性最后阶段融资	

图 14.2　VC-联赛式博弈时间表

14.2.2　硅谷模式的制度收益和成本

暂时假定博弈双方已经付出了各自的努力，研究结果和中介信息都变得可得了。此时，双方均想利用各自得到的信息实现第 3 期末总价值 V 的最大化。这是因为总价值越大，各人所得也就越多。假定预期总价值是各人努力的可分离函数：

$$E[V] = H\Pi_{VC}(e_{VC}) + x_{a1}Z(\Pi_{a1}(e_{a1})) + x_{a2}Z(\Pi_{a2}(e_{a2})) + x_{b1}Z(\Pi_{b1}(e_{b1})) + x_{b2}Z(\Pi_{b2}(e_{b2}))$$

其中 H 是一个正常数，$Z(.)$是单调递增的正值函数。企业家之间的信息包裹确保了成本可分性假定的合理性。

我们假定，VC 在第 3 期观察到建议的产品设计内容之后能够通过一定的噪音判断企业家对预期总价值的贡献。企业家相信，VC 以下述规定的误差选择企业家当中的胜者：VC 对企业家 i_1 的潜在贡

献的估计是 $Z(\Pi_{i1}(e_{i1}))-\zeta/2$，对企业家 i_2 的潜在贡献的估计是 $Z(\Pi_{i2}(e_{i2}))+\zeta/2$，其中 ζ 是代表观察误差的随机变量，它服从均值为零的对称分布，边缘分布为 f，累积性分布函数为 F。如果 $f(.)$ 是密集地围绕着零分布，方差较小，这意味着 VC 的判断更精确，因而对企业家实际的努力水平的反应也更敏感。假定 VC 选择 j 而不是 k 进行再融资和促成项目完成的充要条件是 $Z(\Pi_{ij}(e_{ij}))-\zeta/2>Z(\Pi_{ik}(e_{ik}))+\zeta/2$ $(i=a,b;\ k=1,2,\ k\neq j)$。也就是说，VC 在企业家之间举行联赛，唯有那些凭借其更高的预期设计价值获胜的企业家能够得到在第 3 期完成项目所需的再融资。

假定初始合同是这样签订的：当获胜者被选出来之后，分配份额 $\alpha_{ij}=\alpha_i>0$，即获胜者得到份额 $\alpha_i(i=1,2)$，未得到再融资的企业家将失去所有分配份额。我们把这种机制称为按联赛式的 VC 治理(VC's governance by tournament)。预期到这种选拔标准，企业家 ij 在第 1 期的目标函数是选择 e_{ij} 使得

$$\max_{e_{ij}}[\alpha_i F(Z(\Pi_{ij}(e_{ij}))-Z(\Pi_{ik}(e_{ik})))(Z(\Pi_{ij}(e_{ij}))-c(e_{ij}))],$$

其中 $i=a,b;\ j=1,2;\ k\neq j$。如果两个企业家从事的项目完全相同，设计特征也一样，密度函数 ξ 围绕零而对称分布，那么，假定其他条件不变，他们的努力水平将会相同，事前被选拔的概率将是一样的。因此，企业家的决策必须满足下列一阶条件：

$$\alpha_i Z'(\Pi_{ij}(e_{ij}))\Pi'_{ij}(e_{ij})[F(0)+f(0)Z(\Pi_{ij}(e_{ij}))]=c'(e_{ij}),$$

其中 $i=a,b;\ j=1,2;\ k\neq j$。这里企业家之间不能互相观察对方的努力水平，因此，他们的努力决策就不存在策略互动。每个企业家将努力的预期边际收益等于他的边际成本。个人的预期边际收益(上述等式的左边项)由两部分构成：一是其份额乘以被选拔为再融资对象的概率乘以预期的边际价值贡献，二是其份额乘以被选拔概率的边际增加乘以他的预期的边际价值贡献①。从分布函数 F 和密度函数 f 的性质看，f 值可以看作是给定 e_{ik} 的情况下 e_{ij} 的函数，相当于努力水平对获胜概率的边际贡献。让我们称第二项为“联赛

① 该条件为第 4.3.3 节的方程式提供了合理性基础。

效应”。

为了便于比较，我们考虑下面一种可能的情况。假定融资者事前（即在第 1 期开始之前）从每种项目类型中只选择一个建议，并且答应每个企业家可以从中享受份额为 α_i 的 V，V 等于 VC 联赛式博弈中实现的总价值。该融资者在中间过程既不在企业家之间进行信息同化，也不选拔或拒绝再融资项目。他可能会在中间时候把自己的股份卖给那些不具备直接介入治理结构能力的购买者。这种机制我们称为保持距离型融资合同。由于他们的努力水平无法被观察，企业家在项目 i 的能力水平将由等式 $\alpha_i Z'(\Pi_i(e_i))\Pi'_i(e_i) = c'(e_i)$ 决定。所以，如果 $1 - F(0) = \frac{1}{2} < f(0)Z(\Pi_{ij}(e_{ij}))$，那么，也就是说，由于 VC 对再融资对象的选择误差不大，所以企业家相信依赖于边际努力对获胜概率会更大（由较高的 $[1 - f(0)]$ 值表示），从而相信获胜企业家创造的总价值会更大，那么按联赛式治理所诱导的努力水平将比保持距离型融资要高。

现在让我们考虑一下 VC 的成本和收益的比较问题。从联赛式治理所获得收益是其份额乘以联赛效应所带来的额外收益。其成本有：(1) 第 1 期对创新企业的重复融资；(2) 第 2 期和第 3 期中介信息和监督的成本，但中介和监督有助于增加企业家对自己项目选择的信心。因此，我们有下列命题：

命题 14.1　如果随着成功项目的预期价值的升高，创业投资家对优胜企业家进行筛选的准确度被认为是成比例地提高的，那么，即使给定同样的份额分配，按联赛式治理有可能引致较高的开发努力，足以补偿创业投资者初始的重复融资和事中的监督成本。相反，如果企业家对 VC 选择优胜者的能力缺乏信心，按联赛式治理就不可能引致企业家较高的开发努力。

VC-联赛式治理一旦在事中阶段项目选择方面实现了制度化，就会引起独特的社会成本和收益。一种成本是在第 1 期沉没的研究和开发的重复成本。没有被选拔上的企业家的开发成本就是纯粹的福利损失。如上所述，还有 VC 对落选者初始融资的损失。在缺乏对模型参数的进一步界定的情况下,纯粹福利损失和增加企业家开发努力的收益之差的净所得是不清楚的,净所得也可能为负。但即便如此,正如上述命题所表明的那样,VC 仍然可能会选择创业投资融资而不是保持距离型融资方式。如果企业家偏爱风险,赋予联赛式不确定的高收益较高的效用,他也可能会选择创业投资融资,尽管面临事后承担纯粹福利损失的风险。在下一小节里,我将讨论在联赛式治理方式制度化之后这种风险倾向是如何内生形成的。

如上所述,创业投资治理结构因为事中阶段存在对项目的选拔而带来独特的收益,这些收益在项目开发的技术环境不确定性较高、设计任务间统计相关性较弱和模块产品的特征互补性较低时尤其明显。所以,我们可以得出下述命题:

命题 14.2　创业投资融资将导致落选者开发成本的纯粹福利损失,增加融资成本。但另一方面,它能够在事中阶段形成一个对不断变化的系统和工程环境作出反应的产品设计系统。在模块产品设计特征互补性较弱与(或)设计任务之间研发不确定性的相关性较弱,以及创业投资家事中监督的补充支持的条件下,正是这种可能性创造了独特的系统收益。

14.3 硅谷模式中的规范与价值观

14.3.1 市场声誉和创业投资者的俱乐部规范

现在我们转向讨论创业投资者的激励问题。在上一节的模型中,创业投资者在阶段博弈——即 VC -联赛式博弈——的净报酬是 $\alpha_{VC}E[V]-k(e_{VC})$。假定 VC 只试图实现一次 VC -联赛式博弈报酬的最大化,他个人达到最优状态的一阶条件是 $\alpha_{VC}E[dV/de_{VC}]=k'(e_{VC})$。然而,实现社会最优的一阶条件应该为 $E[dV/de_{VC}]=k'(e_{VC})$。很显然,因为 VC 努力所带来的个人边际收益只等于他对系统的边际贡献的一部分,他会选择一种低于社会最优的努力水平。

至此，尽管在每一阶段博弈企业家群体都可能不一样，但我们仍然有必要明确考虑创业投资融资的重复博弈性质，明确讨论在多个创业投资者之间竞争和声誉因素的作用。创业投资者是一种金融中介，他们负责管理由其他一些缺乏经营技能的融资者提供的创业基金。他们为获得这些资金来源而彼此竞争。与此同时，他们联合起来对创新企业注资，轮流担当主导融资者的角色。在这种情况下，声誉机制在基金的供应市场和创业投资者之间都将发挥重要的作用。如果某创业投资者在基金合同终结之时未能给他的投资者以较高的回报，下次他想再筹集资金就会非常困难。同样，如果他在受其他创业投资者委托担当主导融资者时表现不佳，那么，根据一种调节相互下放监督权的俱乐部规范，他很可能会被创业投资者集团驱逐出去（第 3.1.2 节）。这样，创业投资者从实现基金市场价值最大化过程中所得到的收益就不仅仅是他管理现期基金所获的一次性收益份额，而且还包括在市场上和俱乐部内对其声誉的维持。假定创业投资者意识到表现不佳将可能遭受惩罚，他试图选择一种合适的努力水平，使其个人连续价值（continuation value，即博弈连续进行所获得的报酬——译者注）最大化。需要注意的是，创业投资者努力的效果受不确定环境状态的干扰而无法直接鉴别，因此，投资者和其他创业投资者所能观察的不是他的努力水平，而是每一阶段结束时项目的实现价值。

为了在数学上界定市场竞争和俱乐部规范对创业投资者的影响，令第 3 期实现的 V 值所服从的分布函数为 $F(V : e_{\underline{V}})$。如果第 3 期创业基金的市场价值低于一定的临界值 $\underline{V}$，那么，我们假定，该创业投资者在未来阶段筹集资金的能力和加入其他创业投资者联合投资的机会均受到削弱，表现为他的连续价值降低 J。在稳态的重复博弈下，VC 如果筹集同等资金，他将选择相同的努力水平。因此，他的优化问题是选择 e 使得

$$v = \max_{e}(1-\delta)(\alpha_{\mathrm{VC}}E[V]-k(e_{\mathrm{VC}}))+\delta[(1-F(\underline{V}:e_{\mathrm{VC}}))v + F(\underline{V}:4e_{\mathrm{VC}})(v-J)]$$

其中 v 是用等价的流量形式表示的创业投资者未来报酬的现值，δ 则是时间贴现因子。用 $(1-\delta)$ 除 v 得到的是以存量形式表示的目标价值。在目前的阶段博弈，VC 得到预期总价值的一个事前商定份

额，但同时也付出努力成本 $k(e_{\mathrm{VC}})$。如果他以概率 $(1-F(\underline{V},e_{\mathrm{VC}}))$ 成功地筹集到足够资金，他可以在未来获得流量价值 v。如果市场价值低于 $\underline{V}$（概率为 $F(\underline{V},e_{\mathrm{VC}})$），他只能预期得到 $(v-J)$。现期和未来报酬的权重分别为 $(1-\delta)$ 和 δ。在纳什均衡下，VC 的努力水平由下式决定：

$$\alpha_{\mathrm{VC}} E\left[\frac{\mathrm{d}V}{\mathrm{d}e_{\mathrm{VC}}}\right]-\frac{\delta}{1-\delta}\times\frac{J\mathrm{d}F(\underline{V}:e_{\mathrm{VC}})}{\mathrm{d}e_{\mathrm{VC}}}=k'(e_{\mathrm{VC}})$$

显然，担心失去声誉对未来不利给 VC 提供了比短期利益最大化更强的激励，这反应在上述等式左边的第 2 项：声誉丧失导致的损失。假如投资者能够确立一个合适的、略低于最优值的 $\underline{V}$，努力水平的增加可以显著地降低失败的概率，那么，在声誉机制下，创业投资者的纳什均衡策略将接近社会最优水平①。

命题 14.3　如果创业基金的供应者根据创业投资者创造基金市场价值的历史记录决定合伙制是否延续，同时，创业投资者之间的俱乐部规范调节着相互下放监督权的运作，那么，创业投资者的努力水平将会被诱致一个较高的水平。在基金市场价值的波动幅度不大和创业投资者的努力水平接近最优水平时，这种声誉机制的效果则更为明显。

14.3.2 硅谷模式的其他制度含义

(1) VC-联赛式博弈的赌博性质和社会成本　当创业投资者活跃于多个阶段博弈，他们会逐渐积累按联赛式方式进行治理的经验，

---

① 令 e^* 代表社会最优的努力水平，对于某个固定的 $\underline{V}$，选择 J 使得正文中的纳什均衡条件在 $e_{\mathrm{VC}}=e^*$ 时成立。令 $\Delta=\frac{\delta}{1-\delta}\times J\times\frac{\mathrm{d}F(\underline{V}:e^*)}{\mathrm{d}e}$。于是，以流量形式表示的预期惩罚是 $\Delta\frac{F(\underline{V}:e^*)}{\partial F(\underline{V}:e^*)/\partial e_{\mathrm{VC}}}$。如果 V 分布在 $e_{\mathrm{VC}}=e^*$ 时是紧的，即存在一定的 $\underline{V}$ 值，使得 $-\partial F(\underline{V}:e^*)/\partial e_{\mathrm{VC}}$ 较大，$\frac{F(\underline{V}:e^*)}{\partial F(\underline{V}:e^*)/\partial e_{\mathrm{VC}}}$ 较小，那么，预期惩罚就将变得很小，使得社会最优条件能够被创业投资者的纳什均衡策略逼近。这大致对应着如下情况，即投资者可以在 e^* 附近发现一定的临界值 $\underline{V}$，使得失败的概率因努力水平提高而大幅度降低。(Holmstrom, 1979)

如逐渐更熟练于在企业家之间沟通和协调信息，更准确地判断模块产品在系统环境下的相容性，因而帮助他们更好地自主设计复杂的系统，等等。作为这种经验积累过程的一个副产品，创业投资者也逐步积累了有关开发和工程技能的知识，甚至有关创新企业的创办人所需的企业家才能的知识。企业家在某个阶段博弈的失败，不一定说明他的能力不行，有时可能是运气不佳，如一个本来很好的产品设计未能和产业演进的标准兼容，或者设计完成的时间略有些滞后，等等。像这种失败不应该阻止他进入下一轮联赛。这一类的判断能力(事前监督)是创业投资者的另一种重要职能。从过去阶段博弈中亲自获得关于企业家能力的意会知识对选择未来阶段博弈的新竞争者非常有意义。因此，事前监督和事中监督存在一种重要的互补关系。在国外流行一种观点认为，硅谷模式之所以成功是因为硅谷为一次失败者提供了第二次机会。这并不十分准确。我们必须注意到，VC内生地判断失败者未来成功潜力的能力是 VC 治理过程的基本要素。

另一方面，具有较大潜能的企业家即使过去失败了几次，也仍然可以合理地预期自己能够进入未来的联赛，如果真是这样的话，企业家的风险倾向将会内生地提高。也就是说，即使在联赛中有失败的可能性，人们也可能被诱惑去冒险，寄希望某一天能够拔得头筹。IPO 市场对新兴产品系统的资产价值高估会进一步使人们对获胜奖励的预期超过其潜在的社会价值。这时，开发项目重复展开和融资所造成的社会损失将加大。

猜想 14.1　按 VC-联赛式治理的重复博弈有可能内生地决定企业家的风险倾向，从而为 VC-联赛式治理注入赌博的因素。

(2) 创业投资治理结构和流动性工程师市场的互补性　我们曾经假定，在每个阶段博弈结束时，创业投资者具备从每个项目选拔成功企业家的能力。事实上，他对企业家潜在的技术才能的判断力可能是有限的。但这种局限性可以通过工程师在不同创新企业之间的流动加以克服。雄心勃勃和才能杰出的工程师会持续地寻求“酷”的技术(a “cool” technology)。如果创新企业在第 1 期未能开发出令人满意的结果，或者在第 2 期开发的设计不能和新兴的技术标准兼容，创新企业的工程师可能会首先意识到问题的存在。如果他们看到其他企业在 VC 的帮助下正在开发“酷”的技术，他们很可能会决定跳槽。工程师的流动性给发展缓慢的企业的研发雪上加霜，同时也给 VC 提供了必要的信号[①]。因此我们有下述猜想性命题：

猜想 14.2　创业投资者对联赛优胜者的判断力不足可以由工程师退出发展缓慢的企业而发出的信号来克服。另一方面，工程师的流动性得力于 VC-联赛式治理机制的重复博弈。因此，创业投资治理和高度流动性的工程师市场是互补的。

*　　*　　*

在本章我们主张，为了深入理解硅谷模式中创业投资者独特的治理角色，单单考察一个创新企业和一个创业投资者的关系是不够的。把创业投资者的作用仅仅看作是提供风险资本也是不恰当的。由于硅谷模式真正的革命性在于通过对创新企业在缝隙市场上开发的模块产品的进化选择，它能够不断推出独创性的产品系统，研究创业投资者和创新企业群体之间的多层次关系就变得非常关键。本章我们集中探讨了两者之间的信息结构关系和治理关系，并力图指出硅谷模式的社会成本和收益。

本章分析的一个重要见解是，VC-联赛式治理机制只有当对获胜者的奖励足够大的时候才能引致企业家较高的努力水平。因此，硅谷模式的推广只能限于开发项目的成功收益极高、有些类似于博彩业的场合。

但是，与此同时，界定信息包裹发挥信息效率的条件对一般性的公司组织也具有广泛的意义。随着通信和交通技术的迅速发展，即使是成熟产品（如台式计算机、汽车）也日益分解为模块产品，模块产品的生产和采购与传统的层级企业（如美国 10 年前的传统企业）或

---

① 感谢托马斯·赫尔曼向我指出这一点。Baron、Hannan 和 Burton(2000)根据 SPEC 的数据分析表明，公司高层对雇佣模式的改变增加了资格最老的雇员的跳槽率，反过来对公司业绩造成不利影响。

关系企业（如日本的企业系列）相比，一体化程度已经越来越低了。这种趋势使得精干的模块组织（独立企业或附属公司）的效率和活力日益增强。传统大公司的内部治理结构也开始沿着类似于硅谷模式的方向尝试各种各样的创新。前一章讨论的以组织为基础的关系型相机治理的一些方面可以看作是这些创新的一个例子。在该结构中，业务操作单元模块化，变成相对独立的附属单位，各自的信息加工活动则倾向于相互隐蔽。母组织（持股公司或管理合伙人）对它们的日常运作干预较少，但组织模块化有助于鼓励它们在变化迅速的市场和技术环境下追求经济单元的策略性重组。

附录：本章模型的一些典型化事实背景①

从纯粹融资的角度看，创业投资基金是一种中介机构，它从其他金融中介汇集大量的投资基金，这些金融中介包括养老基金（1996年占45%）、保险公司和银行（6%），以及其他来源，如基金会和大学（20%）、富豪和富裕家族（7%）、股份公司（18%）、外国投资者（4%）和新兴的创新企业，等等②。创业投资作为一种中介，其运作过程的法律结构非常独特。它采取创业投资基金合伙制形式，合伙人包括一般的和有限的合伙人两种。一般合伙人充当基金的组织者，对基金管理负担全部的个人责任和法律后果。有限合伙人提供大部分资本，但不直接参与创业投资基金的管理和投资决策，这使得他们能够享受有限责任和避免双重征税的好处③。一般合伙人可以从缴付的总资本中得到2%至3%的年收益，从他们自己缴付给基金的资本中获得实际资本收益的15%至25%。基金通常设立一个固定期限，比如说10年，但在许多情况下，为了保持管理的延续性，一般合伙人会

① 创业投资者和创新企业之间的总体关系，参见 Salman（1990），Admati 和 Pfleiderer（1994），Bygrave 和 Timmons（1992），Gornpers 和 Lerner（1996），Florida 和 Kenney（1998），Kaplan 和 Strombery（2000）。

② 1978年的数据反映出不同的情况。该年度个人和家庭是创业资本基金的最大资金来源（32%），而养老基金仅为15%。在最近的20年来所谓的创业资本基金制度化才开始发展。

③ 众所周知，大量基金流入这种组织的安排得益于20世纪70年代末期和80年代初期出台的各种税收政策的推动（例如有关养老基金管理方面对“谨慎规制”的放松，1978年和1981年资本收益税的降低，1978年和1979年对公司上市的规制放松，等等）。

专门成立管理公司进行经营。这样,在有限合伙人和一般合伙人之间就存在通常的委托人－代理人问题,我们将在本章结束时进行讨论。本章不明确区分创业投资基金和创业投资公司,而只是统称它们为创业投资者。

创业投资者力图寻找前景看好的投资项目,努力发现那些已有项目计划但需要创业投资融资的潜在企业家。仅在硅谷就有 200 多个创业投资公司,资深创业投资者一年据称要收到 1 000 多个申请。甄别和搜寻合作对象对双方来说都不是简单的事情。即使发现了一个较为理想的配对,除非企业家事先已经确立了良好的声誉,而且建议的项目确实看好,否则,创业投资者开始只会提供一些种子资金,先试探该企业家是否有能力实施项目,然后再决定是否进一步支持他建立新兴企业。如果创业投资者决定为新兴企业注资,创业投资者和企业家将签订详尽的融资和雇佣合同①。这些合同规定了企业家作为高级经理的具体的融资和雇佣条款(Testa,1997;Hellmann,1998)。

新兴企业融资通常涉及到由多个创业投资者加入的合伙融资,其中一位充当主要融资者和管理者②。在经验丰富和相互了解的创业投资者之间,主要管理者的位置随项目而轮换。这种安排与其说是一种分散风险的机制,不如说是创业投资者相互下放监督权的一种机制。相互下放监督权不仅避免了重复监督,而且有助于控制创业投资者的渎职行为(Lerner,1994;Fenn、Liang 和 Prowse,1995)。如果某主要创业投资者监督不力或低能,使得他主导的融资项目失败的比例超过了正常值,其声誉会因此败坏,从而失去重新注资以及加入其他人组织的合伙融资的机会。我在本章最后一节讨论了这个问题。我们忽略创业投资者之间的相互关系问题,而把企业家和创业投资基金的关系看作是他和单个创业投资者的关系。

在创新企业开办之初,创业投资者只注入启动项目所需的少量

---

① 在 1997 年,超过 3500 家公司在加州圣克拉拉县注册,虽然当中也有非创业投资融资的企业。

② 联合融资的减少部分反映了股票市场的繁荣,使得创业投资者更容易筹集资金,部分是因为创业资本融资的不确定性的降低。当股票市场不再繁荣或投资项目不确定性增加时,联合融资是否还会消失尚不清楚。

资本，然后再视项目的进展情况分阶段增资，但增资与否以及增资多少一般无法事先写入合同——萨尔曼(Sahlman，1990)称之为"阶段性"资本承诺。近年来有一种日益明显的倾向，即不同类型的创业投资者专门融资于创新项目的不同阶段①。不过在我们的模型中，我们没有考虑这一点，而是假定单个创业投资者负责所有的阶段融资。创业投资者的融资形式通常是可转换的优先股，或者是拥有转换权的从属债务(subordinated debt)(Fenn、Liang 和 Prowse，1995；Gompers 和 Lerner，1996)。如果项目失败了，他们先于普通股持有人而得到赔偿，因此，他们被确保不会遭受极其不利的风险。与此同时，在创新企业需要注入新资以维持运转的关键时刻，创业投资者还保留了一项拒绝注资的退出权。另一方面，典型的持股合同允许企业家在达到某些绩效目标之后可以不管投资者的利益，增加自己的所有权份额(通常以普通股的形式)。但被解雇的企业家将丧失未来可能得到的股票收益。

创业投资者——不论主要的还是非主要的——在创新企业的董事会都占有重要位置。勒纳(Lerner，1994a)声称，在由创业投资支持的生物技术企业的董事会中，创业投资者拥有超过三分之一的席位，这一比例比管理人员和外部董事所占的比例要高。卡普兰和斯特龙伯格(Kaplan 和 Stromberg，2000)有类似的发现(在其 190 个样本中创业投资者在董事会占多数席位的情形占了 26%)，创业投资者的控制力随融资一轮一轮增加。除了参与董事会议之外，创业投资者还经常光顾创办的企业，拜访企业家。他们向企业家提供建议和咨询服务，如帮助筹集资金、审议战略计划、招聘金融和人力资源管理专家、介绍潜在的客户和供应商、引见公共关系和法律事务专家等等。创业投资者也积极行使对创办企业的正常的治理职能，如在必要的时候解雇创业企业家。斯坦福新兴公司项目(Stanford Project on

① 根据美国全国创业投资协会的定义，创业投资融资一般有以下几个阶段：

- 种子阶段(即公司创立之前)，通常由经验丰富的所谓的"天使"(angels)出资；
- 创业(开发)阶段；
- 早期阶段(产品开发、生产和营销的准备阶段)；
- 后期阶段(产品卖出之后)；
- 最后阶段(IPO 之前的 6 个月到一年左右)。

Emerging Companies，简称 SPEC）收集了硅谷 100 个高新技术新兴企业的混合数据（paneldata），该数据表明，在一个公司寿命的头 20 个月里，任命一个非创业的 CEO 的概率是 10%；这一概率在 40 个月后增加到 40%，80 个月后增至 80%，这里还不包括中途倒闭而未能计算在内的公司（Baron、Burton 和 Hannan，1996；Hannan 等，1996）。

创新企业中不乏失败的例子①。许多失败发生在早期，通常集中在头一年或头两年。这不仅仅是由于雄心勃勃的企业家之间过于激烈的竞争，其中也有创业投资者自身的原因。例如，萨尔曼和斯蒂文森注意到 20 世纪 80 年代中期在计算机数据储存产业的一个新兴部门有以下现象："该产业部门一共有 43 家创新企业得到融资，但在长期内预计只有 4 家左右的企业能够继续得到支持。"因此，"'失败'是创业投资过程特有的病症，一种大家都预期到的正常事件；在某些情况下，该过程本身甚至会加剧失败"（Gorman 和 Sahlman，1989，第 238 页）。从创业投资者平时的言谈中不难发现，在硅谷，融资 10 家企业成功 3 家是非常合理的结果。

如果项目成功了，关系型融资终止的方式有两种，一是公司股票上市（IPO），二是被其他大企业收购。在过去，从企业创立到最终的 IPO 通常需要 5 年到 10 年的时间。近年来 IPO 所需的时间有不断缩短的趋势（甚至缩短至两年）。IPO 周期缩短有可能是股市繁荣造成的，也可能是由于产品上市较早的企业把目标定在现存技术的商业化，因此开发时间大为缩短②。创业投资者决定公司 IPO、走向市场的时机，并提供必要的营销指导。主要的创业投资者在 IPO 之后仍然担任董事会成员，目的在于防止企业家的道德风险。IPO 的资本收益将根据当时的持股情况在创业基金和企业家之间进行分配。资深创业投资者倾向于将 IPO 的时间定在市场对企业估值极高的时候，资历较浅和声誉不高的创业投资者则可能促成企业提早上市

① 在 1990—1997 年间，大约 21 000 家新企业在圣克拉拉县注册，其中存留下来的大约有 7 000 家创新企业。参见联合投资（1988）。

② 例如，近年来许多很快首次公开上市的企业推出一些新的网上商业模式，其技术并不非常具有创新性质；如网上拍卖公司和其他电子商务所使用的一些分析技术在实验经济学中是广为人知的概念。在研发风险较大的生物技术产业，为回收投资而缩短 IPO 周期的情况就不是很突出。

(Lerner,1994;Gompers,1995)。

有人认为,存在一个活跃的IPO市场是创业投资融资和产品创新成功的一个条件,其他经济因不具备这种市场而很难模仿硅谷模式(如Bankman和Gilson,1996)。这种观点当然有其正确的一面,但同时必须注意到,近年来成功的创新企业越来越多地成为同一产业主导企业收购的目标,而不是走向IPO市场(参见斯坦福商学院案例S-SM-27)。这些主导企业通常也是已经成长起来的创新企业,而且在它们所属的缝隙市场已经具备了设定产业标准的实力。它们收购成功的创新企业,一是为了杜绝威胁其所设标准的潜在来源,二是通过收购和整合互补性产品的生产进一步巩固其市场地位。主导企业的收购举动对创业投资者的融资行为存在一定的导向作用,尤其在创业投资融资的后期,更是如此。

从创新企业家的观点看,如果他们只拥有单一的产品线,在收购和IPO之间他们更愿选择前者(Hellmann,1998b),但创新企业为了被收购而展开的竞争非常激烈①。收购企业通过捆绑与本企业互补的新技术,可以在市场上确立垄断地位。但因为这种捆绑发生在事后(即产品开发之后),这些企业所享受的垄断地位不应理解为规模收益递增的必然结果,而应理解为营销策略的结果。正像本章所讨论的那样,硅谷模式的创新之处在于创新组合模块产品、形成产品系统的事后灵活性。其政策含义是,任何主导企业对模块产品的捆绑如果不是出于技术原因,而是出于阻碍进一步的创新性捆绑的考虑,如微软捆绑操作系统和互联网浏览器,就必须置于政府规制之下。

由此可见,创业投资者集三种功能于一身:对融资企业的事前监督(筛选项目以克服逆向选择问题)、事中监督以及事后监督(验收项目成果和决定选择何种退出策略),虽然这些功能可能被不同的创业投资者专门负责。事前和事中监督需要有特定领域的工程技能,而事后监督则需要融资技能。创业投资者一般能够满足这些要求,倾向于选择某些特定产业进行集中投资。虽然创业投资者在创业投资

① 例如,思科公司在10年前还是一家创新企业,现在通过收购其股票价值已接近世界最高名次。在过去七年时间里,思科一共收购了大约50家公司。据公司资深副总裁沃尔皮(Volpi)称,思科为收购一项技术会从15家公司中选择。

融资企业中发挥主导的治理职能，但具体的产权安排包含联合所有制的复杂因素，其中还附带双边的期权条款：即创业投资者在不利时期行使影响企业家利益的退出权，和企业家在有利时期行使股票期权的权利。企业家可能在事前自愿地让渡控制权，尤其在初期资金缺乏的时候（Hellmann，1998a）。但如果项目进展顺利，他可能会收回控制权。如第 11.3.3 节所示，这种机制类似于关系型相机治理机制（参见 Black 和 Gilson，1998；Kaplan 和 Stromberg，2000）。

第15章 结束语：为什么多样性制度继续在演进？

本书的主要目的在于建立一个统一的分析性框架，理解制度在历史和当代经济中的作用。我们把制度定义为集体信念的自我维持系统，并考察了这些信念塑造内在一致的整体性制度安排的诸种方式。我们一直强调策略互补下多重均衡所隐含的制度多样性的意义。下面第15.1节在总结前面章节各种分析结果的基础上，对整体性制度安排的一些重要的理论和现实模型进行概括。

任何制度安排，不论是区域性的还是地方性的，都是以新兴技术和全球性市场制度作为其外部环境的。因此，各种制度安排以技术和市场为媒介而潜在地相互联系。在信息通信技术（ICT）迅速发展和全球一体化程度不断加深的条件下，我们目睹了这种联系在广度和深度上的日益扩展。有趣的问题是：国家性或地区性的制度安排是如何适应这些环境变化的强有力的影响的？尽管各种各样的制度互补性使得制度安排倾向于稳固和具有惰性，制度会不会以相同的方式对环境变化做出反应？换言之，不同区域的制度安排是否会多少变得大致类似？全球性制度安排会不会走向均质化，由跨国组织和规则主导，而不论我们是否愿意？全球性制度安排是否应该走向均质化？本书最后一节对这些问题将提出一些质疑性的猜想，作为对本书主要观点的总结。我们认为，全球范围内的制度多样性在国家间市场联系加强和信息通信技术革命条件下仍将继续存在。

15.1　整体性制度安排的典型化事实

在制度互补条件下，均衡制度安排有可能不是最优的。相嵌社会资本分配的类型和从事博弈的创造性捆绑、寻求创新租金的参与人(内部或第三方)的技能，在一定程度上决定了均衡制度安排的性质。因此，整体性制度安排的共时关联结构可以是多重的和多样化的(第8章)。虽然在市场全球化和信息通信技术的影响下某些制度安排出现了一定的趋同，但我们仍然可以观察到显著的制度多样性。在讨论一定范围内的趋同现象之前，先让我们对一些重要的跨域的制度性关联模式进行概括。

图15.1列举了一些整体性制度模式，它们由产生于诸域的相互依存的制度要素构成，这些域包括组织场；公司治理；金融、劳动和产品交易；产权界定和合同实施；社会交换和政治域。制度模式可以分成三类：第一类模式包括两个纯理论模式——瓦尔拉斯新古典模式和由格罗斯曼、哈特和穆尔提出的产权模式，它们构成分析制度互补的一个理论基准。第二类模式是从一些发达国家如美国、德国和日本在信息通信技术革命之前的典型化事实中概括出来的代表性制度模式(这里不讨论反映诸如法国、意大利和斯堪的纳维亚国家的制度模式，不是因为它们不重要，而是因为我缺乏分析它们的足够知识)[①]。第三类模式包括在信息通信技术革命年代出现在全球(跨国公司)和区域(硅谷)范围内的两种制度模式。第三类模式是否将最终支配第二类模式，或者第二类模式将对自身所面临的竞争挑战作出反应、自我演进，这正是目前激烈争论的问题。下一节我们将试图给出回答，但在此之前，我们需要首先认识第二类模式中各种成员模式的基本特征。

本节不讨论发展中国家和转轨经济所对应的整体性制度安排，

---

① 参见Amable、Barre和Boyer(1997)，Boyer(1999)，Boyer和Hollingsworth(1997)，他们从不同的角度对发达国家市场经济做了分类。我们的不同之处在于，每种模式中的制度依赖性均是明确以博弈论为框架进行表述的。

域 模型	组织结构的惯例	公司治理结构	金融制度	劳工与雇佣制度	产品市场/产业制度	供给关系	产权规则及实施	社会积淀/规范/价值	国家
W	技术的黑箱	企业家控制	拍卖人				外生设定及实施	功利主义	自由主义
HM	职能等级	所有者控制(H－M型企业)	活跃的资产市场	效率工资		互补性物质资产的整合	不完备合同/剩余索取权		(自由主义)
TA	职能等级	经营者控制	证券化(公司控制的市场)	雇佣官僚制/控制就业的工会主义	受规制的寡头竞争	垂直整合	法庭作出解释	各种共同体	代议制民主主义
D	参与等级	共同决定	全能银行	公司主义的规制	贸易协会发挥作用	自治的供应商	联合的规制	产业市民权	社会契约的工团主义
J	水平层级	相机性治理	主银行制度	全公司的人事管理	产业协会	供应商集团	事后的再谈判	社会地位的阶层化	官僚制多元主义
SV	囊括多样性	VC－联赛式治理	风险资本阶段融资,IPO市场	新成立企业的短命造成了高流动性	簇群的,标准设定的协会	创新企业	律师设计合同且进行交易	专业共同体,企业家的竞争	友善对待创业企业家
GL	整合了职能等级的网络	市场监督	全球公司资产市场	跨国竞争	战略联盟电子商务	A&D,在线供给与采购	"作为产品的合同"	多样化的非政府组织	多角化

图 15.1　制度连结的一些模型

关于转轨经济,我们在第 6.2.2 节和第 10.3 节(实例 B1)做过简要的讨论。发展中国家的制度类型非常丰富和复杂,即便最初步的表述和分类也超出了我的能力范围。但是,在发展中国家经常可以看到如下一些制度现象的组合:古典层级制、政府控制型或关系型融资(第 12.1 节)、多角化实业集团(第 8.2 节实例 D2)、专业化供应商的发展不足、社会和家族网络(第 10.1 节)、促进或阻碍市场的发展型国家形态(第 6.3 节)、被压制的工人运动或强有力的工会组织、第三方法律实施不力等等。这些制度现象的共存是否可以解释为一定程度的互补关系,它们作为一个整体对经济发展是否有利,应该按照怎样的顺序对之进行改革,这些问题无疑是比较制度分析未来最重要的研究议题。

15.1.1 理论基准模型

(1) W 模式 这是新古典比较经济体制理论所运用的新古典瓦尔拉斯模型,它是测度市场(非市场)经济效率的基准模型(参见 Bergson, 1964)。它赖以建立的假设前提是,隐含在要素禀赋的初始分配中的产权安排在模型之外由奉行不干预主义的自由政府界定和实施①。该模式还假定,所有产品和劳务均通过市场交易,其价格由拍卖人根据竞争性供求关系确定,价格是人人知道的公共信息。企业被认为是技术决定的黑箱,由组合市场要素和追求利润最大化的企业家经营。该模式通过竞争性价格的调整和企业家的反应对技术环境的变化进行适应。拍卖人和企业家根据人人共知的规则行事,可以认为是经典制度——市场和资本主义企业的人格化代表。但是,我们也可以认为,瓦尔拉斯模式的功用之

① 众所周知,瓦尔拉斯自己鼓吹土地公有制,认为由于土地供给相对于人口和社会财富的增长来说是有限的,土地公有制是解决土地价格和租金上升所造成的社会不公平的一条途径。这不妨可以解释为他的理论代表作(Walras, 1926/1954)是为他个人的社会改良方案奠定理论基础(三崎,1998:第 111 页)。瓦尔拉斯也曾经考虑过“集体主义”体制的可能性以及其中政府垄断企业的功能。但是,他指出,国家兼企业家作为价格接受者遵循市场规则,使生产计划的边际成本等于价格,丝毫不意味着要反对“自由、平等、秩序和公正”;他论证的国家遵循市场规律制定生产计划成为后来巴朗宁(Barone, 1908/1935)和兰格(Lange, 1936、1937)倡导的市场社会主义的先声。瓦尔拉斯认为,他主张的集体主义体制区别于马克思主义体制的基本点在于劳动力服务的价格是由市场决定的(Walras, 1898/1992:第 251 页)。

一是通过清晰地展示“实际经济如何与理论模式显著不同”而说明了“非市场制度的价值”，尤其是在不完备市场上（Arrow，1998：第39页）。非市场制度在市场不存在的场合起着协调参与人预期的作用。

(2) HM模式　基于格罗斯曼、哈特和穆尔的贡献，本模式是对上述模式的重大改进，它明确考虑了对物质资本品的产权的意义①。该模式的实质已经在第4.3.1节做过详细讨论。HM企业是由拥有物质资产剩余控制权和控制一个功能层级制的所有者兼经理经营的。与物质资产所有权相联系的权利可以弥补不完备雇佣合同所遗留的空白。在一定条件下，产权和管理的一体化有助于提高效率，根据同样的逻辑，所有者兼经理应该将企业的边界扩展到互补性资产充分一体化的程度②。在企业内，工人缺乏有效积累和运用组织专用性资产的充分激励，因此，所有者兼经理有兴趣发展较少依赖工人技能的技术。这说明，该模式不甚适合于运用非物质信息资产生产可分离的信息资产的场合（参见第4.3.3节）。

15.1.2　发达国家的一些传统模式

(3) TA模式　本模式体现了美国经济在信息通信技术革命之前流行的寡头式公司企业和相关制度环境的典型特征。这些企业的组织结构遵从“上市公司”的法律传统，赋予董事会相对自主的内部控制权③。这些企业将组合型功能层级制内在化，协调不同层次上

---

① 格罗斯曼和哈特（1986），哈特和穆尔（1990）和哈特（1995）。

② 第4.3.1节所讨论的哈特-穆尔模型可以拓展到两个经理运用不同物质资产从事不同项目的场合。例如，用 w 和 m 分别代表文字处理软件和多媒体通信，而不是原有模型中的工人和经理。按照同样的逻辑，由资产所有权结构所定义的企业边界取决于两个经理分别使用的物质资产的互补性或独立性程度。如果资产是互补品（替代品），任务的一体化（任务分成两个独立企业）是有效的（Hart，1995）。当物质资产交易的性质发生了变化，物质资产所有权结构也应相应地发生变化。哈特-穆尔的产权理论预示了物质资产市场的存在。

③ 有时人们把这类企业称为英美企业（Anglo-American firms），即指企业的英美式（British-American types of firms），而不是北美地区说英语国家的企业。美国公司法起源于用于管理耗资巨大的公共企业和交通业上市公司的州法律传统。而英国公司法则起源于管理私人企业的普遍法传统。关于上市公司的法律传统，尤其是关于19世纪末期证券市场的起源及其后续资本市场的路径依赖式发展和公司企业的形成，请参见Rosenberg和Birdzell（1986）。

经理和工人的活动①。层级制每个接点的信息加工职能均被明确规定,而每个职位的雇佣合同则根据工作内容(如所需技能、经验、责任、危险性等)和工人的技能水平加以确定。“雇人官僚”(employing bureaucracy)(Jacoby,1985)管理人事的程序化和针锋相对的“控制工种”(“job-controlled”)的工会运动使这些工种安排的实践制度化②。在合同条款之外,签约的任何一方都不承担额外的义务。在美国,工人的集体利益部分由民主党代表,后者在民主型国家的两党代议制的竞争性框架中为工人争取利益(参见第6.2节)。

支付给雇员的合同工资以外的剩余收入归公司所有。如果支付给雇员和其他生产要素的报酬确实反应了各自的市场边际价值,那么,剩余收入最大化在理论上是与内在效率相一致的。传统观点一直认为,董事会在评估管理策略和选择管理人员时对股东负有信托责任(fiduciary duty)③。竞争性公司资产估值市场和公司控制权市场的存在,在理论上对剩余收入最大化将产生有效的外部激励(Manne,1964)。所以,从理论上看,竞争性(内部与外部)职业市场和股票市场的共存对于使功能层级制内在化的公司企业的效率是互补的。

正如上述HM模式所表明的那样,对上游和下游物质资产的剩余控制权有助于加强功能层级制中高层经理相对于其他使用这些资产的底层经理的谈判力,这在他们之间不考虑建立未来声誉的情况下尤其如此。这是高层经理偏好向前和向后一体化的原因④。截至

---

① 正如钱德勒(1977)和威廉姆森(1975)所记述的那样,所谓M型结构(即多单位公司企业)在20世纪美国的出现是组织创新的一个经典例子:M型企业通过将资本市场内在化实现了多个准独立层级制的捆绑。

② 参见Dunlop (1958/1993),Jacoby (1985)和Baron等(1986)。

③ 另一种非正统的观点主张,董事会与其说是股东的代理人,还不如视为公司的信托人。在严格的法律意义上,董事会确实不是股东的代理人,因为董事会在任职期间既不能被股东随意撤换,也不完全根据股东的具体指令行事。自从20世纪30年代Dodd与Berle的争论以来,这种非正统的观点被许多学者以不同形式表述过。更广泛的问题是,董事会并不是一味追求股东现期财富的最大化,它还必须关注公司的长期发展(如公司与社会和邻近社区的关系;其他利益相关者,如雇员、消费者和供应商的长期利益)。第11章对股东-价值观与利益相关者-社会观理论的争论进行了重新审视。关于利益相关者-社会观的最近论述,参见Blair(1995)。

④ 谢尔曼反托拉斯法的法庭解释认为,企业间的“松散联合”(如君子协定和其他类型的卡特尔协议)是非法的,但企业不能仅仅因为其规模大而判为非法。该法案的长期后果是导致经理以一体化的方式加强其市场驾驭力。

20世纪70年代,典型的美国企业已经习惯于在主导企业主导价格的寡头产品市场中经营。由于企业享有市场驾驭力,它们能够承受一定程度的因组织日益增加的惰性导致的内部非效率。这种组织惰性反映在管理协调层级的不断增加上。控制工种的工会运动,原先是为了限制层级控制中车间工头权力的随意性和裙带主义,现在开始阻碍企业工作安排的灵活性。这表明竞争性产品市场互补于公司控制权市场。也就是说,公司控制权市场对经理层的激励效果随产品市场竞争度的上升而增强。

(4) D模式　该模式取自信息通信技术革命和两德统一之前德国经济的典型化事实。在第4.2节(5)和第6.2.1节我们已经看到,本模式流行的组织惯例是参与型层级制,把工人委员会内化为企业的重要部分,并与社会契约的社团主义国家形态相嵌在一起。政府扩展了交易协会和产业工会的职能,使之能够在劳动交易域发展自己的治理结构。产业工会与企业的谈判结果在法律上适用于非工会成员。德国关于社会团结和"产业公民"的社会规范赋予了工人除政治和公民权之外的许多权利,这些权利与德国社会谈判结构相结合,导致了个人之间、产业部门之间和大小企业之间工资差异的显著缩小。

在公司治理域层次上,与上述社会谈判结构相匹配的结构是德国以法律形式规定的共同决定体制。许多德国企业仍然是个人所有,并与综合性银行保持联系,后者拥有企业的大量的股份和债权,是个人股东的股票监护人并进入公司董事会①。第11.2节提供了社会契约的国家社团主义和共同决定体制之间制度互补性的正式解释②。为了维持这种制度互补性,公司持股结构的稳定是十分必要的,持股结构的稳定可以通过封闭的所有权结构或者让综合性银行之类的尽职股东掌握多数享有投票权的股份,避免监事会承受太强的市场压力。

有人指出,由于德国企业和综合性银行正逐渐向市场导向的融资和经营方式转变,上述模式正发生着根本性的变化(如Edwards和

① 关于德国银行和企业的股份持有和监护关系的详尽描述,参见Baum(1994)。
② 关于德国政府在维持非市场导向的公司治理结构中的作用,参见Hellwig(2000)。

Fischer,1994)。这种观点值得谨慎对待。即使在新的市场环境下，德国综合性银行仍然享有有利位置，可以投资银行的方式维持与D企业的关系融资。与20世纪90年代中期以前的日本城市银行相比，德国银行不受政府规制的限制，可以发展面向市场的融资技术，而这对D企业也是有利的[①]。通过证券市场为公司融资的发展与通过市场进行公司控制的发展不是一回事，前者并不必然导出后者。虽然美国商学院训练的经理越来越多地应用公司资本市场进行重组，但还没有迹象表明，通过市场进行的公司控制已经成为D企业的一种制度化的公司治理环境。[②] 不过，近来规制上的一个变化——降低出售股票的资本收益税，可能会为银行减少对客户D企业的股本持有提供一定激励。私人养老基金的发展促进了持股所引起的可转换性，这种前景对D模式的内聚力的影响可能超过所有其他因素。

(5) J模式　该模式来自20世纪60—90年代初期日本经济的典型化事实。我们在许多场合讨论了水平层级制的组织惯例、主银行制和官僚多元主义国家之间的制度互补性(第6.2节、第11.3节、第12.2节和第13章)。在J模式中，组织、经济交换和政治经济域被各种社会交换域的网络所嵌入，通过后者，无形的和象征性的社会资本(如声誉、尊重和社会肯定)在组织和个体成员间以等差的方式进行分配，分配的标准是成员的能力、成就、声誉、对集体的贡献等等，具体视环境而定(参见第8.1和8.2节)。高度密集的社会嵌入性有助于维持收入平等，如同在社会契约下的社团主义和D模式所导致的那样。这也意味着关系合伙人通过事后的重新协商相互被赋予了一种安全保险(如在财务困难的企业及其主银行之间，或者衰退产业与相关的政府部门之间)。在非常稳定的环境下，这种重新协商的可能性有助于维持社会稳定和制度的内在一致性，但当系统范围内的风险来临时，它将导致大范围的道德风险问题。在第13章我们看到，全球金融市场一体化和信息通信技术革

---

① 关于日本和德国公司治理结构及其制度互补性的比较研究，参见Jackson(2000)。

② 最近广为公众所知的是Mannesmann AG被以英国为基地的Vodafone Air Touch PLC恶意收购的事件，这件事很特别，因为在被收购前，Mannesmann AG非常分散的所有权结构在D模式企业中十分独特。也可参见Kume和Thelen(1999)。

命通过各域间的制度互补和关联，在20世纪90年代末触发了日本经济的一次深刻的认知性制度危机。其结果，J模式的制度架构开始经历深刻的变化，虽然变化目前只是渐进的，前景也尚不十分明朗（第10.2节和第13章）。

15.1.3 信息通信技术驱动的新模式

(6) SV模式　该模式是对硅谷现象的典型化事实的概括。精彩的硅谷故事始于几个敢于冒险的创业投资家和几个企业家碰头的地方。创业投资家在金融域试验一种新的融资策略，即以阶段性关系型融资为特征的“创业投资融资”策略（第8.2.3节和第13章）。另一方面，创新企业家在组织域也尝试一种新的组织策略——即以在传统大公司之外独立发展模块产品为特征的“信息包裹”策略（第4.2节(8)、第10.2.2节和第14.1节）。正如第14章详细讨论的那样，两种策略是潜在互补的，但为了使它们共同演进，两者需要“制度相关”政策、技能类型和其他参数的支持，即①

- ❐ 附近有一所科研型大学和其他教育机构，使得更为开放的学术交流文化氛围得以生成，并供应具有广泛技能的敢于冒险的工程师和技术人员；
- ❐ 部分从国防工业遗留下来的机械制造能力促进了灵活多样的试验产品的迅速生产②；
- ❐ 政府放松对养老基金投资创业投资基金的管制，减低资本收益税和放宽对技术移民的限制（Saxenian，1999）③。

上述因素在一个地区的共同作用使得创业投资家和企业家的试验策略日益发挥效力。边干边学连同两种试验策略的内在互补性，为硅谷发展提供了源源不断从外界吸收各种资源的动力。于是，两

---

① 根据戈登·穆尔（Gordon Moore）和詹姆斯·乔布斯（James Gibbons）1997年在斯坦福经济政策研究中心会议上的发言。关于硅谷的历史发展，参见 Florida 和 Kenney（1998），Lee，Miller，Hancock 和 Rowen（2000）。

② 关于国防工业对硅谷崛起的一般影响，参见 Florida 和 Kenney（1998）。

③ 关于自由移民政策对硅谷的影响，参见萨克森尼安（1999）。

种策略成为相互支持的均衡，从而构成特定区域的整体性制度安排，其影响逐渐超出硅谷和高科技产业。

硅谷模式的创新企业专门从事潜在产品系统的模块产品的设计开发，产品的制造则发包给外部的企业。创新企业的创新活动所产生的过程信息对其他创新企业应该是有价值的，但在技术进步迅猛发展的今天，这种信息的经济价值的折旧也非常迅速。除非加工的信息能够包含在可专利化的商业产品之中，否则这种信息的知识产权的定义和实施将极其困难。事实上，根据一项源于19世纪的法律规定，关于使用后非竞争的雇佣条款（post-employment covenants not to compete）在加州已无法实施（Gilson，1999）。知识产权变得有些模糊不清①。相应地，HM企业以物质资产所有权为基础的企业边界也因此变得模糊不清②。

在这种情况下，硅谷的创新企业被迫相互隐蔽各自的创新活动，并向员工提供股票期权和其他公司福利，以便留住他们；与此同时，企业之间交流一些有关产品性能和界面的公共信息。硅谷企业的这种双重策略得益于硅谷各种各样的以校友、职业或族群等为纽带结成的职业社区。这些社区促进了技术知识和理念的迅速和密集的交流与传播。交流通常是面对面的，职业社区为成功和有才能的企业家提供了社会声望和显赫地位以及金钱报酬。职业社区的成员也因此可以灵活组合，创立新的企业。

(7) GL模式　该模式是对信息通信技术时代全球性公司企业的典型化事实的概括，这里所指的全球性公司企业发源于美国，但不一定只限于美国。在信息通信技术之前，A企业在经历了20世纪60年代的黄金时期之后，日益面临来自D企业和J企业的竞争威胁，A企业所享受的寡头垄断利润不断减少。寡头垄断企业的相对衰落导致传统上在旧公司形式下一体化的商业活动开始逐步分离出去，其结果，在传统美国产业的边缘地带如硅谷出现了这些商业活动松散的重新组合，并反过来对A企业的创新能力形成威胁。传统的A企

---

① 然而，律师在硅谷发挥了非常重要的作用，如为创业投资家和企业家设计自我实施合同，为IPO准备书面报告，与收购公司签订交易合同等等。参见Suchman (2000)和Johnson (2000)。

② 拉热和齐加列斯（Rajan 和 Zingales，2000）表达了类似的论点。

业不得不进行企业重组,以求生存。

促成上述变化的有两个重要因素:一是信息通信技术的迅速发展,二是金融市场技术的不断积累。信息通信技术的发展使得大型竞争性企业——GL 企业——在全球范围内扩展业务,但管理等级层次并不增加。其组织结构可以概括为网络集成型功能层级制,如第 4.2 节(3)所描述的那样。GL 企业运用信息通信技术为基础的信息网络重组和扩展功能层级制的范围。一方面,信息通信技术的发展连同因人口变化(如预期寿命提高)引致的机构投资者(养老基金和共同基金)的兴起加剧了金融市场上基于数码化信息(如投资企业的金融数据)的竞争,同时也迫使 GL 企业在公司信息发布时更加透明化,迫使 GL 企业更加追求股票价值最大化。作为回应,GL 企业采取以下手段更侧重于企业股票价值最大化:如竞争性采购模块产品和在网上购买标准产品(即所谓的 B2B 电子商务),收购成功的创新企业,与上游和下游企业结成跨市场联盟(参见第 14 章附录)。

GL 企业的全球化也对商业交易和其他域提出了有趣的问题。政府管制严重的国家会面临全球企业撤出生产基地的危险,降低政府的征税能力。传统的国际经济管制结构也不再适应全球范围内商务、通信和交通前所未有的发展。面对这种情况,GL 企业部分采用技术性合同实施机制保护自己的产权,如使用加密技术和“合同产品”(contract as products)(Radin,1999;参见第 3.5.3 节)。作为对政府职能的替代,GL 企业开始嵌入各种社区的活动,不仅包括地域上的社区,而且还包括受职业标准和职业伦理约束的跨国界的非政府组织。GL 企业虽然带有本国公司文化的强烈特征,但如果忽略了它所在社区和组织的潜在影响,就不可能在产品市场真正取得一席之地。

15.2 全球制度安排自组织方式的多样性

作为政治域均衡状态的国家形态构成任何整体性制度安排的一部分,政治域通常在结构上以中央政府为中心。制度安排的性质因此在很大程度上具有国家的特征。由于国家经济日益融入全球市场,一些政治经济学家认为,以国家为基础的比较分析正逐渐失去意义。例如，苏珊·斯特兰奇(Susan Strange)在论述了技术进步已使得企业跨国经营更有效率、跨产业比跨国的组织差异更大之后声称：

> 还有三个进一步的理由说明，大多数比较学家夸大了国家制度和国家政策的意义。首先，政府控制其国家经济的能力普遍在下降……其次，对资本主义的跨国管制不断增加，国家管制被日渐替代，国家差异也在不断消失。再次是企业的非国家化(denationalization)，企业总部的所在地与企业在世界经济舞台上的行为已没有什么联系。(1996：第 188 页)

上述观点在一定程度上触及到了全球一体化现象的某些方面，但认为世界经济正在走向由一体化国际市场和跨国企业主宰的单一和均质的状态、国家制度正在消失，则是片面的。为方便起见，我们不妨把这种观点称为跨国主义论。我们的观点既区别于国家比较论，也区别于跨国主义论。我们之间有什么主要差别呢？

首先请注意，我们分析的基本单位是由参与人集合和行动决策集合刻画的域。域特征连同为参与人每个行动决策分配结果的规则(即后果函数)一起构成博弈(或机制)的“外生”规则。制度被定义为关于域各种博弈均衡之一的概要表征(第 1 章和第 7 章)。一个域既可以界定为一个国家经济(如国家比较论者所做的那样)，也可以界定为亚国家经济或跨国家经济(如跨国主义论者所做的那样)。比如，组织场演化的组织惯例既可以发生在国家层次上(诸如 TA 企业、J 企业和 D 企业)，也可以发生在亚国家层次(如第 4.2 节的意大利工业区和硅谷模式)或跨国家层次(如 GL 企业)。我们力图理解在技术特征相同的域，为什么在理论上有多重均衡的可能性，为什么在实际中会演化出不同的组织惯例。这是“比较分析”的真正内涵。虽然国家经济无可置疑是一个重要的研究议题，但我们的注意力不只限制在国家系统的范围内。另一方面，为什么 GL 企业在组织场只能演化出惟一的均衡状态，这似乎是不清楚的。即使在某些市场上，均质的非国家化企业居于主导地位，在其他国家和地区市场上仍然可能以路径依赖的方式演化出不同的组织惯例，这些动态过程对于理解世界经济未来走向将是非常有价值的。

其次，制度既可以是互补品也可以是替代品，这取决于理论分析的层次。如第1章所强调的那样，我们不可能从一种免于任何制度影响、纯粹由技术决定的外生性博弈规则开始分析制度。任何域的博弈规则多少已经含有某种人为设计的机制（规则）。某些交易在某时某地可能在交易域进行，在另一时间和地点则可能在组织域进行。同理，另一些交易活动受路径依赖的影响有可能在政治或交易域进行。从这种观点出发，跨国主义论似乎主张，国家性机制，不论政治、组织、社会交换还是交易域正在被对应的跨国机制所侵蚀和取代，将来流行的制度将具有跨国性质（但跨国主义论没有清楚区分机制和作为均衡结果的制度）。

尽管市场全球化的影响十分显著，但跨国主义论所主张的线性发展图景并不能视为当然。这至少有两个原因。第一个原因是，信息通信技术发展不仅没有降低反而增加了意会知识的相对价值（第12章）。由于意会知识的重要价值，在自然地理、文化遗产和交流范围意义上属于“地方性”的制度安排势必和跨国制度一起演进。第二个原因是制度安排的系统一致性。贯穿全书，我们所强调的是制度跨域的共时和历时相互依存和关联。这些相互依存性有可能与作为重要聚焦点的民族国家一同演进。我们不认为国家政府的政策和组织设计完全设定了国家经济整体性制度安排动态演进的路径。相反，给定其他域（包括国际经济域）的制度安排作为环境参数，我们把国家视为政治域的均衡状态。反过来，其他域的制度演化以国家形态作为环境参数。换言之，国家形态与其他制度是相互决定的。由于国际交易域（全球市场）是民族国家重要的环境之一，民族国家自然要适应市场全球化和跨国企业发展的形势。不过，这丝毫不意味着国家域之间的制度差异将随之消失，世界经济将被单一和同质的跨国性制度安排治理。我们有必要认识到，在跨国层次上的制度安排与国家及其他层次上的制度安排相互作用和共同演进的方式。在这个过程中，跨国和区域性制度（如全球市场、虚拟空间的产权实施、全球金融市场治理，或像欧盟一样的超国家联邦主义结构）与国家和亚国家制度有可能是互补品，而非简单的替代品。

在一定意义上，本书的目的就是为分析全球范围内复杂的制度互补关系提供一个适当的理论框架，虽然直接分析这些制度间复杂的相互依存性超出了本书的范围。我们承认本书的框架未能给予发展中经济和转轨经济充分的讨论，但从中可以引申出关于全球性制度安排的一些重要启示和猜想。下面是我们侧重分析全球市场一体化、跨国企业和信息通信技术发展所可能产生的影响的一个总结①。

15.2.1 关于组织场和组织域

(1) 信息通信技术的发展肯定会加强全球性企业(GL企业)的活力，其中全球企业的组织结构将以全球扩展的网络集成型功能层级制为特征(第4.2节)。正如我们在第12.1节所指出的那样，经济上有价值的信息不一定必然能够数码化。有些经济信息只是在现场以意会的方式被处理和利用。信息通信技术发展的另一个影响是，小企业有效从事包裹型信息加工，在缝隙市场上开发独特的模块产品(第14.1节)。虽然GL企业在标准化的全球市场上日益居于主导地位，但如硅谷或意大利工业区所观察到的小企业仍将活跃在缝隙市场上。

(2) 小型组织单元——小企业或大企业的附属单位——信息包裹本身并不能保证它能够比任何其他组织信息结构更有信息效率。组织结构的比较信息效率取决于微观技术、组织历史、局部市场相关人力资产的可得性和包括社会规范在内的制度环境(第4.1节和第5章)。因此，即使存在借鉴其他地区组织经验的学习过程，组织多样性仍将继续存在②。

(3) 当小型(模块)组织单元被联结到一个有效的大系统之中时，各种新的中介性和咨询性组织可能应运而生。我们曾详细讨论过的例子是硅谷模式的创业投资家(第4.2节和第14章)③。另外，那些不直接干预下属公司或单元但积极从事重组活动的管理和持股公司所扮演的角色也可以从这个角度理解(第11.3节)。

---

① 影响全球范围内制度安排形成的其他因素包括人口变化和经济活动对全球自然环境的后果。

② 帕加诺(Pagano,1999)讨论的组织“生态多样性”与我们的论点高度相关。

③ 律师事务所和会计师事务所在硅谷也发挥了重要作用。参见Suchman(2000)。

15.2.2 关于金融交易域和其他交易域

(1) 如第12.1节所述,某些类型的意会知识在金融交易域是富有经济价值的。由产业既得利益集团控制的裙带关系融资会导致严重的道德风险问题,在金融市场全球一体化的情况下,金融约束和金融业的进入控制也越来越缺乏活力,但是,基于有经济价值的意会信息的关系型融资并不能一概抛弃。我们曾论证关系型融资在证券市场一体化条件下仍然有效的可能性(命题12.3),当然关系型融资的出现需要某种程度的政府保护(如金融约束、进入壁垒和短期资本流动限制)。

(2) 全球融资者利用数码式信息,在全球市场上享有有效配置资产组合和抵御风险的优势,但它们缺乏能力来直接监督最后的借贷者,不得不把监督职能授权给其他融资者(如创业投资家、新兴市场的本地银行家)。如果国际融资者和新兴市场的本地融资者的关系界面未能很好地安排和管理,而本地融资者的监督能力又不能完全信赖,金融市场就可能陷入动荡(第12.2.2节(2))。国际资本流动的治理规则不能简化为单单是借贷者这一方的信息透明度、谨慎管理和第三方合同实施问题[①]。东南亚金融危机的出现是因为全球性融资者和本地融资者两方不会有效利用意会知识的结果。当货币危机来临,国际货币基金组织之类的国际组织将会救助的普遍预期,使得道德风险缺乏应有的制止。

(3) 电子商务在全球虚拟空间的发展真正把全球的交易域联结在一起。但任何交易域离开了保护产权和实施合同的可信的治理机制都不可能有效运转。如果政府制定的产权保护和实施规则问题重重,那么,政府充当第三方实施的功能应该尽量减少。资本主义早期的市场发育得益于政府执行合同的独特能力,同样,电子商务的进一步发展有赖于各国政府在合同实施、知识产权保护和打击非法行动方面的合作和各国法律的一体化(Radin,1999)。我们也需要注意

---

① 那种主张金融市场的效率完全可以通过市场导向的政策措施加以恢复和维持的观点被神原(Sakakibara,1999,2000)戏称为"市场原教旨主义"。正如第12章所建议的那样,控制投机性短期资本流动对于培育新兴市场的市场相关技能是必要的选择。参见斯蒂格利茨(1999)和神原(1999)。

到，即便在电子商务域，第三方实施机制也有必要、事实上也得到其他机制的补充甚至替代，如多方声誉机制（网上拍卖）和数码式实施机制（第 3.5.3 节）。

15.2.3 政治域

（1）在讨论民族国家对全球环境的适应的时候，我们在第 6 章所做的关于政府作为政治域的参与人和国家作为均衡状态的区分就变得非常必要。在第 13 章，我们曾探讨了日本主银行制的危机过程，其中日本政府的规制框架与全球化环境日益不相适应，最终酿成制度危机。这种不相适应性在非自由民主型的政治制度下表现得更为尖锐，因为国内利益集团（如社会契约下的全国工会组织和官僚多元主义下的产业协会）成为政治制度最重要的庇护对象。这种类型的国家只有被迫去适应变动的国际环境。正如我们从日本主银行制的例子所看到的，这种适应有时不那么容易，由于国家形态和经济的其他制度高度关联，这种适应只能是渐进的①。第 6.2 节所界定的各种国家形态的特征仍将是导致这些国家不同适应方式的最重要原因。

（2）国家规制政策和全球化的冲突有可能促使国家政府间组成跨国家组织，凌驾于各国管制权限之上。这种举措对于联系紧密的交易域来说比较容易实施。跨国家的联邦主义结构如欧盟的形成就是一个例子（第 6.2.2 节）。出于同样的原因，一些小型组织单元在组织场变得非常活跃，政府的传统功能，如规制、公共产品和社会福利提供、环境保护等，可以在地方社区和非政府组织的参与下在更小的管辖范围内有效行使。通过市场维护型的联邦主义的政府分权化，可以更好地解决预算软约束问题（第 6.2.2 节）。所以，未来的政治制度的特征不会是相互排斥的威斯特伐利亚式的民族国家（Westphalian nation states）的集合体（这种情况从未出现过），而将日益变成多层次和交叉式的结构（Krasner，1999）。

（3）市场全球化和信息通信技术的发展使得全球政治域变得日

---

① 弗里曼（Freeman，1995）和弗里曼、托佩尔和斯威登伯格（Freeman、Topel 和 Swedenborg，1997）注意到，在“联系度高的经济”如“福利国家系统”中，经济对环境和特定政策变化的适应成本要更高。他们所给出的解释基本上是制度间的强互补性。

益重要。现存国际治理结构如联合国、国际货币基金组织、世界贸易组织以及国际法庭(International Justice Court)大都在市场全球化和信息通信技术革命之前,并建立在排他性成员国政府的基础上。人们开始争论这些国际性组织能否解决当今出现的国际问题,是否需要建立新型的全球治理结构,当今面临的国际问题有环境权利的安排、各国规制政策的冲突、金融市场和交易争端的治理、全球市场和电子商务产权保护的基础设施建设、南北问题等等。但给定南北和东西国家形态(即集体信念系统)的诸多差异,再加上各种基于不同的政治、社会和道德观点的国际非政府组织的影响日益加强,能否出现一种凌驾于民族国家之上的全球国家形态(即全球性共有信念系统)是值得怀疑的。

15.2.4 社会交换域

(1) 全球化的一个悖论是,在本质上属于当地局部范围的社会规范仍然嵌入在并制约着全球化的交易过程。我们曾经讨论过职业(族群)社区流行的价值规范对虚拟空间软件技术的发展和高科技中心的国际传递的重要贡献(第2.3节)。

(2) 虚拟空间的快速沟通和人员流动的便利促成了各种目的的全球网络的形成(如环境保护与安全、人权等非政府组织)。跨国企业、民族国家和国际组织的决策活动日益面临这些全球网络的监督。但这些组织的政治和社会目标乃至于道德立场各异其趣,有时还相互冲突。

因此,在全球范围演进的整体性制度安排远不会演化成一种跨国企业和全球金融市场主导,并凌驾于国家制度和地域性制度之上的单一和均质的状态。它更应体现为一种复杂的结构,其中起源并演化于不同域的制度,在亚国家、国家或跨国家层面上以竞争或互补方式相互作用。由于市场全球化和信息通信技术的发展,这种结构一直处于变动之中。但正如任何制度一样,全球范围内的整体性制度安排也具有惰性和耐久性,否则,世界经济不可能是稳定的,也不可能是富有活力的。总的来说,我们预言,国家制度将逐步适应全球变动的技术环境,但这种适应将具有路径依赖的性质。我们将看到全球性制度安排的双重趋势:一方面是跨国家制度的重要性上升;另一方面是地域性、国家和地方制度多样性的持续演化。我们相信,正是这种制度多样性使得世界经济更具抵御意外冲击的耐久能力和对变动环境做出创新性适应的能力。由于我们不知道全球性制度安排有何先验的理想模式,因此,真正使我们富有创造力的是多样性所提供的相互之间的学习、试验和机遇等。

参考文献

Admati, A. R. and P. Pfleiderer (1994), "Robust Financial Contracting and the Role of Venture Capitalists," *Journal of Finance* **49**: 371—402.

Aghion, P. and P. Bolton (1992), "An Incomplete Contracts Approach to Financial Contracting," *Review of Economic Studies* **59**: 473—494.

Aghion, P. and J. Tirole (1994a), "Formal and Real Authorities in Organizations," *Journal of Political Economy* **105**: 1—29.

Aghion, P. and J. Tirole (1994b), "The Management of Innovation," *Quarterly Journal of Economics* **106**: 1185—1209.

Akamatsu, N. (1995), "Enterprise Governance and Investment Funds in Russian Privatization," in Aoki and Kim (1995): 121—183.

Akerlof, G. (1970), "The Market for 'Lemons': Qualitative Uncertainty and the Market Mechanism," *Quarterly Journal of Economics* **84**: 488—500. Reprinted in Akerlof (1984): 7—22.

Akerlof, G. (1976), "The Economics of Caste and of the Rat Race and Other Woeful Tales," *Quarterly Journal of Economics* **90**: 599—617. Reprinted in Akerlof (1984): 23—44.

Akerlof, G. (1982), "Labor Contracts as Partial Gift Exchange," *Quarterly Journal of Economics* **97**: 543—569. Reprinted in Akerlof (1984): 145—174.

Akerlof, G. (1984), *An Economic Theorist's Book of Tales*. Cambridge, UK and NY: Cambridge University Press.

Akerlof, G. and W. T. Dickens (1982), "The Economic Consequences of Cognitive Dissonance," *American Economic Review* **72**: 307—319. Reprinted in Akerlof (1984): 123—144.

Alchian, A. (1950), "Uncertainty, Evolution, and Economic Theory," *Journal of Political Economy* **58**: 211—221.

Alchian, A. and H. Demsetz (1972), "Production, Information Costs, and Economic Organization," *American Economic Review* **62**: 777—795.

Allen, R. C. (1992), *Enclosure and the Yeoman*. Oxford: Clarendon Press.

Allen, R. C. (1998), "Agricultural Output and Productivity in Europe, 1300—1800," mimeo., University of British Columbia.

Allen, R. C. (1999), "Tracking the Agricultural Revolution," *Economic History Review*, 2nd series, forthcoming.

Allen, R. C. (2001), "Community and Market in England: Open Fields and Enclosure Revisited," in M. Aoki and Y. Hayami (2001): 42—69.

Amable, B., R. Barré and R. Boyer (1997), *Les Systèmes d'innovation: À l'ère de la Globalisation*. Paris: Economica.

Amino, Y. (1997), *Nihon Shakai no Rekishi* (A History of Japanese Society), vol. 3. Tokyo: Iwanami Shoten.

Amsden, A. and T. Hikino (1994), "Project Execution Capability, Organizational Know-How and Conglomerates Corporate Growth in Late Industrialization," *Industrial and Corporate Change* **3**: 111—148.

Anderson, K. and Y. Hayami with G. Aurelia (1986), *The Political Economy of Agricultural Protection*. Sydney: Allen & Urwin.

Aoki, M. (1984a), *The Co-operative Game Theory of the Firm*. Oxford: Clarendon Press.

Aoki, M. (1984b), *The Economic Analysis of the Japanese Firm*. Amsterdam: North Holland: 193—224.

Aoki, M. (1984c), "Shareholders' Non-unanimity on Investment Financing: Banks vs. Individual Investors,"in M. Aoki (1984b): 193—224.

Aoki, M. (1986), "Horizontal and Vertical Information Structure of the Firm," *American Economic Review* **76**: 971—983.

Aoki, M. (1988), *Information, Incentives, and Bargaining in the Japanese Economy*. Cambridge: Cambridge University Press.

Aoki, M. (1990), "Toward an Economic Model of the Japanese Firm," *Journal of Economic Literature* **28**: 1—27.

Aoki, M. (1994a), "The Japanese Firm as a System of Attributes: A Survey and Research Agenda," in Aoki and Dore (1994): 11—40.

Aoki, M. (1994b), "The Contingent Governance of Teams: Analysis of Institutional Complementarity," *International Economic Review* **35**: 657—676.

Aoki, M. (1994c), "Monitoring Characteristics of the Main Bank System: Analytical and Development View," in Aoki and Patrick, (1994): 109—141.

Aoki, M. (1995a), "An Evolving Diversity of Organizational Mode and its Implications for Transitional Economies," *Journal of Japanese and International Economies* **9**: 330—353.

Aoki, M. (1995b), "Controlling Insider Control: Issues of Corporate Governance in Transition Economies," in Aoki and Kim (1995): 3—29.

Aoki, M. (1995/2000), *Keizai Sisutemu no Shinka to Tagensei*. Tokyo: Toyokeizai Shinposya. Translated into English by S, Gehrig as *Information, Corporate Governance and Institutional Diversity: Competitiveness in Japan, US and Transition Economies*. Oxford, University Press.

Aoki, M. (1996), "Towards a Comparative Institutional Analysis: Motivations and Some Tentative General Insights," *Japanese Economic Review*, **47**: 1—19. Reprinted in Aoki (1995/2000): 159—180.

Aoki, M. (1998), "Organizational Conventions and the Gains from Diversity: An Evolutionary Game Approach," *Industrial and Corporate Change* **7**: 399—432.

Aoki, M. and S. Dinc (2000), "Relational Financing as an Institution and its Viability Under Competition" in Aoki and Saxonhouse (2000): 19—42, Oxford and N.Y.: Oxford University Press.

M. Aoki and R. Dore (eds.), *The Japanese Firm: Sources of Strength*. Oxford and N.Y.: Oxford University Press.

Aoki, M. and Y. Hayami, eds. (2001), *Communities and Markets in Economic Development*. Oxford and N.Y.: Oxford University Press.

Aoki, M. and H-K. Kim, eds. (1995), *Corporate Governance in Transitional Economies: Insider Control and the Role of Banks*. Washington, DC: The World Bank.

Aoki, M. H-K. Kim, and M. Okuno-Fujiwara, eds. (1997) *The Role of Govern-*

ment in East Asian Economic Development: Comparative Institutional Analysis. Oxford, U.K. and N.Y.: Oxford University Press.

Aoki, M., K. Murdock and M. Okuno-Fujiwara (1997), "Beyond the East Asian Miracle: Introducing the Market-Enhancing View." in Aoki, Okuno-fujiwara, and Kim (1997): 1—37.

Aoki, M. and M. Okuno-Fujiwara (1996), *Keizai Sisutemun no Hikaku Seido Bunseki* (*Comparative Institutional Analysis of Economic Systems*). Tokyo: University of Tokyo Press.

Aoki, M. and H. Patrick, eds, (1994), *The Japanese Main Bank System: Its Relevance for Developing and Transforming Economies*. Oxford and N.Y.: Oxford University Press.

Aoki, M., H. Patrick and P. Sheard (1994), "The Japanese Main Bank System: An Introductory Overview," in Aoki and Patrick (1994): 3—50.

Aoki, M. and N. Rosenberg (1989), "The Japanese Firm as an Innovating Institution," in Shiraishi and Tsuru (1989):137—154.

Aoki and Saxonhouse, eds. (2000), *Finance, Governance, and Competitiveness in Japan*. Oxford and N.Y.: Oxford University Press.

Aristotle (1955) *Ethics*, translated by J. A. K. Thompson (revised translation by Hugh Tredennick), Penguin Classics. London: Penguin books, Ltd.

Arrow, K. J. (1962), "Economic Welfare and the Allocation of Resources for Invention," in National Bureau of Economic Research (eds.), *The Rate and Direction of Inventive Activity: Economic and Social Factors*: 609—625. Princeton: Princeton University Press.

Arrow, K. J. (1967), "The Place of Moral Obligation in Preference Systems," reprinted in *Collected Papers of Kenneth J. Arrow*, Vol. 1:78—80. Cambridge: Harvard University Press.

Arrow, K. J. (1969), "The Organization of Economic Activity: Issues Pertinent to the Choice of Market versus Nonmarket Allocation," in *The Analysis and Evaluation of Public Expenditures: The PPB System*, A Compendium of Papers Submitted to the Subcommittee of Economy in Government of the Joint Economic Committee, Congress of US, Vol. 1: 47—63. Washington, D.C.: US Government Printing Office.

Arrow, K. J. (1970), "Political and Economic Evaluation of Social Effects and Ex-

ternalities,"in J. Margolis, ed., The Analysis of Public Output: A Conference of the Universities-National Bureau Committee for Economic Research: 1—23. New *York: W. W. Norton.*

Arrow, K. J. (1974), The Limits of Organization. N.Y.: W.W.Norton & Company.

Arrow, K. J. (1998), "The Place of Institutions in the Economy: A Theoretical Perspective," in Y. Hayami and M. Aoki (1998): 39—48.

Arthur, W. B. (1989), "Competing Technologies, Increasing Returns, and Lock-in by Historical Events, *Economic Journal* **99**: 116—131.

Asanuma, B. (1984), "Jidosha Sangyo niokeru Buhin Torihiki no Kozo (The Structure of Parts Transactions in the Automobile Industry)," *Kikan Gendai Keizai* Summer: 38—48.

Asanuma, B. (1989), "Manufacturer-Supplier Relationships in Japan and the Concept of Relation Specific Skill," *Journal of the Japanese and International Economies* **3**: 1—30.

Athey, S. (2001),"Monotone Comparative Statics Under Uncertainty," *Quarterly Journal of Economics*, forthcoming.

Athey, S. (2001), "Single Crossing Properties and the Existence of Pure Strategy Equilibria in Games of Incomplete Information," *Econometrica*, forthcoming.

Aumann, R. and M. Kurz (1977), "Power and Taxes," *Econometrica* **45**: 137—160.

Baker, E. (1998), "Institutional Barriers to Technology Diffusion in Rural Africa," Mimeo, Stanford University.

Baker, G., and G. D. Smith (1998), *The New Financial Capitalists: Kohlberg Kravis Roberts and the Creation of Corporate Value*. Cambridge, U.K. and N.Y.: Cambridge University Press.

Baland, J-M. and J. P. Platteau (1996), *Halting Degradation of Natural Resources: Is there a Role for Rural Communities*? Oxford and N.Y.: Oxford University Press.

Baldwin, C. Y. and K. B. Clark (1997), "Managing in an Age of Modularity," *Harvard Business Review* **75**(5): 84—93.

Baldwin, C. Y. and K. B. Clark (2000), *Design Rules: Vol. 1. The Power of Modularity*. Cambridge: MIT Press.

Bankman, J. and R. J. Gilson (1996), "Venture Capital and the Structure of Capital Markets: Banks Versus Stock Markets?" *Journal of Financial Economics* **51**: 289—303.

Bankman, J. and R. J. Gilsom (1999), "Why Start-ups?" *Stanford Law Review* **51**: 289—308.

F. Barca, K. Iwai, U. Pagano and S. Trento (1999), "The Divergence of the Italian and Japanese Corporate Governance Models; The Role of the Institutional Shocks," *Economic Systems* **3**: 35—61.

Bardhan, P. (1977), "Variations in Forms of Tenancy in a Peasant Economy," *Journal of Development Economics* **4**: 105—118.

Bardhan, P. (1980), "Interlocking Factor Markets and Agrarian Development: A Review of the Issues," *Oxford Economic Papers* **32**: 82—98.

Bardhan, P. (1984), *Land, Labor and Rural Poverty: Essays in Development Economics*. N.Y.: Columbia University Press.

Bardhan, P. (1989a), "A Note on Interlinked Rural Economic Arrangements," in Bardhan (1989b): 237—242.

Bardhan, P., ed. (1989b), *The Economic Theory of Agrarian Institutions*. Oxford: Claredon Press.

Bardhan, P. (1993), "Symposium on Management of Local Commons," *Journal of Economic Perspectives* **7**: 87—92.

Bardhan, P. (1998), "The Nature of Institutional Impediments to Economics Development," Mimeo., University of California, Berkeley.

Bardhan, P. and Rudra (1978), "Interlinkage of Land, Labor, and Credit Relations: An Analysis of Village Survey Data in East India," *Economic and Political Weekly*, 13: 367—384.

Barkaw, H., L. Cosmides and J. Tooby, eds. (1993), *Adapted Mind: Evolutionary Psychology and the Generation of Culture*. N.Y.: Oxford University Press.

Barnard, C. (1938), *The Functions of the Executive*. Cambridge MA: Harvard University Press.

Baron, J. N., M. D. Burton and M. T. Hannan (1966), "The Road Taken: Origins and Evolution of Employment Systems in Emerging Companies," *Industrial and Corporate Change* **5**: 239—275.

Baron, J. N., F. N. Dobbin and P. Devereaux (1986), "War and Peace: The Evolution of Modern Personnel Administration in US Industry," *American Journal of Sociology* **92**: 350—383.

Baron, J. N., M. T. Hannan, and M. D. Burton (2000), "Labor Pains: Change in Organizational Models and Employees Turnover in Young, High-Tech Firms," Mimeo, Stanford University.

Barone, E. (1908/1935), *Il ministro della oroduzione nell stato collettivita*, *Gionale degli Economisti*. Translated and printed in Hayek (1935): 245—290.

Barry, C. B. (1994), "New Directions in Research on Venture Capital Finance," *Financial Management* **32**: 3—15.

Basu, K. (1997a), "On Misunderstanding Government: An Analysis of the Art of the Policy Advice," *Economics and Politics*, **9**: 231—250.

Basu, K. (1997b), "The Role of Norms and Law in Economics: An Essay on Political Economy", in J. Scott, ed, *25 Years: Social Science and Social Change*. forthcoming from Princeton: Princeton University Press.

Basu K. (1998), "Social Norms and the Law," in P. Newman, ed., *The New Palgrave Dictionary of Economics and the Law*: 476—480. London: Macmillan.

Bates, R. H. (1981), *Markets and States in Tropical Africa: The Political Basis of Agricultural Policies*. Berkeley: University of California Press.

Baum, T. (1994), "The German Banking System and Its Impacts on Corporate Finance and Governance," in Aoki and Patrick (1994): 409—449.

Bell, C. (1988) "Credit Markets and Interlinked Transactions," in H. B. Chenery and T. N. Srinivasan, eds., *Handbook of Development Economics*. Amsterdam: North-Holland.

Berger, A. N. and G. Udell (1995), "Relationship Lending and Lines of Credit in Small Firm Finance," *Journal of Business* **68**: 351—381.

Berger, P. and T. Luckmann (1966), *The Social Construction of Reality: A Treatise in the Sociology of Knowledge*. N.Y.: Doubleday Anchor.

Berglöf, E. and E-L. von Thadden (1999), "The Changing Corporate Governance Paradigm: Implications for Transition and Developing Economies," *mimeo.*, World Bank.

Bergson, A. (1964), *The Economics of Soviet Planning*. New Haven: Yale University Press.

Berins-Collier, R. and D. Collier (1991), *Shaping the Political Arena*. Princeton: Princeton University Press.

Berle, A. (1931), "Corporate Powers as Powers in Trust," *Harvard Law Review* **63**: 853—870.

Berle, A. (1959), "Forward" to E. Mason, *The Corporation in Modern Society*: ix-xv. Cambridge, Mass: Harvard University Press.

Berle, A. and G. Means (1932), *The Modern Corporation and Private Property*. N.Y.: MacMillan.

Bernanke, B. S. (1983), "Nonmonetary Effects of Financial Crisis in the Propagation of the Great Depression," *American Economic Review* **73**: 257—276.

Bernheim, B.D. and M.Whinston (1990), "Multimarket Contact and Collusive Behavior," *Rand Journal of Economics* **21**: 1—26.

Bhagwati, J. R. (1982), "Directly-unproductive, Profit-seeking (DUP) Activities," *Journal of Political Economy* **90**: 988—1 002.

Bhagwati, J., R. Brecher and T. N. Srinivasan (1984), "DUP Activities and Economic Theory," in D. Colander (ed.), *Neoclassical Political Economy: The Analysis of Rentseeking and DUP Activities*: 17—32. Cambridge, Mass.: Ballinger.

Binswanger, H. (1991), "Brazilian Policies that Encourage Deforestation in the Amazon," *World Development* **19**: 821—829.

Binswanger, H. and M. R. Rosenzweig, eds. (1984), *Contractual Arrangements, Employment, and Wages in Rural Labor Markets in Asia*. New Haven: Yale University Press.

Black, B. and R. Gilson (1998), "Venture Capital and the Structure of Capital Markets: Banks versus Stock Markets," *Journal of Financial Economics* **47**: 243—277.

Black, D. and M. P. Baumgartner, (1983), "Toward a Theory of the Third Party," in K. O. Boyum and L. Mather (eds.), *Empirical Theories About Courts*: 84—114.. N.Y.: Longman.

Blackburn, J., S. Kozinski and M. Murphy (1996), "Symantec Corporation Acquiring Entrepreneurial Companies," Graduate School of Business, Stanford University.

Blair, M. (1995), *Ownership and Control: Rethinking Corporate Governance for the Twenty-First Century*. Washington, DC: Brookings Institution.

Blanchard, O. K. Froot and J. Sachs, eds., (199), *The Transition in Eastern Europe*. Chicago: University of Chicago Press.

Blanchard, O. and M. Kremer (1997), "Disorganization," *Quarterly Journal of Economics* **112**: 1091—1126.

Blau, P. (1964/1998), *Exchange and Power in Social Life* with new introduction. Brunswick, N.J.: Transaction Publishers.

Bolton, P. and M. Dewatripont (1994), "Firms as Networks of Communications," *Quarterly Journal of Economics* **109**: 809—839.

Boot, A. W., S. I. Greenbaum and A. V. Thakor (1993), "Reputation and Discretion in Financial Contracting," *American Economic Review* **83**: 1165—1183.

Bowles, S. (1985), "The Production Process in a Competitive Economy: Walrasian, neo-Hobbsian, and Marxian Models," *American Economic Review* **75**: 16—36.

Bowles, S. (1996), "Markets as Cultural Institutions: Equilibrium Norms in Competitive Economies," *mimeo*. University of Massachusetts.

Bowles, S. (1998), "Endogenous Preferences: The Cultural Consequences of Markets and other Economic Institutions," *Journal of Economic Literature* **36**: 75—111.

Bowles, S. (2000), *Economic Institutions and Behavior: An Evolutionary Approach to Microeconomic Theory*, book manuscript.

Bowles, S. and H. Gintis (1986), *Democracy and Capitalism*. New York: Basic Books.

Bowles, S., H. Gintis and B. Gustafsson, eds., (1993), *Markets and Democracy: Participation, Accountability, and Efficiency*. Cambridge: Cambridge University Press.

Boycko, M. A. Shleifer and R. W. Vishny (1993), "Privatizing Russia," *Brookings Paper on Economic Activity* **2**: 139—192.

Boyer, R. (1999), "The Variety and Dynamics of Capitalism," in Groenewegen and Vromen (1999): 122—140.

Boyer, R. and J. R. Hollingsworth (1997), (eds.), *Contemporary Capitalism: The Embeddedness of Institutions*. Cambridge, U.K. and N.Y.: Cambridge University Press.

Boyer, R. and A. Orléan (1992), "How Do Conventions Evolve?" *Journal of Evolutionary Economics* **2**: 165—177.

Braguinsky, S., and G. Yavlinsky (2000), *Incentives and Institutions: The Transition to a Market Economy in Russia*. Princeton, N.J.: Princeton University Press.

Braverman, A. and J. Stiglitz (1982), "Sharecropping and the Interlinking of Agrarian Markets," *American Economic Review*, **72**: 695—715.

Brynjolfsson, E. (1994), "Information Assets, Technology, and Organization," *Management Science* **40**: 1645—1662.

Burawoy, M. (1979), *Manufacturing Consent*. Chicago: University of Chicago Press.

Bygrve, W. D. and J. A. Timmons (1992), *Venture Capital at the Crossroads*. Boston: Harvard Business School Press.

Calvert, R. L. (1995), "Rational Actors, Equilibrium, and Social Institutions," in Knight and Sened (1995): 57—93.

Calvo, G. (1979), "Quasi-Walrasian Theories of Unemployment," *American Economic Review* **69** (Papers and Preceedings): 102—107.

Canzoneri, M.B., V. Grilli, and P. Masson, eds. (1992), *Establishing a Central Bank: Issues in Europe and Lessons from the US*. Cambridge, U. K.: Cambridge University Press.

Carmichael, H. L. and W. B. MacLeod (1997), "Gift Giving and the Evolution of Cooperation," *International Economic Review* **38**: 485—509.

Carrol, G. R., and M. T. Hannan (1989) "Density Dependence in the Evolution of Populations of Newspaer Organizations," *American Sociological Review* **54**: 524—548.

Chambers, R. (1988), *Managing Canal Irrigation*. New Delhi: Oxford & IBH Publishing.

Chandler, A. Jr. (1977), *The Visible Hand: the Managerial Revolution in American Business*. Cambridge Mass.: Harvard University Press.

Chandler, A., Jr. (1992), "Competitive Performance of US Industrial Enterprises Since the Second World War," *Business History Review* **68**: 1—72.

Chandler, A. (1992), "Organizational Capabilities and the Economic History of the Industrial Enterprise," *Journal of Economic Perspectives* **6**:79—100.

Che, J. (1997), *Local Governments and Corporate Governance in Transition Economies*, Ph.D Dissertation, Stanford University.

Che, J. (1999), "Organizing Market Transactions,"mimeo., Stanford University.

Che, J. (2000), "Soft Budget Constraints, Pecuniary Externality, and the Dual Track System,"mimeo., Stanford University.

Che, J. and Y. Qian (1998), "Insecure Property Rights and Government Ownership of Firms," *Quarterly Journal of Economics* **113**: 467—496.

Cho, C. and Y. Sung, trs. (1995 [1997]), *A History of Korea*, National Korean High School History Textbook, (Japanese translation). Tokyo: Akashi Shoten.

Clark, K. B. and T. Fujimoto (1991), *Product Development Performance: Stratyegy, Organization, and Management in the World Auto Industry*. Boston: Harvard Business School.

Clark, L. E.(1935), Central Banking under the Federal Reserve System. N.Y.: Macmillan Co.

Clower, R. W. (1967), "A Reconsideration of the Microfoundations of Monetary Theory," *Western Economic Journal* **6**: 1—8.

Coase, R. (1937), "The Nature of the Firm," *Economica* **4**: 386—405.

Coase, R. (1960), "The Problem of Social Cost," *Journal of Law and Economics*

3: 1—44.

Coleman, J. (1990), *Foundations of Social Theory*. Cambridge, MA: Harvard University Press.

Commons, J. R. (1934), *Institutional Economics: Its Place in Political Economy*. Madison: University of Wisconsin Press.

Coriat, B. and G. Dosi (1998), "The Institutional Embeddedness of Economic Change. an Appraisal of the 'Evolutionary' and 'Regulationist' Research Programmes," *mimeo*., International Institute for Applied Systems Analysis, Vienna.

Cowan, R., P. A. David and D. Foray (2000), "The Explicit Economics of Knowledge Codification and Tacitness," *Industrial and Corporate Change* **9**: 211—254.

Cremer, J. (1980), "A Partial Theory of the Optimal Organization of a Bureaucracy," *Bell Journal of Economics* **11**:683—693.

Cremer, J. (1990), "Common Knowledge and the Co-ordination of Economic Activities," in M. Aoki, B. Gustafsson and O.E. Williamson (eds.), *The Firm as a Nexus of Treaties*: 53—76. London: Sage.

Van Damme, E. (1987), *Stability and Perfection of Nash Equilibria*. Berlin: Springer Verlag.

Dasgupta, P. and J. Stiglitz (1980), "Uncertainty, Industrial Structure, and the Speed of R&D," *Bell Journal of Economics*, **11**: 1—28.

David, P. (1985), "Clio and the Economics of QWERTY," *American Economic Review* **75**: 332—337.

David, P. (1994), "Why Are Institutions the 'Carriers of History'?: Path Dependence and the Evolution of Conventions, Organizations and Institutions," *Structural Change and Economic Dynamics* **5**: 205—220.

Davis, L. and D. North (1971), *Institutional Change and American Economic Growth*. Cambridge, U.K. and N.Y.: Cambridge University Press.

De Alessi, L. (1980), "The Economics of Property Rights: A Review of Evidence," *Research in Law and Economics* **2**: 1—47.

Demsetz, H. (1967), "Towards a Theory of Property Rights," *American Economic Review* **57**: 347—359.

Demsetz, H. (1969), "Information and Efficiency: Another Viewpoint," *Journal of Law and Economics* **12**: 1—22.

Denzau, A.T. and D. North (1994), "Shared Mental Models: Ideologies and Institutions," *Kyklos* **47**: 3—31.

Dewatripont, M. and E. Maskin (1995), "Credit and Efficiency in Centralized and Decentralized Economies," *Review of Economic Studies* **62**: 541—555.

Dewatripont, M. And J. Tirole (1994), "A Theory of Debt and Equity: Diversities of Securities and Manager-Shareholder Congruence," *Quarterly Journal of Economics* **109**: 1027—1054.

Dewatripont, M. and J. Tirole (1995), *The Prudential Regulation of Banks*. Cambridge, Mass.: MIT Press.

Diamond, D. (1984), "Financial Intermediation and Delegated Monitoring," *Review of Economic Studies* **51**: 393—414.

DiMaggio, P. and W. Powell(1983), "The Iron Cage Revisited: Institutional Isomorphism and Collective Rationality in Organizational Fields," *American Sociological Review* **48**: 147—160.

DiMaggio, P. and W. Powell, eds.(1991), *The New Institutionalism in Organizational Analysis*. Chicago: University of Chicago Press.

Dinc, S. (1996), "Bank Competition, Relationship Banking and Path Dependence," Ph.D. Dissertation, Stanford University.

Dinc, S. (2000), "Bank Reputation, Bank Commitment and the Effects of the Competition in Credit Markets," *Review of Financial Studies*, **13**: 781—812.

Dodd, E. M. (1932), "For Whom are Corporate Managers Trustees?" *Harvard Law Review* **45**: 1145—1163.

Dosi, G. (1995), "Hierarchies, Markets and Power: Some Foundational Issues on the Nature of Contemporary Economic Organizations," *Industrial and Corporate Change* **4**: 1—19. Reprinted in Dosi (2000): 669—687.

Dosi, G. (2000), *Innovation, Organization and Economic Dynamics*. Cheltenham, UK: Edward Elgar.

Dosi, G. and L. Marengo (1994), "Some Elements of an Evolutionary Theory of Organizational Competence," in England (1994), ed., Evolutionary concepts in contemporary Economics: 157—178. Ann Arbor: University of Michigan Press. Reprinted in Dosi (2000): 211—235.

Dosi, G., L. Marengo, and G. Fagiolo (2000), "Learning in Evolutionary Environments," forthcoming in K. Dopfer (ed.) *The Foundations of Evolutionary Economics*. Cambridge, U.K. and N.Y.: Cambridge University Press. [Reprinted in Dosi (2000)-remove].

Dosi, G., K. Pavitt, and L. Soete (1990), *The Economics of Technical Change and International Trade*. N.Y.: Harvester Wheatsheaf.

Dunlop, J. (1958/1993), *Industrial Relationship Systems*, revised edition. Boston: Harvard Business School Press.

Durkheim, E.(1901[1950]), *The Rules of Sociological Method*. Glencoe Ill.: Free Press.

Edwards, J. and K. Fischer (1994), *Banks, Finance and Investment in Germany*. Cambrdifge, U.K.: Cambridge University Press.

Earle, J. (2000), "Equilibrium Wage Arrears: Institutional lock-in of contractual failure in Russia," mimeo., Stanford University Press.

Earle, J. and K. Z. Sabirianova (2000), "How Late to Pay? Understanding Wage Arrears in Russia," mimeo, Stanford University.

Eggertsson, T. (1990), *Economic Behavior and Institutions*. Cambridge, U. K. and N.Y.: Cambridge University Press.

Eichengreen, B. (1992), "Designing a Central Bank for Europe: A Cautionary Tale From the Early Years of the Federal Reserve System" in Canzoneri (1992): 13—39.

Eldredge, N. and S. Gould (1972), "Punctuated Equilibria: An Alternative to Phyletic Gradualism," in Schopf (1972): 82—115.

Ellickson, R. C. (1991), *Orders Without Law*. Cambridge, MA: Harvard University Press.

Elster, J. (1989), *The Cement of Society: A Study of Social Order*. Cambridge, U.K. and N.Y.: Cambridge University Press.

Elster, J. (1989), "Social Norms and Economic Theory," *Journal of Economic Perspectives* **3**: 99—117.

England, W., ed. (1994), *Evolutionary Concepts in Contemporary Economics*. Ann Arbor, Mich.: University of Michigan Press.

Epstein, J. M. and R. Axtell (1996), *Growing Artificial Societies*. Cambridge, Mass.: MIT Press.

Ericson, R. E. and B. W. Ickes (1999), "A Model of Russia's 'Virtual Economy'," mimeo., Columbia University.

Eswaran, M. and A. Kotwal (1984), "The Moral Hazard of Budget Breaking," *Rand Journal of Economics* **15**: 578—581.

Fafchamps, M. (1996), "Market Emergence, Trust, and Reputation," Mimeo., Stanford University.

Farrell, J. and M. Rabin (1996), "Cheap Talk," *Journal of Economic Perspective* **10**: 103—118.

Fenn, G. W., N. Liang and S. Prowse (1995), "The Economics of the Private Equity Market," *Staff Study* **168**. Board of Governors of the Federal Reserve System.

Field, A. J. (1979), "On the Explanation of Rules Using Rational Choice Models," *Journal of Economic Issues* **13**: 49—72.

Field, A. J. (1981), "The Problem with Neoclassical Institutional Economics: A Critique with Special Reference to the North-Thomas Model of Pre-1 500 Europe," *Explorations in Economic History* **18**: 174—198.

Field, A. J. (2000), *Altruistically Inclined? Evolutionary Theory, the Behavioral Sciences, and the Origin of Complex Social Organization*, book manuscript. Ann Arbor: University of Michigan Press.

Fiske, A. P. (1991), "The Cultural Relativity of Selfish Individualism: Anthropological Evidence that Humans are Inherently Sociable," in M. Clark, ed., *Review of Personality and Social Psychology*; *Vol. 12. Altruism and Prosocial Behavior*: 176—214. Beverly Hills: Sage.

Fiske, A. P., S. Kitayama, H. R. Markus and R. E. Nisbett (1998), "The Cultural Matrix of Social Psychology" in D. Gilbert, S. Fiske, and G. Linzey (eds.), *Handbook of Social Psychology* (4th edition): 915—981. N.Y.: McGraw Hill.

Florida, R. and M. Kenney (1988), "Venture Capital-Financed Innovation and Technological Change in the USA," *Research Policy* **17**: 119—137.

Foster, D. and P. Young (1990), "Stochastic Evolutionary Game Dynamics," *Theoretical Population Biology* **38**: 219—232.

Foster, D. and P. Young (1998), "*Learning with Hazy Beliefs*," *in W. Leinfellner and E. Koehler (eds.), Game Theory, Experience, Rationality: Foundations of Social Sciences, Economics and Ethics: In Honor of John C. Harsanyi*: 325—335. Kluwer Academic Publishers: 325—335.

Franks, J., C. Mayer and L. Renneboog (1998), "Who Disciplines Bad Management?" Mimeo., Catholic University of Leuven, Belgium.

Freeland, R. F. (2000), "Creating Holdup through Vertical Integration: Fisher Body Revisited," *Journal of Law and Economics*, **43**: 33—66.

Freeman, R. B. (1995), "The Welfare State as a System," *American Economic Review* **85**: 16—21.

Freeman, R. B., R. Topel, and B. Swedenborg, eds., (1997), *Reforming the Welfare State: The Swedish Model in Transition*. Chicago: Chicago University Press.

Friedman, D. (1991), "Evolutionary Games in Economics," *Econometrica* **59**: 637—666.

Friedman, M. (1953), *Essays in Positive Economics*. Chicago: University of Chicago Press.

Fudenberg, D. and D. M. Kreps (1987), "Reputation in the Simultaneous Play of Multiple Opponents," *Review of Economic Studies* **56**: 541—568.

Fudenberg, D. and E. Maskin (1986), "The Folk Theorem in Repeated Games with Discounting and with Incomplete Information," *Econometrica* **54**: 533—554.

Fudenberg, D. and E. Maskin (1993), "Evolution and Repeated Games," *Nobel Symposium on Game Theory*. Karlskoga, Sweden.

Fudenberg, D. and J. Tirole (1991), *Game Theory*. Cambridge, MA: MIT Press.

Fudenberg, D. and C. Harris (1992), "Evolutionary Dynamics with Aggregate Shocks," *Journal of Economic Theory* **57**: 420—441.

Fujimoto, T. (1997), "The Japanese Automobile Supplier System: Framework,

Facts, and Reinterpretation," *Proceedings of the 3rd International Symposium on Logistics*. *Padova: SGE-Servizi Grafici Editoriali*.

Fujimoto, T. (1999), *The Evolution of a Manufacturing System at Toyota*. Oxford and N.Y.: Oxford University Press.

Fukao, M. (1995), *Financial Integration, Corporate Governance, and the Performance of Multinational Companies*. Washington D. C.: Brookings Institution.

Gaddy, C., and B. Ickes (1998), "A Simple Four Sector Model of Russia's 'Virtual Economy'," *Post-Soviet Geography and Economics*, **40**: 79—97.

Gaddy, C., and B. Ickes (1999), "Stability and Disorder: An Evolutionary Analysis of Russia's Virtual Economy," Mimeo., Brookings Institution.

Gambetta, D. (1993), *The Sicilian Mafia*. Cambrdige, Mass.: Harvard University Press.

Gale, D. (1986), "Bargaining and Competition Part I: Characterization," *Econometrica* **54**: 785—806.

Garfinkel, H. (1967), *Studies in Ethonmethodology*. Englewood Cliffs, N. J.: Prentice Hall.

Gande, A., M. Puri, A. Saunders and I. Walter (1997), "Bank Underwriting of Debt Securities: Modern Evidence," *Review of Financial Studies*, **10**: 1175—1202.

Geanakoplos, J. and P. Milgrom (1991), "A Theory of Hierarchies Based on Limited Managerial Attention," *Journal of Japanese and International Economies* **5**: 205—225.

Geertz, C. (1963), *Peddlers and Princes*. Chicago: University of Chicago Press.

Geertz, C. (1978), "The Bazaar Economy: Information and Search in Peasant Marketing," *American Economic Review* **68**: 9—32.

Geertz, C. (1980), *NEGARA: The Theatre State in Nineteenth-Century Bali*. Princeton: Princeton University Press.

Ghemawat, P. (1998), *Games Businesses Play: Cases and Models*. Cambridge, Mass.: MIT Press.

Ghemawat, P. and T. Khanna (1998), "The Nature of Diversified Groups: A Research Design and Two Case Studies," *Journal of Industrial Economics* **45**: 35—

Gibbons, R. (1992), *Game Theory for Applied Economists*. Princeton: Princeton University Press.

Gilson, R. J. (1999), "The Legal Infrastructure of High Technology Industrial Districts: Silicon Valley, Route 128, and Covenants Not to Compete," *N. Y. University Law Review* **74**: 575—629.

Gintis, H. (2000), *Game Theory Evolving: A Problem-Centered Introcduction to Modeling Strategic Behavior*. Princeton: Princeton University Press.

Gintis, H. and T. Ishikawa (1988), "Wage, Work Intensity, and Unemployment," *Journal of the Japanese and International Economies* **1**: 195—228.

Gompers, P. (1995), "Optimal Investment, Monitoring, and the Staging of Venture Capital," *Journal of Finance* **50**: 231—248.

Gompers, P. (1998), "An Examination of Convertible Securities in Venture Capital Investments," Mimeo., Harvard Business School.

Gompers, P. and J. Lerner (1996), "The Use of Covenants: An Empirical Analysis of Venture Partnership Agreements," *Journal of Law and Economics*.

Gordon, A. (1985), *The Evolution of Labor Relations in Japan: Heavy Industry* 1 853—1 955. Cambridge, Mass.: Harvard University Press.

Gorman, M and W. A. Sahlman (1989), "What Do Venture Capitalists Do?" *Journal of Business Venturing* **4**: 231—248.

Gould, S. J. and N. Eldridge (1977), "Punctuated Equilibria: The Tempo and Mode of Evolution Reconsidered," *Paleobiology* 3: 115—151.

Granovetter, M. (1985), "Economic Action and Social Structure: The Problem of Embeddedness," *American Journal of Sociology* **91**: 480—510.

Granovetter, M. (1992), "Economic Institutions as Social Constructions: A Framework for Analysis," *Acta Sociologica* **35**: 3—11.

Granovetter, M. (1994), "Business Groups "in N. J. Smelser and R. Swedberg, eds., *Handbook of Economic Sociology*, Chapter 18. Princeton: Princeton University Press: 453—475.

Groenewegen J. and J. Vromen, eds. (1999), *Institutions and the Evolution of*

Capitalism Implications of Evolutionary Economics. Cheltenham U.K.: Edward Elgar.

Greif, A. (1989), "Reputation and Coalitions in Medieval Trade: Evidence on the Maghribi Traders", *Journal of Economic History* **49**: 857—882.

Greif, A. (1994), "Cultural Beliefs and the Organization of Society: A Historical and Theoretical Reflection on Collectivist and Individualist Societies," *Journal of Political Economy* **102**: 912—950.

Greif, A. (1997a), "Microtheory and Recent Developments in the Study of Economic Institutions Through Economic History," in D. Kreps and K. Wallis (eds.), *Advances in Economics and Econometrics: Theory and Applications* 2: 79—113. Cambridge: Cambridge University Press.

Greif, A. (1997b), "Self-enforcing Political System and Economic Growth: Late Medieval Genoa," Mimeo., Stanford University.

Greif (1998a), "Historical and Comparative Institutional Analysis," *American Economic Review*, **88**(May): 80—84.

Greif, A. (1998b), *Genoa and the Maghribi Traders: Historical and Comparative Institutional Analysis*. forthcoming, Cambridge, U.K. and N.Y.: Cambridge University Press.

Greif, A. (2000), "Impersonal Exchange and the Origin of Markets: From the Community Responsibility System to Individual Legal Responsibility in Premodern Europe," in M. Aoki and Y. Hayami (2000): 3—41.

Greif, A., P. Milgrom, and B. Weingast (1994), "Coordination, Commitment and Enforcement: The Case of the Merchant Guild," *Journal of Political Economy* **102**: 745—776.

Grossman, S. and O. Hart (1986), "The Costs and Benefits of Ownership: A Theory of Vertical and Lateral Integration," *Journal of Political Economy* **94**: 691—719.

Hadfield, G. K. (2000), "Privatizing Commercial Law: Lessons from the Middle and the Digital Ages," Mimeo., University of Toronto Law School.

Hall, J., ed. (1991), *The Cambridge History of Japan*, *Vol 4*. Cambridge, U.K. and N.Y.: Cambridge University Press.

Hamilton, G., ed. (1996), *Asian Business Networks*. New York: Walter de

Gruyter.

Hannan, M. T., M. D. Burton, and J. N. Baron (1996), "Inertia and Change in the Early Years: Employment Relations in Young, High-Technology Firms," *Industrial and Corporate Change* **5**: 503—536.

Hannan, M. T., and G. Carroll (1992), *Dynamics of Organizational Populations: Density, Legitimation and Competition*. Oxford and N. Y.: Oxford University Press.

Hannan, M. and J. Freeman (1977), *Organizational Ecology*. Cambridge, MA: Harvard University Press.

Hansmann, H. (1995), *The Ownership of Enterprise*. Cambridge, Mass: Harvard University Press.

Hardin, G. (1968), "The Tragedy of the Commons," *Science* **162**: 1243—1248.

Harsanyi, J. (1977), *Rational Behavioue and Bargaining Equilibrium in Games and Social Situations*, Cambridge, U.K.: Cambridge University Press.

Hart, O. (1995), *Firms, Contracts, and Financial Structure*. Oxford: Clarendon Press.

Hart, O. and J. Moore (1990), "Property Rights and the Nature of the Firm," *Journal of Political Economy* **98**: 1119—1158.

Hart, O. and J. Moore (1999), "On the Design of Hierarchies: Coordination versus Specialization," Mimeo., Harvard University and LSE.

Hayami. A. and M. Miyamoto (1988), "Gaisetsu: Jhuhichi-hachi Seiki (An Overview: the Seventeenth to the Eighteenth Century," in A. Hayami and M. Miyamoto (eds.), *Keizai Syakai no Seiritsu* (*The Establishment of an Economic Society*), *Nihon Keizaishi* (*A History of Japan*), vol. Ⅰ: 1—84. Tokyo: Iwanami Shoten.

Hayami, Y. (1994), "Peasant and Plantation in Asia," in G. Meier (ed.), *From Classical Economics to Developmental Economics*: 121—134. N.Y.: St. Martin's Press.

Hayami, Y. (1998), "Toward an East Asian Model of Economic Development," in Hayami and Aoki (1998): 3—35.

Hayami, Y. and M. Aoki, eds. (1998), *The Institutional Foundations of East*

Asian Economic Development. London: Macmillan.

Hayami, Y. and T. Kawagoe (1993), *The Agrarian Origins of Commerce and Industry: A Study of Peasant Marketing in Indonesia*. N.Y.: St. Martin's Press.

Hayami, Y. and M. Kikuchi (2000), *A Rice Village Saga: Three Decades of Green Revolution in the Phillipines*. London: MacMillan.

Hayami, Y. and K. Ohtsuka(1993), *The Economics of Contract Choice*. Oxford Claredon Press.

Hayami, Y. and V. W. Ruttan (1985), Agricultural Development: An International Perspective, revised edition. Baltimore: Johns Hopkins University Press.

Hayek, F. A., ed. (1935), *Collectivist Economic Planning*. London: Routledge.

Hayek, F. A. (1945), "The Use of Knowledge in Society," *American Economic Review* **35**: 519—530.

Hayek, F. A. (1973), *Law, Legislation and Liberty: Rules and Order*, vol. 1. Chicago: University of Chicago Press and London: Routledge & Kegan Paul.

Hayek, F. A. (1988), *The Fatal Conceit*. Chicago: The University of Chicago Press.

Hellmann, T. (1998a), "The Allocation of Control Rights in Venture Capital Contracts," *Rand Journal of Economics* **29**: 57—76.

Hellmann, T. (1998b), "Teaching Note for Symantec Corporation." (S-SM-27), Stanford Business School.

Hellmann, T., K. Murdock and J. Stiglitz (1997), "Financial Restraint: Toward a New Paradigm," in Aoki, Kim and Okuno-Fujiwara (1997): 163—207.

Hellmann, T., K. Murdock and J. Stiglitz (1998), "Financial Restraint and the Market Enhancing View," in Hayami and Aoki (1998): 255—279. London: MacMillan.

Hellman, T. and M. Puri (1998), "The Interaction between Product Market and Financing Strategy: The Role of Venture Capital," Stanford University Graduate School of Business.

Hellwig, M. (1991), "Banking, Financial Intermediation and Corporate Finance," in A. Giovannini and C. Mayer (eds.), *European Financial Integration*. cambridge, U.K. and N.Y.: Cambridge University Press: 35—68.

Hellwig, M. (2000), "On the Economics and Politics of Corporate Finance and Corporate Control," in X. Vives, ed. *Corporate Governance: Theoretical and Empirical Perspectives*. Cambridge, U.K. and N.Y.: Cambridge University Press: 95—136.

Hicks, J. (1969), *A Theory of Economic History*. Oxford: Oxford University Press.

Hirschman, A. O. (1970), *Exit, Voice, and Loyalty: Responses to Decline in Firms, Organizations, and States*. Cambridge, Mass.: Harvard University Press.

Hodgson, G. M. (1988), *Economics and Institutions: A Manifesto for a Modern Institutional Economics*. Cambridge, U.K. and Philadelphia: Polity Press and University of Pennsylvania Press.

Hodgson, G. M. (1993), *Economics and Evolution*. Ann Arbor: University of Michigan Press.

Hodgson, G. M. (1998), "The Approach of Institutional Economics," *Journal of Economic Literature* **36**: 166—192.

Holland, J. H., K. J. Holyoak, R. E. Nisbett, and P. R. Thagard (1986), *Induction: Processes of Inference, Learning, and Discovery*. Cambridge, MA: MIT Press.

Holmstrom, B. (1979), "Moral Hazard and Observability," *Bell Journal of Economics* **10**: 74—91.

Holmstrom, B. (1982), "Moral Hazard in Teams," *Bell Journal of Economics* **10**: 324—340.

Holmstrom, B. and P. Milgrom (1991), "Multi-Task Principal-Agent Analysis," *Journal of Law, Economics and Organization* **7**(special issue): 24—52.

Holmstrom, B. and P. Milgrom (1994), "The Firm as an Incentive System," *American Economic Review* **84**: 972—991.

Homans, G. (1961), *Social Behavior: Its Elementary Forms*. N. Y.: Harcourt Brace Javanovich.

Home, W. S. (1952), *Escrow and Land Title Procedure*. L. A.: Olin W. Smith.

Horiuchi, H. (1994), "The Effect of Firm Status on Banking Relationships and Loan Syndication," in Aoki and Patrick (1994): 258—294.

Hoshi, T. (1995), "Cleaning up the Balance Sheet: Japanese Experience in the Postwar Reconstruction Period," in Aoki and Kim (1995):303—359.

Hoshi, T., and A. Kashyap (1999), "The Japanese Banking Crisis: Where Did It Come Form And How Will It End?" NBER Working Paper 7 250.

Hoshi, T. A. Kashyap, and D. Sharfstein (1993), "The Role of the Banks in Reducing Costs of Financial Distree in Japan," *Journal of Financial Economics*, **27**: 67—88.

Hume, D. (1739[1992]), *Treatise of Human Nature*. Buffalo: Prometheus Books.

Hume, D. (1777[1985]), *Essays*, *Moral*, *Political and Literary*, posthumous edition, edited by T. H. Green and T. H. Grose. London: Lonagmans, Green, and Co..

Hurwicz, L. (1960), "On the Dimensional Requirements for Non-wasteful Resource Allocation Systems," in K. J. Arrow, S. Karlin, and P. Suppes (eds.), *The Mathematical Methods in the Social Sciences 1959*. Stanford University Press. Reprinted in K. J. Arrow and L. Hurwicz (1977), *Studies in Resource Allocation Processes*. Cambridge, U. K. and N. Y.: Cambridge University Press: 413—424.

Hurwicz, L. (1973), "The Design of Mechanisms for Resource Allocation," *American Economic Review* **63**: 1—30.

Hurwicz, L. (1987), "Inventing New Institutions: The Design Perspective," *American Journal of Agricultural Economics* **69**: 395—402.

Hurwicz, L. (1993), "Toward a Framework for Analyzing Institutions and Institutional Change," in Bowles *et al*. (1993): 51—67.

Hurwicz, L. (1996), "Institutions as Families of Game Forms," *Japanese Economic Review* **47**: 13—132.

Ichiishi, T. (1993), *The Cooperative Nature of the Firm*. Cambridge, U. K. and N. Y.: Cambridge University Press.

Ikeda, N. (1997), *Jyōhō Tsūshin Kakumei to Nihon Kigyō* (*The Digital Revolution and Japanese Firms*). Tokyo: NTT Publishers.

Ikeda, N. (1999), *Internet Shihon Syugi Kakumei* (*Explosion of Digital Capitalism*). Tokyo: NTT Shuppan.

Ikegami, E. (1995), *The Taming of the Samurai: Honorific Individualism and the Making of Modern Japan*. Cambridge, Mass.: Harvard University Press.

Itoh, H. (1992), "Cooperation in Hierarchical Organizations: An Incentive Perspective," *Journal of Law, Economics and Organization* **8**: 321—345.

Itoh, H. (1994), "Japanese Human Resource Management from the Viewpoint of Incentive Theory," in M. Aoki and R. Dore (1994): 233—264.

Iwai, K. (1993), *Kaheiron* (*A Theory of Money*). Tokyo: Chikuma Shobō.

Jackson, G. (1997), "Corporate Governance in Germany and Japan: Development within National and International Contexts," Mimeo., Max-Planck Institut für Gesellschaftsforschung, Köln.

Jacoby, S. (1985), *Employing Bureaucracy: Manager, Unions, and the Transformation of Work in the American Industry, 1900—1945*. N.Y.: Columbia University Press.

Jensen, M. (1989), "The Eclipse of the Public Corporation," *Harvard Business Review* **67**(5): 49—74.

Jensen, M. (1993), "The Modern Industrial Revolution, Exit, and the Failure of Internal Control Systems," *Journal of Finance* **48**: 831—880.

Jensen, M. and W. Meckling (1976), "Theory of the Firm: Managerial Behavior, Agency Costs, and Capital Structure," *Journal of Financial Economics* **3**: 305—360.

Jevons, W. S. (1875), *Money and the Mechanism of Exchange*. London: Appleton.

Jin, H., Y. Qian, and B. Weingast (1999), "Regional Decentralization and Fiscal Incentives: Federalism, Chinese Style," Mimeo., Stanford University.

Johnson, C. W. (2000), "Advising the New Economy: The Role of Lawyers," in C. Lee *et al* (2000): 325—341.

Joint Venture (1999), *1998 Index of Silicon Valley*. Palo Alto, CA.: Joint Venture.

[Jones, D. T., D. Roos, and J. P. Womack (1990), *The Machine that*

Changedthe World: *The Story of Lean Production*. N. Y.: Macmillan Publishing Company.. remove]

Jones, R. (1976), "The Origin and Development of Media of Exchange," *Journal of Political Economy* **84**: 757—775.

Kandori, M. (1992), "Social Norms and Community Enforcement," *Review of Economic Studies* **59**: 63—80.

Kandori, M. (1997), "Evolutionary Game Theory in Economics," in D. Kreps and K. Wallis (eds.), *Advances in Economics and Econometrics*: *Theory and Applications*: 243—277. Cambridge: Cambridge University Press.

Kandori, M., G. Mailath and R. Rob (1993), "Learning, Mutation, and Long Run Equilibria in Games," *Econometrica* **61**: 29—56.

Kaneko, M. and A. Matsui (1999), "Inductive Game Theory: Discrimination and Prejudices," *Journal of Public Economic Theory* **1**: 101—137.

Kaplan, S. N. and P. Strömberg (2000), "Financial Contracting Theory Meets the Real World: An Empirical Analysis of Venture Capital Contracts," Mimeo, University of Chicago.

Khanna, T. and K. Palepu (1997), "Why Focused Strategies May Be Wrong for Emerging Markets," *Harvard Business Review* **75(4)**: 41—51.

Khanna, T. and K. Palepu (1999a), "The Right Way to Restructure Conglomerates in Emerging Markets," *Harvard Business Review*, Reprint (July-August): 125—134.

Khanna, T. and K. Palepu (1999b), "Policy Shocks, Market Intermediaries, and Corporate Strategy: The Evolution of Business Groups in Chile and India," *Journal of Economics and Management Strategy* **8**: 271—310.

Khanna, T. and K. Palepu (2000a), "Is Group Affiliation Profitable in Emerging Markets?: An Analysis of Diversified Indian Business Groups," *Journal of Finance* **55**: 867—891.

Khanna, T. and K. Palepu (2000b), "The Future of Business Groups in Emerging Markets: Long Run Evidence from Chile," *Academy of Management Journal* **43 (3)**: 268—285.

Khanna, T., and J. W. Rivkin (1999a), "Estimating the Performance Effects in Emerging Markets,"forthcoming in *Academy of Management Best Paper Proceed-*

ings.

Khanna, T.,and J. W. Rivkin (1999b), "Ties that Bind Business Groups: Evidence from Chile," Mimeo, Harvard Business School.

Kimura, M. (1983), *The Neutral theory of Molecular Evolution*. Cambridge, U. K.: Cambridge University Press.

Kindleberger, C. P. (1975), *World in Depression: 1929—1939*. Berkeley, Cal.: University of California Press.

Kingston, C. (2000), "Ethnic Segmentation and Corruption," Mimeo., Stanford University.

Klein D. (1990), "The Voluntary Provision of Public Goods? The Turnpike Companies of Early America," *Economic Inquiry* **28**:788—812.

Klein, S. and N. Rosenberg (1986):"An Overview of Innovation," in R. Landau and N. Rosenberg (eds.), *The Positive Sum Strategy: Harnessing Technology for Economic Growth*: 275—305. Washington D. C.: National academic Press.

Kitayama, S., H. R. Markus, H. Matsumoto and V. Norasakkunikit (1997), "Individual and Collective Processes in the Construction of the Self: Self-Enhancement in the United States and Self-Criticism in Japan," *Journal of Personality and Social Psychology* **72**: 1245—1267.

Kiyotaki, N. and R. Wright (1991), "A Contribution to the Pure Theory of Money," *Journal of Economic Theory* **53**: 215—235.

Knight, F. (1921/1971), *Risk, Uncertainty and profit*. Knight. Chicago: University of Chicago Press. Originally published in 1921 by Hougton Mifflin Co..

Knight, J. and I. Sened, eds. (1995), *Explaining Social Institutions*. Ann Arbor, Mich: University of Michigan Press.

Koga, Y. (1982), "Problems in the Post-harvest Processing of Rice in southeast Asian Countries," in N. S. Scrimshaw and M. Wallerstein (eds.), *Nutrition Policy Implementation-Issues and Experiences*: 385—417. N.Y.: Plenum Press.

Koike, K. (1984), "Skill Formation Systems in the U. S. and Japan: a Comparative Study," in Aoki (1984b): 47—76.

Koike, K. (1988), *Understanding Industrial Relations in Modern Japan*. London: MacMillan.

Koike, K. (1994), "Learning and Incentive systems in Japanese Industry," in Aoki and Dore (1994): 41—65.

Koopmans, T. (1957), *Three Essays on the State of Economic Sciences*. N.Y.: McGraw Hill.

Kornai, J. (1980), *Economics of Shortage*. Amsterdam: North-Holland.

Kornhauser, L. W. (1999a), "Excerpt from Three Roles for a Theory of Behavior in a Theory of Law," Mimeo., New York University.

Kornhauser, L. W. (1999b), The Normativity of Law, Mimeo., New York University.

Koumakhov, R., and B. Najman (2000), "Labor Hoarding in Russia: Where Does it Come From?" Mimeo., Ecoles des Hautes Etudes en Sciences Sociales.

Kranton, R. E. (1996), "Reciprocal Exchange: A Self-Sustaining System," *American Economic Review*, **86**: 830—851.

Krasner, S. D. (1978), *Defending National Interest: Raw Materials, Investments and the U.S. Foreign Policy*. Princeton: Princeton University Press.

Krasner, S. D. (1984), "Approaches to the State: Alternative Conceptions and Historical Dynamics," *Comparative Politics* **1**: 223—246.

Krasner, S. D. (1988), "Sovereignty: An Institutional Perspective," *Comparative Political Studies* **21**: 64—94.

Krasner, S. D. (1999), *Sovereignty: Organized Hypocrisy*. Princeton: Princeton University Press.

Kreps, D., P. Milgrom, J. Roberts and R. Wilson (1982), "Rational Cooperation in the Finitely Repeated Prisoners" Dilemma," *Journal of Economic Theory* **27**: 245—252.

Kreps, D. M. (1990), *Game Theory and Economic Modelling*. Oxford: Claredon Press.

Kreps, D. M. (1990b), "Corporate Culture and Economic Theory," in J. Alt and K. Shepsle (eds.), *Perspectives on Positive Political Economy*: 90—143. Cambridge, U.K. and N.Y.: Cambridge University Press.

Krueger, A. O. (1974), "The Political Economy of Rent-Seeking Society," *American Economic Review* **64**: 291—303.

Krueger, A. O., M. Schiff and A. Valdes (eds.) (1991), *Political Economy of Agricultural Pricing Policies*, 5 volumes. Baltimore: Johns Hopkins University Press.

Krugman, P. (1991), "History versus Expectations," *Quarterly Journal of Economics* **56**: 651—667.

Krugman, P. (1996), *The Self-Organizing Economy*. Cambridge, MA: Blackwell Publishers.

Krugman, P. and M. Obstfeld (1994), *International Economics: Theory and Policy*. Third Edition. N.Y.: Harper-Collins College Publishers.

Kuran, T. (1991), "Cognitive Limitations and Preference Evolution," *Journal of Institutional and Theoretical Economics* **147**: 241—273.

Lange, O. (1936/1937), "On the Economic Theory of Socialism," *Review of Economic Studies* 4: 53—71, 123—142.

La Porta, R., F. Lopez-de-Silanes and A. Shleifer (1999), "Corporate Ownership Around the World," *Journal of Finance*, **54**:471—517.

La Porta, R., F Lopez-de-Silanes, A. Shleifer and R. Vishny (1998), "Law and Finance," *Journal of Political Economy* **106**: 1113—1155.

Landa, J. T. (1994), *Trust, Ethnicity, and Identity: Beyond the New Institutional Economics of Ethnic Trading Networks, Contract Law, and Gift-Exchange*. Ann Arbor: University of Michigan Press.

Lee, C., W. F. Miller, M. G. Hancok and H. S. Rowen, eds., (2000), *The Silicon Valley Edge: A Habitat for Innovation and Entrepreneurship*. Stanford, CA: Stanford University Press.

Leff, N. (1976), "Capital Markets in the Less Developed Countries: The Group Principle," in R. MacKinnon, ed., *Money and Finance in Economic Growth and Finance: Essays in Honor of Edward S. Shaw*: 97—122. N.Y.: Marcel Dekker.

Leff, N. (1978), "Industrial Organization and Entrepreneurship in Developing Countries: The Economic Groups," *Economic Development and Cultural Change* **26**: 661—675.

Lehmbruch, G. (1999), "The Rise and Change of Discourses on 'Embedded Capaitalism' in Germany and Japan and their Institutional Setting," Mimeo., Universität Konstanz.

Lerner, V. J. (1994), "The Syndication of Venture Capital Investments," *Financial Management* **23**: 16—27.

Lerner, V. J. (1995), "Venture Capitalists and the Oversight of Private Firms," *The Journal of Finance* **1**: 301—317.

Levi, M. (1988), *Of Rule and Revenue*. Berkeley: University of California Press.

Levin, J. (1998), "Relational Incentive Cntracts," Mimeo., Stanford Unversity.

Li, D. (1996), "Ambiguous Property Rights in Transition Economies," Journal of Comparative Economies **23**: 1—19.

Libecap, G. D. (1986), "Property Rights in Economic History: Implications for Research," *Exploration in Economic History* **23**: 227—252.

Litwack, J. (2001) "Central Control of Regional Budgets: Theory with Applications to Russia," Mimeo., OECD.

Luebbert, G. (1991), *Liberalism, Fascism, or Social Democracy: Social Classes and the Political Origins of Regimes in Interwar Europe*. Oxford and N.Y.: Oxford University Press.

Luhmann, N. (1979), *Trust and Power*. Chichester: Wiley.

McKinnon, R. (1997), "Market Preserving Fiscal Federalism in the American Monetary Union," in M. Blejar and T. Ter-Minassian (eds.), *Macroeconomic Dimensions of Public Finance: Essays in Honor of Vito Tanzi*: 73—93. London: Routledge.

McKinnon, R. and H. Pill (1999), "Exchange-Rate Regimes for Emerging Markets: Moral Hazard and International Overborrowing," *Oxford Review of Economic Policy* **15** (3): 19—38.

MacLeod, W. B. and J. M. Malcomson (1989), "Implicit Contracts, Incentive Compatibility, and Involuntary Unemployment," *Econometrica* **57**: 447—480.

Manne, H. (1965), "Mergers and the Market for Corporate Control," *Journal of Political Economy* **73**: 110—120.

March, J. G. and J. P. Olsen (1989), *Rediscovering Institutions*. N.Y.: Free Press.

Marglin, S. (1974), "What Do Bosses Do?" *Review of Radical Political Economy* **32**: 60—112.

Margolis, H. ed. (1970), *The Analysis of Public Output*. N.Y.: W. W. Norton.

Markus, H. R. and S. Kitayama (1994), "Culture and the Self: Implications for Cognition, Emotion, and Motivation," *Psychological Review* **98**: 224—253.

Marschak, J. and R. Radner (1972), *The Theory of Teams*. New Haven: Yale University Press.

Marshall, T. H. (1964), *Class, Citizenship, and Social Development*. Garden City, New York: Doubleday & Company.

Maskin, E., Y. Qian and C. Xu (2000), "Incentives, Scale Economies, and Organizational Forms," *Review of Economic Studies*, **67**: 359—378.

Matsui, A. (1996), "On Cultural Evolution: Social Norms, Rational Behavior, and Evolutionary Game Theory," *Journal of the Japanese and International Economies* **10**: 262—294.

Matsui, A. and M. Okuno-Fujiwara (1994), "Evolution and Interaction of Cultures," Mimeo., Universities of Pennsylvania and Tokyo.

Matsumoto, K. (1986), *Kigyo Syueki to Kigyo Kinyu* (*Corporate Earnings and Corporate Finance*). Tokyo: Nihon Keizai Shinbunsha.

Matsuyama, K. (1991), "Increasing Returns, Industrialization, and Indeterminacy of Equilibrium," *Quarterly Journal of Economics* **56**: 617—650.

Matsuyama, K. (1996), "Economic Development as Coordination Problems," in M. Aoki *et al* (eds.), *The Role of Government in East Asian Economic Development*: 134—160. Oxford and N.Y.: Oxford University Press.

Matsuyama, K., N. Kiyotaki and A. Matsui (1993), "Toward a Theory of International Currency," *Review of Economic Studies* **60**: 283—307.

Maurice, M., F. Sellier, and J-J. Silvestre (1986), *The Social Foundations of Industrial Power*: A Comparison on France and Germany, translated by A. Goldhammer. Cambridge, MA: MIT Press.

Mayer, C. (1988), "New Issues in Corporate Finance," *European Economic Review* **32**: 1167—1189.

Maynard-Smith, J. (1958), *The Theory of Evolution*. Cambridge, UK and N.Y.: Cambridge University Press.

Maynard-Smith, J. (1982), *Evolution and the Theory of Games*. Cambridge, UK and N.Y.: Cambridge University Press.

Meckling, W. and M. Jensen (1983), "Reflections on the Corporation as a Social Invention," *Midland Corporate Finance Journal*: 6—15.

Medina, L. F. (2000), *Essays on the Formal Theory of Parties and Elections*, Ph. D dissertation, Stanford University.

Mendels, F. F. (1972), "Proto-industrialization: the First Phase of the Industrialization Process," *Journal of Economic History* **32**: 241—261.

Menger, C. (1883/1985), *Investigations into the Method of the Social Sciences with special reference to Economics*. English translation of *Untersuchungen über die Methode der Sozialwissenschaft und der Politischen Oekonomie insbesondere* (F. J. Nock, tr.). NY: New York University Press.

Meyer, J. and B. Rowan (1977), "Institutionalized Organizations: Formal Structure as Myth and Ceremony," *American Journal of Sociology* **83**: 340—363.

Milgrom, P., D. North and B. Weingast (1990), "The Role of Institutions in the Revival of Trade: The Law Merchant, Private Judges, and the Champagne Fairs," *Economics and Politics* **2**: 1—23.

Milgrom, P., Y. Qian and J. Roberts (1991), "Complementarities, Momentum, and the Evolution of Modern Manufacturing," *American Economic Review* **81** (AER Papers and Proceedings): 84—88.

Milgrom, P. and J. Roberts (1990), "Rationalizability, Learning, and Equilibrium in Games with Strategic Complementarities," *Econometrica* **59**: 1255—1177.

Milgrom, P. and J. Roberts (1990b), "The Economics of Modern Manufacturing: Technology, Strategy, and Organization," *American Economic Review* **80**: 511—528.

Milgrom, P. and J. Roberts (1992), *Economics, Organization, and Management*. Englewood Cliffs, NJ: Prentice-Hall.

Milgrom, P. and J. Roberts (1994), "Complementarities and Systems: Understanding Japanese Economic Organization," *Estudios Econòmicos*: 3—42.

Misaki, K. (1998), *Warurasu no Keizaishisou: Ippan Kinkou Riron no Shakai Bijyon (Economic Thought of Walras: The Social Vision of the General Equilibrium Theory)*. Nagoya: University of Nagoya Press.

Mishkin, F. S. (1995), *The Economics of Money, Banking, and Financial Markets*. N.Y.: Harper Collins.

Miyajima, Hideaki and Y. Arikawa (2000) "Relationship Banking and Debt Choice: Evidence from the Liberalization in Japan," Institute of Fiscal and Monetary Policy Ministry of Finance, Japan.

Miyajima, Hiroshi (1983), "Richo Kōki no Nōgyō Suiri (Agricultural Irrigation in the Late Yi Dynasty)," *Toyoshi Kenkyu* **41**: 645—695.

Miyajima, Hiroshi (1995), *Yangban* (in Japanese). Tokyo: Chuō Kōron.

Miyajima, Hiroshi, T., Matsumoto, Y. Yi, S. Chang (1992), *Kindai Chōsen Suiri Kumiai no Kenkyu (Studies in Irrigation Associations in Modern Korea)*. Tokyo: Nihon Hyoronsya.

Mokyr, J. (1990), "Punctuated Equilibria and Technological Progress," *American Economic Review* (Papers and Proceedings) **80**: 350—354.

Monden, Y. (1983), *Toyota Production System*. Atlanta: Industrial Engineering and Management Press.

Montinola, G., Y. Qian and B. Weingast (1995), "Fedelaism, Chinese Style: The Political Basis for Economic Success in China," *World Politics* **48**: 50—81.

Moriguchi, C. (1998), *The Evolution of Employment Systems in the United States and Japan: 1900—1960: A Comparative Historical and Institutional Analysis*, Ph. D. Dissertation, Stanford University.

Moore, J. (1992), "The Firm as a Collection of Assets," *European Economic Review* **36**: 493—507.

Moore, Jr. B. (1966), *Social Origins of Dictatorship and Democracy: Lord and Peasant in the Making of the Modern World*. Boston: Beacon Press.

Murdock, K. (1996), *The Role of Institutions in Enforcing Implicit Contracts: Analysis of Corporate and Government Policy*, Ph. D. dissertation submitted to

Stanford University.

Nagata, K. (1971), *Nihon Nōgyōno Suiri Kōzō* (*The Structure of Irrigation in Japanese Agriculture*). Tokyo: Iwanami Shoten.

Nash, J. (1951), "Non-Cooperative Games," *Annals of Mathematics* **54**: 286—295.

Nash, J. (1953), "Two-Person Cooperative Games," *Econometrica* **21**: 128—140.

Nelson, R. (1994), "The Co-evolution of Technology, Industrial Structure, and Supporting Institutions," *Industrial and Corporate Change* **3**: 47—63.

Nelson, R. (1995), "Recent Evolutionary Theorizing about Economic Change," *Journal of Economic Literature* **33**: 48—90.

Nelson, R. and S. Winter (1982), *An Evolutionary Theory of Economic Change*. Cambridge, MA: Harvard University Press.

Neumann, J. von, and O. Morgenstern (1944), *Theory of Games and Economic Behavior*. Princeton, NJ: Princeton University Press.

Nishiguchi, T. (1994), *Strategic Industrial Sourcing*. Oxford and N.Y.: Oxford University Press.

Noguchi, Y. (1995), *1940-nen Taisei* (*The 1940 Regime*). Tokyo: Toyokeizai Shinposha.

Noguchi, Y. (1998), "The 1940 System Japan under the Wartime Economy," *American Economic Review* **88** (May): 404—416.

North, D. C. (1961), *The Economic Growth of the United States 1790—1860*. Englewood Cliffs, NJ: Prentice-Hall, Inc.

North, D. (1990), *Institutions, Institutional Change and Economic Performance*. Cambridge, U.K. and N.Y.: Cambridge University Press.

North, D. (1995), "Five Propositions about Institutional Change," in J. Knight and I. Sened (1995): 15—26.

North, D. (1998), "A Summary Evaluation", in Hayami and Aoki (1998): 552—560.

North, D. and R. Thomas (1973), *The Rise of the Western World: A New Economic History*. Cambridge U. K. and N. Y.: Cambridge: Cambridge University Press.

North, D. and B. Weingast (1989), "Constitutions and Commitment: The Evolution of Institutions Governing Public Choice in Seventeenth-Century England," *Journal of Economic History* **49**: 803—832.

Nozick, R. (1974), *Anarchy, State and Utopia*. N.Y.: Basic Books.

Oates, W. (1972), *Fiscal Federalism*. N.Y.: Harcourt Brace Jovanovich.

OECD (2000), *OECD Economic Surveys: Russian Federation 2000*. Paris: OECD.

Ogawa, H. (1998), *Itaria no ChūshŌKigyŌ: DokusŌ to TayŌsei no Network (Small and Medium-sized Enterprises in Italy: Networking for Creativity and Diversity)*. Tokyo: JETRO.

Okazaki, T. (1993), "The Japanese Firm under the Wartime Planned Economy," *Journal of the Japanese and International Economies* **7**: 175—203. Reprinted in Aoki and Dore (1994): 350—378.

Okazaki, T. (1995), "Dainiji Sekai Taisenki no Kinyuseido Kaikau to Kinyu Sisutemu no Henka (Financial Institution Reforms and Changes in Financial System during the Second World War) in A. Hara (ed.) *Nihon no Senji Keizai (The War Economy in Japan)*: 107—139. Tokyo: University of Tokyo Press.

Okazaki, T. (1997), *KŌgyŌka no Kiseki: Keizai Taikoku Zenshi (A Trajectory of Industrialization: Prehistory of an Economic Power)*. Tokyo: Yomiuri Shinbunsha.

Okazaki, T. (2000), "Role of Holding Companies in Prewar Japanese Economic Development: Rethinking Zaibatsu in Perspectives of Corporate Governance," mimeo., University of Tokyo.

Okazaki, T. and M. Okuno-Fujiwara (1998), "Evolution of Economic Systems: The Case of Japan," in Hayami and Aoki (1998): 482—521.

Okazaki, T. and M. Okuno-Fujiwara, eds. (1999[1995]), *The Japanese Economic System and its Historical Origins*. Oxford and N. Y.: Oxford University Press. Translated from *Nihonteki Keizai Sisutemu no Rekishiteki Kigen*. Tokyo: Nihon Keizai Shinbunsya.

Okimoto, D. (1989), *Between MITI and the Market: Japanese Industrial Policy for*

High Technology. Stanford: Stanford University Press.

Okimoto, D. and Y. Nishi (1994), "R & D Organization in Japanese and American Semiconductor Firms," in Aoki and Dore (1994): 178—208.

Okuno-Fujiwara, M. (1997), "Toward a Comparative Institutional Analysis of the Government-Business Relationship," in Aoki, Kim, and Okuno-Fujiwara. (1997): 373—406.

Okuno-Fujiwara, M. and A. Postlewaithe (1995) "Social Norms and Random Matching Games," *Games and Economic Behavior* **9**: 79—109.

Olson, M. (1982), *The Rise and Decline of Nations: Economic Growth, Stagflation, and Social Rigidities*. New Haven: Yale University Press.

Olson, M. (1993), "Dictatorship, Democracy, and Development," *American Political Science Review* **83**: 567—576.

Olson, M. (1997), "The New Institutional Economics: The Collective Choice Approach to Economic Development," in C. Clague, ed., *Institutions and Economic Development: Growth and Governance in Less-Developed and Post-Socialist Countries*: 37—64. Baltimore: Johns Hopkins University Press.

Osborne, M. J. and A. Rubinstein (1994), *A Course in Game Theory*. Cambridge, MA: The MIT Press.

Oshima, H. (1987), *Economic Growth in Monsoon Asia: A Comparative Survey*. Tokyo: University of Tokyo Press.

Ostrom, E. (1990), *Governing the Commons*. Cambridge, U.K. and N.Y.: Cambridge University Press.

Ostrom, E. (1992), *Crafting Institutions for Self-Governing Irrigation Systems*. San Francisco: Institute for Contemporary Studies Press.

Ostrom, E. and J. Walker (1994), *Rules, Games, and Common-Pool Resources*. Ann Arbor, Michigan: University of Michigan Press.

Pagano, U. (1993), "Organizational Equilibria and Institutional Stability," in Bowles, Gintis and Gustafsson (1993): 86—114.

Pagano, U. (1999a), "The Origin of Organizational Species," forthcoming in A. Nicita and U. Pagano, eds., *The Evolution of Economic Diversity*. London and N.Y.: Routledge and Kegal Paul.

Pagano, U. (1999b), "Information Technology and the 'Biodiversity' of Captalism,"Mimeo., University of Sienna.

Pagano, U. and R. Rowthorn (1994), "Ownership, Technology and Institutional Stability," *Structural Change and Economic Dynamics* **5**: 221—242.

Palais, J. B. (1975), *Politics and Policy in Traditional Korea*. Cambridge, Mass.: Harvard University Press.

Palais, J. B. (1996), *Confucian Statecraft and Korean Institutions*. Seattle: University of Washington Press.

Pareto, V. (1916[1935]), *The Mind and Society*, 4 volumes, English translation of *Trattato di Sociologia Generale* by A. Bongiorno and A. Livingston. N.Y.: Harcout, Brace and Company.

Parsons, T. (1951), *The Social System*. N.Y.: Free Press.

Peng, K., and R. E. Nisbett (1999), "Culture, dialectics, and Reasoning About Contradiction," *American Psychologist* **54**: 741—754.

Petersen, M. A. and R. G. Rajan (1994), "Benefits from Lending Relationships: Evidence from Small Business Data," *Journal of Finance* **49**: 3—37.

Petersen, M. A. and R. G. Rajan (1995), "The Effect of Credit Market Competition on Lending Relationships," *Quarterly Journal of Economics* **110**: 407—443.

Pinker, S. (1997), *How the Mind Works*. N.Y.: W. W. Norton & Co..

Pine, B. J. (1993), *Mass Customization: The New Frontier in Business Competition*. Boston: Harvard Business School Press.

Pinker, S. (1997), *How the Mind Works*. N.Y.: W. W. Norton & Company.

Piore, M. and C. Sabel (1984), *The Second Industrial Divide*. N.Y.: Basic Books.

Platteau, J. P. (1994), "Behind the Market Stage Where Real Society Exist-Part Ⅱ: The Role of Moral Norms," *Journal of Development Studies* **30**: 753—817.

Platteau, J. P. (2000), *Institutions, Social Norms, and Economic Development*. Amsterdam: Harwood Academic Publishers.

Platteau, J. P. and J. M. Baland (1998), "Dividing the Commons-An assessment of the New Institutional Economics of Property Rights," Mimeo., University of Namur.

Platteau, J. P. and Y. Hayami (1998), "Resource Endowments and Agricultural Development: Africa versus Asia," in Hayami and Aoki (1998): 357—410.

Platteau, J. P. and E. Seki (2000), "Community Arrangements to Overcome Market Failures: Pooling Groups in Japanese Fiaheries," in Aoki and Hayami (2000), 344—402.

Polanyi, K. (1944), *The Great Transformation*. N.Y.: Farrar Rinehart, Inc.

Polanyi, M. (1958), *Personal Knowledge: Towards a Post-Critical Philosophy*. Chicago: University of Chicago Press.

Polanyi, M. (1966), *The Tacit Dimension*. London: Routledge & Kegan Paul.

Porter, M. (1998), "Clusters and the New Economics of Competition," *Harvard Business Review* **76** (6): 77—90.

Prat, A. (1996), "Shared Knowledge versus Diversified Knowledge in Teams," *Journal of the Japanese and International Economies* **10**: 181—195.

Putnam, R. D. (1993), *Making Democracy Work*. Princeton: Princeton University Press.

Pyke, F., G. Becattini and W. Sengenberger (eds.) (1990), *Industrial Districts and Inter-Firm Cooperation in Italy*. Geneva: ILO Publications.

Qian, Y. (1999), "The Institutional Foundations of China's Market Transition," presented at the World Bank's *Annual Bank Conference on Development Economics*, April 1999.

Qian, Y. and G. Roland (1998), "Federalism and the Soft Budget Constraint," American Economic Review, 88: 1143—1162.

Qian, Y. and B. Weingast (1997), "Federalism as a Commitment to Preserving Market Incentives," *Journal of Economic Perspectives* **11**: 83—92.

Qian, Y. and C. Xu (1993), "Why China's Economic Reforms Differ: The N-Form Hierarchy and Entry/Expansion of the Non-State Sector," *Journal of Economic Transition* **1**: 135—170.

Rabin, M. (1994), "Cognitive Dissonance and Social Change," *Journal of Economic Behavior and Organization* **23**: 177—194.

Radin, Margaret J. (1999), "Retooling Contracts for the Digital Era," Mimeo., Stanford: Hoover Institution.

Radin, Margaret J. (2000), "Humans, Computers, and Binding Commitment," Mimeo., Stanford Law School.

Radner, R. (1992), "Hierarchy: The Economics of Managing," *Journal of Economic Literature*, **30**: 1382—1415.

Radner, R. (1993), "The Organization of Decentralized Information Processing," *Econometrica* **61**: 1109—1146.

Rainis, G. and L. Orrock (1985),"Latin American and East Asian NICs: Development Strategies Compared," in E. Duran (ed.), *Latin America and the World Recession*: 48—66. Cambridge, U.K. and N.Y.: Cambridge University Press.

Rajan, R. G. (1992), "Insiders and Outsiders, the Choice Between Informed and Arm's-Length Debt," *Journal of Finance* **47**: 1367—1400.

Rajan, R. G. and L. Zinglaes (1998), "Which Capitalism? Lessons from the East Asian Crisis," *Journal of Applied Corporate Finance*, 11(3): 40—48.

Rajan, R. G. and L. Zingales (2000), "Governance of New Enterprises," in X. Vives, ed. *Corporate Governance: Theoretical and Empirical Perspectives*. Cambridge, U. K. and N.Y.: Cambridge University Press: 201—232.

Ramseyer, J. M. (1990), *Hou to Keizaigaku-Nihonhou no Keizaibunseki (Law and Economics: Economic Analysis of Japanese Law)*. Tokyo: Kōbundō.

Remseyer, J. M. and M. Nakazato (1999), *Japanese Law: An Economic Approach*. Chicago: University of Chicago Press.

Reyburn, S. S. (1980), *California Escrow Procedure: A Blueprint for the Nation*. Englewood Cliffs, N. J.: Prentice Hall.

Riordan, M. (1993),"Competititon and Bank performance: A Theoretical Perspective," in C.P.Mayer and X. Vives, eds, *Capital Markets and Financial Intermediation*: 328—343. Cambridge, U.K. and N.Y.: Cambridge University Press.

Reiter, S. and J. Hugh (1981), "A Preface on Modeling the Regulated United States Economy," *Hofstra Law Review* **9**: 1381—1421.

Robson, A. (1990), "Efficiency in Evolutionary Games: Darwin, Nash and the Secret Handshake," *Journal of Theoretical Biology* **144**: 379—396.

Rogers, J. and W. Streeck, eds. (1994), *Works Councils: Consultation, Representation and Cooperation*. Chicago: University of Chicago Press.

Romer, P. M. (1986), "Increasing Returns and Long Run Growth," *Journal of Political Economy*, **94**: 1002—1037.

Rosenberg, N. (ed.) (1969), *The American System of Manufacturers: The Report of the Committee on the Machinery of the United States 1855 and the Special Reports of George Wallis and Joseph Whitworth 1854*. Edinburgh, U.K.: Edinburgh University Press.

Rosenberg, N. and L. E. Birdzell, Jr. (1986), *How the West Grew Rich*. N.Y.: Basic Books, Inc..

Royce, J. (1901/1959), *The World and the Individual*. N.Y.: Dover Publications.

Rubinstein, A. (1982), "Perfect Equilibrium in a Bargaining Model," *Econometrica* **50**: 97—109.

Rubinstein, A. and A. Wolinsky (1987), "Middlemen," *Quarterly Journal of Economics* **102**: 581—593.

Sahlman, W. A. (1990), "The Structure and Governance of Venture Capitalist Organizations," *Journal of Financial Economics* **27**: 473—521.

Sakaibara, E. (1999), "The End of Market Fundamentalism," speech delivered at the Foreign Correspondent Club in Tokyo.

Sakakibara, E. (2000), *Nihon to Sekaiga Furueta Hi* (*Days When Japan and the World Trembled*). Tokyo: Chuō Kōronsha.

Sako, M. (1994), "Training, Productivity, and Quality Control in Japanese Multinational Companies," in Aoki and Dore (1994): 84—114.

Salmon, L. M. and H. K. Anheier (1996), *The Emerging Nonprofit Sector: A Comparative Analysis*. Manchester: Manchester University Press.

Salmon, L. M. and H. K. Anheier (1996), *The Emerging Nonprofit Sector: An Overview*. Manchester: Manchester University Press.

Saxenian, A. (1994), *Regional Advantage: Culture and Competition in Silicon Valley and Route 128*. Cambrdige, MA: Harvard University Press.

Saxenian, A. (1999), *Silicon Valley's New Immigrant Entrepreneure*. (San Francisco: Public Policy Institute of California).

Saxenian, A. (1999), "The Silicon Valley-Hsinchu Connection: Technical Communities and Industrial Upgrading," Mimeo., Stanford University.

Schank, R. C., and R. P. Abelson (1977), *Scripts, Plans, Goals, and Understanding*. Hillsdale, N.J.: Lawrence Erlbaum.

Scharpf, F. W. (1997), *Games Real Actors Play: Actor-Centered Institutionalism in Policy Research*. Boulder: Westview Press.

Schelling, T. (1960), *The Strategy of Conflict*. Cambridge, MA: Harvard University Press.

Schlicht, E. (1998), *On Customs in the Economy*. Oxford: Claredon Press.

Schmitter, P. C. and G. Lehmbruch, eds. (1979), *Trends Toward Corporatist Mediation*. Beverly Hislls, Calif.: Sage.

Schopf, T. ed. (1972), *Models in Paleobiology*: San Francisco: Freeman, Cooper, and Co..

Schotter, A. (1981), *The Economic Theory of Social Institutions*. Cambridge, U.K. and N.Y.: Cambridge University Press.

Schumpeter, J. (1934), *The Theory of Economic Development*. Cambridge, MA: Harvard University Press.

Schumpeter, J. (1947), "The Creative Response in Economic History," *Journal of Economic History* **7**: 149—159.

Schumpeter, J. (1952), *Capitalism, Socialism and Democracy*, 5th ed. London: George Allen & Unwin.

Scott, W. R. (1994), "Conceptualizing Organizational Fields: Linking Organizations and Societal Systems," in H. Derlien, U. Gerhardt and F. Scharpf, eds, *Systemrationalität und Partialinteresse*: 203—221. Baden-Baden: Nomos Verlagsgesellschaft.

Scott, W. R. (1995), *Institutions and Organizations*. Thousand Oaks, CA: Sage

Publications.

Scott, W. R. and J. Meyer (1983), "The Organization of Societal Sectors" in J. Meyer and W. R. Scott (eds.), *Organizational Environments: Ritual and Rationality*: 129—153. Beverly Hills, Calif.: Sage.

Seabright, P. (1993), "Managing Local Commons: Theoretical Issues in Incentive Design," *Journal of Economic Perspectives* **7**: 113—134.

Searle, J. (1995), *The Construction of Social Reality*. N.Y.: Free Press.

Sened, I. (1997), *The Political Institution of Private Property*. Cambridge, U.K. and N.Y.: Cambridge University Press.

Shapiro, C. and J. Stiglitz (1984), "Equilibrium Unemployment as a Worker Discipline Device," *American Economic Review* **74**: 433—444.

Sharpe, S. A. (1990), "Asymmetric Information, Bank Lending, and Implicit Contracts: A Stylized Model of Customer Relationships," *Journal of Finance* **45**: 1069—1087.

Sheard, P. (1994), "Main Bank and the Governance of Financial Distress," Aoki and Patrick (1994): 188—230.

Shinpo, H. and A. Hasegawa (1988), "Syōhin Seisan, Ryūtū no Dainamikkusu (Dynamics of Commodity Production and Distribution)," in S. Hayami and M. Miyamoto, eds., *Keizai Shakai no Seiritsu: 17—19 Seiki* (*The Establishment of an Economic Society: 17—18 Centuries*), *Economic History of Japan*, I: 217—270. Tokyo: Iwanami Shoten.

Shleifer, A. and L. Summers (1988), "Breach of Trust in Hostile Takeovers," in A. J. Auerbach (ed.), *Corporate Takeovers: Causes and Consequence*: 65—88. Chicago: University of Chicago Press.

Shleifer, A., and R. W. Vishny (1994), "Politicians and Firm," *Quarterly Journal of Economics*, **109**: 995—1025.

Shleifer, A. and R. W. Vishny (1997), "A Survey of Corporate Governance," *Journal of Finance*, **52**: 737—787.

Simon, H. A. (1951), "A Formal Theory of the Employment Relationship," *Econometrica* **19**: 293—305.

Simon, H. A. (1957), *Administrative Behavior*, 2nd ed. N.Y.: Free Press.

Simon, H. A. (1982), *Models of Bounded Rationality: Behavioral Economics and Business Organization*. Cambridge, Mass.: MIT Press.

Simon, H. A. (1991), "Organizations and Markets," *Journal of Economic Perspectives* **5**: 25—44.

Skocpol, T. (1979), *States and Social Revolutions*. Cambridge, U.K. and N.Y.: Cambridge University Press.

Skocpol, T. (1985), "Bringing the State Back In: Strategies of Analysis in Current Research," in P. B. Evans and D. Reuschemeyer, and T. Skocpol, eds, *Bringing the State Back In*: pp. 3—37. Cambridge, UK and N.Y.: Cambridge University Press.

Smith, A. (1759[1976]), *The Theory of Moral Sentiments*. Oxford and N.Y.: Oxford University Press.

Smith, A. (1776[1991]), *The Wealth of Nations*. Buffalo, N.Y.: Prometheus Book.

Smith, T.C. (1959), *The Agrarian Origins of Modern Japan*. Stanford: Stanford University Press.

Solow, R. (1980), "On Theories of Unemployment," *American Economic Review* **70**: 1—11.

Sorge, A. (1991), "Strategic fit and the Societal Effect: Interpreting Cross-National comparisons of Technology, Organization and Human Resources," *Organization Studies* **12**: 161—190.

Spangnolo, G. (1999), "Social Relations and Cooperation in Organizations," *Journal of Economic Behavior and Organization* **38**: 1—26.

Stiglitz, J. (1999), "The Global Financial Crisis: Perspectives and Policies," Mimeo., World Bank.

Stiglitz, J. and A. Weiss (1981), "Credit Rationing in Markets with Imperfect Information," *American Economic Review* **71**: 393—410.

Stopford, J. and S. Strange (1991), *Rival States, Rival Firms*. UK: Cambridge University Press.

Strange, S. (1996), *The Retreat of the State*. UK: Cambridge University Press.

Streeck, W. (1995), "The German Social Market Economy: External Competitiveness and Internal Cohesion," Mimeo., Max-Planck Institut für Gesellschaftsforschung, Köln.

Streeck, W. (1996), "Lean Production in the German Automobile Industry: A Test Case for Convergent Theory," in B. Berger and R. Dore, eds. *National Diversity and Global Capitalism*: 138—170. Ithaca: Cornell University Press.

Streeck, W. (1997a), "German Capitalism: Does It Exist? Can It Survive?" in C. Crouch and W. Streeck (eds.), *Political Economy of Modern Capitalism*: 33—54. London: Sage Publications.

Streeck, W. (1997b). "Citizenship under Regime Competition: The Case of the "European Work Councils". Florence: European University Institute.

Streeck, W. (1998), "The Internationalization of Industrial Relations in Europe: Prospects and Problems," Mimeo., Max-Planck Institut für Gesellschaftsforschung, Köln.

Stuart, L. and R. Kargon (1996), "Selling Silicon Valley: Frederick Terman's Model for Regional Advantage," *Business History Review*, **70**: 435—472.

Suchman, M. C. (2000), "Dealmakers and Councelors: Law Firms as Intermediaries in the Development of Silicon Valley," Mimeo., University of Wisconsin.

Sugden, R. (1986), *The Economics of Rights, Co-operation and Welfare*. Oxford: Basil Blackwell.

Sugden, R. (1989), "Spontaneous Order," *Journal of Economic Perspectives* **3**: 85—97.

Sugden, R. (1995), "A Theory of Focal Points," *Economic Journal* **105**: 533—550.

Swidler, A. (1986), "Culture in Action: Symbols and Strategies," *American Sociological Review* **51**: 273—286.

Tadelis, S. (1999), "What's in a Name? Reputation as a Tradeable Asset," *American Economic Review*, **89**: 548—563.

Tamaki, A. and I. Hatade (1974), *Fūdo: Taichi to Ningen no Rekishi* (*Cultured Landscape: A History of Land and Human Being*). Tokyo: Heibonsha.

Tamaki, A, I. Hatade, N. Imamura (eds.) (1980), *Suiri no Shakaikozo* (*The Social Structure of Irrigation*). Tokyo: United Nation University.

Tanimoto, M. (1998), *Nihon ni okeru Zairaiteki Keizai Hatten to Orimonogyo* (*Indigenous Economic Development and the Textile Industry in Japan*). Nagoya: University of Nagoya Press.

Teece, D., R. Rumelt, G. Dosi and S. Winter (1994), "Understanding Corporate Coherence: Theory and Evidence," *Journal of Economic Behavior and Organization* **22**: 1—24.

Teranishi, J. (1990), "Financial Systems and the Industrialization of Japan: 1900—1970," *Banca Nacionale del Lavoro Quarterly Review*, 174: 309—341.

Teranishi, J. (1994), "Loan Syndication in War-time Japan and the Origins of the Main Bank System," in Aoki and Patrick (1994):

Teranishi, J. (1997), "Sectorial Resource Transfer, Conflict, and Macrostability in Economic Development: A Comparative Analysis," in Aoki, Kim, and Okuno-Fujiwara. (1997): 279—311.

Teranishi, J. (2000), "The Fall of the Taisho Economic System," in Aoki and Saxonhouse (2000): 43—63.

Testa, R. (1997), "The Legal Process of Venture Capital Investments," *Pratt's Guide to Venture Capital Sources*. Wellesley Hills, MA: Venture Economics.

von Thadden, E. L. (1995), "Long-Term Contracts, Short-Term Investment and Monitoring," *Review of Economic Studies* **62**: 557—575.

Thelen, K. (1999), "Historical Institutionalism in Comparative Politics," *Annual Review of Political Science* **2**: 369—404.

Thornbeck, E. (1998), "The Institutional Foundations of Macroeconomic Stability: Indonesia vs. Nigeria," in Y. Hayami and M. Aoki (1998): 106—138.

Tiebout, C. (1956), "A Pure Theory of Local Expenditures," *Journal of Political Economy* **64**: 416—424.

Timberlake, R. H. Jr. (1978), *The Origins of Central Banking in the United States*. Cambridge, Mass.: Harvard University Press.

Title Insurance and Trust Company (1977), *Escrow Procedure Book* Ⅰ. L. A.: Title Insurance and Trust Co..

Tirole, J. (1988), *The Theory of Industrial Organization*. Cambridge, MA: MIT Press.

Tirole, J. (1999), "Corporate Governance," *Econometrica*, forthcoming.

Topkis, D. (1978), "Minimizing a Submodular Function on a Lattice," *Operations Research* **26**: 305—321.

Topkis, D. (1998), *Supermodularity and Complementarity*. Princeton: Princeton University Press.

Toya, T. (2000), *The Political Economy of the Japanese Financial Big Bang: Institutional Change in Finance and Public Policy Making*, Ph. Dissertation, Stanford University, Veblen, T. B. (1909[1961]), "The Limitation of Marginal Utility," originally published in *Journal of Political Economy* **17** and reprinted in *The Place of Science in Modern Civilization and Other Essays*. N.Y.: Russell & Russell.

Ullmann-Margalit, E. (1977), *The Emergence of Norms*. Oxford and N.Y.: Oxford University Press.

U. S. Strategic Bombing Survey (1945), *The Effects of Strategic Bombing on Japan's War Economy*, Pacific War Report No. 53. Washington D. C.: U. S. Government Printing Office.

Wade, R. (1990), *Village Republics: Economic Conditions for Collective Action in South India*. Cambridge and Cambridge, UK and N. Y.: Cambridge University Press.

Wade, R. (1990), *Governing the Market: Economic Theory and the Role of the Government in East Asian Industrialization*. Princeton, NJ: Princeton University Press.

Wagner, E. W. (1972), "The Ladder of Success in Yi Dynasty Korea," *Occasional Papers on Korea*, **1**: 1—8.

Walras, L. (1926[1954]), *Elements of Pure Economics of the Theory of Social Wealth*, definite edition, translated by W. Jaffe. London.

Walras, L. (1898[1992]), Études d'éonomie polique appliquée: théorie de la production de la richesse sociale, August et Léon Walra, Euvres économiques complétes, ed P. Dockès et al. Paris: Economica.

Weber, M. (1998), *Essays in Economic Sociology* edited by R. Swedberg.

Princeton, N. J.: Princeton University Press.

Weibull, J. (1995), *Evolutionary Game Theory*. Cambridge, MA: MIT Press.

Weingast, B. (1993), "Constitutions as Governance Structures: The Political Foundations of Secure Markets," *Journal of Institutional and Theoretical Economics*, **149**: 286—311.

Weingast, B. (1995), "The Economic Role of Political Institutions: Market-Preserving Federalism and Economic Development," *Journal of Law, Economics and Organization* **11**: 1—31.

Weingast, B. (1997), "The Political Foundations of Democracy and the Rule of Law," *American Political Science Review* **91**: 245—263.

Westney, D. E. (1987), *Imitation and Innovation*. Cambridge, MA: Harvard University Press.

Wiener, N. (1966), *God and Golem, Inc*. Cambridge, Mass: MIT Press.

Williams, R. (1976/1983), Keywords: A Vocabulary of Culture and society, revised edition. N.Y.: Oxford University Press.

Williamson, O. E. (1975), *Markets and Hierarchies: Analysis and Antitrust Implications*. N.Y.: Free Press.

Williamson, O. E. (1985), *The Economic Institutions of Capitalism*. N.Y.: Free Press.

Williamson, O. E. (1995), "Hierarchies, Markets and Power in the Economy: An Economic Perspective," *Industrial and Corporate Change* **4**: 21—50.

Williamson, O. E. (1996), *The Mechanisms of Governance*. Oxford and N.Y.: Oxford University Press.

Williamson, O. E. (1999), "Human Action and Economic Organization," Mimeo., University of California Berkeley.

Williamson, O. E. (2000), "The New Institutional Economics: Taking Stock, Looking Ahead," *Journal of Economic Literature* **38**: 595—613.

Womack, J. P., D. T. Jones and D. Roos (1990), *The Machine That Changed the World: The Story of Lean Production*. N. Y.: Rawson Associates.

World Bank (1996), *World Bank Participation Book*. Washington, D. C.: World Bank.

Wrege, C. D. and R. G. Greenwood (1991), *Frederick W. Taylor, the Father of Scientific Management: Myth and Reality*. Burr Ridge, Ill: Unwin.

Yasuda, A. (2001), *Banking Relationships and Bank Competition in Corporate Bond Markets: An Empirical and Comparative Analysis*, Ph. D. dissertation submitted to Stanford University.

Yelling, J. A. (1982), "Rationality in the Commons Fields," *Economic History Review*, **35**:409—415.

Yoshitomi, M (1998), *Nihon Keizai no Shinjitu* (*The Truth of the Japanese Economy*). Tokyo: Toyo Keizai Shinposha.

Young, H. P. (1991), "An Evolutionary Model of Bargaining," *Journal of Economic Theory* **59**: 145—168.

Young, H. P.(1993), "The Evolution of Conventions," *Econometrica* **61**: 57—84.

Young, H. P. (1998), *Individual Strategy and Social Structure: An Evolutionary Theory of Institutions*. Princeton, NJ: Princeton University Press.

Zingales, L. (1998), "Corporate Governance," in *the New Palgrave Dictionary of Economics and the Law*. London: MacMillan: 497—503.

Zucker, L. G. (1977), "The Role of Institutionalization in Cultural Persistence," *American Sociological Review* **13**: 443—464.

图书在版编目（CIP）数据

比较制度分析/（日）青木昌彦著；周黎安译. —2版. —上海：上海远东出版社，2016
（世纪中国论坛典藏文库）
ISBN 978－7－5476－1157－9

Ⅰ. ①比… Ⅱ. ①青… ②周… Ⅲ. ①经济制度－研究－日本
Ⅳ. ①F131.3

中国版本图书馆CIP数据核字（2016）第174991号

特约编辑 肖 梦
责任编辑 罗淑锦
封面设计 陈 楠

· 世纪中国论坛典藏文库 ·
比较制度分析
［日］青木昌彦 著
周黎安 译
上海世纪出版股份有限公司
远东出版社出版
（200235 中国上海市钦州南路81号 www.ydbook.com）
上海世纪出版股份有限公司发行中心发行
上海中华印刷有限公司印刷
开本 720×1000 1/16 印张29 插页4 字数420,000
2016年8月第2版 2016年8月第1次印刷
ISBN 978－7－5476－1157－9/F·585
定价 88.00元